KÜRSCHNERS VOLKSHANDBUCH
DEUTSCHER BUNDESTAG

D1462127

KÜRSCHNERS

VOLKSHANDBUCH

DEUTSCHER
BUNDESTAG

13.
WAHLPERIODE
1994

81. Auflage
Stand: 15. August 1997

**Sonderdruck
für den Deutschen Bundestag
– Referat Öffentlichkeitsarbeit –**

NDV NEUE DARMSTÄDTER VERLAGSANSTALT

Alle Mitglieder des Deutschen Bundestages sind
unter folgender Anschrift zu erreichen:

Deutscher Bundestag
Bundeshaus
53113 Bonn
Tel.: 02 28 / 16-1

ISBN 3-87576-387-4 (81. Auflage)

Herausgeber: Klaus-J. Holzapfel, Linz / Rhein
Redaktion: Klaus-J. Holzapfel, Andreas Holzapfel
Bildnachweis Seite 318
Gesamtherstellung: Clausen & Bosse, Leck

INHALT

	Seite
Der Deutsche Bundestag	9
Innerer Aufbau	10
Arbeitsweise	17
Graphiken Gang der Gesetzgebung	18
Arbeitsrhythmus	27
Wahlergebnis auf Bundesebene	37
Abgeordnete nach Wahlkreisen und Landeslisten	38
Verzeichnis der zugelassenen Parteien	49
Vorbemerkung zum biographischen Teil	51
Biographien nach Alphabet	53
Biographien der nachgerückten Abgeordneten	277
Präsidium, Ältestenrat, Direktor	283
Schriftführer	284
Fraktionen und Gruppe	285
Übersicht über die ständigen Ausschüsse	295
Bundespräsident, Bundesregierung	297
Vorbemerkungen zu den Statistiken	301
Statistiken	302
Die Wehrbeauftragte des Deutschen Bundestages	310
Deutsche Mitglieder des Europäischen Parlaments	311
Abkürzungsverzeichnis	316

Rita Süssmuth

ZUM GELEIT

Am 10. November 1994 hat der 13. Deutsche Bundestag mit seiner konstituierenden Sitzung im Berliner Reichstagsgebäude seine Arbeit mit 672 Abgeordneten aufgenommen.

Wie schon in der vergangenen 12. Legislaturperiode, in der so historische Gesetzeswerke wie das Stasi-Unterlagen-Gesetz, das SED-Unrechtsbereinigungsgesetz oder das Bonn-Berlin-Gesetz verabschiedet werden konnten, wird das Zusammenwachsen der Menschen im vereinten Deutschland auch in der 13. Legislaturperiode im Mittelpunkt der Arbeit dieses Parlamentes stehen.

Die konstituierende Sitzung hat im Berliner Reichstagsgebäude stattgefunden, die Wahl des Bundeskanzlers und die Eidesleistung der Bundesregierung im neuen Bonner Plenarsaal, der 1992 seiner Bestimmung übergeben worden ist. Der Übergang von Bonn nach Berlin, den wir mit unserer parlamentarischen Arbeit in der 13. Legislaturperiode im Sinne der Bürgerinnen und Bürger gestalten wollen, könnte deutlicher nicht dokumentiert werden. Die Abgeordneten werden dafür eintreten, daß die Bundesrepublik Deutschland auch weiterhin ein Land in der Mitte Europas bleibt, in dem zu leben sich für alle seine Bürgerinnen und Bürger lohnt, dessen Freundschaft und Partnerschaft seine Nachbarn im Osten wie im Westen als Garanten einer lebenswerten gemeinsamen Zukunft verstehen. Dafür wollen wir in unserem Parlament eintreten und arbeiten.

Dieser 13. Deutsche Bundestag führt wiederum Abgeordnete aus allen Teilen unseres Landes, aus den unterschiedlichen Schichten und Berufen, aus allen Altersgruppen und unterschiedlichen politischen Parteien zusammen. Dabei nimmt jeder dritte Abgeordnete zum ersten Mal sein Mandat wahr. Auch im Präsidium des Parlaments hat es Veränderungen gegeben. Zum Vertrauten tritt das Neue, und Kürschners Volkshandbuch hat sich einmal mehr der Aufgabe gestellt, den Wählern Auskunft zu geben über ihre Abgeordneten, damit sie auf diesem Weg alle im Bundestag vertretenen Abgeordneten kennenlernen. Diese Ausgabe lädt dazu ein.

Prof. Dr. Rita Süssmuth
Präsidentin des Deutschen Bundestages

VORWORT ZUR 13. WAHLPERIODE

In über 100 Jahren hat „DER KÜRSCHNER" interessierten Bürgerinnen und Bürgern Auskunft gegeben über die Abgeordneten, die früher zum Reichstag im Kaiserreich, zur Nationalversammlung 1919 und den Reichstagen der Weimarer Republik sowie schließlich in den Deutschen Bundestag gewählt worden sind. Von 1933 bis 1945 ist er nicht erschienen und auch für die 1. Wahlperiode des Deutschen Bundestages von 1949 bis 1953 gelang es nicht, einen neuen „KÜRSCHNER" vorzulegen.

Der von Anfang an rot-weiß-gestreifte „KÜRSCHNER" war stets ein Taschenbuch, zunächst allerdings in einem winzigen Format (4,7 x 7,4 cm), und mehr als einmal mußte der Geheimrat Kürschner angeben, daß von diesem oder jenem Abgeordneten einfach kein Bild zu erlangen gewesen sei. Diese Taschenbücher sind ebenso wie die der ersten Ausgaben nach Wiedererscheinen 1953 längst zu einem begehrten Sammelobjekt geworden.

Biographien und Bilder der vorliegenden Auflagen sind nach den neuesten Angaben der Abgeordneten für das Amtliche Handbuch des Deutschen Bundestages, 13. Wahlperiode, Teil 1, bearbeitet worden.

Der einleitende Aufsatz „Der Deutsche Bundestag" ist von Carl-Christian Kaiser, Bonn, einem kritischen Kenner und täglichen Beobachter des parlamentarischen Geschehens, geschrieben worden, in dem natürlich auch die Angaben über die Entschädigung und Ausstattung der Abgeordneten enthalten sind.

Der Beitrag soll den Laien einen Einblick in die Geschichte aber auch in die komplizierte Arbeitsaufteilung und Organisation unserer Volksvertretung ermöglichen.

Alle Benutzerinnen und Benutzer des „KÜRSCHNER" sind aufgerufen, Verlag und Redaktion durch Anregungen und Kritik zu unterstützen.

Rheinbreitbach, August 1997   Der Verlag

DER DEUTSCHE BUNDESTAG

Schon das große gläserne Foyer wirkt wie eine Einladung. Über die Eingangsstufen geht es dann sanft hinab wie in eine große Mulde, zum neuen Plenarsaal des Bundestages, in dem das Parlament als Ganzes debattiert und berät. Das weite und lichte, nach allen Seiten transparente Rund des Plenums gilt als einer der schönsten parlamentarischen Neubauten.

Platz ist natürlich auch für Besucherinnen und Besucher. Allerdings sind, aus verständlichen Gründen, spontane Besichtigungen des Plenarsaals nur an sitzungsfreien Tagen möglich, dann aber zur jeweils vollen Stunde, sowohl an Werk- wie an Feiertagen und an den Wochenenden. Wer hingegen den Bundestag in voller Aktion erleben möchte, muß in der Regel zu einer über ein Bundestagsmitglied angemeldeten Gruppe gehören. Andere Gruppen und Einzelbesucher finden dann nur Einlaß, wiederum nach vorheriger Anmeldung, soweit Platz ist. In jedem Falle empfiehlt es sich, Termine rechtzeitig mit dem Besucherdienst des Bundestages (Telefon 02 28 / 16 2 21 52) zu vereinbaren. Dort ist auch ein Informationsblatt über den Besuch beim Bundestag erhältlich. Der Andrang ist groß; seit Bestehen des Parlaments sind mehr als elf Millionen Besucher gekommen, allein in der letzten Legislaturperiode über eine Million.

Im Plenarsaal fällt der Blick zuerst auf den Bundesadler, der an der Stirnwand des Plenums, genau gegenüber der Besuchertribüne, angebracht ist. Links unterhalb steht die Bundesflagge. Zu den Füßen des Adlers befindet sich das Podest des Sitzungspräsidenten und jener beiden Schriftführer aus den Bundestagsfraktionen, die ihn bei der Leitung der Beratungen unterstützen. Vor dem Podest steht das Rednerpult, und davor haben die Stenographen Platz, die jedes Wort aufnehmen.

Von der Besuchertribüne aus gesehen sind links von der Präsidentin bzw. dem Präsidenten die Plätze für den Bundeskanzler und die Bundesregierung angeordnet, auf der rechten Seite die Plätze des Bundesrates, der Vertretung der Länder. Die beiden Stühle, die dem Präsidiumspodest am nächsten stehen, sind dem Kanzler bzw. dem Bundesratspräsidenten vorbehalten. An die Regierungs- und Bundesratsplätze schließt sich das Rund der Abgeordnetensitze an. Links neben der Regierungsbank sitzt die F.D.P., darauf folgt die CDU / CSU, dann das Bündnis 90 / Die Grünen, während die Abgeordneten der SPD den größten Teil der rechten Hälfte einnehmen, bevor der Kreis mit den Plätzen für die Parlamentarier der PDS an die Bank des Bundesrates anschließt.

Über den Abgeordneten befinden sich, im Rechteck, die Besuchertribüne, rechts davon die Pressetribüne und links Plätze für weitere Besucher. Links und rechts vom Bundesadler an der Stirnwand zeigen rote Ziffern den gerade behandelten Tagesordnungspunkt an, während ein grünes „F" den Abgeordneten signalisiert, daß die Sitzung vom Fernsehen direkt übertragen oder verfolgt wird, also die Öffentlichkeit mitsieht und mithört.

Für die Zuschauer fügt sich dies alles, zumal bei vollbesetztem Haus, zu einem verwirrenden Bild zusammen. Nur selten bietet der Bundestag den Anblick eines feierlichen Auditoriums, das den Rednern wohlgeordnet und aufmerksam lauscht. Im Gegenteil, meist geht es in den Abgeordnetenreihen und vorn auf dem Präsidiumspodest und den Regierungsplätzen ziemlich lebhaft zu. Sind alle 672 Parlamentarier der gegenwärtigen 13. Wahlperiode versammelt, ist das Plenum gesteckt voll. Auf diese Zahl ist der Umfang des Bundestages durch die Wiedervereinigung, das Hinzukommen der ostdeutschen Länder, gewachsen. Je länger, desto mehr ist er als zu groß empfunden worden. Deshalb soll von der übernächsten Wahlperiode an, die – vorzeitige Neuwahlen einmal beiseite gelassen – im Jahre 2002 beginnt, die Abgeordnetenzahl auf 598 verringert werden.

Freilich, durch das lebhafte Hin und Her sollten sich die Besucher nicht zu Fehlschlüssen verleiten lassen. Wie die Spitze eines Eisbergs wird im Plenum nur ein Teil der Bundestagsarbeit sichtbar. Zwar fallen in der Vollversammlung des Parlaments die endgültigen Entscheidungen, zwar ist das Plenum formell das wichtigste und oberste Beschlußorgan, aber seinen Beschlüssen gehen in der Regel monate-, mitunter sogar jahrelange Beratungen in vielen anderen Gremien voraus.

INNERER AUFBAU

Fraktionen, Ausschüsse, Arbeitskreise

Weil sie sich nicht auf offenem Markte vollzieht, bleibt diese Arbeit den Parlamentsbesuchern verborgen – genauso wie die innere Anatomie des Bundestages, die vielen Gremien, in denen die Beratungen stattfinden. Sie beginnen meistens in den Fraktionen bzw. Gruppen, in denen die Abgeordneten einer Partei zusammengeschlossen sind. Wie das Parlament über Ausschüsse verfügt, in denen die Gesetzentwürfe und andere Vorhaben im einzelnen erörtert werden, so haben die Zusammenschlüsse der Abgeordneten Arbeitskreise oder Arbeitsgruppen für die verschiedenen Themen gebildet.

So verfügt zum Beispiel die Fraktionsgemeinschaft der CDU/CSU über 19 Arbeitsgruppen, deren Aufteilung sich sowohl an der Aufgliederung der Bundesregierung mit ihren einzelnen Ministerien als auch an den vom Parlament eingesetzten Ausschüssen orientiert. Bei der SPD sind 22 Arbeitsgruppen genau parallel zu den Bundestagsausschüssen eingerichtet worden. Außerdem hat sie, wie auch die anderen Parteien, Gremien für Aufgaben, die mehrere Themenbereiche übergreifen. Das Bündnis 90/Die Grünen verteilt die politische Materie auf fünf Arbeitskreise, ebenso die F.D.P., während die Gruppe der PDS vier Arbeitsbereiche gebildet hat.

Das weitverzweigte Netz dieser Gremien zeigt an, wie kompliziert Politik geworden ist. Die Fraktionen sind auf die Vorarbeit und den Rat ihrer Arbeitskreise, in denen ihre jeweils sachverständigen Abgeordneten versammelt sind, ebenso angewiesen wie später das Plenum auf die Empfehlungen der Bundestagsausschüsse. Das gilt schon deshalb, weil die Fraktionen oder Gruppen im allgemeinen gar nicht genug Zeit haben, um sich mit der fast unübersehbaren Fülle der verschiedenen Fachprobleme ausgiebig zu befassen. Vor allem kann nicht jeder der 295 christlich-demokratischen bzw. christlich-sozialen, der 252 sozialdemokratischen, der 48 Grünen, der 47 freidemokratischen und der 30 Abgeordneten der PDS auf jedem Gebiet zu Hause sein. Und schließlich stimmen die Mitglieder einer Fraktion zwar in ihrer politischen Grundhaltung, aber keineswegs immer in allen Einzelheiten überein.

Zur Bildung einer Fraktion muß es eine Partei auf mindestens 34 Abgeordnete bringen, das sind aufgerundet fünf Prozent der 672 Parlamentarier, die jetzt im Bundestag sitzen. Diese Zahl entspricht jener Klausel im Wahlgesetz, nach der eine Partei wenigstens fünf Prozent der Stimmen errungen haben muß, bevor sie überhaupt Vertreter in den Bundestag entsenden kann – es sei denn, sie erobert mindestens drei Direktmandate. Dann zählen auch alle übrigen für sie abgegebenen Stimmen.

So verhält es sich jetzt bei der PDS. Sie hat vier Direktmandate gewonnen. Weil sie aber auch nach Anrechnung der übrigen Wählerstimmen unter dem Fraktionsminimum von 34 Abgeordneten bleibt, hat die Parlamentsmehrheit beschlossen, ihr den Status einer Gruppe einzuräumen. Er schließt vor allem das Recht ein, Gesetzentwürfe, Anträge und Anfragen einzubringen sowie Mitglieder in die Ausschüsse und den Ältestenrat zu entsenden. Die Redezeit im Plenum bestimmt sich im Verhältnis der Gruppenstärke zu den Fraktionen. Der Gruppenvorsitzende besitzt die vollen Rechte eines Fraktionschefs. Bei der finanziellen Unterstützung gibt es hingegen Einschränkungen. Wegen des eingeschränkten Status' insgesamt hat die PDS eine Klage beim Bundesverfassungsgericht eingereicht.

In jedem Fall gehören die Fraktionen bzw. Gruppen zu den wichtigsten politischen Schaltstellen des Parlaments. Sie entscheiden zum Beispiel über die Einbringung eines Gesetzentwurfs oder über die Linie, die in einer Plenardebatte verfolgt werden soll. Um so wichtiger ist es, in den Arbeitskreisen als Untergremien die Fachfragen zu klären und möglichst einen gemeinsamen Nenner vorzubereiten.

Bündelt sich in diesen Untergremien das Fachwissen, über das die vier Bundestagsfraktionen und die Bundestagsgruppe jeweils für sich auf den verschiedenen Gebieten verfügen, so kommen in den Ausschüssen des Parlaments die Experten aller vier Fraktionen und der Gruppe zusammen.

Für diese Gesetzgebungsperiode hat der Bundestag 22 ständige Ausschüsse gebildet. Im Prinzip entsprechen die Arbeitsbereiche der Ausschüsse der Aufgabenverteilung in der Bundesregierung. Der Grundsatz der parlamentarischen Kontrolle der Regierungstätigkeit wird daran besonders deutlich.

Nr.		Zahl der Mitglieder
1	Ausschuß für Wahlprüfung, Immunität und Geschäftsordnung	17
2	Petitionsausschuß	32
3	Auswärtiger Ausschuß	39
4	Innenausschuß	39
5	Sportausschuß	17
6	Rechtsausschuß	32
7	Finanzausschuß	39
8	Haushaltsausschuß	41
9	Ausschuß für Wirtschaft	39
10	Ausschuß für Ernährung, Landwirtschaft und Forsten	32
11	Ausschuß für Arbeit und Sozialordnung	39
12	Verteidigungsausschuß	39
13	Ausschuß für Familie, Senioren, Frauen und Jugend	39
14	Ausschuß für Gesundheit	32
15	Ausschuß für Verkehr	39

16 Ausschuß für Umwelt, Naturschutz und
   Reaktorsicherheit   39
17 Ausschuß für Post und Telekommunikation   17
18 Ausschuß für Raumordnung, Bauwesen und
   Städtebau   32
19 Ausschuß für Bildung, Wissenschaft,
   Forschung, Technologie und Technikfolgenabschätzung   39
20 Ausschuß für wirtschaftliche Zusammenarbeit
   und Entwicklung   32
21 Ausschuß für Fremdenverkehr und Tourismus   17
22 Ausschuß für die Angelegenheiten der Europäischen
   Union   40

sowie 11 beratende
Mitglieder des Europa-Parlaments

Einige Ausschüsse haben eine besondere Stellung: So sprechen der Haushalts- und der Rechtsausschuß bei fast allen Gesetzesvorhaben mit, weil sie die damit verbundenen finanziellen Auswirkungen und juristischen Fragen prüfen; der Verteidigungsausschuß besitzt, wenn nötig, auch die Rechte eines Untersuchungsausschusses. Auch der Ausschuß für die Europäische Union hat insofern eine besondere Position, als er ermächtigt werden kann, die Rechte des Bundestages gegenüber der Bundesregierung direkt wahrzunehmen.

Für die Bundestagsausschüsse trifft dasselbe zu wie für die einzelnen Gremien der Fraktionen bzw. Gruppen: Dort wird die eigentliche parlamentarische Arbeit geleistet. Ein Zahlenvergleich führt dies nachdrücklich vor Augen. Während in den Legislaturperioden seit der Wahl des ersten Bundestages 1949 bis zum Ablauf der letzten Wahlperiode 1994 insgesamt fast 2700 Plenarsitzungen stattfanden, belief sich die Zahl der Ausschußsitzungen im selben Zeitraum auf annähernd 26000. Dieser Vergleich deutet auch an, in welchem Maße zumindest die Vorentscheidungen bereits in den Fraktions- bzw. Gruppengremien und in den Ausschüssen fallen. Schematisch gesehen beginnt der Prozeß der Willensbildung und Entscheidung in den Arbeitsgremien der Fraktionen bzw. Gruppen. Er setzt sich in deren Vollversammlungen fort, geht dann in den Bundestagsausschüssen weiter und endet schließlich mit einem Beschluß des Bundestagsplenums.

Wenn aber ein Thema in so vielen Zirkeln schon eingehend erörtert worden ist und sich dabei die verschiedenen Standpunkte und politischen Fronten herauskristallisiert haben, dann ist es kein Wunder, wenn Plenarversammlungen oft wie Routinesitzungen wirken, wenn viele Beschlüsse ohne jede Debatte oder schon nach kurzer Diskussion gefaßt werden und überraschende Entscheidungen selten sind. Zwar hat das Plenum die Aufgabe, über Gesetzentwürfe und andere Vorlagen endgültig zu entscheiden. Aber seine wichtigste Funktion liegt woanders. In den Plenarsitzungen werden die verschiedenen Beweggründe und Meinungen, die zu diesem oder jenem Entschluß, zur Kontroverse zwischen Regierungslager und Oppositionsfraktionen, zum Ja oder Nein geführt haben, nun öffentlich dargestellt. Der Prozeß der Meinungsbildung wird in geraffter Form vor aller Augen und Ohren wiederholt, das Bundestagsplenum wird zum „Forum der Nation", auf dem die unterschiedlichen Ansichten noch einmal vorgetragen werden.

Liegt der Schwerpunkt der Sacharbeit bei den Ausschüssen und den Arbeitsgremien der Fraktionen oder Gruppen, so die politische Führung und Koordination bei deren Spitzen. In dem von Diskussion, Aufgabenteilung und auch von einer hierarchischen Ordnung bestimmten inneren Gefüge des Bundestages sind sie ihrerseits wichtige, oft ausschlaggebende Schaltstellen. Die Empfehlungen der Leitungsgremien sind für die Entscheidungen der Fraktionen oder Gruppen häufig bestimmend oder von großem Einfluß.

Wieweit sich auch hier eine gewisse Hierarchie ausprägt, hat mit der Größe der einzelnen Parteienzusammenschlüsse im Parlament zu tun. Das Bündnis 90/Die Grünen hat zum Beispiel eine Fraktionsspitze gebildet, die aus einem Sprecher und einer Sprecherin sowie einem Parlamentarischen Geschäftsführer und seinen beiden Stellvertreterinnen besteht. Den erweiterten Vorstand bilden außer der Bundestagsvizepräsidentin, welche die Grünen stellen, die Koordinatoren der Arbeitskreise. Bei der F.D.P. gibt es den Vorsitzenden und drei Stellvertreter sowie die ebenfalls drei Parlamentarischen Geschäftsführer an der Spitze. Bei der PDS stehen der Vorsitzende sowie zwei Stellvertreterinnen obenan.

Anders dagegen bei der CDU/CSU. Dort gibt es einen engeren Fraktionsvorstand, der aus dem Vorsitzenden, sieben Stellvertretern und einer Stellvertreterin sowie den fünf Parlamentarischen Geschäftsführern, darunter eine Parlamentarische Geschäftsführerin, besteht. Im erweiterten Vorstand kommen die Vorsitzenden der Arbeitsgruppen und Landesgruppen sowie 13 Beisitzer hinzu. Sieben der Stellvertreter haben genau umrissene Arbeitsbereiche, die insgesamt das ganze thematische Spektrum der parlamentarischen Arbeit umfassen.

Ein ähnliches Organisations- und Arbeitsschema findet sich bei der SPD. Hier gibt es einen Vorsitzenden mit vier Stellvertretern und zwei Stellvertreterinnen, des weiteren fünf Parlamentarische Geschäftsführer, darunter eine Parlamentarische Geschäftsführerin, und schließlich dreißig weitere Vorstandsmitglieder.

Daß es jeweils einen, formell oder informell, kleinen und größeren Führungskreis gibt, hat verschiedene Gründe. Auf der einen Seite darf das Gremium, das die täglichen Entscheidungen zu fällen hat, nicht zu ungefüge sein. Auf der anderen Seite sollen im Vorstand möglichst alle Gruppierungen in der Fraktion repräsentiert sein. Außerdem möchte man auch an der Spitze die über die Tagesentscheidungen hinausreichende Arbeit auf möglichst viele Schultern verteilen.

Präsident, Präsidium, Ältestenrat

Das System des engeren und weiteren Zirkels findet sich auch an der Spitze des gesamten Bundestages wieder. Dessen Präsident und die vier Stellvertreter bilden das oberste Gremium. Die stärkste Fraktion besitzt das ungeschriebene Recht, den Präsidenten zu stellen. Das ist in dieser Legislaturperiode, mit der schon seit Ende 1988 amtierenden Präsidentin Rita Süssmuth, wieder die CDU/CSU. Die CSU und das Bündnis 90/Die Grünen stellen Vizepräsidentinnen, die Vizepräsidenten stammen aus der SPD und der F.D.P. Diesem Präsidium zur Seite steht der Ältestenrat, in dem die Präsidentin den Vorsitz führt. Neben dem Präsidium gehört dem Ältestenrat ein Kreis von 24 Abgeordneten an, der sich nach den Stärkeverhältnissen der Fraktionen bzw. Gruppen zusammensetzt. Gegenwärtig entsenden die CDU/CSU in dieses Gremium 10 Abgeordnete, 9 die SPD, je 2 das Bündnis 90/Die Grünen und die F.D.P.; die PDS entsendet ein Mitglied.

Dabei handelt es sich beileibe nicht um die ältesten Mitglieder des Hauses, weder nach der Dauer der Zugehörigkeit zum Bundestag noch nach Lebensjahren. Wohl aber sollen in dieses Gremium möglichst erfahrene Parlamentarier entsandt werden. Die nach außen hin wichtigste Aufgabe des Ältestenrats besteht darin, den Arbeitsplan des Bundestages und die Tagesordnung für die Plenarsitzungen aufzustellen. Welches Thema wann und in welchem Umfang behandelt werden soll: Auch dies kann eine wichtige Vorentscheidung mit politischem Charakter bedeuten. Gelegentlich sind die Meinungsverschiedenheiten darüber im Ältestenrat so groß, daß in diesem auf Kooperation und Kompromiß angelegten Gremium dennoch keine Einigung zustande kommt und das Plenum selbst als letzte Instanz entscheiden muß. Für die Termin- und Arbeitsplanung des Parlaments ist auch wichtig zu wissen, wie es mit den Plänen und mit dem Kalender der Regierung steht, so daß auch sie im Ältestenrat vertreten ist, und zwar durch den Chef des Bundeskanzleramts oder einen anderen hohen Vertreter der Regierungszentrale.

Grundsätzlich sind alle Mitglieder des Bundestages gleichgestellt. Aber aus ihren verschiedenen Aufgaben ergeben sich doch Unterschiede in ihren Rechten und Pflichten und auch in ihrem politischen Einfluß. Auch diese Hierarchie ist teils sichtbar, teils unsichtbar. Sichtbar ist zum Beispiel die Funktion der Parlamentspräsidentin oder ihrer Stellvertreter, wenn sie die Sitzungen des Bundestages leiten oder wenn sich zeigt, daß sie bei Verstößen gegen die gute parlamentarische Ordnung große Vollmachten haben.

Die Präsidentin besitzt auch das Hausrecht und die Polizeigewalt im Bundestag, und dem Präsidium obliegen die wesentlichen Personalentscheidungen bei der Verwaltung des Parlaments. Und nicht zuletzt ist die Präsidentin die Adressatin aller Gesetzentwürfe und anderer Vorlagen der Bundesregierung (und des Bundesrates), womit der Vorrang der gesetzgebenden vor der ausführenden Gewalt, der Legislative vor der Exekutive unterstrichen wird. Ebenso ist die Präsidentin die Empfängerin aller Eingaben aus den Reihen des Bundestages selber. Nach außen ist sie die oberste Repräsentantin des Parlaments, nach innen regelt sie zusammen mit ihren Stellvertretern und dem Ältestenrat die Geschäfte des Bundestages. Ihr hoher Rang wird aber vor allem auch durch die protokollarische Reihenfolge hervorgehoben: Nach dem Staatsoberhaupt, dem Bundespräsidenten, nimmt sie den zweiten Platz ein.

Vorsitzende und Parlamentarische Geschäftsführer

Welchen Einfluß die Vorsitzenden der Fraktionen oder Gruppen und die Mitglieder der Vorstände besitzen, bedarf keiner besonderen Erläuterung. Für Außenstehende wird dieser Einfluß in der Regel dadurch erkennbar, daß die Vorsitzenden in fast allen wichtigen Plenardebatten das Wort ergreifen. Oft wird die Debatte durch ihre Reden eröffnet. Ebenso wenig läßt sich ihre Bedeutung für die internen Entscheidungen unterschätzen. Und sozusagen zur ersten Garde des Parlaments gehören auch die Vorsitzenden der Ausschüsse und der einzelnen Arbeitsgremien der Fraktionen oder Gruppen. Wenngleich sich ihre Tätigkeit mehr in der Stille vollzieht, so ist ihr Einfluß auf die Vorentscheidungen etwa über Gesetze oder auf den Arbeitsrhythmus des Parlaments groß, abgesehen davon, daß sie auf ihrem Gebiet anerkannte Fachleute zu sein pflegen. Ob die Beratungen in den Ausschüssen und anderswo schneller oder langsamer vorangehen, liegt nicht zuletzt in ihrer Hand.

Jene Damen und Herren, die während der Plenarsitzungen oft zum Präsidenten hinaufeilen, sich mit ihm bereden und auch sonst große Emsigkeit an den Tag legen, sind die Parlamentarischen Geschäftsführerinnen und Geschäftsführer der Fraktionen. Sie versuchen dann, die Debattendramaturgie im Sinne ihrer Fraktionen oder Gruppen zu beeinflussen oder ihre Abgeordneten vor wichtigen Abstimmungen zusammenzuhalten. Sie sind vor allem mit der technischen Ausführung der politischen Entscheidungen ihrer Fraktion oder Gruppe befaßt. Sie reden ein gewichtiges Wort mit, wenn es um die parlamentarische Tagesordnung geht, und sie müssen stets auf der Hut für den Fall sein, daß der parlamentarische Gegner zu einem überraschenden Vorstoß ansetzt. Dazu gehört, daß sie mit allen Einzelheiten der Geschäftsordnung vertraut sind. Für das innere Gefüge des Bundestages sind sie unentbehrlich.

Das macht sie an sich zu „Mädchen für alles", was sich auch darin ausdrückt, daß sie den Vorständen der Fraktionen oder Gruppen und in der Regel dem Ältestenrat angehören. Aber genau genommen können sie diese allumfassende Funktion angesichts des immer komplizierteren politischen Stoffs gar nicht mehr ausüben, so daß es auch bei ihnen eine Arbeitsteilung gibt. Das gilt außer der Vertretung im Ältestenrat zum Beispiel für die Gestaltung der fraktionsinternen Tätigkeit, für den ständigen Kontakt zu den anderen Fraktionen oder Gruppen, für Personal- und Geschäftsordnungsangelegenheiten, für die Präsenz der Abgeordneten im Bundestagsplenum oder für den Kontakt zu Institutionen außerhalb des Parlaments. Die Arbeitsteilung spiegelt sich deshalb auch darin wider, daß es jeweils mehrere Geschäftsführer gibt.

ARBEITSWEISE

Gesetzgebung

Wie der innere Aufbau des Bundestages, so hat auch seine Arbeitsweise eine feste Ordnung. Als oberste gesetzgebende Gewalt hat er es vor allem mit der Beratung und der Verabschiedung von Gesetzentwürfen zu tun. Von 1949 bis zum Ende der letzten Legislaturperiode im Herbst 1994 sind im Parlament nicht weniger als rund 7500 solcher Vorlagen eingebracht und 4900 verabschiedet worden. Die meisten Gesetzentwürfe stammen von der Bundesregierung, der kleinere Teil wird aus der Mitte des Parlaments oder auch vom Bundesrat, der Vertretung der Länder, eingebracht.

Die Regierung leitet ihre Entwürfe zunächst dem Bundesrat zu, der sie im sogenannten „Ersten Durchgang" behandelt. Danach geht die Vorlage zum Bundestag. Auf diese Weise kann das Par-

Gang der Gesetzgebung

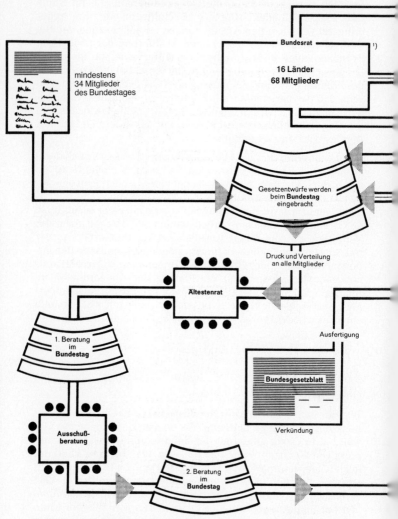

mindestens
34 Mitglieder
des Bundestages

Bundesrat ¹)

**16 Länder
68 Mitglieder**

Gesetzentwürfe werden
beim **Bundestag**
eingebracht

Druck und Verteilung
an alle Mitglieder

Ältestenrat

Ausfertigung

1. Beratung
im
Bundestag

Bundesgesetzblatt

Verkündung

**Ausschuß-
beratung**

2. Beratung
im
Bundestag

¹) Der Bundeshaushalt wird gemäß Art. 110 Abs. 3 GG Bundestag und Bundesrat gleichzeitig zugeleitet
²) Bei Finanzvorlagen erneute Beschlußfassung, wenn die Bundesregierung das gem. Art. 113 Abs. 2 GG verlangt

Schaubild 1

entnommen aus: Trossmann, Der Deutsche Bundestag

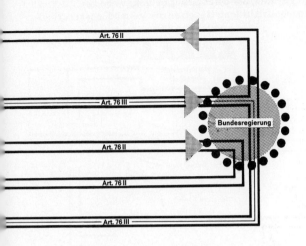

Art. 76 II

Art. 76 III

Art. 76 II

Art. 76 II

Art. 76 III

Bundesregierung

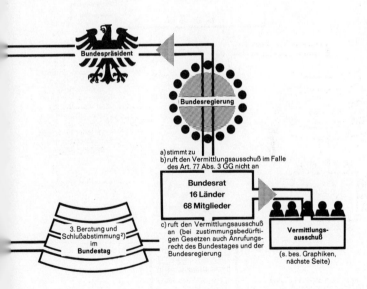

Bundespräsident

Bundesregierung

a) stimmt zu
b) ruft den Vermittlungsausschuß im Falle
des Art. 77 Abs. 3 GG nicht an

**Bundesrat
16 Länder
68 Mitglieder**

c) ruft den Vermittlungsausschuß an (bei zustimmungsbedürftigen Gesetzen auch Anrufungsrecht des Bundestages und der Bundesregierung

Vermittlungsausschuß

(s. bes. Graphiken, nächste Seite)

3. Beratung und Schlußabstimmung [2] im **Bundestag**

Weiterer Gang der Gesetzgebung, wenn bei zustimmungsbedürftigen Gesetzen der Vermittlungsausschuß angerufen wird

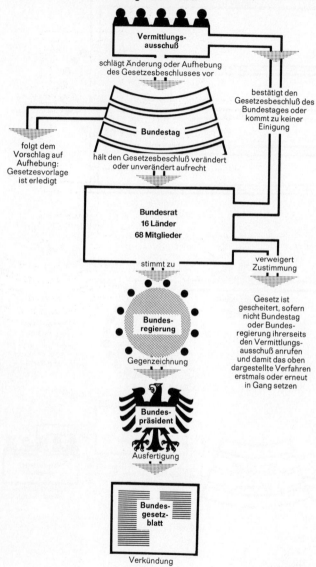

Vermittlungs-ausschuß

schlägt Änderung oder Aufhebung des Gesetzesbeschlusses vor

bestätigt den Gesetzesbeschluß des Bundestages oder kommt zu keiner Einigung

Bundestag

folgt dem Vorschlag auf Aufhebung: Gesetzesvorlage ist erledigt

hält den Gesetzesbeschluß verändert oder unverändert aufrecht

Bundesrat
16 Länder
68 Mitglieder

stimmt zu

verweigert Zustimmung

Bundes-regierung

Gegenzeichnung

Gesetz ist gescheitert, sofern nicht Bundestag oder Bundes-regierung ihrerseits den Vermittlungs-ausschuß anrufen und damit das oben dargestellte Verfahren erstmals oder erneut in Gang setzen

Bundes-präsident

Ausfertigung

Bundes-gesetz-blatt

Verkündung

Schaubild 2
entnommen aus: Trossmann, Der Deutsche Bundestag

Weiterer Gang der Gesetzgebung, wenn bei Gesetzen, die nicht der Zustimmung des Bundesrates bedürfen, der Vermittlungsausschuß angerufen wird

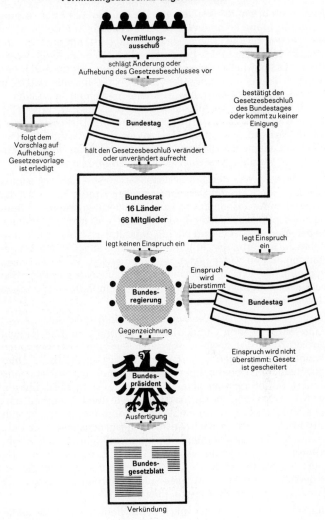

Schaubild 3
entnommen aus: Trossmann, Der Deutsche Bundestag

lament den Standpunkt der Länder von Anfang an kennenlernen. Im Bundestag wird die Vorlage zunächst in „Erster Lesung" erörtert, das heißt, der zuständige Minister oder die zuständige Ministerin bringt die Vorlage ein. Darauf folgt die Überweisung an die in Frage kommenden Fachausschüsse, von denen einer die „Federführung", nämlich die Hauptzuständigkeit für die weitere Behandlung des Entwurfs, erhält. Zu einer regelrechten Ersten Lesung mit einer ausführlichen Begründung durch den Minister und einer grundsätzlichen Debatte über die politische Bedeutung des Gesetzgebungsvorhabens kommt es freilich in der Regel nur bei wichtigen Vorlagen; weniger wichtige Entwürfe werden meistens ohne Begründung und Diskussion direkt an die Ausschüsse überwiesen – wie es zur Entlastung des Parlamentsplenums inzwischen bei dafür geeigneten Vorlagen ohnehin ein vereinfachtes Überweisungsverfahren gibt.

Die Beratungen in den Bundestagsausschüssen sind, wir sagten es schon, der Kern der parlamentarischen Arbeit. Hier wird der Entwurf, in Anwesenheit von Vertretern der Regierung, des Bundesrates und sachverständiger Beamter aus den zuständigen Ministerien, auf Herz und Nieren geprüft. Fast immer kommt es dabei zu Änderungen, mitunter zu einer weitgehenden Umgestaltung. In den Ausschüssen werden die Gegensätze zwischen Regierungslager und Opposition im einzelnen ausgetragen, und beide Seiten nehmen die Vorlage außerdem in ihren speziellen Gremien unter die Lupe.

In mehr oder weniger veränderter Fassung geht der Entwurf dann zur „Zweiten" und „Dritten Lesung" an das Plenum zurück. Dient die zweite Lesung der Beratung jedes einzelnen Paragraphen und jedes Änderungsantrags, so die dritte einer (nochmaligen) Debatte über die Grundzüge der Vorlage und weitere Änderungsvorschläge. Die Dritte Lesung endet mit der Schlußabstimmung, in der das Parlament durch Mehrheitsentscheidung das Gesetz dann mit allen Änderungen annimmt oder verwirft. Dazu ist, je nach Abstimmungsgegenstand oder dem Charakter der Entscheidung, die einfache Mehrheit der Abgeordneten nötig oder die absolute Mehrheit, das heißt, mindestens eine Stimme mehr als die Hälfte der Bundestagsmitglieder. In einigen Fällen, etwa bei Verfassungsänderungen, ist sogar die Zweidrittelmehrheit vorgeschrieben.

Der Hürdenlauf ist damit freilich keineswegs beendet, denn die vom Bundestag angenommenen Gesetze gehen an den Bundesrat zurück, der nun beim „Zweiten Durchgang" bei sich von bestimmten Einspruchsrechten Gebrauch machen kann. Der Bundestag kann diese Einsprüche allerdings, sofern das „Ja" der Ländervertretung nicht unbedingt erforderlich ist, nämlich bei sogenannten Zustimmungsgesetzen, unter bestimmten Voraussetzungen durch die nochmalige Bestätigung des Gesetzes überwinden. Für Streitfälle gibt es einen paritätisch besetzten Vermittlungsausschuß zwischen Bundesrat und Bundestag. Erst wenn strittige Gesetze auch diese Hindernisse passiert haben, können sie, wie die übrigen Gesetze auch, vom Bundespräsidenten ausgefertigt und im Bundesgesetzblatt verkündet werden und damit in Kraft treten (siehe die grafische Darstellung auf den Seiten 18–21).

Kontrolle der Regierung

Aber das Parlament ist keine bloße Gesetzgebungsmaschinerie. Neben den drei Lesungen und den Beratungen in den Ausschüssen besitzt es eine beträchtliche Reihe von Möglichkeiten, sowohl die Vorlagen der Regierung zu prüfen und sein Kontrollrecht auszuüben als auch der Regierungspolitik überhaupt auf den Grund zu gehen – abgesehen von seinem Recht auf die Kanzlerwahl und der Möglichkeit, den amtierenden Kanzler durch die Wahl eines neuen Regierungschefs abzulösen.

Eine der Kontrollmöglichkeiten besteht in der Bildung von sogenannten Enquete-Kommissionen, die die Aufgabe haben, sich langfristiger Themen anzunehmen. Nach ihrem offiziellen Auftrag sollen solche Gremien, denen auch Sachverständige außerhalb des Bundestages angehören, Entscheidungen über umfangreiche und bedeutsame Sachkomplexe vorbereiten. Jedoch zielen sie auch darauf ab, die Stellung des Parlaments gegenüber der Regierung zu verstärken, die sich ihrerseits vieler Beiräte und Expertengruppen bedient. In dieser Wahlperiode gibt es z. B. Kommissionen, die sich mit der „Überwindung der Folgen der SED-Diktatur", mit dem immer größeren Anteil älterer Menschen an der Gesellschaft, dem Umweltschutz und der wirtschaftlichen Bedeutung der neuen Medien befassen. Zuvor ist das Parlament von 1949 bis 1994 fünfzehn solcher weitgespannten Themen nachgegangen.

Ein anderes Mittel des Bundestages, zum Beispiel einen Gesetzentwurf oder ein verwickeltes Thema gründlich zu durchleuchten, sind die sogenannten „Hearings" – umfangreiche öffentliche Anhörungen von Fachleuten und Interessenvertretern. Sie sind sehr häufig geworden. So kam es in der letzten Wahlperiode von 1990 bis 1994 zu nicht weniger als 205 Hearings.

Ähnlich verhält es sich mit den „Kleinen" und „Großen Anfragen", die im Bundestag eingebracht werden können, um die Regierung zur Auskunft über ein bestimmtes Thema zu bewegen. Werden die kleinen Anfragen schriftlich beantwortet, so führen die großen meistens zu ausgiebigen Debatten. In der Wahlperiode zwischen 1990 und 1994 sind zum Beispiel 98 Große und 1383 Kleine Anfragen eingebracht worden.

In diesen Zusammenhang gehört auch die „Fragestunde", in der wiederum die Vertreter der Regierung von den Abgeordneten zu Themen, die in die Bundeszuständigkeit fallen, einvernommen werden können – zu Angelegenheiten der großen Politik ebenso wie zu regionalen Problemen, die nur für den Wahlkreis eines einzelnen Politikers von Bedeutung sein mögen, eben dort aber eine große Rolle spielen. Schon manches Parlamentsmitglied ist daheim durch seine Bonner Fragelust bekannter geworden als durch große Bundestagsreden. Durch direkt gestellte Zusatzfragen zu der vorher schriftlich eingereichten Ausgangsfrage können die Regierungsvertreter außer durch den Fragesteller auch durch andere Parlamentarier oft heftig in die Zange genommen werden.

Um die Flut der Fragen sinnvoll zu kanalisieren, wird zwischen in der Regel schriftlich zu beantwortenden Fragen zu mehr lokalen Themen und mündlich zu beantwortenden Fragen zu Angelegenheiten von allgemeinem Interesse unterschieden. Davon abgesehen können Fragen aber auch generell schriftlich gestellt und beantwortet werden. Nimmt man alles in allem, so sind in der letzten Legislaturperiode nicht weniger als rund 13 000 Fragen gestellt worden.

Mit der Fragestunde hängt schließlich die „Aktuelle Stunde" zusammen, eine einstündige Aussprache im Parlament über ein Thema von allgemeinem aktuellen Interesse. Sie findet zum einen dann statt, wenn Abgeordnete mit den Auskünften der Regierung zu einer Frage in der Fragestunde nicht zufrieden sind und genauere Antwort wünschen. Eine Aktuelle Stunde kann zum anderen aber auch ganz unabhängig von vorher gestellten Fragen stattfinden. Zumal von der letzten Möglichkeit macht der Bundestag gern Gebrauch; so haben zwischen 1990 und 1994 insgesamt 103 Aktuelle Stunden stattgefunden.

Das jüngste Instrument in dieser Reihe ist die sogenannte Regierungsbefragung unmittelbar nach Kabinettssitzungen. Dabei können Abgeordnete wiederum Fragen von aktuellem Interesse an die jeweils kompetenten Regierungsmitglieder stellen, zumal im Zusammenhang mit der vorangegangenen Kabinettssitzung. Dabei kann es zu konzentrierten Berichten über die Regierungsberatungen kommen. Auch auf diese Weise soll der Informationsfluß zwischen Regierung und Parlament weiter verbessert werden. In der letzten Legislaturperiode hat es 43 solcher Befragungen gegeben.

Zu einer scharfen Waffe können schließlich Untersuchungsaus-

schüsse werden, die auf Antrag eines Viertels der Bundestagsmitglieder eingesetzt werden müssen. Meistens sollen sie den
Verdacht auf politische oder büroкratische Mißstände klären.
Der Verteidigungsausschuß kann sich sogar aus eigenem Entschluß zum Untersuchungsgremium machen. Einschließlich dieser Möglichkeit ist es von 1949 bis 1994 zu insgesamt 41 solcher
Ausschüsse gekommen.

Zu diesem ganzen Instrumentarium gehört auch der – gegenwärtig weibliche – Wehrbeauftragte, der als Hilfsorgan des Bundestages zur Ausübung der parlamentarischen Kontrolle über die
Streitkräfte berufen wird. Er hat vor allem den Auftrag, möglichen
Grundrechtsverletzungen bei der Bundeswehr nachzugehen und
dem Parlament über ihren inneren Zustand zu berichten. Ähnlich
beim Datenschutzbeauftragten, der zwar von der Regierung vor-
geschlagen, aber vom Parlament gewählt wird. Er ist dazu bestimmt, vor allem über die Einhaltung der Regeln zu wachen, die
dem Schutz der Privatsphäre der Bürger dienen sollen.

Von den Hearings bis zur Fragestunde oder den Untersuchungsausschüssen: Daß gerade die Oppositionsparteien alle diese
Chancen nutzen, die Regierung zu stellen, entspricht ihrem Auftrag. Aber die Entwicklung etwa der Anhörungen oder der Aktuellen Stunden zeigt doch auch, wie sehr es allen Abgeordneten
darum zu tun ist, möglichst viele Informationen zu erhalten und
möglichst rasch Probleme aufzugreifen und wie sehr die Neigung
ausgeprägt ist, die Vorbereitung der einzelnen Entscheidungen,
die Urteilsbildung und die parlamentarische Kontrolle möglichst
vor den Augen und Ohren der Öffentlichkeit stattfinden zu lassen.

Auf der anderen Seite pflegen die Ausschüsse meistens hinter
verschlossenen Türen zu tagen, weil sich nicht alles auf offenem
Markte erörtern läßt und weil dann vielleicht auch die Versu-
chung groß wäre, mehr zum Publikum als zur Sache zu sprechen. In der letzten Zeit wird jedoch immer häufiger auch an
öffentliche Sitzungen gedacht. Aber manche Beratungsgegen-
stände, etwa Angelegenheiten der Außenpolitik oder Sicher-
heitsfragen, sind zuweilen so heikel, daß sie grundsätzlich keine
Öffentlichkeit vertragen. So tagen die Ausschüsse für Auswärti-
ges und für Verteidigung als sogenannte „geschlossene" Ausschüsse in aller Regel vertraulich; das Gleiche ist beim Innenausschuß der Fall, wenn es sich um die innere Sicherheit der
Bundesrepublik handelt.

Innerhalb dieser Grenzen gilt jedoch, daß das Parlament sich
nicht in Geheimniskrämerei übt, daß es seine Rolle im Miteinander und Gegeneinander zur Regierung und hier vor allem seine
Kontrollfunktion deutlich zu machen wünscht. Freilich hat diese

Kontrollfunktion zwei Seiten – jedenfalls für die Abgeordneten, die zur Regierungsmehrheit gehören. Einerseits ist das parlamentarische Regierungssystem dadurch gekennzeichnet, daß die Regierung samt der Regierungsfraktion oder der Regierungskoalition der Opposition gegenübersteht. Aus diesem Grunde spiegeln sich die Mehrheitsverhältnisse im Plenum auch in den Ausschüssen wider. Wäre dies nicht so, so könnten die Oppositionsparteien dort die Regierungsvorhaben blockieren oder zumindest behindern. Jede Einzelabstimmung müßte dann im Plenum stattfinden – ein ebenso zeitraubendes wie unsinniges Verfahren.

Auf der anderen Seite aber passiert, wie schon gesagt, kaum ein Gesetzentwurf die Ausschüsse ungerupft oder unverändert. An diesen Änderungen haben auch die Abgeordneten des Regierungslagers teil. Ohne ihre Stimmen könnten die Korrekturen überhaupt nicht zustande kommen. Insofern gilt das Gesetz vom Gegeneinander von Regierungslager und Opposition keineswegs uneingeschränkt. Dieses Gegeneinander konzentriert sich auf die Grundzüge; im Einzelfall aber sind viele Kompromisse und Übereinstimmungen möglich. Im Endeffekt ist die Regierung gezwungen, von vornherein darauf zu achten, daß ihre Vorlagen in den eigenen parlamentarischen Reihen eine Mehrheit finden. Mit anderen Worten: Sie kann nicht gegen das Parlament regieren; ihre Bundestagsmehrheit ist kein bloßer Erfüllungsgehilfe; erst recht nicht sind es die Oppositionsfraktionen, und insofern übt das Parlament auch als Ganzes seine Kontrollaufgaben aus.

Als Ganzes möchte der Bundestag auch mehr als bisher in Erscheinung treten, wenn es um seine Rolle als „Forum der Nation" geht. Zu diesem Zweck sollen so oft wie möglich an den Donnerstagen der Sitzungswochen mehrstündige und sorgfältig vorausgeplante Debatten über grundlegende Themen stattfinden, die viele Bürger, womöglich die ganze Nation beschäftigen. Dabei soll es keine vorher festgelegten Marschrouten oder Beschlußzwänge geben. Zugunsten vieler Debattenbeiträge ist die Redezeit auf zehn Minuten beschränkt. Damit möglichst viele Abgeordnete zur Stelle sind, sollen während dieser Debatten keine anderen Sitzungen anberaumt werden.

Überhaupt ist es dem Parlament eingedenk seiner Forums-Rolle darum zu tun, sich von spezialisierter Detailarbeit zu entlasten und dadurch attraktiver zu werden. Dazu dient, wie schon erwähnt, bei geeigneten Vorlagen bereits ein vereinfachtes Überweisungsverfahren für die Ausschußberatungen. Inzwischen gibt es aber vor allem auch die Möglichkeit, über reine Fachthemen, die bloß einen begrenzten Kreis interessieren, lediglich in den entsprechenden Ausschüssen zu beraten und die Debatte dort auch abzuschließen. Nach solchen Schlußberatungen, die öffentlich sind, findet im Plenum keine weitere Aussprache mehr statt, sondern nur noch die endgültige Abstimmung über den Bericht und die Beschlußempfehlung des jeweiligen Ausschusses.

Im übrigen ist für Plenardebatten bereits vor einiger Zeit das Instrument der sogenannten Kurzintervention eingeführt worden. Dabei handelt es sich um eine auf drei Minuten begrenzte Erklärung, die als Reaktion auf einen Debattenbeitrag abgegeben wird, die aber auch mit einer Frage verbunden werden oder ein selbständiger Beitrag sein kann. Auf diese Weise soll unter Abweichung von der vorgesehenen Rednerfolge die Spontaneität in Plenardebatten beflügelt werden.

ARBEITSRHYTHMUS

Sitzungswochen

Zum inneren Aufbau und zur Arbeitsweise des Bundestages kommt als drittes Element ein bestimmter Arbeitsrhythmus. In der Regel folgen auf zwei Tagungswochen ein oder zwei sitzungsfreie Wochen – von den Ferien zu Weihnachten und Ostern sowie der großen Sommerpause abgesehen. Auch wenn es immer wieder Abweichungen gibt, so verläuft jede Woche an sich nach einem bestimmten Schema, das sich auf einem gelben Zettel mit den einzelnen Sitzungsterminen widerspiegelt. Danach beginnt die Parlamentswoche meistens am Montagnachmittag mit den Sitzungen der Vorstände und auch schon einiger anderer Gremien der Fraktionen oder Bundestagsgruppen. Der Dienstagvormittag pflegt den einzelnen Arbeitsgremien der Fraktionen oder Gruppen vorbehalten zu sein, während am Nachmittag die Fraktionen oder Gruppen als Ganzes zusammentreten. Am Mittwoch finden in der Regel Ausschußsitzungen sowie im Plenum eine Fragestunde statt.

Von gelegentlichen Ausnahmen abgesehen, tritt dann die parlamentarische Vollversammlung stets am Donnerstag und Freitag zusammen. Die Konzentration auf diese beiden Tage hat auch damit zu tun, daß die Ausschüsse für ihre langwierigen Beratungen genügend Zeit zur Verfügung haben müssen, und, wie andere Gremien auch, nicht gleichzeitig mit dem Plenum beraten sollen. Im allgemeinen wird die Tagungswoche am frühen Freitagnachmittag beendet, weil die Abgeordneten zum Wochenende rechtzeitig zu ihren zum Teil weit entfernten Wahlkreisen und Familien zurückkehren können möchten.

Dieser Rhythmus entspricht einer wohlüberlegten Arbeitsabfolge – orientiert am Pensum der Woche und hingeordnet auf das Plenum als Vollversammlung des Parlaments. Den Vorständen der Fraktionen oder Gruppen, die am Wochenanfang tagen, obliegt es, für die anstehenden parlamentarischen Beratungen die politischen Grundlinien vorzuzeichnen. Die Detailvorbereitungen auf das Wochenpensum sind hingegen Sache der speziellen Arbeitsgremien in den Fraktionen oder Gruppen, was eben daran deutlich wird, daß sie vor den Vollversammlungen der Abgeordneten einer Partei zusammentreten – Versammlungen, die ihrerseits über die weitere Marschroute zu befinden haben und deshalb vor den Ausschußsitzungen und Plenarzusammenkünften tagen.

Freilich, das gelbe Papier mit den Sitzungsterminen ist nur ein Schema, das noch nicht viel über den Tages- und Wochenablauf eines Bundestagsmitglieds aussagt. Wenn die Parlamentarier am Montag anreisen, dann wissen sie, daß sie fünf Tage harter Detailarbeit vor sich haben. So unterschiedlich das Pensum der einzelnen Abgeordneten auch sein mag, so kommen sie doch leicht auf einen 12- bis 15-Stunden-Tag. Und wenn der Öffentlichkeit nur die Namen einer begrenzten Zahl von Parlamentariern geläufig sind, weil diese häufig am Rednerpult stehen oder oft in der Presse erwähnt werden, so heißt das nicht, daß die anderen auf der faulen Haut lägen. Im Gegenteil, viele der weniger bekannten Abgeordneten bewältigen ein womöglich noch härteres Arbeitspensum als ihre prominenten Kollegen, weil ihnen nicht so viele Hilfskräfte zur Verfügung stehen wie zum Beispiel einem Fraktionsvorsitzenden. Was sie etwa in der Stille der Ausschußarbeit leisten, wird nirgendwo öffentlich verzeichnet.

Die lange Arbeitswoche wird nicht einfacher dadurch, daß Parlamentarier auf vielen Hochzeiten zugleich tanzen müssen. Der Verschleiß an Kraft wäre gewiß geringer, könnten sie im Laufe des Tages eines nach dem anderen tun. Aber immer wieder müssen sie ihre Aufmerksamkeit und Arbeitskraft zwischen vielen Dingen teilen. Und hinzu kommt, daß die politischen Geschäfte einseitig Kopf und Nerven beanspruchen, daß Stunde um Stunde in Beratungszimmern vergeht. So erklärt es sich übrigens, daß es eine Sportgemeinschaft des Bundestages gibt und daß manche Abgeordnete, um für körperlichen Ausgleich zu sorgen, ihren Tag so oft wie möglich in einem der Bonner Schwimmbäder oder sogar auf der Aschenbahn beginnen.

Erst an einer Art Stundenbuch wird das ganze Ausmaß der Belastung sichtbar. Nach dem morgendlichen Konditionstraining im Schwimmbad ist die Abgeordnete A. in ihr Büro gefahren. Dort erwartet sie außer den Zeitungen ein beachtlicher, oft kiloschwerer Stapel von Parlamentsdrucksachen, Briefen, Einladungen, Denkschriften und Petitionen. Allein die Zahl der Parlamentsdrucksachen hat sich in der Legislaturperiode von 1990 bis 1994 auf 8611 belaufen. Einiges davon kann Frau A., nicht zuletzt mit Hilfe des Papierkorbs, rasch abarbeiten. Meistens aber bleibt ein Packen übrig, der nicht sofort erledigt werden kann, sondern für die Abend- oder Nachtlektüre aufgehoben werden muß, denn viel Zeit hat die Abgeordnete A. nicht: Um 9 Uhr, spätestens um 10 Uhr beginnen die Sitzungen.

Nehmen wir an, daß Frau A. auf dem Felde der Sozialpolitik zu Hause ist und daß sich das Parlament mit Reformen des Sozialstaats beschäftigt – eines der wichtigsten Themen in der laufenden Gesetzgebungsperiode. Unterstellen wir weiter, daß sich die Partei von Frau A. in der Opposition befindet. In der Sitzung des für die Sozialpolitik zuständigen Gremiums ihrer Fraktion wird deshalb besprochen, welche schwachen Stellen die Vorschläge der Regierung aufweisen, wie ihr am wirkungsvollsten am Zeuge zu flicken wäre und welche Gegenvorschläge man unterbreiten sollte. Eine solche Sitzung pflegt zwei bis drei Stunden zu dauern, in denen die wichtigsten Argumente und Einwände, Alternativen und Änderungsvorschläge erörtert und zusammengestellt werden.

Dies getan, bleibt Zeit für eine kurze Mittagspause. Freilich ist sie nicht ganz ungestört, denn an den Mittagstisch des Abgeordnetenhochhauses kommen zum Beispiel Journalisten, die wissen wollen, welche Linie die Fraktion von Frau A. bei der Plenardebatte über die Sozialreformen verfolgen wird. Außerdem wartet eine Gruppe von Bürgermeistern aus dem Wahlkreis von Frau A., die zu einem ganz anderen Thema etwas hören wollen, nämlich was ihre Abgeordnete für den Ausbau einiger Bundesstraßen in ihrem Gebiet hat tun können. Und schließlich heißt es mehrmals über die im ganzen Bundeshaus allgegenwärtigen Lautsprecher: „Frau Abgeordnete A., Sie werden gebeten…", und dann wird Frau A. gebeten, sofort diesen oder jenen Hausapparat anzurufen, weil für sie irgendeine wichtige Mitteilung eingegangen ist. Oder sie soll sofort in dieses oder jenes Büro kommen, weil etwas Eiliges besprochen werden muß.

In der Fraktionssitzung am Nachmittag tragen Frau A. und ihre in der Sozialpolitik beschlagenen Kollegen eine Analyse der Regierungspläne und ihre Gegenvorschläge vor. Die Fraktion erwartet von ihnen Orientierung und Argumentationshilfe. Das Thema wird im großen Kreis durchgesprochen, und am Ende wird Frau A. beauftragt, in der Plenardebatte die Hauptrede für ihre Fraktion zu halten. Auch Fraktionssitzungen pflegen mit ihrer Themenvielfalt mehrere Stunden zu dauern; inzwischen ist es früher Abend geworden. Zwar hat Frau A. ihren Assistenten gebeten, für ihre Rede noch einige Zahlen und Daten zusammenzusuchen, die eine oder andere ergänzende Auskunft einzuholen und die Protokolle früherer sozialpolitischer Debatten nach aufschlußreichen, besonders von ihrer jetzigen Position abweichenden Äußerungen der Regierung und der Regierungsfraktionen durchzusehen – aber den Entwurf der Rede, die Zusammenstellung der Notizen und Stichworte oder zumindest die endgültige Formulierung nimmt Frau A. niemand ab. Es ist später Abend, als sie damit fertig ist. Ihr Blick fällt wieder auf den Stapel der Schriftstücke, die sie wenigstens noch hatte durchblättern wollen. Doch sie läßt sie, wo sie sind. Vielleicht geht Frau A. noch auf ein Glas Wein in die Parlamentarische Gesellschaft, eine Art Abgeordneten-Klub, aber wahrscheinlich legt sie sich bald schlafen.

Für den nächsten Tag steht freilich noch nicht die Plenardebatte, sondern eine Sitzung des Sozialausschusses, dessen Mitglied Frau A. natürlich ist, auf dem Programm. Mit dem Beratungsthema, zwei verschiedenen Vorlagen für neue Ruhestandsregelungen, die von der Regierung und ihrer eigenen Fraktion stammen, hat sich Frau A., zumal sie Mitautorin des Oppositionsentwurfs ist, schon am vorangegangenen Wochenende noch einmal vertraut gemacht. Aber sie möchte manche Einzelheiten noch überprüfen. Doch so gründlich und ungestört wie erhofft, verläuft die Prüfung nicht, weil abermals Besucher kommen.

Die Ausschußsitzung dauert dann vier Stunden. Am frühen Nachmittag muß Frau A. außerdem in die Fragestunde, weil dort unter anderem die Regierungsantwort auf zwei Erkundigungen von Frau A., die mit der Hilfe für Familien zu tun haben, auf der Tagesordnung steht. In ihrem Wahlkreis muß Frau A. ja zu allen möglichen Themen Auskunft geben können. Am späteren Nachmittag und am Abend kann sie sich dann endlich der Drucksachen annehmen, die seit dem Wochenanfang auf ihrem Tisch liegen, und letzte Hand an ihre Rede für die Plenardebatte über die Sozialreformen am nächsten Tag legen.

Diese Debatte ufert zwar nicht aus, wird aber sehr kontrovers. Die Rede von Frau A. löst im Regierungslager heftigen Widerspruch aus, und Frau A. muß nicht nur einmal aufs Podium, um der Gegenseite Paroli zu bieten. Zuvor hat sie sich in aller Eile aus den Archiven des Bundestages noch einige zusätzliche Unterlagen holen lassen, um unerwarteten Argumenten in den Attacken der Regierungsfraktionen begegnen zu können. Nach Beendigung der Aussprache über die Sozialreformen kehrt Frau A. in ihr Büro zurück. Sie muß endlich ein paar dringende Briefe diktieren, wiederum stehen einige Besucher ins Haus, aber im Plenum ist die Tagesordnung noch nicht abgehandelt. So schaltet Frau A. den Fernseher ein, über den die Plenardebatte in ihr Büro übertragen werden kann, und teilt ihre Aufmerksamkeit zwischen Briefdiktat und Besuchern hier und der Debatte dort. Schließlich schrillt eine Klingel, die sie zur Abstimmung über einen wichtigen Tagesordnungspunkt ins Plenum zurückruft.

Über alledem ist es schon wieder früher Abend geworden. Aber auf dem Programm stehen noch ein Interview mit einem Rundfunksender und ein Kommentar zu den Sozialproblemen, den eine Fachzeitschrift statt in der nächsten Woche plötzlich schon morgen haben möchte. Frau A. erwägt, ob sie sich das Abendessen, zu dem sie sich mit mehreren Parteifreunden und Fraktionskollegen verabredet hat, schenken soll. Weil dort aber einige wichtige Fragen besprochen werden sollen und weil ihr ohnehin der Magen knurrt, verwirft sie diesen Gedanken wieder.

Nach dem Essen setzt sich Frau A. seufzend an den Kommentar für das Fachblatt. Als sie damit fertig ist, zeigt die Uhr abermals eine späte Nachtstunde an.

Bedenkt man diesen Tagesablauf und die damit verbundene Hektik, dann wird unter anderem verständlich, warum zum Beispiel der Plenarsaal meistens nur halb gefüllt ist. Wollen die Parlamentarier ihr Pensum bewältigen, dann müssen sie auch jene Stunden nutzen, in denen im Plenum Themen abgehandelt werden, zu denen sie nichts beitragen können. Wenn sie im Plenarsaal fehlen, so ergeben sie sich deshalb nicht dem Müßiggang.

Hinzu kommt, daß selbst diejenigen Abgeordneten, die als Spezialisten auf einem bestimmten Gebiet zu Hause sind, viel zu tun haben, um auf dem Laufenden zu bleiben. Nach den Anfangsjahren der Bundesrepublik, in denen das Parlament als Gesetzgeber besonders fleißig sein mußte, hat sich die Arbeitslast nicht verringert. Nach den Grundsatzbeschlüssen der Anfangszeit geht es nun häufig um die Details, in denen bekanntlich der Teufel zu stecken pflegt, und dies bedeutet, daß die Gesetze immer komplizierter werden. Deshalb muß der Sachverstand, der sich ihrer annimmt, immer größer und durchdringender sein. Und schließlich kommen immer wieder völlig neue Themen zum Spektrum der Aufgaben hinzu.

So bleibt es keinem Abgeordneten erspart, sich stets aufs Neue die Kenntnisse anzueignen und sie fortlaufend zu ergänzen, die er für die Beurteilung der vielen Themen braucht, die sich vor ihm auftürmen. Zwar stehen ihm Assistenten, Archive und der Wissenschaftliche Dienst des Bundestages zur Verfügung, zwar sind die Ministerien und Ämter mit ihrer Heerschar von Fachleuten gehalten, ihnen die gewünschten Auskünfte zu geben – doch letzten Endes kann und darf niemand den Parlamentsmitgliedern das eigene Urteil und die eigene Entscheidung abnehmen. Also müssen sie sich neben der Vielzahl der Sitzungen immer wieder für ungezählte Stunden in Bücher und Akten, Tabellen und Statistiken, Protokolle und Verträge, Erklärungen und Reden vertiefen.

Weitere Verpflichtungen der Abgeordneten

Aber damit hat es noch immer nicht sein Bewenden. Wenn am Freitagmittag die Sitzungswoche zu Ende geht, fahren die Abgeordneten selten in ein freies Wochenende. Und auch dann, wenn das Parlament nicht tagt, sind sie meistens mit Politik beschäftigt, die für die Mehrzahl zu einem regelrechten Beruf geworden ist, der für andere Tätigkeiten immer weniger Zeit läßt. Der Tagesablauf eines Bundestagsmitglieds außerhalb Bonns ist oft genug nur die Fortsetzung der Bonner Arbeit an einem anderen Ort.

Da sind die Verpflichtungen im Wahlkreis und in den lokalen Parteiverbänden. Wähler und Parteifreunde möchten wissen, was es Neues in Bonn gibt und was ihre Abgeordneten in der Bundespolitik bewirkt haben. Wer wiedergewählt werden will, muß sich auch auf Schützenfesten und Vereinsabenden sehen lassen. Bei Tagungen und Kongressen sind Bundestagsmitglieder geschätzte Gäste und Redner. Und schließlich gibt es auch einen europäischen und internationalen Terminkalender. 36 Bundestagsabgeordnete gehören zum Beispiel auch der Parlamentarischen Versammlung des Europarats und zugleich der Versammlung der Westeuropäischen Union an. Mit anderen Worten: Zwischen den Verpflichtungen in Bonn und zu Hause oder anderswo gibt es keine Trennung, kaum eine Unterbrechung der endlosen Kette von Terminen. Die Politik ist allgegenwärtig.

Parlamentarische Hilfsdienste

Je komplizierter die Politik und je mehr ein Abgeordnetenmandat zum Beruf wird, desto wichtiger werden Hilfe und Unterstützung für die Abgeordneten. Gegenwärtig umfaßt der Apparat des Bundestages, vom Pförtner bis zur wissenschaftlichen Assistentin, rund 2300 Angehörige. Die Hilfe durch die Parlamentsverwaltung wird vor allem in Form der Abteilung „Wissenschaftliche Dienste" sichtbar. Mit einem weitverzweigten, genau durchdachten Organisations- und Arbeitssystem gibt sie sowohl den Bundestagsausschüssen als auch den einzelnen Parlamentsmitgliedern Hilfestellung.

Freilich, zur Durcharbeitung des vom Wissenschaftlichen Dienst zusammengetragenen Materials, das sich meist zu hohen Stößen türmt, gehört eben das, was die Volksvertreter gemeinhin am wenigsten haben: Zeit. So besteht die eigentliche Aufgabe des Dienstes darin, die Unterlagen für die Abgeordneten aufzubereiten, indem er, oft binnen kürzester Frist, Auszüge, Zusammenfassungen, Gutachten anfertigt – sei es zur Vorbereitung einer

Rede im Plenum, sei es für die Anhörung von Sachverständigen in einem der Bundestagsausschüsse oder für eine Podiumsdiskussion im Wahlkreis.

Die Zahl der Aufträge an den Wissenschaftlichen Dienst ist rasch auf viele Tausende je Legislaturperiode gestiegen. Darin drückt sich abermals die zunehmende Kompliziertheit der politischen Sachverhalte und das damit wachsende Informationsbedürfnis der Abgeordneten aus, nicht zu reden von der Ausdehnung der Gesetzgebung auf ganz neue Gebiete. Und nicht zuletzt spielt auch eine Rolle, daß die meisten Parlamentsmitglieder Akademiker bzw. Akademikerinnen sind. Da liegt es um so näher, der Politik die Wissenschaft dienstbar zu machen.

In diesen Zusammenhang gehört auch die Bundestagsbibliothek, die derzeit rund 1,2 Millionen Bände umfaßt. Rund 90 Mitarbeiter und Mitarbeiterinnen sind damit beschäftigt, vor allem politische, juristische, ökonomische und zeitgeschichtliche Literatur zu sammeln, zu archivieren und auszuwerten. Ebenso gehen sie rund 1500 Zeitschriften und andere Periodika durch. Im Parlamentsarchiv stapeln sich neben den Tonbandaufnahmen der Plenardebatten fast alle Aufzeichnungen über die Beratungen des Bundestages seit 1949 und deren Ergebnisse in Form von Beschlüssen und Gesetzen zu zahllosen Kassetten mit Mikrofilmen und vielen hundert Tonnen Papier.

Mit dem Echo auf die Beratungen und die Beschlüsse des Parlaments und mit einer weiten Skala anderer Themen befaßt sich die Pressedokumentation. Tag für Tag fertigt sie aus mehr als 120 in- und ausländischen Zeitungen sowie 50 Pressediensten etwa 1200 Ausschnitte an und unterrichtet Ausschüsse, Arbeitskreise, Abgeordnete und andere Interessierte durch Kopien, deren Zahl 10 000 Exemplare erreichen kann. Bisher sind rund 23 Millionen Ausschnitte zusammengekommen – eine Fundgrube ganz besonderer Art.

Schließlich verfügt der Bundestag über ein Pressezentrum, das in Form verschiedener Parlamentskorrespondenzen alle wichtigen Vorgänge in der Volksvertretung festhält. Seine Arbeit dient nicht nur den über die Parlamentstätigkeit berichtenden Journalisten, sondern vor allem auch den Abgeordneten selber, die sich über das, was sich in den zahllosen Gremien des Bundestages ereignet, natürlich nicht vollständig und persönlich informieren können. Auch mit Hilfe der elektronischen Datenverarbeitung werden viele Vorgänge festgehalten und sind jederzeit abrufbereit. Ebenso gibt es ein Referat für Öffentlichkeitsarbeit, das sich mit Erläuterungen und Darstellungen der parlamentarischen Tätigkeit in Wort, Bild und Ton direkt an die Bürgerinnen und

Bürger wendet und das auch auf Messen und durch Wanderausstellungen Aufgaben und Arbeitsweise des Parlaments deutlich zu machen sucht.

Die Unterstützung der Abgeordneten beschränkt sich freilich nicht auf papierene Unterlagen. Neben den Ausschußassistenten, die zum Bundestagsapparat gehören, gibt es zusätzlich von den Fraktionen bzw. Gruppen angestellte Assistentinnen und Assistenten. Schließlich erhalten die Abgeordneten aus dem Etat des Parlaments einen bestimmten, strikt zweckgebundenen Betrag – jetzt bis zu 14 052 Mark im Monat –, damit sie persönliche Assistenten oder Hilfskräfte beschäftigen können.

Die Schar der Zu- und Mitarbeiter ist damit aber noch nicht vollständig. Vielmehr ruht die Pyramide aus Abgeordneten und Assistenten auf einem breiten Unterbau, den all jene bilden, die wiederum den Volksvertretern und ihren Hilfskräften teils direkt, teils indirekt, teils sichtbar, teils unsichtbar zur Hand gehen. Zu denen, die sowohl vor als auch hinter den Kulissen arbeiten, gehören zum Beispiel die Parlamentsstenographen. Die Bundestagsbesucher können verfolgen, wie sie sich an ihrem schmalen Tisch unterhalb des Rednerpults in raschem Wechsel ablösen. Die 29 Mitglieder des stenographischen Dienstes sind ausnahmslos Spitzenkräfte, die es auf über 400 Silben in der Minute zu bringen vermögen.

Für die Parlamentsbesucher sichtbar sind auch jene 42 weiblichen und männlichen Bediensteten, nämlich außer einem Platzmeister jene Plenarsekretäre und -sekretärinnen, die während der Plenarsitzungen sowohl für den Kontakt der Abgeordneten untereinander als auch für deren Verbindung zur Außenwelt zu sorgen haben – sei es, daß sie Notizen von Parlamentarier zu Parlamentarier befördern, sei es, daß sie Anrufe außerhalb des Plenums entgegennehmen oder die unterschriftsreifen Mappen der Mitarbeiterinnen und Mitarbeiter zu den Volksvertretern bringen. Ihre besondere Funktion als Plenarassistenzdienst erklärt sich vor allem daraus, daß die Abgeordneten während der Plenarsitzungen ungestört und unbeeinflußt bleiben sollen.

Schließlich, aber bei weitem nicht zuletzt, die Sekretärinnen und Sekretäre. Wie groß ihre Zahl ist, weiß niemand genau anzugeben. Sicher aber ist, daß auch sie sehr häufig hart arbeiten müssen, weil nicht nur die Korrespondenz der Abgeordneten ebenso umfangreich wie vielfältig zu sein pflegt, sondern weil die Hektik des politischen Lebens auch den Mitarbeiterinnen und Mitarbeitern oft genug einen geregelten Arbeitstag verdirbt und manchmal sogar ihre Wochenenden nicht verschont.

Entschädigung, Kostenpauschale, Verhaltensregeln

Nachdem die Abgeordnetenbezüge, die Diäten, wegen der angespannten Lage der Staatsfinanzen zuletzt 1992 heraufgesetzt worden waren, hat die Bundestagsmehrheit 1995 beschlossen, sie in der nächsten Zeit schrittweise wieder zu erhöhen. So ist die im Oktober 1995 auf monatlich 11 300 Mark festgesetzte persönliche Entschädigung im Juli 1997 auf 11 825 Mark vermehrt worden. Im April 1998 soll sie auf 12 350 Mark und im Januar 1999 auf 12 875 Mark steigen. Danach soll jeweils zu Beginn der neuen Wahlperiode für deren vierjährige Dauer über die Höhe der Diäten entschieden werden. Als Maßstab sollen die Einkünfte von Oberbürgermeistern mittlerer Großstädte, Richtern an obersten Bundesgerichten und leitenden Beamten in der Bundesverwaltung dienen. Die Diäten müssen versteuert werden; treffen sie mit Bezügen aus anderen öffentlichen Kassen zusammen, so werden sie nach einem bestimmten Schlüssel gekürzt.

Zu der Entschädigung kommt im Rahmen einer Amtsausstattung eine steuerfreie Kostenpauschale von augenblicklich 6142 Mark, die zur Deckung jener mandatsbedingten Ausgaben gedacht ist, die für die Unterhaltung eines Büros im Wahlkreis, für Unterkunft und Verpflegung in Bonn, Fahrten mit dem eigenen Wagen sowie für zusätzliche Büromaterialien, Telefongebühren, Porto und Literatur notwendig sind. Die freie Fahrt 1. Klasse mit der Deutschen Bahn AG sowie die Erstattung von Flug- und Schlafwagenkosten gegen Nachweis bei Mandatsreisen innerhalb der Bundesrepublik werden davon nicht berührt. Schließlich erhalten die Abgeordneten außer einem Übergangsgeld beim Ausscheiden, das nach der Dauer ihrer Parlamentszugehörigkeit gestaffelt und begrenzt ist, eine staatliche Altersentschädigung, deren Höhe und Beginn sich ebenfalls nach der Dauer der Bundestagszugehörigkeit bemißt. Beide Entschädigungen sind steuerpflichtig.

Was die Ausgaben der Parlamentarier angeht, so kommen freilich zu jenen Aufwendungen, die in der Amtsausstattung berücksichtigt sind, noch andere Kosten, die wiederum mit dem Mandat zu tun haben. Besonders die Kassiererinnen und Kassierer der Fraktionen und der Parteien pflegen ihre Hände weit aufzuhalten, nicht gerechnet Aufwendungen für Vereine, soziale Einrichtungen, Schirmherrschaften und anderes. Im übrigen kann für die Parlamentarier „Schuleschwänzen" teuer werden. Fehlen sie an Sitzungstagen, so werden ihnen z. B. zwischen 30 und 150 Mark von der monatlichen Pauschale abgezogen.

Was den sonstigen finanziellen und beruflichen Status der Parlamentarier angeht, so richtet sich die Auskunft darüber nach besonderen „Verhaltensregeln", die kürzlich noch präzisiert und erweitert worden sind. Danach muß jeder Abgeordnete der Bundestagspräsidentin zur Veröffentlichung im Amtlichen Handbuch des Deutschen Bundestages seinen bisherigen und gegenwärtig ausgeübten Beruf angeben, des weiteren Tätigkeiten als Mitglied eines Vorstandes, Aufsichtsrates, Verwaltungsrates, Beirates usw. eines Unternehmens, einer Körperschaft oder Anstalt des öffentlichen Rechts usw., ferner Funktionen in Verbänden oder ähnlichen Organisationen. Nur zur Kenntnis der Präsidentin sind ihr zusätzlich unter bestimmten Bedingungen Verträge über eine Beratung oder Vertretung sowie vergütete Nebentätigkeiten anzuzeigen, ferner von einer bestimmten Höhe an die daraus fließenden Einkünfte. Auch Spenden gehören dazu. Auf die Mißachtung dieser Auskunftspflichten stehen Sanktionen.

Entschädigung und Ausstattung der Abgeordneten, dazu die Personalkosten des Bundestages und die vielen Sachausgaben: Für 1997 beträgt der Etat des Parlaments rund 905 Millionen Mark. Auf diesen Millionenbetrag läßt sich, so hoch er erscheint, nicht verzichten, wenn das Parlament seinen Aufgaben gerecht werden soll. Weil Politik keine Freizeitbeschäftigung mehr ist, sondern fast alle Kräfte verlangt, weil das Abgeordnetenmandat für die meisten zu einem Beruf geworden ist, weil der aus allgemeinen Wahlen hervorgegangene Bundestag keine Versammlung begüterter Honoratioren darstellt und weil alle Volksvertreter im Interesse der Bürgerinnen und Bürger finanziell so unabhängig wie möglich sein sollen, sind Entschädigung und Amtsausstattung nötig. Und wenn das Parlament seinen Auftrag als oberstes Gesetzgebungsorgan und seine Kontrollfunktion gegenüber der Regierung erfüllen, wenn es dem Sachverstand der vielen tausend Beamten und Beamtinnen in den Ministerien und Ämtern gewachsen sein soll, dann ist auch der große Apparat erforderlich – mit dem Direktor beim Deutschen Bundestag als Parlamentssekretär an der Spitze, mit den drei Abteilungen Zentrale Verwaltung, Parlamentarische Dienste, Wissenschaftliche Dienste und weiter von der Assistentin über das Archiv bis zum Bundeshauschauffeur. Rechnet man die 905 Millionen um, so kostet das Parlament jede wahlberechtigte Bürgerin und jeden wahlberechtigten Bürger pro Jahr nur rund fünfzehn Mark.

Von dem ganzen Apparat sehen die Besucherinnen und Besucher des Bundeshauses oder der Plenarsitzungen so wenig wie von dem inneren Aufbau und der Arbeitsweise des Parlaments. Was sie in den Plenarversammlungen verfolgen können, ist immer nur der Anfang oder das Ende eines langen Arbeitsprozesses – eines Prozesses, der von jedem einzelnen Abgeordneten viel Kraft und Zeit verlangt. Mitglied des Deutschen Bundestages zu sein, bedeutet eine große Ehre, aber ebenso ein hartes Brot.

Carl-Christian Kaiser

WAHLERGEBNIS AUF BUNDESEBENE

	1994	1990
Wohnbevölkerung der Bundesrepublik Deutschland		
insgesamt	81338093[1])	79112831
davon männlich	39518484[1])	38109738
weiblich	41819609[1])	41003093
Zahl der Wahlberechtigten	60452009	60436560
Zahl der Wähler	47737999	46995915
Wahlbeteiligung	79,0 %	77,8 %
Ungültige Erststimmen	788643	720990
	1,7 %	1,5 %
Gültige Erststimmen	46949356	46274925
Ungültige Zweitstimmen	632825	540143
	1,3 %	1,1 %
Gültige Zweitstimmen	47105174	46455772

Es entfallen auf	Erststimmen 1994		Zweitstimmen 1994	
	Anzahl	%	Anzahl	%
CDU	17473325	37,2	16089960	34,2
SPD	17966813	38,3	17140354	36,4
F.D.P.	1558185	3,3	3258407	6,9
CSU	3657627	7,8	3427196	7,3
GRÜNE	3037902	6,5	3424315	7,3
PDS	1920420	4,1	2066176	4,4
REP	787757	1,7	875239	1,9
APD	1656	0,0	21533	0,0
BP	3324	0,0	42491	0,1
Solidarität	8032	0,0	8103	0,0
BSA	—	—	1285	0,0
LIGA	3788	0,0	5195	0,0
CM	3559	0,0	19887	0,0
ZENTRUM	1489	0,0	3757	0,0
GRAUE	178415	0,4	238642	0,5
NATURGESETZ	59087	0,1	73193	0,2
MLPD	4932	0,0	10038	0,0
ÖDP	200138	0,4	183715	0,4
Tierschutz	—	—	71643	0,2
PBC	26864	0,1	65651	0,1
PASS	489	0,0	15040	0,0
STATT Partei	7927	0,0	63354	0,1
BGD	107	0,0	—	—
DKP	693	0,0	—	—
DSU	2395	0,0	—	—
DVP	606	0,0	—	—
DEMOKRATEN	104	0,0	—	—
FBU	8193	0,0	—	—
SU	467	0,0	—	—
KPD	426	0,0	—	—
LD	221	0,0	—	—
UAP	302	0,0	—	—
Übrige[2])	34080	0,1	729362	1,6

1) Stand: 31.Dezember 1993
2) Einzelbewerber bzw. Wählergruppen

ABGEORDNETE NACH WAHLKREISEN
UND LANDESLISTEN

SCHLESWIG-HOLSTEIN   11 Wahlkreise

1 Flensburg – Schleswig
   Börnsen (Bönstrup), Wolfgang CDU

2 Nordfriesland – Dithmarschen-Nord
   Carstensen (Nordstrand),
   Peter Harry CDU

3 Steinburg – Dithmarschen-Süd
   Austermann, Dietrich CDU

4 Rendsburg – Eckernförde
   Dr. Stoltenberg, Gerhard CDU

5 Kiel
   Gansel, Norbert SPD

6 Plön – Neumünster
   Lamp, Helmut CDU

7 Pinneberg
   Willner, Gert CDU

8 Segeberg – Stormarn-Nord
   Würzbach, Peter Kurt CDU

9 Ostholstein
   Dr. Olderog, Rolf CDU

10 Herzogtum Lauenburg – Stormarn-Süd
   von Schmude, Michael CDU

11 Lübeck
   Hiller (Lübeck), Reinhold SPD

Über Landeslisten Gewählte

CDU	SPD	F.D.P.
Eymer, Anke	Dr. Sonntag-Wolgast, Cornelie	Koppelin, Jürgen
	Blunck (Uetersen), Lieselott	Dr. Schmidt-Jortzig, Edzard
	Kuhlwein, Eckart	
	Steen, Antje-Marie	
	Mehl, Ulrike	
	Opel, Manfred	GRÜNE
	Thönnes, Franz	Beer, Angelika
	Dr. Wodarg, Wolfgang	Steenblock, Rainder

HAMBURG   7 Wahlkreise

12 Hamburg-Mitte
   Duve, Freimut SPD

13 Hamburg-Altona
   Dr. Dobberthien, Marliese SPD

14 Hamburg-Eimsbüttel
   Mertens, Angelika SPD

15 Hamburg-Nord
   Fischer (Hamburg), Dirk CDU

16 Hamburg-Wandsbek
   Zumkley, Peter SPD

17 Hamburg-Bergedorf
   Dr. Niese, Rolf SPD

18 Hamburg-Harburg
   Klose, Hans-Ulrich SPD

Über Landeslisten Gewählte

CDU	F.D.P.	GRÜNE
Rühe, Volker	Funke, Rainer	Heyne, Kristin
Uldall, Gunnar		Dietert-Scheuer, Amke
Schnieber-Jastram, Birgit		
Francke (Hamburg), Klaus		

NIEDERSACHSEN   31 Wahlkreise

19 Aurich – Emden
   Janssen, Jann-Peter SPD

20 Unterems
   Seiters, Rudolf CDU

21 Friesland – Wilhelmshaven
   Iwersen, Gabriele SPD

22 Oldenburg – Ammerland
   Schütz (Oldenburg), Dietmar SPD

23 Delmenhorst – Wesermarsch –
   Oldenburg-Land
   Terborg, Margitta SPD

24 Cuxhaven
   Faße, Annette SPD

25 Stade – Rotenburg I
   Eylmann, Horst CDU

26 Mittelems
   Dr. Kues, Hermann CDU

27 Cloppenburg – Vechta
   Carstens (Emstek), Manfred CDU

28 Diepholz
   Link (Diepholz), Walter CDU

29	Verden – Osterholz Börnsen (Ritterhude), Arne SPD	39	Celle – Uelzen Hedrich, Klaus-Jürgen CDU
30	Soltau-Fallingbostel – Rotenburg II Bargfrede, Heinz-Günter CDU	40	Gifhorn – Peine Nelle, Engelbert CDU
31	Lüneburg – Lüchow-Dannenberg Grill, Kurt-Dieter CDU	41	Hameln-Pyrmont – Holzminden Schulte (Hameln), Brigitte SPD
32	Osnabrück-Land Freiherr von Schorlemer, Reinhard CDU	42	Hannover-Land II Lattmann, Herbert CDU
33	Stadt Osnabrück Dr. Hornhues, Karl-Heinz CDU	43	Hildesheim Rappe (Hildesheim), Hermann SPD
34	Nienburg – Schaumburg Kastning, Ernst SPD	44	Salzgitter – Wolfenbüttel Schmidt (Salzgitter), Wilhelm SPD
35	Harburg Meyer (Winsen), Rudolf CDU	45	Braunschweig Onur, Leyla SPD
36	Stadt Hannover I Andres, Gerd SPD	46	Helmstedt – Wolfsburg Ronsöhr, Heinrich-Wilhelm CDU
37	Stadt Hannover II Bulmahn, Edelgard SPD	47	Goslar Sikora, Jürgen CDU
38	Hannover-Land I Dr.-Ing. Kansy, Dietmar CDU	48	Northeim – Osterode Dr. Niehuis, Edith SPD
		49	Göttingen Dr. Süssmuth, Rita CDU

Über Landeslisten Gewählte

CDU	SPD	F.D.P.
Dempwolf, Gertrud	Wettig-Danielmeier, Inge	Kleinert (Hannover), Detlef
Maaß (Wilhelmshaven), Erich	Heubaum, Monika	Hirche, Walter
Dr. Schuchardt, Erika /	Dr. Struck, Peter	Bredehorn, Günther
Kors, Eva-Maria	Seidenthal, Bodo	Thiele, Carl-Ludwig
Pretzlaff, Marlies	Graf (Friesoythe), Günter	Peters, Lisa
Kossendey, Thomas	Dr. Hauchler, Ingomar	
Freiherr von Hammerstein, Carl-Detlev	von Larcher, Detlev	GRÜNE
Dr. Pflüger, Friedbert	Neumann (Bramsche), Volker	Altmann (Aurich), Gisela
Seibel, Wilfried	Fuhrmann, Arne	Dr. Lippelt, Helmut
von Klaeden, Eckart	Robbe, Reinhold	Schoppe, Waltraud
Eßmann, Heinz Dieter	Ganseforth, Monika	Dr. Kiper, Manuel
	Schild, Horst	Schönberger, Ursula
	Schwanhold, Ernst	
	Palis, Kurt	PDS
		Köhne, Rolf

BREMEN   3 Wahlkreise

50	Bremen-Ost Kröning, Volker SPD	52	Bremerhaven – Bremen-Nord Janz, Ilse SPD
51	Bremen-West Künig, Konrad SPD		

Über Landeslisten Gewählte

CDU	GRÜNE
Neumann (Bremen), Bernd Teiser, Michael	Beck (Bremen), Marieluise

53 Aachen
    Laschet, Armin CDU

54 Kreis Aachen
    Großmann, Achim SPD

55 Heinsberg
    Dr. Fell, Karl H. CDU

56 Düren
    Rachel, Thomas CDU

57 Erftkreis I
    Lennartz, Klaus SPD

58 Euskirchen – Erftkreis II
    Dr. Bauer, Wolf CDU

59 Köln I
    Schultz (Köln), Volkmar SPD

60 Köln II
    Dr. Blens, Heribert CDU

61 Köln III
    Gilges, Konrad SPD

62 Köln IV
    Oesinghaus, Günter SPD

63 Bonn
    Limbach, Editha CDU

64 Rhein-Sieg-Kreis I
    Krautscheid, Andreas CDU

65 Rhein-Sieg-Kreis II
    Röttgen, Norbert CDU

66 Oberbergischer Kreis
    Dr. Waffenschmidt, Horst CDU

67 Rheinisch-Bergischer Kreis I
    Bosbach, Wolfgang CDU

68 Leverkusen – Rheinisch-
    Bergischer Kreis II
    Singer, Johannes SPD

69 Wuppertal I
    Dreßler, Rudolf SPD

70 Wuppertal II
    Dr. Penner, Willfried SPD

71 Solingen – Remscheid
    Bertl, Hans-Werner SPD

72 Mettmann I
    Dr. Blank, Joseph-Theodor CDU

73 Mettmann II
    Schemken, Heinz CDU

74 Düsseldorf I
    Schulhoff, Wolfgang CDU

75 Düsseldorf II
    Jung (Düsseldorf), Volker SPD

76 Neuss I
    Dr. Reinartz, Bertold CDU

77 Neuss II
    Wimmer (Neuss), Willy CDU

78 Mönchengladbach
    Pesch, Hans-Wilhelm CDU

79 Krefeld
    Pützhofen, Dieter CDU

80 Viersen
    Louven, Julius CDU

81 Kleve
    Pofalla, Ronald CDU

82 Wesel I
    Dr. Jens, Uwe SPD

83 Wesel II
    Enders, Peter SPD

84 Duisburg I
    Wieczorek (Duisburg), Helmut SPD

85 Duisburg II
    Schluckebier, Günter SPD

86 Oberhausen
    Schanz, Dieter SPD

87 Mülheim
    Schloten, Dieter SPD

88 Essen I
    Reschke, Otto SPD

89 Essen II
    Hempelmann, Rolf SPD

90 Essen III
    Becker-Inglau, Ingrid SPD

91 Recklinghausen I
    Welt, Hans-Joachim SPD

92 Recklinghausen II – Borken I
    Lehn, Waltraud SPD

93 Gelsenkirchen I
    Poß, Joachim SPD

94 Gelsenkirchen II – Recklinghausen III
    Formanski, Norbert SPD

95 Bottrop – Recklinghausen IV
    Grasedieck, Dieter SPD

96 Borken II
    Wülfing, Elke CDU

97 Coesfeld – Steinfurt I
    Lensing, Werner CDU

98 Steinfurt II
    Hemker, Reinhold SPD

99 Münster
    Polenz, Ruprecht CDU

100 Warendorf
    Dr. Paziorek, Peter Paul CDU

101 Gütersloh
    Deittert, Hubert CDU

102 Bielefeld
    Rixe, Günter SPD

103 Herford
    Spanier, Wolfgang SPD

104 Minden-Lübbecke
    Ibrügger, Lothar SPD

105 Lippe I
    Haack (Extertal), Karl Hermann SPD

106 Höxter – Lippe II
    Michels, Meinolf CDU

107 Paderborn
    Ost, Friedhelm CDU

108 Hagen
    Thieser, Dietmar SPD

109 Ennepe-Ruhr-Kreis I
    Ostertag, Adolf SPD

110 Bochum I
    Hasenfratz, Klaus SPD

111 Bochum II – Ennepe-Ruhr-Kreis II Lohmann (Witten), Klaus SPD	118 Soest Augustinowitz, Jürgen CDU
112 Herne Maaß (Herne), Dieter SPD	119 Hochsauerlandkreis Merz, Friedrich CDU
113 Dortmund I Urbaniak, Hans-Eberhard SPD	120 Siegen-Wittgenstein I Breuer, Paul CDU
114 Dortmund II Weiermann, Wolfgang SPD	121 Olpe – Siegen-Wittgenstein II Schauerte, Hartmut CDU
115 Dortmund III Burchardt, Ursula SPD	122 Märkischer Kreis I Yzer, Cornelia CDU
116 Unna I Dr. Böhme (Unna), Ulrich SPD	123 Märkischer Kreis II Seuster, Lisa SPD
117 Hamm – Unna II Wiefelspütz, Dieter SPD	

Über Landeslisten Gewählte

CDU	SPD	F.D.P.
Dr. Blüm, Norbert	Dr. Zöpel, Christoph	Genscher, Hans-Dietrich
Hintze, Peter	Fuchs (Köln), Anke	Dr. Graf Lambsdorff, Otto
Karwatzki, Irmgard	Catenhusen, Wolf-Michael	Dr. Schwaetzer, Irmgard
Dr. Lammert, Norbert	Matthäus-Maier, Ingrid	Möllemann, Jürgen W.
Borchert, Jochen	Bernrath, Hans Gottfried	Dr. Hoyer, Werner
Dr. Rüttgers, Jürgen	Klappert, Marianne	Friedhoff, Paul K.
Dr. Göhner, Reinhard	Schmidt-Zadel, Regina	Dr. Hirsch, Burkhard
Schmitz (Baesweiler),	Purps, Rudolf	Dr. Laermann, Karl-Hans
Hans Peter	Fuchs (Verl), Katrin	Nolting, Günther Friedrich
Lamers, Karl	Wester, Hildegard	Albowitz, Ina
Falk, Ilse	Berger, Hans	Lanfermann, Heinz
Laumann, Karl Josef	Dr. Schwall-Düren, Angelika	van Essen, Jörg
Marschewski, Erwin	Vosen, Josef	
Diemers, Renate	Müller (Düsseldorf), Michael	GRÜNE
Günther (Duisburg), Horst	Freitag, Dagmar	Nickels, Christa
Vogt (Düren), Wolfgang	Dr. Hendricks, Barbara	Volmer, Ludger
Kampeter, Steffen	Kemper, Hans-Peter	Müller (Köln), Kerstin
Königshofen, Norbert	Heistermann, Dieter	Schmitt (Langenfeld),
Gröhe, Hermann	Schmidt (Meschede),	Wolfgang
Marienfeld, Claire	Dagmar	Schewe-Gerigk, Irmingard
Fritz, Erich G.	Brandt-Elsweier, Anni	Such, Manfred
Dr. Pinger, Winfried	Schmidt (Aachen), Ursula	Probst, Simone
Lohmann (Lüdenscheid),	Schultz (Everswinkel), Rein-	Nachtwei, Winfried
Wolfgang	hard	Hustedt, Michaele
Wilz, Bernd	Schöler, Walter	Beck (Köln), Volker
Philipp, Beatrix	von Renesse, Margot	Buntenbach, Annelie
Schmidt (Mülheim), Andreas	Beucher, Friedhelm Julius	
Hüppe, Hubert	Scheelen, Bernd	PDS
Fischer (Unna), Leni		Jelpke, Ulla

HESSEN 22 Wahlkreise	
124 Waldeck Hartenbach, Alfred SPD	130 Lahn-Dill Lotz, Erika SPD
125 Kassel Rübenkönig, Gerhard SPD	131 Gießen Horn, Erwin SPD
126 Werra-Meißner Tappe, Joachim SPD	132 Fulda Dr. Dregger, Alfred CDU
127 Schwalm-Eder Höfer, Gerd SPD	133 Hochtaunus Sothmann, Bärbel CDU
128 Hersfeld Wittich, Berthold SPD	134 Wetterau Dr. Schwarz-Schilling, Christian CDU
129 Marburg Lange, Brigitte SPD	135 Rheingau-Taunus – Limburg Jung (Limburg), Michael CDU

136 Wiesbaden
   Rönsch (Wiesbaden), Hannelore CDU
137 Hanau
   Kanther, Manfred CDU
138 Frankfurt am Main I – Main-Taunus
   Dr. Riesenhuber, Heinz CDU
139 Frankfurt am Main II
   Gres, Joachim CDU
140 Frankfurt am Main III
   Steinbach, Erika CDU
141 Groß-Gerau
   Hörsken, Heinz-Adolf CDU

142 Offenbach
   Dr. Lippold (Offenbach),
   Klaus W. CDU
143 Darmstadt
   Storm, Andreas CDU
144 Odenwald
   Steiger, Wolfgang CDU
145 Bergstraße
   Dr. Meister, Michael CDU

Über Landeslisten Gewählte

CDU	SPD	F.D.P.
Bohl, Friedrich	Wieczorek-Zeul, Heidemarie	Dr. Solms, Hermann Otto
Roth (Gießen), Adolf	Dr. Wieczorek, Norbert	Dr. Gerhardt, Wolfgang
Siebert, Bernd	Zapf, Uta	Dr. Babel, Gisela
Lenzer, Christian	Reuter, Bernd	Dr. Kolb, Heinrich L.
Dietzel, Wilhelm	Schaich-Walch, Gudrun	
Augustin, Anneliese	Dr. Sperling Dietrich	**GRÜNE**
	Voigt (Frankfurt), Karsten D.	Dr. Vollmer, Antje
	Marx, Dorle	Fischer (Frankfurt), Joseph
	Dr. Schuster, R. Werner	Steindor, Marina
	Imhof, Barbara	Berninger, Matthias
	Tröscher, Adelheid	Wolf-Mayer, Margareta

PDS
Zwerenz, Gerhard

RHEINLAND-PFALZ   16 Wahlkreise

146 Neuwied
   Schmalz, Ulrich CDU
147 Ahrweiler
   Sebastian, Wilhelm-Josef CDU
148 Koblenz
   Scherhag, Karl-Heinz CDU
149 Cochem
   Bleser, Peter CDU
150 Kreuznach
   Körper, Fritz Rudolf SPD
151 Bitburg
   Rauen, Peter Harald CDU
152 Trier
   Basten, Franz Peter CDU
153 Montabaur
   Hörster, Joachim CDU

154 Mainz
   Wilhelm (Mainz), Hans-Otto CDU
155 Worms
   Hagemann, Klaus SPD
156 Frankenthal
   Sielaff, Horst SPD
157 Ludwigshafen
   Dr. Kohl, Helmut CDU
158 Neustadt – Speyer
   Schindler, Norbert CDU
159 Kaiserslautern
   Dr. Schäfer, Hansjörg SPD
160 Pirmasens
   Dr. Uelhoff, Klaus-Dieter CDU
161 Südpfalz
   Dr. Geißler, Heiner CDU

Über Landeslisten Gewählte

CDU	SPD	F.D.P.
Dr. Böhmer, Maria	Scharping, Rudolf	Schäfer (Mainz), Helmut
Dr. Tiemann, Susanne	Barnett, Doris	Dr. Thomae, Dieter
Doss, Hansjürgen	Dr. Leonhard, Elke	
	Diller, Karl	
	Westrich, Lydia	
	Eich, Ludwig	
	Dr. Pick, Eckhart	
	Schmitt (Berg), Heinz	**GRÜNE**
	Mogg, Ursula	Höfken, Ulrike
	Wallow, Hans	Sterzing, Christian

162 Stuttgart I
   Sauer (Stuttgart), Roland CDU
163 Stuttgart II
   Reinhardt, Erika CDU
164 Böblingen
   Baumeister, Brigitte CDU
165 Esslingen
   Hauser, (Esslingen), Otto CDU
166 Nürtingen
   Müller (Kirchheim), Elmar CDU
167 Göppingen
   Riegert, Klaus CDU
168 Waiblingen
   Dr. Laufs, Paul CDU
169 Ludwigsburg
   Wissmann, Matthias CDU
170 Zeckar-Zaber
   Dr. Hellwig, Renate CDU
171 Heilbronn
   Susset, Egon CDU
172 Schwäbisch Hall – Hohenlohe
   Dr. Freiherr von Stetten,
   Wolfgang CDU
173 Backnang – Schwäbisch Gmünd
   Dr. Schulte (Schwäbisch Gmünd),
   Dieter CDU
174 Aalen – Heidenheim
   Brunnhuber, Georg CDU
175 Karlsruhe-Stadt
   Dr. Rieder, Norbert CDU
176 Karlsruhe-Land
   Bühler (Bruchsal), Klaus CDU
177 Rastatt
   Götz, Peter CDU
178 Heidelberg
   Dr. Lamers (Heidelberg), Karl A. CDU
179 Mannheim I
   Dr. Jüttner, Egon CDU

180 Mannheim II
   Reichardt (Mannheim),
   Klaus Dieter CDU
181 Odenwald – Tauber
   Hornung, Siegfried CDU
182 Rhein-Neckar
   Schmidbauer, Bernd CDU
183 Pforzheim
   Richter, Roland CDU
184 Calw
   Fuchtel, Hans-Joachim CDU
185 Freiburg
   Löwisch, Sigrun CDU
186 Lörrach – Müllheim
   Schätzle, Ortrun CDU
187 Emmendingen – Lahr
   Haungs, Rainer CDU
188 Offenburg
   Dr. Schäuble, Wolfgang CDU
189 Rottweil – Tuttlingen
   Kauder, Volker CDU
190 Schwarzwald-Baar
   Belle, Meinrad CDU
191 Konstanz
   Repnik, Hans-Peter CDU
192 Waldshut
   Dörflinger, Werner CDU
193 Reutlingen
   Pfeifer, Anton CDU
194 Tübingen
   Grotz, Claus-Peter CDU
195 Ulm
   Seiffert, Heinz CDU
196 Biberach
   Graf von Waldburg-Zeil, Alois CDU
197 Ravensburg – Bodensee
   Dr. Schockenhoff, Andreas CDU
198 Zollernalb – Sigmaringen
   Schlee, Dietmar CDU

Über Landeslisten Gewählte

SPD

Dr. Däubler-Gmelin, Herta
Dr. Scheer, Hermann
Dr. Wegner, Konstanze
Kirschner, Klaus
Erler, Gernot
Dr. Hartenstein, Liesel
Odendahl, Doris
Mosdorf, Sigmar
Vogt (Pforzheim), Ute
Conradi, Peter
Bindig, Rudolf
Caspers-Merk, Marion
Antretter, Robert
Bachmaier, Hermann
Adler, Brigitte
Bury, Hans Martin
Weisskirchen (Wiesloch),
   Gert
Kressl, Nicolette

noch SPD

Tauss, Jörg
Dr. Meyer (Ulm), Jürgen
Rehbock-Zureich, Karin
Vergin, Siegfried
Weisheit, Matthias
Lörcher, Christa
Dreßen, Peter

F.D.P./DVP

Dr. Kinkel, Klaus
Dr. Weng (Gerlingen), Wolf-
   gang
Kohn, Roland
Frick, Gisela
Dr. Haussmann, Helmut
Dr. Feldmann, Olaf
Heinrich, Ulrich
Homburger, Birgit

GRÜNE

Dr. Eid-Simon, Ursula
Schlauch, Rezzo
Grießhaber, Rita
Dr. Rochlitz, Jürgen
Knoche, Monika
Özdemir, Cem
Dr. Köster-Loßack, Angelika
Metzger, Oswald

PDS

Dr. Wolf, Winfried

BAYERN   45 Wahlkreise

199 Altötting
     Hollerith, Josef CSU
200 Freising
     Dr. Probst, Albert CSU
201 Fürstenfeldbruck
     Hasselfeldt, Gerda CSU
202 Ingolstadt
     Seehofer, Horst CSU
203 München-Mitte
     Mascher, Ulrike SPD
204 München-Nord
     Singhammer, Johannes CSU
205 München-Ost
     Frankenhauser, Herbert CSU
206 München-Süd
     Dr. Riedl (München), Erich CSU
207 München-West
     Dr. Faltlhauser, Kurt CSU
208 München-Land
     Dr. Mayer (Siegertsbrunn),
     Martin CSU
209 Rosenheim
     Zeitlmann, Wolfgang CSU
210 Starnberg
     Gröbl, Wolfgang CSU
211 Traunstein
     Dr. Ramsauer, Peter CSU
212 Weilheim
     Geiger, Michaela CSU
213 Deggendorf
     Kalb, Bartholomäus CSU
214 Landshut
     Dr. Götzer, Wolfgang CSU
215 Passau
     Dr. Rose, Klaus CSU
216 Rottal-Inn
     Straubinger, Max CSU
217 Straubing
     Hinsken, Ernst CSU
218 Amberg
     Kraus, Rudolf CSU
219 Regensburg
     Zierer, Benno CSU
220 Schwandorf
     Dr. Jobst, Dionys CSU
221 Weiden
     Wittmann (Tännesberg), Simon CSU

222 Bamberg
     Scheu, Gerhard CSU
223 Bayreuth
     Koschyk, Hartmut CSU
224 Coburg
     Regenspurger, Otto CSU
225 Hof
     Dr. Warnke, Jürgen CSU
226 Kulmbach
     Dr. Protzner, Bernd CSU
227 Ansbach
     Spranger, Carl-Dieter CSU
228 Erlangen
     Dr. Friedrich, Gerhard CSU
229 Fürth
     Schmidt (Fürth), Christian CSU
230 Nürnberg-Nord
     Wöhrl, Dagmar CSU
231 Nürnberg-Süd
     Blank, Renate CSU
232 Roth
     Hauser (Rednitzhembach),
     Hansgeorg CSU
233 Aschaffenburg
     Geis, Norbert CSU
234 Bad Kissingen
     Lintner, Eduard CSU
235 Main-Spessart
     Zöller, Wolfgang CSU
236 Schweinfurt
     Glos, Michael CSU
237 Würzburg
     Dr. Bötsch, Wolfgang CSU
238 Augsburg-Stadt
     Dr. Ruck, Christian CSU
239 Augsburg-Land
     Oswald, Eduard CSU
240 Donau-Ries
     Raidel, Hans CSU
241 Neu-Ulm
     Dr. Waigel, Theodor CSU
242 Oberallgäu
     Dr. Müller, Gerd CSU
243 Ostallgäu
     Rossmanith, Kurt CSU

Über Landeslisten Gewählte

CSU	SPD	noch SPD
Klein (München), Hans	Verheugen, Günter	Tietze-Stecher, Uta
Eichhorn, Maria	Dr. Skarpelis-Sperk, Sigrid	Schmidbauer (Nürnberg), Horst
Deß, Albert	Dr. Glotz, Peter	
Jawurek, Helmut	Stiegler, Ludwig	Wolf, Hanna
Keller, Peter	Mattischek, Heide	Büttner (Ingolstadt), Hans
Michelbach, Hans	Kolbow, Walter	Wohlleben, Verena
	Simm, Erika	Kubatschka, Horst
	Leidinger, Robert	Ernstberger, Petra
	Kastner, Susanne	Schily, Otto
	Dr. Pfaff, Martin	Fograscher, Gabriele

44

noch SPD

Hiksch, Uwe
Wright, Heidemarie
Gloser, Günter
Graf (Rosenheim), Angelika
Pfannenstein, Georg
Irber, Brunhilde
Hofmann (Volkach), Frank
Teuchner, Jella
Barthel, Klaus

F.D.P.

Dr. Stadler, Max
Leutheusser-Schnarrenber-
  ger, Sabine
Schmalz-Jacobsen, Cornelia
Irmer, Ulrich
Friedrich, Horst
Braun (Augsburg),
  Hildebrecht

GRÜNE

Scheel, Christine
Häfner, Gerald
Saibold, Hannelore
Schmidt (Hitzhofen), Albert
Altmann (Pommelsbrunn),
  Elisabeth
Wilhelm (Amberg), Helmut

PDS

Bulling-Schröter, Eva-Maria

SAARLAND   5 Wahlkreise

244 Saarbrücken I
     Lafontaine, Oskar SPD

245 Saarbrücken II
     Müller (Völklingen), Jutta SPD

246 Saarlouis
     Schreiner, Ottmar SPD

247 Sankt Wendel
     Wagner, Hans Georg SPD

248 Homburg
     Fischer (Homburg), Lothar SPD

Über Landeslisten Gewählte
CDU
Dr. Töpfer, Klaus
Jacoby, Peter
Altmaier, Peter
Rauber, Helmut

BERLIN   13 Wahlkreise

249 Berlin-Mitte – Prenzlauer Berg
     Heym, Stefan PDS

250 Berlin-Tiergarten –
     Wedding – Nord-Charlottenburg
     Spiller, Jörg-Otto SPD

251 Berlin-Reinickendorf
     Schütze (Berlin), Diethard CDU

252 Berlin-Spandau
     Lummer, Heinrich CDU

253 Berlin-Zehlendorf – Steglitz
     Dr. Pfennig, Gero CDU

254 Berlin-Charlottenburg – Wilmersdorf
     Dr. Mahlo, Dietrich CDU

255 Berlin-Kreuzberg – Schöneberg
     Neumann (Berlin), Kurt SPD

256 Berlin-Tempelhof
     Dr. Scholz, Rupert CDU

257 Berlin-Neukölln
     Buwitt, Dankward CDU

258 Berlin-Friedrichshain – Lichtenberg
     Dr. Luft, Christa PDS

259 Berlin-Köpenick – Treptow
     Scheffler, Siegfried SPD

260 Berlin-Hellersdorf – Marzahn
     Dr. Gysi, Gregor PDS

261 Berlin-Hohenschönhausen –
     Pankow – Weißensee
     Müller (Berlin), Manfred PDS

Über Landeslisten Gewählte

CDU

Dr. Bergmann-Pohl, Sabine
Feilcke, Jochen
Glücklich, Wilma

SPD

Thierse, Wolfgang
Klemmer, Siegrun
Krüger, Thomas
Holzhüter, Ingrid
Behrendt, Wolfgang
Rennebach, Renate

F.D.P.

Dr. Rexrodt, Günter
Dr. Röhl, Klaus

GRÜNE

Eichstädt-Bohlig, Franziska
Poppe, Gerd
Fischer (Berlin), Andrea

MECKLENBURG-VORPOMMERN   9 Wahlkreise

262 Wismar – Gadebusch –Grevesmühlen –
     Doberan – Bützow
     Schmiedeberg, Hans-Otto CDU
263 Schwerin – Hagenow
     Hacker, Hans-Joachim SPD
264 Güstrow – Sternberg – Lübz –
     Parchim – Ludwigslust
     Marten, Günter CDU
265 Rostock
     Dr. Lucyga, Christine SPD
266 Rostock-Land – Ribnitz-Damgarten –
     Teterow – Malchin
     Kuhn, Werner CDU

267 Stralsund – Rügen – Grimmen
     Dr. Merkel, Angela CDU
268 Greifswald – Wolgast – Demmin
     Adam, Ulrich CDU
269 Neubrandenburg – Altentreptow –
     Waren – Röbel
     Dr. Krüger, Paul CDU
270 Neustrelitz – Strasburg – Pasewalk –
     Ueckermünde – Anklam
     Jaffke, Susanne CDU

Über Landeslisten Gewählte

SPD	F.D.P.	PDS
Braune, Tilo	Dr. Ortleb, Rainer	Dr. Maleuda, Günter
Deichmann, Christel		Lederer, Andrea
		Dr. Jacob, Willibald

BRANDENBURG   12 Wahlkreise

271 Neuruppin – Kyritz – Wittstock –
     Pritzwalk – Perleberg
     Bahr, Ernst SPD
272 Prenzlau – Angermünde – Schwedt –
     Templin – Gransee
     Meckel, Markus SPD
273 Oranienburg – Nauen
     Ilte, Wolfgang SPD
274 Eberswalde – Bernau –
     Bad Freienwalde
     Dr. Teichmann, Bodo SPD
275 Brandenburg – Rathenow – Belzig
     Dr. Knaape, Hans-Hinrich SPD
276 Potsdam
     Dr. Schnell, Emil SPD

277 Fürstenwalde – Strausberg – Seelow
     Dr. Schubert, Mathias SPD
278 Luckenwalde – Zossen – Jüterbog –
     Königs Wusterhausen
     Meißner, Herbert SPD
279 Frankfurt / Oder – Eisenhüttenstadt –
     Beeskow
     Mante, Winfried SPD
280 Cottbus – Guben – Forst
     Labsch, Werner SPD
281 Senftenberg – Calau – Spremberg
     Papenroth, Albrecht SPD
282 Bad Liebenwerda – Finsterwalde –
     Herzberg – Lübben – Luckau
     Hilsberg, Stephan SPD

Über Landeslisten Gewählte

CDU	F.D.P.	PDS
Eppelmann, Rainer	Türk, Jürgen	Dr. Enkelmann, Dagmar
Fink, Ulf		Kutzmutz, Rolf
Wonneberger, Michael		Kaiser-Nicht, Kerstin
Junghanns, Ulrich		Dr. Schumann, Michael
Stübgen, Michael		
Koslowski, Manfred		

SACHSEN-ANHALT   13 Wahlkreise

283 Altmark
     Weis (Stendal), Reinhard SPD
284 Elbe-Havel-Gebiet und Haldensleben –
     Wolmirstedt
     Letzgus, Peter CDU
285 Harz und Vorharzgebiet
     Brudlewsky, Monika CDU

286 Magdeburg
     Dr. Küster, Uwe SPD
287 Magdeburg – Schönebeck –
     Wanzleben – Staßfurt
     Büttner (Schönebeck), Hartmut CDU
288 Wittenberg – Gräfenhainichen –
     Jessen – Roßlau – Zerbst
     Petzold, Ulrich CDU

289 Dessau – Bitterfeld
Krause (Dessau), Wolfgang CDU

290 Bernburg – Aschersleben –
Quedlinburg
Krziskewitz, Reiner CDU

291 Halle-Altstadt
Hanewinckel, Christel SPD

292 Halle-Neustadt – Saalkreis – Köthen
Dr. Lischewski, Manfred CDU

293 Merseburg – Querfurt – Weißenfels
Schwalbe, Clemens CDU

294 Zeitz – Hohenmölsen –
Naumburg – Nebra
Späte, Margarete CDU

295 Eisleben – Sangerhausen – Hettstedt
Schulze, Frederick CDU

Über Landeslisten Gewählte

SPD

Kaspereit, Sabine
Hampel, Manfred
Dr. Brecht, Eberhard
Schumann, Ilse

F.D.P.

Lühr, Uwe

GRÜNE

Lemke, Steffi

PDS

Bläss, Petra
Bierstedt, Wolfgang
Dr. Knake-Werner, Heidi
Dr. Rössel, Uwe-Jens

THÜRINGEN   12 Wahlkreise

296 Nordhausen – Worbis – Heiligenstadt
Grund, Manfred CDU

297 Eisenach – Mühlhausen
Heise, Manfred CDU

298 Sömmerda – Artern – Sondershausen –
Langensalza
Selle, Johannes CDU

299 Gotha – Arnstadt
Dr. Päselt, Gerhard CDU

300 Erfurt
Otto (Erfurt), Norbert CDU

301 Weimar – Apolda – Erfurt-Land
Kronberg, Heinz-Jürgen CDU

302 Jena – Rudolstadt – Stadtroda
Richwien, Roland CDU

303 Gera-Stadt – Eisenberg – Gera-Land I
Köhler (Hainspitz), Hans-Ulrich CDU

304 Altenburg – Schmölln – Greiz –
Gera-Land II
Dr. Kahl, Harald CDU

305 Saalfeld – Pößneck – Schleiz –
Lobenstein – Zeulenroda
Wetzel, Kersten CDU

306 Meiningen – Bad Salzungen –
Hildburghausen – Sonneberg
Kriedner, Arnulf CDU

307 Suhl – Schmalkalden – Ilmenau –
Neuhaus
Nolte, Claudia CDU

Über Landeslisten Gewählte

SPD

Schröter, Gisela
Neumann (Gotha), Gerhard
Matschie, Christoph
Gleicke, Iris
Sorge, Wieland
Dr. Richter, Edelbert

F.D.P.

Dr. Guttmacher, Karlheinz

GRÜNE

Lengsfeld, Vera

PDS

Jüttemann, Gerhard
Dr. Fuchs, Ruth
Dr. Elm, Ludwig
Neuhäuser, Rosel

SACHSEN   21 Wahlkreise

308 Delitzsch – Eilenburg – Torgau –
     Wurzen
     Pfeiffer, Angelika CDU
309 Leipzig I
     Dr. Pohler, Hermann CDU
310 Leipzig II
     Schulz (Leipzig), Gerhard CDU
311 Leipzig-Land – Borna – Geithain
     Rau, Rolf CDU
312 Döbeln – Grimma – Oschatz
     Kolbe, Manfred CDU
313 Meißen – Riesa – Großenhain
     Bierling, Hans-Dirk CDU
314 Hoyerswerda – Kamenz – Weißwasser
     Klinkert, Ulrich CDU
315 Görlitz – Zittau – Niesky
     Janovsky, Georg CDU
316 Bautzen – Löbau
     Haschke (Großhennersdorf),
     Gottfried CDU
317 Pirna – Sebnitz – Bischofswerda
     Brähmig, Klaus CDU
318 Dresden I
     Reichard (Dresden), Christa CDU
319 Dresden II
     Nitsch, Johannes CDU

320 Dresden-Land – Freital –
     Dippoldiswalde
     Dr. Jork, Rainer CDU
321 Freiberg – Brand-Erbisdorf – Flöha –
     Marienberg
     Dr. Schmidt (Halsbrücke),
     Joachim CDU
322 Glauchau – Rochlitz – Hohenstein-
     Ernstthal – Hainichen
     Tröger, Gottfried CDU
323 Chemnitz I
     Meinl, Rudolf CDU
324 Chemnitz II – Chemnitz-Land
     Dr. Klaußner, Bernd CDU
325 Annaberg – Stollberg – Zschopau
     Engelmann, Wolfgang CDU
326 Aue – Schwarzenberg – Klingenthal
     Dehnel, Wolfgang CDU
327 Zwickau – Werdau
     Dr. Luther, Michael CDU
328 Reichenbach – Plauen – Auerbach –
     Oelsnitz
     Braun (Auerbach), Rudolf CDU

Über Landeslisten Gewählte

SPD
Schwanitz, Rolf
Jäger, Renate
Weißgerber, Gunter
Hoffmann (Chemnitz),
   Jelena
Kurzhals, Christine
Müller (Zittau), Christian
Dr. Thalheim, Gerald
Follak, Iris
Schuhmann (Delitzsch),
   Richard

F.D.P.
Günther (Plauen), Joachim

GRÜNE
Schulz (Berlin), Werner
Hermenau, Antje

PDS
Graf von Einsiedel, Heinrich
Dr. Höll, Barbara
Schenk, Christina
Tippach, Steffen
Dr. Heuer, Uwe-Jens
Lüth, Heidemarie

VERZEICHNIS DER ZUGELASSENEN PARTEIEN

APD	=	AUTOFAHRER- und BÜRGERINTERESSEN PARTEI DEUTSCHLANDS
BGD	=	Bund für Gesamtdeutschland, Ostdeutsche, Mittel- und Westdeutsche Wählergemeinschaft – DIE NEUE DEUTSCHE MITTE –
BP	=	Bayernpartei
BSA	=	Bund Sozialistischer Arbeiter, deutsche Sektion der Vierten Internationale
CDU	=	Christlich Demokratische Union Deutschlands
CM	=	CHRISTLICHE MITTE – Für ein Deutschland nach GOTTES Geboten
CSU	=	Christlich-Soziale Union in Bayern e. V.
DEMOKRATEN	=	DIE DEMOKRATEN
DKP	=	Deutsche Kommunistische Partei
DSU	=	Deutsche Soziale Union
DVP	=	Deutsche Volkspartei
FBU	=	FREIE BÜRGER UNION
FSU	=	FREISOZIALE UNION – Demokratische Mitte
F.D.P.	=	Freie Demokratische Partei
F.D.P. / DVP [1]	=	Freie Demokratische Partei / Demokratische Volkspartei
F.D.P. / DPS [2]	=	Freie Demokratische Partei / Demokratische Partei Saar
GRAUE	=	DIE GRAUEN – Graue Panther
GRÜNE	=	BÜNDNIS 90 / DIE GRÜNEN
GRÜNE / GAL [3]	=	BÜNDNIS 90 / DIE GRÜNEN Landesverband Hamburg, Grün-Alternative-Liste
KPD	=	Kommunistische Partei Deutschlands
LD	=	Liberale Demokraten, die Sozialliberalen
LIGA	=	CHRISTLICHE LIGA Die Partei für das Leben
MLPD	=	Marxistisch-Leninistische Partei Deutschlands
NATURGESETZ	=	DIE NATURGESETZ-PARTEI, AUFBRUCH ZU NEUEM BEWUSSTSEIN
ÖDP	=	Ökologisch-Demokratische Partei
PASS	=	Partei der Arbeitslosen und Sozial Schwachen
PBC	=	Partei Bibeltreuer Christen
PDS	=	Partei des Demokratischen Sozialismus
PDS Linke Liste [4]	=	Partei des Demokratischen Sozialismus Landesverband Niedersachsen Linke Liste
REP	=	DIE REPUBLIKANER
Solidarität [5]	=	Bürgerrechtsbewegung Solidarität
SPD	=	Sozialdemokratische Partei Deutschlands
STATT Partei	=	STATT Partei DIE UNABHÄNGIGEN
Tierschutz [6]	=	Mensch Umwelt Tierschutz
UAP	=	UNABHÄNGIGE ARBEITER-PARTEI (Deutsche Sozialisten)
ZENTRUM	=	Deutsche Zentrumspartei

---

1) Landesverband Baden-Württemberg der F.D.P.
2) Landesverband Saarland der F.D.P.
3) Landesverband Hamburg der GRÜNE
4) Landesverband Niedersachsen der PDS
5) Aus technischen Gründen war die Bildung einer Kurzbezeichnung notwendig.
6) Aus technischen Gründen ist die Schreibweise nicht identisch mit der satzungsgemäßen Kurzbezeichnung.

VORBEMERKUNG ZUM BIOGRAPHISCHEN TEIL

Biographien und Bilder der Abgeordneten werden auf den folgenden Seiten in alphabetischer Reihenfolge gebracht, wofür die namentliche Liste des Bundestages zugrunde gelegt wurde. Danach haben die parlamentarischen Beinamen Vorrang vor den Vornamen. Bei Neuauflagen während der Wahlperiode stehen die Biographien der nachgerückten Abgeordneten am Schluß des biographischen Teils in einem eigenen ABC.

Bei den 328 direkt gewählten Abgeordneten steht das Wahlergebnis der Erststimmen wieder unter der Biographie. Das Bundeswahlergebnis und die Übersicht über alle in den Wahlkreisen und über Landeslisten gewählten Abgeordneten findet der Leser ab Seite 37.

Die Anzahl der Sternchen (*) vor dem Namen eines Abgeordneten besagt, in wieviel Wahlperioden er Mitglied des Deutschen Bundestages war; dies bedeutet allerdings nicht unbedingt, daß das Mitglied jeweils einer vollen Wahlperiode angehört hat und auch nicht, daß der Abgeordnete entsprechend vielen Wahlperioden hintereinander angehört hat. Diejenigen Abgeordneten, die im Oktober 1990 von der Volkskammer in den 11. Bundestag entsandt wurden, haben für die Zeit bis zum Ende der Wahlperiode im Dezember 1990 dementsprechend ebenfalls ein Sternchen (*).

Die einzelnen Wahlperioden (WP) hatten folgende Dauer:

1. WP 7. 9. 1949 – 7. 9. 1953	8. WP 13. 12. 1976 – 4. 11. 1980
2. WP 6. 10. 1953 – 6. 10. 1957	9. WP 4. 11. 1980 – 29. 3. 1983
3. WP 15. 10. 1957 – 15. 10. 1961	10. WP 29. 3. 1983 – 18. 2. 1987
4. WP 17. 10. 1961 – 17. 10. 1965	11. WP 18. 2. 1987 – 20. 12. 1990
5. WP 19. 10. 1965 – 19. 10. 1969	12. WP 20. 12. 1990 – 10. 11. 1994
6. WP 20. 10. 1969 – 22. 9. 1972	13. WP 10. 11. 1994 –
7. WP 13. 12. 1972 – 13. 12. 1976	

Den biographischen Angaben liegen die von den Abgeordneten persönlich für das Amtliche Handbuch des Deutschen Bundestages Teil 1 geschriebenen Lebensläufe zugrunde, die nur unwesentlich und wenn aus Platzgründen notwendig gekürzt wurden. Abkürzungen, die sich wiederholen, sind auf den Seiten 316 f. erklärt, soweit sie nicht allgemein verständlich sind. Angaben, daß ein Arbeitsverhältnis ruht oder daß ein Abgeordneter beurlaubt ist, bedeuten zumeist, daß dies wegen der Zugehörigkeit zum Bundestag erfolgt ist.

Gegen Ende der Biographie stehen nach einem Gedankenstrich die Angaben, seit wann die Mitgliedschaft im Bundestag besteht; anschließend werden besondere Funktionen der Abgeordneten innerhalb des Parlaments aufgeführt.

Alle Mitglieder des Deutschen Bundestages sind unter folgender Anschrift zu erreichen:

Deutscher Bundestag
Bundeshaus
53113 Bonn
Tel.: 0228/16-1

Die Biographien der in der 13. Wahlperiode nachgerückten Abgeordneten stehen ab Seite 277 im Alphabet (Stand: Redaktionsschluß)

: ADAM CDU

Ulrich Adam; Mathematiker, Geschäftsführer; 17509 Hanshagen – * 9.6.1950 Teterow Kreis Teterow Bezirk Brandenburg, ev., verh., 2 Kinder – EOS, Abitur. Univ. Rostock, Hochschulmathematiker, abgeschlossenes postgraduales Studium als Ökonom an der Bergakademie Freiberg, Facharbeiter für Landtechnik. Reserveoffiziersausbildung im Rahmen der Hochschulausbildung. 2. Geschäftsführer der greifswalder möbel GmbH, kaufmännischer Bereich (Möbelherstellender Betrieb). 1973/89 Mitgl. FDGB. 1980 Mitgl. Kleingartenverband. Mitgl. CDU seit März 1990. Seit Mai 1990 Mitgl. der Bürgerschaft der Hansestadt Greifswald. – MdB seit 1990.

Wahlkreis 268 (Greifswald–Wolgast–Demmin)
CDU 49,0 – SPD 22,0 – PDS 21,7 – Grüne 2,7 – F.D.P. 2,4

:* ADLER SPD

Brigitte Adler; Reallehrerin; 97941 Tauberbischofsheim – * 22.6.1944 Drangstedt/Kreis Wesermünde, ev. – Mittlere Reife in Wertheim. Banklehre und fünf Jahre Tätigkeit in diesem Beruf. Über den 2. Bildungsweg Eignungsprüfung an die PH Heidelberg, Grund- und Hauptschullehrerin. Ausbildung am Reallehrerinstitut Weingarten/Tettnang, 1. und 2. Reallehrerprüfung. Reallehrerin in Radolfzell, Neckargemünd und Heidelberg-Rohrbach. Sechs Jahre lang Reallehrerin bei der Stiftung Rehabilitation Heidelberg. Mitgl. in GEW, AWO, Naturfreunde, Bund für Umwelt und Naturschutz Deutschland e. V. (BUND), Kinderschutzbund, Verein Frauen helfen Frauen e. V., Pro Familia e. V., amnesty international, Marie-Schlei-Förderverein e. V. Seit 1970 Mitgl. der SPD. 1975/84 Gemeinderätin in Mauer. April 1980/Febr. 1987 MdL Baden-Württemberg. – MdB seit 1987, Schriftführerin.

Landesliste Baden-Württemberg

: ALBOWITZ F.D.P.

Ina Albowitz, geb. Freytag; Werbekauffrau, Hausfrau; 51645 Gummersbach – * 26.4.1943 Weimar, Thüringen, ev.-luth., verh., 1 Kind – Volksschule, Frauenfachschule, Fachhochschulreife. Ausbildung zur Hauswirtschafterin, Zahnarzthelferin und Werbekauffrau. Leitende Mitarbeiterin in mittelständischen Unternehmen. Vors. der Musikschule der Stadt Gummersbach. Mitgl. der F.D.P. seit 1975, Kreisvors. der F.D.P. Oberbergischer Kreis seit 1982, seit 1984 stellv. Bezirksvors. Köln, seit 1984 Mitgl. Landesvorst. der F.D.P. Nordrhein-Westfalen. 1979/91 Mitgl. des Rates der Stadt Gummersbach, 1981/91 Fraktionsvors. der F.D.P. 1989/94 Mitgl. des Kreistages und stellv. Landrätin des Oberbergischen Kreises. 1989/91 Mitgl. der Landschaftsversammlung Rheinland, stellv. Fraktionsvors. – MdB seit 1990; Parl. Geschäftsführerin der F.D.P.-Fraktion, Ä.

Landesliste Nordrhein-Westfalen

* ALTMAIER   CDU

Peter Altmaier; Jurist; 66780 Rehlingen-Siersburg –
* 18. 6. 1958 Ensdorf, Saar, kath., ledig – Gymnasium,
1978 Abitur. Studium der Rechtswissenschaft in Saarbrücken, 1. jur. Staatsprüfung 1985, 2. jur. Staatsprüfung 1988. Aufbaustudium „Europäische Integration"
1985/86, Zertifikat über europäische Studien. Grundwehrdienst. 1985/87 Wiss. Mitarbeiter am Lehrstuhl
für Staats- und Völkerrecht Univ. Saarland in Saarbrücken, 1988/90 am dortigen Europa-Institut;
1990/94 Beamter der Europäischen Kommission, Generaldirektion V, Brüssel, derzeit beurlaubt; 1993/94
außerdem Generalsekretär der EG-Verwaltungskom-
mission für die soziale Sicherheit der Wanderarbeit-
nehmer. Mitgl. JU seit 1974, der CDU seit 1976, bis
1990 u. a. Orts-, Gemeinde-, Kreis- und Landesvors.
der JU Saar, Mitgl. im CDU-Kreisvorst. 1987/91, seit
1991 Mitgl. Landesvorst. und Vors. des Landesfachausschusses „Europa" der CDU Saar. – MdB seit 1994.

Landesliste Saarland

* ALTMANN (Aurich)
BÜNDNIS 90/DIE GRÜNEN

Gila Altmann, geb. Kowalke; Lehrerin; 26605 Aurich –
* 22.5.1949 Wilhelmshaven, verh., 3 erwachsene Kinder – 1969 Abitur an der Käthe-Kollwitz-Schule in Wilhelmshaven. Bis 1973 Studium an der PH in Hildesheim zum Lehramt für Grund- und Hauptschulen mit
den Fächern Bildende Kunst/Visuelle Kommunikation, Mathematik und Chemie. 1973/76 Lehrerin an
der Sonderschule für Lernbehinderte und 1976/91
Lehrerin an der Hauptschule in Moordorf. Mitgl. des
Vorst. der AG Schacht Konrad. Seit 1981 Mitgl. der
GRÜNEN; 1991/94 hauptamtliche Landesvors. der
GRÜNEN Niedersachsen. 1986/93 Fraktionssprече-
rin im Auricher Stadtrat. – MdB seit 1994.

Landesliste Niedersachsen

* ALTMANN (Pommelsbrunn)
BÜNDNIS 90/DIE GRÜNEN

Elisabeth Altmann, geb. Walenciak; Lehrerin; 91224
Hohenstadt – * 12. 10. 1943 Immenstadt/Oberallgäu,
verh., 2 Kinder – Abitur in Düsseldorf. Studium an der
Univ. Erlangen-Nürnberg für das Lehramt an Schulen
sowie von Schulpsychologie und Didaktik. Tätig als
Lehrerin, in der Erwachsenenbildung und als Perso-
nalrätin. Seit 1968 Mitgl. der GEW und im Bund Naturschutz. Seit 1982 Mitgl. der GRÜNEN, 1987/95 im
Vorst. der „GRÜNEN und Alternativen in den Räten
Bayerns" (GRiBs), 1992/94 Bezirksvors. von Bündnis
90/DIE GRÜNEN in Mittelfranken. 1984/90 Kreisrätin. – MdB seit 1994, Schriftführerin.

Landesliste Bayern

:* ANDRES SPD

Gerd Andres; Maschinenschlosser, Gewerkschaftssekretär; 30655 Hannover – * 8. 4. 1951 Wirges/Wester-
wald, verh., 3 Kinder – Volksschule. Facharbeiterprüfung. Abendschule mit Abschluß Fachoberschulreife.
1968/72 Ausübung verschiedener gewerkschaftlicher
Funktionen. 1972/73 Zivildienst bei der AWO. Seit
1974 Sekretär beim Hauptvorstand der IG Chemie-Papier-Keramik; 1981/87 Leiter der Abteilung Bildung.
Mitgl. der SPD seit Mai 1968, verschiedene Funktionen; 1976/77 stellv. Bundesvors. der Jungsozialisten in der SPD; ab 1983 Mitgl. im Unterbezirksvorst.
der Stadt Hannover; seit 1983 Vors. der AfA in Hannover-Stadt und -Land, seit 1988 Mitgl. des Bundesvorst.
der AfA. – MdB seit 1987; Mitgl. Vorst. und sozialpolitischer Sprecher der SPD-Fraktion.

Wahlkreis 36 (Stadt Hannover I)
SPD 44,3 – CDU 39,8 – Grüne 8,0 – FDP 3,4 – PDS 1,1

:: * ANTRETTER SPD

Robert Antretter; Landesgeschäftsführer; 71522 Backnang – * 5.2.1939 München, kath., verh., 4 Kinder –
Leitender Landesgeschäftsführer des SPD-Landesverb. Baden-Württemberg. Lehrbeauftragter an der
Univ. Stuttgart. Mitgl. Kuratorium Kunststiftung Baden-Württemberg. Mitgl. ZDK und dessen Geschäftsführenden Ausschusses. Mitgl. Antragskommission
SPD-Landesverb. Baden-Württemberg, Mitgl. Parteirat der SPD. – MdB seit 1980; Mitgl. Parl. Vers. Europarat -stellv. Leiter der deutschen Delegation-, Mitgl.
WEU -Leiter der deutschen Delegation, für beide parl.
Versammlungen Sprecher der deutschen Sozialdemokraten.

Landesliste Baden-Württemberg

:: AUGUSTIN CDU

Anneliese Augustin, geb. Mindermann; Apothekerin;
34128 Kassel – * 24.4.1930 Kassel, ev., verh., 2 Kinder
– Hans-Thoma-Gymnasium in Lörrach, Abitur. Studium Univ. Basel und Freiburg/Breisgau, pharmazeutisches Staatsexamen. 1957 Approbation als Apotheker in Stuttgart, seit 1958 bis zum Eintritt in den Bundestag selbständige Apothekerin in Kassel. 1988/89
Wissenschaftl. Mitarbeiterin des Bundesgesundheits-
amtes. 1976 Abgeordnete des Landeswohlfahrtsver-
bandes Hessen und Mitgl. des Fraktionsvorst. 1967
Eintritt in die CDU, seit 1969 Mitgl. Kreisvorst. Kassel-
Stadt. 1981 Vors. der Kommunalpolitischen Vereinigung Kassel-Stadt sowie Mitgl. des Landesvorst. der
Kommunalpolitischen Vereinigung. 1983 Vors. der
Mittelstandsvereinigung der CDU, seit 1987 stellv.
Landesvors. der Mittelstandsvereinigung der CDU
Hessen. 1972 Stadtverordnete in Kassel. – MdB
1984/87 und seit Dez. 1989; Mitgl. Vorst. des Parla-
mentskreises Mittelstand der CDU/CSU-Fraktion.

Landesliste Hessen

⁞ AUGUSTINOWITZ   CDU

Jürgen Augustinowitz; Bankkaufmann; 59602 Rüthen
– * 10. 6. 1964 Rüthen, kath., verh. – Hauptschule,
Handelsschule, Ausbildung zum Bankkaufmann.
1985/86 Wehrdienst. Tätigkeit als Bankkaufmann, zuletzt in der Firmenkundenabteilung der Deutschen
Bank AG, Filiale Lippstadt. Seit 1979 Mitgl. JU und
seit 1981 Mitgl. CDU, Mitgl. der CDA; stellv. CDU-
Kreisvors. – MdB seit 1990.

Wahlkreis 118 (Soest)
CDU 49,6 - SPD 39,6 - Grüne 5,7 - FDP 3,2 - PDS -

⁞⁞· AUSTERMANN   CDU

Dietrich Austermann; Stadtdirektor a. D., Rechtsanwalt; 25524 Itzehoe – * 22.10.1941 Berlin, kath., verh.,
4 Kinder – Gymnasium, 1962 Abitur. Studium der
Rechtswissenschaften FU Berlin und der Westf. Wilhelms-Univ. Münster, 1. jur. Staatsexamen 1967, Referendariat und 2. jur. Staatsprüfung 1971 in Berlin.
1971/74 wiss. Mitarbeiter der CDU-Bürgerschaftsfraktion in Hamburg. 1972/74 Rechtsanwalt und Notar
in eigener Praxis. Ab 1974 Wahlbeamter; 1974/77
hauptamtlicher Bürgermeister der Gemeinde Bars-
büttel/Stormarn, 1977/81 in Brunsbüttel/Dithmar-
schen. 1981/April 1982 Stadtdirektor und Kämmerer
in Göttingen. Seit 1985 als Rechtsanwalt beim Landgericht Itzehoe zugelassen. 1987/93 Senator der Fraun-
hofer-Gesellschaft. Bundesverdienstkreuz. Mitgl. der
CDU seit 1971, Kreisvors. der Steinburger CDU. – MdB
seit April 1982; Sprecher der Landesgruppe Schleswig-Holstein der CDU/CSU-Fraktion.

Wahlkreis 3 (Steinburg–Dithmarschen-Süd)
CDU 47,4 – SPD 42,5 – Grüne 6,1 – F.D.P. 2,6 – PDS -

⁞ Dr. BABEL   F.D.P.

Gisela Babel; Hausfrau; 35041 Marburg – * 23. 5. 1938
Berlin, verh., 3 Kinder – Abitur 1957 in Berlin. Studium
der Rechtswissenschaften in Edinburgh, Tübingen
und Berlin mit Abschluß der Promotion 1964. Eintritt
in die F.D.P. 1976; seit 1983 Ortsvors. in Marburg, seit
1984 Kreisvors. in Marburg-Biedenkopf. Stellv. Vors.
Landesfachausschuß Sozialpolitik. Mitgl. des Über-
parteilichen Frauenverbandes Marburg. Ortsbeirats-
mitgl. Wehrshausen 1981, F.D.P.-Stadtverordnete in
Marburg 1981, Kreistagsabg. Marburg-Biedenkopf
1989. MdL Hessen 1987/90, sozialpolitische Sprecherin der F.D.P.-Landtagsfraktion. – MdB seit 1990; seit
1992 sozialpolitische Sprecherin der F.D.P.-Fraktion.

Landesliste Hessen

:: BACHMAIER SPD

Hermann Bachmaier; Rechtsanwalt; 74564 Crailsheim
– * 5.7.1939 Crailsheim, ev., verh. – Nach dem Abitur
in Crailsheim Studium von Geschichte, Politik und
Rechtswissenschaften in Heidelberg und Tübingen.
Nach dem 2. jur. Staatsexamen Gründung einer
Rechtsanwaltskanzlei in Crailsheim. Mitgl. der HBV,
AWO und des Deutschen Anwaltsvereins. Mitgl. der
SPD seit 1969. – MdB seit 1983; stellv. rechtspolitischer
Sprecher der SPD-Fraktion; 1988/90 Vors. des Atom-
skandal-Untersuchungsausschusses.

Landesliste Baden-Württemberg

* BAHR SPD

Ernst Bahr; Diplomlehrer; 16833 Fehrbellin –
* 11.6.1945 Klum/Kreis Böhmisch Leipa, verh., 3
Söhne – 1960 EOS in Rheinsberg, 1964 Abitur. 1964/68
Lehrerstudium, Diplomlehrer für Mathematik/Astro-
nomie. Mai/Aug. 1978 Reservedienst in der NVA.
1968/89 Lehrer in Linum und Fehrbellin. 1990/94
Landrat im Kreis Neuruppin; wesentliche Beteiligung
an der demokratischen Umgestaltung der öffentlichen
Verwaltung und ihrer Einrichtungen. Vors. versch.
Verwaltungsgremien auf Kreis- und Regionalebene.
Bis 1989 Mitgl. im FDGB. Mitgl. im Vorst. der Vertre-
terversammlung der LVA Brandenburg sowie im Vorst.
des Landkreistages Brandenburg und im Vorst. der
Deutschen Sektion des Rates der Gemeinden und Re-
gionen Europas. Bis 1989 parteilos, seit Nov. 1989
Mitgl. SDP/SPD, Vors. Unterbezirk, stellv. Landes-
vors. der SPD Brandenburg 1992/94. Seit Mai 1990
Mitgl. Kreistag, seit Dez. 1993 Vors. Kreistag Ostprig-
nitz-Ruppin. – MdB seit 1994.
Wahlkreis 271 (Neuruppin–Kyritz–Wittstock–Pritz-
walk–Perleberg)
SPD 50,1 – CDU 30,0 – PDS 14,0 – Grüne 3,2 – F.D.P. 2,7

: BARGFREDE CDU

Heinz-Günter Bargfrede; Postbeamter a. D.; 27356 Ro-
tenburg – * 20. 1. 1942 Zeven, Kreis Rotenburg/
Wümme, ev.-luth., verh., 1 Sohn – Handelsschule. 1957
Postassistentanwärter, 1972 gehobener Postdienst, Be-
schäftigung bei den Postämtern Soltau, Bremen 5 und
Rotenburg. 1963/64 Grundwehrdienst. Postoberin-
spektor a. D. Seit 1961 Mitgl. Deutscher Postverband
im DBB, 1964/70 Bezirksvorst. Bremen; 1980/83 Vors.
Ortsverband Rotenburg, Mitgl. Hauptvorst.; Mitgl.
Verband der Reservisten der Bundeswehr, VdK,
Reichsbund, Rotenburger Sportverein. Ehrenamtl.
Vors. DRK-Ortsverb. Seit 1971 Mitgl. CDU, 1986/90
Vors. CDU Rotenburg. 1981/91 Mitgl. Stadtrat,
1982/84 Vors. CDU-Ratsfraktion, 1984/86 Bürgermei-
ster Rotenburg/Wümme. Seit 1986 Mitgl. Kreistag
Landkreis Rotenburg/Wümme, seit 1987 stellv. Frakti-
onsvors., 1987/91 stellv. Landrat. – MdB seit 1990.

Wahlkreis 30 (Soltau-Fallingbostel – Rotenburg II)
CDU 49,6 – SPD 38,7 – Grüne 6,0 – FDP 3,0 – PDS -

* BARNETT SPD

Doris Barnett, geb. Frenzel; Juristin; 67071 Ludwigshafen – * 22.5.1953 Ludwigshafen, verh., 1 Kind –
Staatliche Handelsschule, Wirtschaftsgymnasium,
Abitur. Jurastudium an der Johannes-Gutenberg-
Univ. Mainz, 2. Staatsexamen. Ein Jahr beim DGB und
vier Jahre bei der ÖTV als Rechtssekretärin tätig;
anschließend fünf Jahre bei den Technischen Werken
Ludwigshafen in der Personalabteilung tätig. Leiterin
des Sozialverwaltungsamtes der Stadtverwaltung
Ludwigshafen, zuständig für allgemeinen Sozial-
dienst, Bekämpfung der Arbeitslosigkeit, Unterbrin-
gung und Betreuung von Asylbewerbern. Seit 1976
Mitgl. der ÖTV, der American Society of International
Law, der AWO, der Naturfreunde und im Arbeitsge-
richtsverband. Mitgl. SPD seit 1971, seit 1984 im Ortsvereinsvorst. Ludwigshafen-Oggersheim, seit 1992 im
Landesvorst. der SPD; seit 1991 Bezirksvors. der AsF;
seit 1990 stellv. Stadtverbandsvors. – MdB seit 1994.

Landesliste Rheinland-Pfalz

* BARTHEL SPD

Klaus Barthel; Gewerkschaftssekretär; 82431 Kochel
am See – * 28.12.1955 München, unverh. – Volksschule und Gymnasium in München, Abitur. Studium
der Politischen Wissenschaft mit den Nebenfächern
Soziologie und Geschichte an der Ludwig-Maximilians-Univ. München; Magister Artium. Zivildienst. Diverse berufliche Aushilfstätigkeiten. Gewerkschaftssekretär mit den Schwerpunkten Jugend und berufliche Bildung bei der ÖTV, Bezirksverwaltung Bayern.
Mitgl. in DGB-Gewerkschaften seit 1977, derzeit ÖTV.
1975 Eintritt in die SPD, diverse Funktionen seit 1976,
1983/88 Mitgl. des Bezirksvorst. der SPD Südbayern,
seit 1991 stellv. Vors. des SPD-Bezirks Oberbayern;
1983/88 Vors. der südbayerischen Jungsozialisten. –
MdB seit 1994.

Landesliste Bayern

* BASTEN CDU

Franz Peter Basten; Rechtsanwalt; 54346 Mehring –
* 22.8.1944 Trier, röm.-kath., verh., 2 Kinder – Volksschule in Detzem/Mosel, 1959/65 staatl. Aufbaugymnasium Daun, 1965 Abitur. 1965/71 Studium der
Rechtswissenschaft in Freiburg, Genf und Mainz, 1971
1. jur. Staatsprüfung, 1974 2. jur. Staatsprüfung.
1974/75 persönl. Referent des rheinland-pfälzischen
Ministers für Wirtschaft und Verkehr. 1975/79 Richter
in Trier. 1981/85 und seit 1991 Rechtsanwalt in Trier.
Seit 1969 Mitgl. der CDU, seit 1981 Vors. der CDU des
Kreises Trier-Saarburg. Seit 1994 Mitgl. des Kreistages
Trier-Saarburg. 1979/85 und 1991/94 MdL von Rheinland-Pfalz; 1985/91 Staatssekretär in der rheinland-
pfälzischen Landesregierung. – MdB seit 1994.

Wahlkreis 152 (Trier)
CDU 47,6 – SPD 40,0 – Grüne 7,8 – F.D.P. 2,7 – PDS -

:* **Dr. BAUER   CDU**

Wolf Bauer; Apotheker; 53879 Euskirchen –
* 5.3.1939 Steinach/Thüringen, kath., verh., 2 Kinder
– 1957 Abitur in Gotha. 1965 pharmazeutisches Staatsexamen in Bonn. 1966 Bestallung als Apotheker; 1990
Promotion zum Dr. rer. nat. in Marburg. 1966/67
Grundwehrdienst in Koblenz, nach Wehrübungen
Oberstabsapotheker d. R. Seit 1968 selbständiger
Apotheker in Euskirchen. Seit 1975 Mitgl. der CDU;
1983/86 Kreisvors. der Mittelstandsvereinigung; seit
1991 Vors. CDU-Kreisverband Euskirchen, seit 1993
stellv. Vors. Bezirksverband Aachen. 1979/94 Mitgl.
Rat der Stadt Euskirchen, 1980/94 Bürgermeister; seit
1994 Mitgl. des Kreistages. – MdB seit 1987.

Wahlkreis 58 (Euskirchen–Erftkreis II)
CDU 48,0 – SPD 39,0 – Grüne 5,8 – F.D.P. 5,1 – PDS -

: **BAUMEISTER   CDU**

Brigitte Baumeister, geb. Jauch; Dipl.-Mathematike-
rin; 71032 Böblingen – * 19.10.1946 Stuttgart, ev.,
verh., 2 Kinder – Gymnasium. Studium der Mathematik Univ. Stuttgart, Diplom-Mathematikerin. Assistentin am Institut für Informatik Univ. Stuttgart, Dozentin
an der Fachhochschule für medizinische Informatik
Heilbronn, Tätigkeit bei IBM. Mitgl. in der Sportverei-
nigung Böblingen (SVB). 1980 Eintritt in die CDU,
1981/87 Mitgl. CDU-Stadtverbandsvorst. Böblingen,
seit 1984 Mitgl. Kreisvorst. Böblingen und des Bezirksvorst. Nord-Württemberg, seit 1991 stellv. Bezirksvors.;
1984/91 Kreisvors. der Frauenunion des Kreises Böblingen und Beisitzerin der Bezirksfrauenunion Nord-
Württemberg; seit 1992 Bundesschatzmeisterin der
CDU Deutschlands. 1989/90 Mitgl. Stadtrat Böblingen, 1990/94 Mitgl. Kreistag Böblingen. – MdB seit
1990; seit 1991 Parl. Geschäftsführerin der CDU/CSU-
Fraktion, Ä.

Wahlkreis 164 (Böblingen)
CDU 50,3 – SPD 31,4 – Grüne 10,3 – F.D.P. 3,8 – PDS 0,6

:* **BECK (Bremen)**
BÜNDNIS 90/DIE GRÜNEN

Marieluise Beck; Lehrerin; 28205 Bremen –
* 25.6.1952 Bramsche/Osnabrück, 2 Töchter – Gym-
nasium, Abitur 1970 in Osnabrück. Studium Deutsch,
Geschichte, Gemeinschaftskunde in Bielefeld und
Heidelberg. Reallehrerin an der Konrad-Adenauer-
Realschule in Pforzheim. Mitgl. in der Deutsch-Israeli-
schen Gesellschaft und der Gesellschaft für bedrohte
Völker. Seit März 1980 Mitgl. der GRÜNEN. 1991/94
Mitgl. der Bremischen Bürgerschaft. – MdB
1983/April 1985, 1987/90 und seit 1994.

Landesliste Bremen

* BECK (Köln)
BÜNDNIS 90 / DIE GRÜNEN

Volker Beck; Referent; 50474 Köln – * 12.12.1960 Stuttgart-Bad Cannstatt, schwule Lebensgemeinschaft – Abitur 1980. Studium der Kunstgeschichte, Geschichte und Germanistik Univ. Stuttgart. 1980/81 Zivildienst. Referent, wissenschaftlicher Mitarbeiter. Sprecher des Schwulenverbandes in Deutschland (SVD) e. V. und des Beirates zum Hessischen Härtefonds für Opfer von nationalsozialistischen Unrechtsmaßnahmen; Mitgl. im Bundesverband Information und Beratung für NS-Verfolgte e. V., in der Hum. Union e. V., im Forum Buntes Deutschland – SOS Rassismus e. V., in der Deutschen Friedensgesellschaft – Vereinigte Kriegsdienstgegner e. V., in der Aids-Hilfe e. V. und in La Société des amis du Louvre. 1979 bis Mitte der 80er Jahre in der unabhängigen Friedensbewegung; 1985 Mitgl. der GRÜNEN Stuttgart, Kreisvorst., Landeswahlkampfkommission. 1987/90 Schwulenreferent der GRÜNEN im BT, 1991 Sprecher der Bundesarbeitsgem. Schwulenpolitik der GRÜNEN; 1993/94 Mitgl. Bundes-Programm-Kommission. – MdB seit 1994.
Landesliste Nordrhein-Westfalen

:* BECKER-INGLAU   SPD

Ingrid Becker-Inglau, geb. Neumann; Rektorin a. D., Didaktische Leiterin; 45277 Essen – * 20.11.1946 Essen, ev., verh. – 1967 Abitur. Studium an der PH Hagen, 1970 1. Staatsexamen, 1972 2. Staatsexamen. Seit 1972 Lehrerin an einer Essener Gesamtschule, zuletzt als Rektorin, Didaktische Leiterin. Seit 1968 Mitgl. der GEW, Vors. der AWO Essen, u. a. Mitgl. des Kinderschutzbundes, der Jugendberufshilfe, des Vereins für Kinder- und Jugendarbeit in sozialen Brennpunkten, Mitgl. des Kuratoriums der Ev. Akademie Mülheim. Mitgl. der SPD seit 1972 in unterschiedlichen Funktionen. 1976/87 Mitgl. des Rates der Stadt Essen. – MdB seit 1987; Febr./Dez. 1991 stellv. Vors. der SPD-Fraktion.

Wahlkreis 90 (Essen III)
SPD 44,9 – CDU 41,8 – Grüne 7,6 – F.D.P. 3,2 – PDS 0,7

: BEER   BÜNDNIS 90 / DIE GRÜNEN

Angelika Beer; Referentin für Menschenrechtsfragen, Rechtsanwalts- und Notarsgehilfin; 24534 Neumünster – * 24.5.1957 Kiel – Ausbildung zur Arzthelferin, Rechtsanwaltsgehilfin und Notarsgehilfin. Referentin für Menschenrechtsfragen; 1992/94 Koordinatorin der internationalen Kampagne zur Ächtung von Landminen/medico international. Mitgl. des Rüstungsinformationsbüros Baden-Württemberg (RIB), des Berliner Instituts für transnationale Sicherheit (BITS) und des Instituts für Internationale Politik (IIP). Gründungsmitgl. der GRÜNEN; 1991/94 Mitgl. im Bundesvorst. von BÜNDNIS 90/DIE GRÜNEN. – MdB 1987/90 und seit 1994.

Landesliste Schleswig-Holstein

* BEHRENDT SPD

Wolfgang Behrendt; Baustadtrat a. D., Diplom-Politologe; 13595 Berlin – * 26. 10. 1938 Berlin, verh., 1 Tochter – Abitur. Studium der Rechts- und Politikwissenschaft sowie der neueren Geschichte, Diplom-Politologe. Tätigkeit in der Privatwirtschaft. 1975/85 Baustadtrat in Berlin. Mitgl. AWO und ÖTV. Seit 1959 Mitgl. der SPD, 1978/92 Mitgl. Landesvorst. der SPD Berlin, 1987/92 Kreisvors. SPD Spandau. 1971/75 Mitgl. Bezirksverordnetenversammlung Berlin-Spandau; 1985/94 Mitgl. Abgeordnetenhaus von Berlin. – MdB seit 1994.

Landesliste Berlin

⁞ BELLE CDU

Meinrad Belle; Bürgermeister a. D.; 78086 Brigachtal – * 18. 7. 1943 Philippsburg, Landkreis Karlsruhe, röm.-kath., verh., 2 Kinder – Volksschule in Philippsburg, danach Wirtschaftsschule (Höhere Handelsschule in Bruchsal) mit Abschluß der Mittleren Reife 1960. Ausbildung zum Rechtspfleger (gehobener Justizdienst) im Land Baden-Württemberg, 1963 Rechtspflegerexamen mit Auszeichnung. 1963/74 Tätigkeit im gehobenen Justizdienst des Landes Baden-Württemberg, zuletzt als Geschäftsleiter des Amtsgerichts und der Vollzugsanstalt Villingen-Schwenningen. 1988/90 Kreisvors. Gemeindetag Baden-Württemberg im Schwarzwald-Baar-Kreis und der Bürgermeistervereinigung; 1988/90 Mitgl. Landesvorst. Gemeindetag Baden-Württemberg, 1988/90 Vors. des Fachausschusses „Gemeindewirtschaft und Energie". 1974 Eintritt in die CDU; 1978/94 stellv. Vors. der KPV im Schwarzwald-Baar-Kreis, 1982/92 Mitgl. im Bezirksvorst. der KPV. 1975/90 Bürgermeister der Gemeinde Brigachtal im Schwarzwald-Baar-Kreis, 1979/90 Mitgl. Kreistag. – MdB seit 1990.
Wahlkreis 190 (Schwarzwald-Baar)
CDU 52,0 – SPD 30,9 – Grüne 8,0 – F.D.P. 4,2 – PDS -

⁞ BERGER SPD

Hans Berger; Bergmann, Gewerkschaftssekretär, Gewerkschaftsvorsitzender; 44789 Bochum – * 28. 2. 1938 Alsdorf, Kreis Aachen, kath., verh., 1 Kind – Volksschule. 1953 Berglehrling, Bergberufsschule, Knappe, 1957 Hauer, Bergvorschule, Akademie der Arbeit. 1966 Gewerkschaftssekretär der IG Bergbau und Energie, 1978/84 Bezirksleiter des IGBE-Bezirks Saar, 1984 Wahl in den Geschäftsführenden Vorstand, 1989/90 Vorstandsvors. der Bundesknappschaft, 1990 Wahl zum 1. Vors. der IGBE. Seit 1953 Mitgl. der IGBE, Mitgl. des Bundesvorst. und des Bundesausschusses des DGB, Vizepräs. des Internationalen Bergarbeiterverbandes, Präs. des Europäischen Bergarbeiterverbandes. Seit 1957 Mitgl. der SPD. 1971/78 Mitgl. des Kreistages Aachen. – MdB seit 1990.

Landesliste Nordrhein-Westfalen

⁑ Dr. BERGMANN-POHL   CDU

Sabine Bergmann-Pohl; Ärztin, Parl. Staatssekretärin; 53121 Bonn – * 20. 4. 1946 Eisenach, ev., verh., 2 Kinder – Abitur. 2 Jahre Praktikum im Institut für Gerichtsmedizin Humboldt-Univ. Berlin, Medizinstudium in Berlin, 1980 Promotion zum Dr. med.; 1979 Fachärztin für Lungenkrankheiten; 1980/95 Ärztliche Leiterin der Poliklin. Abteilung für Lungenkrankheiten und Tuberkulose Berlin-Friedrichshain; 1985/90 Ärztliche Direktorin in der Bezirksstelle für Lungenkrankheiten und Tuberkulose in Ost-Berlin. Mitgl. Marburger Bund, Deutsche Ges. für Pneumologie und des Stiftungsrates der Körber-Stiftung, Schirmherrin des Allgem. Behindertenverb. in Deutschland e. V. Mitgl. CDU seit 1981. MdV März/Okt. 1990, April 1990 Wahl zur Präsidentin, in dieser Eigenschaft auch Staatsoberhaupt der DDR. – MdB seit Okt. 1990; bis Jan. 1991 BMin. für besondere Aufgaben; seit Jan. 1991 Parl. Staatssekretärin beim BMin. für Gesundheit.

Landesliste Berlin

* BERNINGER
BÜNDNIS 90/DIE GRÜNEN

Matthias Berninger; Student; 34292 Ahnatal – * 31. 1. 1971 Kassel, ev., unverh. – 1989 Abitur Goetheschule Kassel. 1994 1. Staatsexamen für das Lehramt an der Univ. Gesamthochschule Kassel. Student. Seit 1990 Mitgl. bei BÜNDNIS 90/DIE GRÜNEN. Seit 1993 Gemeindevertreter in Ahnatal; 1993/94 Mitgl. im Kreistag des Landkreises Kassel. – MdB seit 1994.

Landesliste Hessen

⁖* BERNRATH   SPD

Hans Gottfried Bernrath; Ministerialdirektor a. D.; 41516 Grevenbroich – * 5. 7. 1927 Meerbusch-Osterath, kath., verh., 3 Kinder – 1937/43 Besuch des Thomasgymnasiums in Kempen (Niederrhein). 1943/45 Luftwaffenhelfer, Reichsarbeitsdienst, Kriegsdienst und Kriegsgefangenschaft. 1946 Abitur am Quirinus-Gymnasium in Neuss. 1946 und 1947 Tätigkeit in verschiedenen Industriebetrieben. 1948/67 und 1970/80 Deutsche Bundespost. 1968/70 Beigeordneter der Stadt Rheydt. Mitgl. der Deutschen Postgewerkschaft seit 1948. Seit 1953 Mitgl. der SPD. 1979/94 ehrenamtl. Bürgermeister der Stadt Grevenbroich. – MdB seit 1980.

Landesliste Nordrhein-Westfalen
ausgeschieden am 31. 12. 1994
Nachfolger > Abg. Hovermann
(siehe ABC ab Seite 277)

* BERTL SPD

Hans-Werner Bertl; Uhrmachermeister, Diplomverwaltungswirt; 42659 Solingen – * 2.7.1944 Wuppertal,
verh., 1 Tochter – Volksschule, berufsbildende Schule.
Gesellenprüfung als Uhrmacher. Restaurator in einer
Museumswerkstatt, Meisterprüfung als Uhrmacher.
Anschließend Studium der Betriebswirtschaft, Dipl.-
Verwaltungswirt und Berufsberater. Staatlich geprüf-
ter Betriebswirt. Tätig bei der Bundesanstalt für Ar-
beit, zuletzt Berufsberater im Arbeitsamt Düsseldorf,
zuständig für die Städte Mettmann, Haan, Erkrath
und Hochdahl. Mitgl. u. a. bei ÖTV, AWO, Mitgl.
Vorst. Pro Familia Solingen, Mitgl. Sport- und Kultur-
zentrum Ittertal gGmbH, im Beirat des 1. FC Union
Solingen. Seit 1972 Mitgl. der SPD; 1978/80 Mitgl. im
Solinger Juso-Vorstand, 1979/81 Beisitzer im Solinger
SPD-Vorstand, 1981/83 stellv. Vors., seit 1983 Vors. der
Solinger SPD; Mitgl. im Bezirksausschuß Niederrhein
und im Landesausschuß NRW der SPD. 1979/89 Mitgl.
Solinger Stadtrat. – MdB seit 1994.

Wahlkreis 71 (Solingen–Remscheid)
SPD 44,7 – CDU 42,7 – Grüne 5,0 – F.D.P. 4,3 – PDS 0,8

: BEUCHER SPD

Friedhelm Julius Beucher; Rektor a. D.; 51702 Bergneustadt – * 21.7.1946 Bergneustadt, verh., 1 Tochter –
Realschule und Höhere Handelsschule. Berufsausbildung, Begabtensonderprüfung 1969. Studium an der
PH Bonn 1969/73. 1974/76 Lehrer. 1976 Fachleiter Be-
zirksseminar, anschl. beim Kultusminister NRW,
1981/90 Rektor einer Gemeinschaftsgrundschule. U.
a. Mitgl. der GEW, im Naturschutzbund Deutschland,
im Weißen Ring, bei ai, in der Else-Lasker-Schüler-
Ges. in Wuppertal und in versch. Sport- und regionalen Vereinen; Mitgründer und seit 1983 Vors. eines Ar-
beitslosenprojektes im Oberbergischen Kreis. Mitgl.
SPD seit 1967; AStA-Vors. 1971/72, Vors. der Jusos
Oberbergischer Kreis 1972/75; Ortsvereinsvors. SPD
Bergneustadt 1975/86 und 1989/90, seit 1975 Mitgl.,
seit 1987 Unterbezirksvors. Oberbergischer Kreis;
Mitgl. im SPD-Landesausschuß NRW 1975/80, seit
1981 Mitgl. SPD-Landesvorst. NRW. Seit 1975 Stadtrat
in Bergneustadt, 1988/89 Mitgl. Kreistag Oberbergischer Kreis. – MdB seit 1990.

Landesliste Nordrhein-Westfalen

: BIERLING CDU

Hans-Dirk Bierling; Maurer, Diplomingenieur; 01558
Großenhain – * 29.3.1944 Wernigerode/Harz, ev.,
verh., 2 Kinder – 1950/60 Schulbesuch in Großenhain
und Herrnhut, 1960/63 Berufsausbildung (Maurer)
mit Abitur in Riesa. 1963/66 Ingenieurschule für Bau-
stofftechnologie Apolda, 1967/73 Hochschule für Architektur und Bauwesen Weimar (Fernstudium) mit
Abschluß als Diplomingenieur. 1966/72 Technologe,
Produktions-Abteilungsleiter und Leiter für Bauaufsicht in Plattenwerken Meißen und Halle-Neustadt,
1972/90 Prüfingenieur und Prüfgruppenleiter der
Bauaufsicht Bezirk Dresden. Mitgl. CDU seit 1972,
1976/90 Mitgl. Bezirksvorst. Dresden der CDU Ost
und Dez. 1989/Okt. 1990 Mitgl. Parteivorst. CDU Ost.
1974/84 Mitgl. Kreistag Großenhain. März/Okt. 1990
MdV, Vors. Arbeitskreis Deutschland-, Außen-, Vertei-
digungs- und Entwicklungspolitik. – MdB seit 1990,
Schriftführer.

Wahlkreis 313 (Meißen–Riesa–Großenhain)
CDU 53,3 – SPD 20,7 – PDS 16,1 – Grüne 5,0 – F.D.P. 4,9

* BIERSTEDT PDS

Wolfgang Bierstedt; Hochschulingenieur; 39128 Magdeburg – * 12.6.1952 Calvörde, verh., 2 Kinder – Abitur. Facharbeiter für Datenverarbeitung; Hochschulabschluß. Kein Wehrdienst. Abteilungsleiter in einem Großrechenzentrum. 1978/89 Mitgl. der SED, seit 1990 der PDS. – MdB seit 1994.

Landesliste Sachsen-Anhalt

::: BINDIG SPD

Rudolf Bindig; Diplomkaufmann; 88289 Waldburg – * 6.9.1940 Goslar am Harz, 1 Sohn – Gymnasium in Goslar, Abitur 1960. Studium in Göttingen und Nürnberg, Diplomkaufmann. Praktische Tätigkeit im Großhandel und im Montanbereich. Ergänzungsstudien in Politik, Geschichte und Soziologie Univ. Konstanz. 1971 bis zur Wahl in den Deutschen Bundestag wissenschaftl. Angestellter in der Sozialforschung. Mitgl. der GEW. Seit 1967 Mitgl. der SPD; 1969/72 versch. Funktionen bei den Jungsozialisten in der SPD; 1971/75 Beisitzer im SPD-Kreisvorst. Konstanz, 1973/93 Mitgl. im Landesvorst. und seit 1993 Vors. der Kontrollkommission der SPD Baden-Württemberg; seit 1975 im Wechsel Präs. oder Vizepräs. der Sozialistischen-Bodensee-Internationale. – MdB seit 1976; seit 1983 Obmann der Arbeitsgruppe Menschenrechte und humanitäre Hilfe der SPD-Fraktion; Mitgl. in der Parl. Vers. des Europarates und in der Versammlung der WEU.

Landesliste Baden-Württemberg

: BLÄSS PDS

Petra Bläss; Diplomlehrerin; 10243 Berlin – * 12. 6. 1964 Leipzig, ledig – 1970/82 Besuch einer POS und EOS, 1982 Abitur. 1982/87 Studium an der Humboldt-Univ. Berlin, 1987 Diplom; 1987/90 Forschungsstudium am Bereich Literaturwissenschaft der Sektion Germanistik der Humboldt-Univ. Berlin. Juni/Dez. 1990 Redakteurin im Deutschen Fernsehfunk. Mitgl. des Unabhängigen Frauenverbandes (UFV) und der Anna-Seghers-Gesellschaft. Parteilos; Febr./Aug. 1990 Vors. der Wahlkommission der DDR zu den Volkskammer- und Kommunalwahlen. – MdB seit 1990.

Landesliste Sachsen-Anhalt

:: Dr. BLANK CDU

Joseph-Theodor Blank; Professor, Rechtsanwalt; 53113 Bonn – * 19.3.1947 Lüdenscheid, kath., verh., 1 Sohn – Studium der Rechts- und Staatswissenschaften. Referendar- und Assessorexamen; Promotion zum Dr. jur. 1972/75 wissenschaftl. Mitarbeiter am Institut für Staatsrecht der Univ. Köln. 1976/83 Mitgl. der Geschäftsführung des Deutschen Städte- und Gemeindebundes. Seit 1983 selbständiger Rechtsanwalt. Honorarprofessor für Staats- und Verwaltungsrecht an der Fachhochschule für öffentliche Verwaltung des Landes Nordrhein-Westfalen. Kreisvors. der CDU Kreis Mettmann, Bezirksvors. der CDU Bezirk Bergisches Land, Mitgl. Landesvorst. der CDU Nordrhein-Westfalen. 1975/79 Kreistagsabgeordneter Kreis Mettmann. – MdB seit 1983, Schriftführer.

Wahlkreis 72 (Mettmann I)
CDU 45,8 – SPD 41,5 – Grüne 6,9 – F.D.P. 3,7 – PDS 0,7

: BLANK CSU

Renate Blank, geb. Reichenberger; Einzelhändlerin; 90451 Nürnberg – * 8.8.1941 Nürnberg, kath., verh., 2 erwachsene Söhne – Gymnasium. Bankangestellte, Hausfrau, mithelfende Ehefrau, seit 1976 selbständig, Einzelhändlerin in der Textilbranche. Mitgl. der Vollversammlung der IHK Nürnberg sowie des Einzelhandelsverbandes, Präsidiumsmitgl. des Bayerischen Einzelhandelsverbandes und des HDE, Arbeitgebervertreterin in der Berufsgenossenschaft des Einzelhandels; Gründungsmitgl. des Design-Forums Nürnberg e.V., Mitgl. der Opern- und Konzertfreunde Nürnberg e.V. Seit 1974 Mitgl. der CSU, Mitgl. im Orts-, Kreis- und Bezirksvorst.; stellv. Bezirksvors. der Arbeitsgemeinschaft Mittelstand Nürnberg-Fürth, Schatzmeisterin der Arbeitsgemeinschaft Mittelstand Bayern, stellv. Kreisvors. der Frauen-Union. Stadträtin in Nürnberg Mai 1984/Dez. 1990. – MdB seit 1990; Schriftführerin, Mitgl. Kunstbeirat.

Wahlkreis 231 (Nürnberg-Süd)
CSU 45,5 – SPD 42,6 – Grüne 4,9 – FDP 2,9 – PDS 0,7

:: Dr. BLENS CDU

Heribert Blens; Richter a. D.; 51069 Köln – * 19.2.1936 Köln, kath., verh., 2 Kinder – Gymnasium. 1956/60 rechtswissenschaftl. Studium Univ. Köln, 1960 Referendarexamen, 1964 Assessorexamen; anschl. Zweitstudium der Polit. Wissenschaft und Volkswirtschaftslehre. 1966/67 Referent im Bundesarbeitsministerium. 1967 Richter am Verwaltungsgericht Köln, 1974 einjährige Tätigkeit im Bundesinnenministerium. 1975/83 Vors. Richter am Verwaltungsgericht Düsseldorf. Mitgl. CDU seit 1955. 1969/87 Mitgl. Rat der Stadt Köln, 1975/87 Bürgermeister der Stadt Köln. – MdB seit 1983; seit 1990 Alternierender Vors. Vermittlungsausschuß.

Wahlkreis 60 (Köln II)
CDU 43,2 – SPD 40,3 – Grüne 9,3 – F.D.P. 4,7 – PDS 0,9

⁚ BLESER CDU

Peter Bleser; Landwirtschaftsmeister; 56761 Brachtendorf – * 23. 7. 1952 Brachtendorf, röm.-kath., verh., 3 Kinder – Volksschule. 1967/70 3jährige Ausbildung im elterl. Betrieb, Landwirtschaftsgehilfe; 1971/72 und 1977/78 Landwirtschaftl. Fachschule Mayen, 1978 Meisterprüfung. Selbst. Landwirt. 1985/92 Kreisvors. des Bauern- und Winzerverb. Cochem-Zell, seit 1990 Präsidiumsmitgl. des Bauern- und Winzerverb. Rheinland-Nassau e. V. Seit 1987 Mitgl. Landwirtschaftskammer Rheinland-Pfalz und Vors. Ausschuß „Nachwachsende Rohstoffe". Seit 1984 Mitgl. AR der Raiffeisenbank Kaifenheim, seit 1994 dessen Vors. Seit 1996 Vors. AR Rheinische Warenzentrale Köln (RWZ). Seit 1970 Mitgl. der JU und CDU, 1975/79 Gemeindeverbandsvors. der JU Kaisersesch, seit 1992 Kreisvors. CDU-Kreisverb. Cochem-Zell, seit 1990 Mitgl. Landesvorst. CDU Rheinland-Pfalz. 1984/91 Mitgl. Gemeinderat Brachtendorf, seit 1994 der Verbandsgemeinde Kaisersesch; seit 1979 Mitgl. Kreistag Cochem-Zell. MdL Rheinland-Pfalz Febr./Mai 1987. – MdB seit 1990.
Wahlkreis 149 (Cochem)
CDU 53,6 – SPD 32,2 – FDP 7,6 – Grüne 5,8 – PDS -

⁚⁚⁚* Dr. BLÜM CDU

Norbert Blüm; BMin. für Arbeit und Sozialordnung; 53123 Bonn – * 21.7.1935 Rüsselsheim, kath., verh., 3 Kinder – Volksschule. Werkzeugmacherlehre, Werkzeugmacher. Besuch des Abendgymnasiums. Studium der Philosophie, Germanistik, Geschichte, Theologie; Promotion in Philosophie. 1966/68 Redakteur der „Sozialen Ordnung"; 1968/75 Hauptgeschäftsführer der Sozialausschüsse der CDA. Mitgl. KAB, bei ai und IG Metall. Seit 1969 Mitgl. Bundesvorst. der CDU. 1974/77 Landesvors. der Sozialausschüsse der CDA Rheinland-Pfalz, 1977/87 Bundesvors. der Sozialausschüsse der CDA. Seit 1981 Mitgl. Präs. der CDU. Seit Mai 1987 Landesvors. CDU NRW, seit Okt. 1992 stellv. Parteivors. der CDU. 1981/82 Mitgl. AbgHs. Berlin, Senator f. Bundesangelegenheiten, Bevollm. des Landes Berlin beim Bund. – MdB 1972/81 und seit 1983; 1980/81 Stellv. Vors. CDU/CSU-Fraktion. Seit Okt. 1982 BMin. f. Arbeit und Sozialordnung.

Landesliste Nordrhein-Westfalen

⁚⁚* BLUNCK SPD

Lieselott (Lilo) Blunck, geb. Schiel; Erzieherin; 25436 Uetersen – * 19.11.1942 Bad Segeberg, verh., 1 Tochter – Gymnasium, 1959 Mittlere Reife. Lehre als Industriekaufmann, 1961 Kaufmannsgehilfenprüfung. 1972/74 Fachschule für Pädagogik Schleswig, Staatsprüfung für Erzieher. 1973/77 Tätigkeit bei der AWO, danach bis 1981 bei der Arbeitsgemeinschaft Deutsches Schleswig. Seit 1977 Mitgl. AWO. 1978/81 Ehrenrichter beim Verwaltungsgericht Schleswig. Mitgl. Gewerkschaft HBV. Mitgl. der SPD seit 1971, 1974/76 stellv.. Kreisvors., 1979/80 Ortsvereinsvors. – MdB seit Jan. 1981; Vorstandsmitgl. SPD-Fraktion, Verbraucherpol. Sprecherin.

Landesliste Schleswig-Holstein

:* Dr. BÖHME (Unna)   SPD

Ulrich Böhme; Studiendirektor a. D.; 59423 Unna –
* 12. 2. 1939 Chemnitz (Sachsen), ev., verh., 2 Kinder –
Pestalozzi-Gymnasium Unna, Abitur 1959. Anschl.
Studium der Germanistik, Geschichte, Philosophie,
Pädagogik Univ. München, Münster und Bochum, Abschlüsse: 2 Staatsexamina, Promotion Dr. phil.
(1968 / 69). Seit 1968 Mitgl. DGB. 1972 Vors. Ortsverb.
Unna/Fröndenberg/Holzwickede der GEW, dann
Kreisvors. Kreis Unna, 3 Jahre Mitgl. Vorst. DGB Kreis
Unna. Stellv. Landesvors. Männerarbeit der Ev. Kirche
von Westfalen seit 1988. 1969 SPD, 1977 stellv. Vors.,
1981 Vors. SPD-Unterbez. Unna, 1983 Mitgl. Bezirksvorst. SPD Westliches Westfalen. Seit 1982 Delegierter
zu allen SPD-Bundesparteitagen. 1994 Mitgl. Parteirat
der SPD. Seit 1990 Ehrenmitgl. SPD Döbeln (Sachsen).
– MdB seit 1987.

Wahlkreis 116 (Unna I)
SPD 55,5 – CDU 32,3 – Grüne 7,1 – F.D.P. 2,5 – PDS -
**verstorben am 6. 2. 1996, Nachfolger > Abg. Göllner
(ABC S. 277)**

: Dr. BÖHMER   CDU

Maria Böhmer; Privatdozentin, Hochschullehrerin;
67227 Frankenthal – * 23. 4. 1950 Mainz, kath., ledig –
1968 Abitur. Studium der Mathematik, Physik, Politikwissenschaft und Pädagogik, Staatsexamen, 1974
Dr. phil. Univ. Mainz, Habilitation in Pädagogik Univ.
Mainz 1982; Forschungsaufenthalte Univ. Cambridge
und Augsburg. Privatdozentin für Pädagogik Univ.
Mainz; Landesfrauenbeauftragte Rheinland-Pfalz a.
D. Mitgl. im Kuratorium der VV-Medien e. V., Vors.
Ausschuß für Kinder, Jugend und Familie des ZDF-
Fernsehrates, 1994 Initiatorin der bundesweiten Kampagne "Rote Karte für TV" gegen Gewalt im Fernsehen. Mitgl. CDU seit 1986; Mitgl. KPV und CDA,
1991 / 93 stellv. Vors. Grundsatzprogrammkommission
der CDU und Leitung der Kommissionsgruppe "Öko-
logische und Soziale Marktwirtschaft", Vors. Bundesfachausschuß Frauenpolitik der CDU 1990 / 94, Mitgl.
Bundesvorst. der CDU, stellv. Landesvors. CDU Rheinland-Pfalz und Landesvors. der Frauen-Union. – MdB
seit 1990.

Landesliste Rheinland-Pfalz

:* BÖRNSEN (Bönstrup)   CDU

Wolfgang Börnsen; Realschullehrer, Maurer; 24977
Bönstrup-Grundhof – * 26. 4. 1942 Flensburg, ev.,
verh., 4 Kinder – Realschule. Maurerlehre, Gesellenprüfung; Höhere Handelsschule, Flensburg; Victor-
Gollancz-Akademie, Erlangen; Heimvolkshochschule
Rendsburg, PH Kiel, Gastsemester in den USA. Ent-
wicklungsdienst in Indien. Grund- und Hauptschullehrer, Ergänzungsstudium Univ. Kiel. Realschullehrer
für Geschichte, Religion, Wirtschaft und Politik in
Flensburg; 15 Jahre Vertrauenslehrer; Lehrbeauftragter an PH Kiel für Freizeitpädagogik und PH Flensburg für Spiel- und Theaterpädagogik; Mitgl. Prüfungskommission für Realschullehrer. Kreisvors. EU
Schleswig-Flensburg, Vors. Verein Volkskundlicher
Sammlungen Krs. Schlesw.-Flensburg; ehem. Landju-
gendvors. und Vors. Kreisjugendring. Vors. der Men-
schenrechtsgruppe Flensburg. Seit 1967 CDU; CDA-
Mitgl. seit 1977. Mitgl. Kreistag Schleswig-Flensburg
1972; stellv. Landrat und 1. Kreisrat Kreis Schleswig-
Flensburg a. D. – MdB seit 1987.
Wahlkreis 1 (Flensburg–Schleswig)
CDU 45,6 – SPD 44,5 – Grüne 5,9 – F.D.P. 2,2 – PDS -

:: BÖRNSEN (Ritterhude) SPD

Arne Börnsen; Schiffbau-Dipl.-Ing.; 27721 Ritterhude-Platjenwerbe – * 5.10.1944 Wilster (Holstein), verh., 2 Söhne, 1 Tochter – Abitur 1965 in Bremen-Vegesack. Studium der Schiffstechnik TU Hannover und Univ. Hamburg, Schiffbau-Diplomingenieur. Wehrdienst 1965/66 bei der Bundesmarine. Tätig als Planungsing. bei der AG „WESER" in Bremen, seit 1983 bei dem Werk Bremen der Daimler-Benz AG. 1978/80 Lehrbeauftragter FH Bremerhaven. Mitgl. IG Metall, Reichsbund, AWO und VdK. Eintritt in die SPD 1969, seit 1979 Mitgl. und 1988/91 Vors. SPD-Bezirk Nord-Niedersachsen, 1982/92 im Landesvorst. der SPD. 1976/81 stellv. Bürgermeister Gemeinde Ritterhude, seit 1976 Mitgl. Kreistag Osterholz. – MdB 1980/83 und seit 1987; Mitgl. Infrastrukturrat beim BMPT; 1987 Sprecher der SPD-Fraktion für Post und Telekommunikation, seit 1994 Vors. Ausschuß für Post und Telekommunikation; seit 1990 Mitgl. der Unabhängigen Kommission zur Überprüfung des Vermögens der Parteien und Massenorganisationen der DDR beim BMI.
Wahlkreis 29 (Verden–Osterholz)
SPD 47,6 – CDU 39,9 – Grüne 7,9 – F.D.P. 3,1 – PDS 0,9

::: Dr. BÖTSCH CSU

Wolfgang Bötsch; ORR a.D., BMin. für Post und Telekommunikation; 97074 Würzburg – * 8.9.1938 Bad Kreuznach, kath., verh., 2 Kinder – Abitur 1958. Zwölfmonatiger Grundwehrdienst 1958/59 bei der Luftwaffe. Studium der Rechs- und Staatswissenschaften Univ. Würzburg und an der Verwaltungshochschule in Speyer, 1. und 2. Staatsprüfung. Promotion zum Dr. jur. utr. 1968/74 Stadtrechtsrat in Kitzingen, 1974 ORR bei der Regierung von Unterfranken. 1960 CSU; in versch. Funktionen bei RCDS, u. a. stellv. Landesvors. in Bayern, 6 Jahre Mitgl. Deutschlandrat der JU und des Landesvorst. der JU Bayern, 4 Jahre Landesschatzmeister; jetzt Kreisvors. CSU Würzburg-Stadt, Mitgl. Bezirksvorst. Unterfranken, des Parteivorst. der CSU und des Präsidiums. 1972/76 Mitgl. Würzburger Stadtrat. 1974/76 MdL Bayern. – MdB seit 1976; 1982/89 Parl. Geschäftsführer der CDU/CSU-Fraktion, April 1989 bis Jan. 1993 Vors. der CSU-Landesgruppe und 1.stellv. Vors. CDU/CSU-Fraktion, seitdem BMin. f. Post und Telekommunikation.
Wahlkreis 237 (Würzburg)
CSU 50,8 – SPD 34,1 – Grüne 7,0 – F.D.P. 2,6 – PDS 0,5

* BÖTTCHER PDS

Maritta Böttcher, geb. Becker; Lehrerin; 14913 Jüterbog – * 29.3.1954 Chemnitz, verh., 1 Tochter – POS. Pädagogische Fachschule, Hochschule. Lehrerin, Dipl.-Gesellschaftswissenschaftlerin. Geschäftsführerin im „kommunalpolitischen forum Land Brandenburg" – Qualifizierung kommunaler Abgeordneter. Mitgl. in der HBV. 1974/90 Mitgl. der SED, seit 1990 der PDS; 1988/89 1. Kreissekretärin der SED. Seit 1990 Kreistagsabgeordnete, Vors. des Jugendhilfeausschusses. – MdB seit 1994.

Landesliste Brandenburg

⁝* BOHL   CDU

Friedrich Bohl; BMin. f. bes. Aufgaben und Chef d.
Bundeskanzleramtes; 35043 Marburg – * 5.3.1945
Rosdorf, Kreis Göttingen, ev., verh., 4 Kinder – Gymnasium, 1964 Abitur. Studium der Rechtswissenschaft,
1. jur. Staatsprüfung 1969, Referendariat, wissenschaftl. Mitarbeiter am Institut für Handels- und Wirtschaftsrecht Univ. Marburg, 2. jur. Staatsprüfung 1972.
Seit 1972 als Rechtsanwalt, seit 1976 als Notar zugelassen. Vorstandsvors. Verein „terra-tech", Marburg.
Mitgl. Konrad-Adenauer-Stiftung, Mitgl. Präsidium
der EU. Mitgl. CDU und JU seit 1963; 1964/70 Kreisvors. JU Marburg-Land, 1969/73 Bezirksvors. JU Mit-
telhessen; seit 1978 Vors. CDU-Kreisverb. Marburg-
Biedenkopf. 1974/90 Vors. CDU-Fraktion Kreistag
Marburg-Biedenkopf. 1970/80 MdL Hessen, 1974/78
Vors. Rechtsausschuß, 1978/80 stellv. Vors. CDU-Fraktion. – MdB seit 1980; 1984/89 Parl. Geschäftsführer
der CDU/CSU-Fraktion. 1989/91 1. Parl. Geschäftsführer. Seit Nov. 1991 BMin. f. bes. Aufgaben und Chef
d. Bundeskanzleramtes.
Landesliste Hessen

⁝* BORCHERT   CDU

Jochen Borchert; Landwirt, BMin. für Ernährung,
Landwirtschaft und Forsten; 53123 Bonn – * 25.4.1940
Nahrstedt, Kreis Stendal, ev., verh., 2 Kinder – Mittlere
Reife 1957. Landwirtschaftliche Lehre, Gehilfenprüfung 1959. Ingenieurschule für Landbau Soest, Agrar-
ingenieur 1961, Landwirtschaftsmeister 1968. 1970
Übernahme des landwirtschaftlichen Pachtbetriebes
Bochum-Wattenscheid. 1970/74 Studium der Wirt-
schaftswissenschaft in Bochum, Diplomökonom 1974.
1979/93 Vizepräs. des Westfälisch-Lippischen Land-
wirtschaftsverb. 1965 Mitgl. CDU, Kreisvors. CDU Bochum seit 1977. Seit 1993 Bundesvors. des Evangeli-
schen Arbeitskreises der CDU/CSU. 1976/80 Mitgl.
Rat der Stadt Bochum. – MdB seit 1980; 1989/Jan.
1993 haushaltspol. Sprecher der CDU/CSU-Fraktion;
seit Jan. 1993 BMin. f. Ernährung, Landwirtschaft und
Forsten.

Landesliste Nordrhein-Westfalen

* BOSBACH   CDU

Wolfgang Bosbach; Rechtsanwalt; 51429 Bergisch
Gladbach – * 11.6.1952 Bergisch Gladbach, röm.-
kath., verh., 2 Kinder – 1968 Mittlere Reife. Ausbildung zum Einzelhandelskaufmann bei der Konsumgenossenschaft Köln eG/COOP West AG, Super-
marktleiter. Besuch der Rheinischen Akademie in
Köln mit Abschluß „Staatlich geprüfter Betriebswirt".
Abitur auf dem zweiten Bildungsweg. Studium der
Rechtswissenschaften Univ. Köln, 1988 1. und 1991 2.
jur. Staatsexamen. Seit 1991 Tätigkeit als Rechtsanwalt. 1972 Eintritt in die CDU, stellv. Vors. der CDU
Bergisch Gladbach. 1975/79 Mitgl. Kreistag Rheinisch-Bergischer Kreis; seit 1979 Mitgl. des Rates der
Stadt Bergisch Gladbach, Schriftführer. – MdB seit
1994, Schriftführer.

Wahlkreis 67 (Rheinisch-Bergischer Kreis I)
CDU 48,7 – SPD 36,3 – Grüne 7,5 – F.D.P. 5,2 – PDS -

⁑ BRÄHMIG   CDU

Klaus Brähmig; Elektrohandwerksmeister; 01824 Königstein – * 1.8.1957 Königstein, Kreis Pirna, ev.-luth., verh., 1 Tochter – 1964/74 Besuch der Allgemeinbildenden Oberschule in Papstdorf. 1974/77 Lehre als Elektroinstallateur in Pirna, 1980/83 Ausbildung zum Handwerksmeister bei der Handwerkskammer Dresden. 1977/78 Wehrdienst in Dresden. Elektrohandwerksmeister. Vizepräs. des Landesfremdenverkehrsverbandes Sachsen e. V., Vors. des Tourismusverbandes Sächsische Schweiz e. V. und des Vereins und Festivals „Sandstein und Musik"; Beiratsmitgl. der TMC-Messe Leipzig. Mitgl. der CDU seit Jan. 1990, vorher parteilos, CDU-Vorstandsmitgl. im Kreisverband Pirna/Sebnitz, Vors. des CDU-Stadtverbandes Königstein seit 1990. – MdB seit 1990; Obmann der CDU/CSU-Fraktion im Ausschuß für Fremdenverkehr und Tourismus.

Wahlkreis 317 (Pirna–Sebnitz–Bischofswerda)
CDU 59,8 – SPD 18,7 – PDS 15,7 – Grüne 5,8 – F.D.P. -

⁑ BRANDT-ELSWEIER   SPD

Anni Brandt-Elsweier, geb. Elsweier; Richterin am Landgericht a. D.; 41466 Neuss – * 2.3.1932 Duisburg, röm.-kath., verw., 1 Sohn – Abitur. Studium der Rechtswissenschaften in Köln, 2. jur. Staatsexamen in Düsseldorf. Drei Jahre Rechtsanwältin, anschl. Richterin am Landgericht in Düsseldorf 1967/90. 1990 Verleihung des Bundesverdienstkreuzes. 1963 Eintritt in die SPD. Seit 1969 Mitgl. des Rates der Stadt Neuss, 1984/93 stellv. Bürgermeisterin; 1975/94 Mitgl. des Kreistages des Kreises Neuss, 1984/91 stellv. Landrätin. Stellv. Landesvors. der Sozialdemokratischen Gemeinschaft für Kommunalpolitik (SGK) und seit 1994 Mitgl. im Vorst. der Bundes-SGK. – MdB seit 1990; stellv. Vors. des 3. Untersuchungsausschusses der 12. WP „HIV-Infektionen durch Blut und Blutprodukte".

Landesliste Nordrhein-Westfalen

* BRAUN (Auerbach)   CDU

Rudolf Braun; Fachassistent für Röntgendiagnostik; 08209 Auerbach – * 25.6.1955 Falkenstein/Vogtland, röm.-kath., verh., 2 Kinder – 1962/72 allgemeinbildende Polytechnische Oberschule, 1975/77 12. Klasse mit Abitur Volkshochschule. Ausgemustert. 1972/74 Fachschulstudium zum MTR, 1983/84 Fachspezialisierung zum Fachassistenten für Röntgendiagnostik. Bis 1990 Fachassistent für Röntgendiagnostik. 1990/91 Dezernent für Gesundheit und Soziales in der Stadtverwaltung Auerbach, 1991/94 wissenschaftl. Mitarbeiter. Seit 1990 Mitgl. im DRK-Kreisvorst. Seit 1991 ehrenamtl. Richter am Landgericht Zwickau. Seit 1976 Mitgl. der CDU. – MdB seit 1994.

Wahlkreis 328
(Reichenbach–Plauen–Auerbach–Oelsnitz)
CDU 48,5 – SPD 28,6 – PDS 13,0 – F.D.P. 4,9 – Grüne 4,6

* BRAUN (Augsburg) F.D.P.

Hildebrecht Braun; Rechtsanwalt; 86152 Augsburg –
* 23.6.1944 Neuendettelsau, Mittelfranken, verh. –
Humanistisches Gymnasium in Windsbach, Aus-
tauschschüler in Dayton, Ohio. 1965/70 Studium der
Rechtswissenschaften in München, 1975 2. jur. Staatsprüfung in München. Seit 1976 Rechtsanwalt in München. 1976/81 bei einer Münchener Versicherung, dort
5 Jahre stellv. Vorstandsmitgl. bzw. Vorstandsmitgl.
Seit 1964 Mitgl. der F.D.P., 1969/90 Mitgl. Vorst. Münchener F.D.P., seit 1991 Mitgl. Landesvorst, seit 1991
Mitgl. Bundesfachausschuß Wohnungsbau und Städtebau, dort seit 1993 stellv. Vors. 1971/72 Fraktionsgeschäftsführer der F.D.P. im Bayerischen Landtag.
1970/74 Mitgl. Bezirkstag von Oberbayern, 1988/94
Mitgl. Stadtrat von München. – MdB seit 1994; Schriftführer.

Landesliste Bayern

* BRAUNE SPD

Tilo Braune; Facharzt; 17489 Greifswald – * 11. 8. 1954
Rochlitz/Sachsen, ev., verh., 2 Kinder – 1973 Abitur.
Bis 1976 Soldat. 1976/84 Studium der Humanmedizin
mit zweijähriger Unterbrechung; 1984/85 Assistenz-
arzt am Institut für Pathologische Anatomie, 1985
Assistenzarzt und 1989 Facharzt für Neurologie und
Psychiatrie, seit 1994 für Psychotherapie an der Klinik
für Psychiatrie der Univ. Greifswald, z. Z. ruhendes
Arbeitsverhältnis. Freiberufl. Tätigkeit als Supervisor.
Mitgl. der ÖTV, der Ärztekammer Mecklenburg-Vor-
pommern, Vorstandsmitgl. des Unternehmerverban-
des Vorpommern, stellv. Vors. im ITER-Förderverb.;
Vors. des Kunstvereins „Art 7" Greifswald-Vorpom-
mern e. V., Vorstandsmitgl. des „Greifswalder Instituts
für Psychotherapie", Mitgl. im „Görslower Kreis". Seit
Nov. 1989 Mitgl. der SPD, 1990/93 Mitgl. Landesvorst.
Mecklenburg-Vorpommern. Bis Dez. 1991 Mitgl. der
Bürgerschaft der Hansestadt Greifswald. Juni
1991/Okt. 1994 MdL Mecklenburg-Vorpommern. –
MdB seit 1994.

Landesliste Mecklenburg-Vorpommern

⁞ Dr. BRECHT SPD

Eberhard Brecht; Diplomphysiker; 06484 Quedlinburg
– * 20.2.1950 Quedlinburg, Bezirk Halle, ev., verh., 3
Kinder – Besuch der Gemeinschaftsschule in Quedlin-
burg 1956/64, danach der EOS 1964/68 mit Abschluß
Abitur. 1968/73 Studium der Physik an der Leipziger
Universität, Abschluß als Diplomphysiker; wissen-
schaftl. Assistent im Zentralinstitut für Molekularbio-
logie der Akademie der Wissenschaften der DDR in
Berlin-Buch 1973/76, wissenschaftl. Mitarbeiter am
Zentralinstitut für Genetik und Kulturpflanzenfor-
schung der Akademie der Wissenschaften der DDR in
Gatersleben 1976/90. 1982 Promotion zum Dr. rer. nat.
Stellv. Vors. der Deutschen Gesellschaft für die Verein-
ten Nationen (DGVN). Bis 1989 parteilos; Sept. 1989
Eintritt in das Neue Forum und Mitinitiator der Bür-
gerrechtsbewegung in Quedlinburg, Dez. 1989 Eintritt
in die SPD. Mitgl. der Volkskammer März/Okt. 1990.
– MdB seit 1990.

Landesliste Sachsen-Anhalt

::* BREDEHORN F.D.P.

Günther Bredehorn; Landwirt; 26345 Bockhorn-Petersgroden – * 11. 12. 1935 Wilhelmshaven, ev., verh., 2 Kinder – Volksschule. Landwirtschaftl. Lehre. Landwirtschaftsschule, Bewirtschaftung des eigenen landwirtschaftl. Betriebes. Bis 1991 Ortsvors. und Mitgl. des Kreisvorst. im Niedersächsischen Landvolkverband. Bis 1990 ehrenamtl. Vorstandsvors. eines milchwirtschaftlichen Unternehmens. Seit 1977 Mitgl. der F.D.P., Ortsverbandsvors., Vors. Landesfachausschuß Agrarpolitik in Niedersachsen. Kreistagsabgeordneter, Vors. der F.D.P.-Kreistagsfraktion Friesland 1980/86. Seit 1991 stellv. Landrat im Landkreis Friesland. – MdB seit 1980.

Landesliste Niedersachsen

::* BREUER CDU

Paul Breuer; Pädagoge, Lehrer; 57078 Siegen – * 25. 6. 1950 Berghausen/Wittgenstein, kath., verh., 2 Kinder – Abitur 1968. Wehrdienst 1969/71, Major d. R. Studium PH/Gesamthochschule Siegen, 1973 1. Staatsprüfung, 1973/74 Studium der Pädagogik, 1975 2. Staatsprüfung. 1974/80 Hauptschullehrer. Kurator der Univ./GH Siegen; Mitgl. KAB und Deutsche Atlantische Ges., Mitgl. im Reservisten-Verband der Deutschen Bundeswehr, Bundeswehr-Verband; Vors. Multiple-Sklerose-Kreis Siegen-Wittgenstein; Vors. Leichtathletik Gemeinschaft (LAG) Siegen. Mitgl. JU/CDU seit 1969; 1971/73 RCDS-Vors., 1973/75 Kreisvors. JU; seit 1981 Kreisvors. CDU Siegen-Wittgenstein, seit 1983 Mitgl. Landesvorst. CDU Westfalen-Lippe, später NRW; seit 1989 Beauftragter des CDU-Bundesvorst. für die Bundeswehr. Kreistagsabg. Kreis Siegen-Wittgenstein seit 1975; Stadtverordneter Stadt Siegen seit 1979. – MdB seit 1980; seit 1992 verteidigungspol. Sprecher der CDU/CSU-Fraktion.
Wahlkreis 120 (Siegen-Wittgenstein I)
CDU 44,1 – SPD 43,8 – Grüne 5,3 – F.D.P. 4,1 – PDS -

:* BRUDLEWSKY CDU

Monika Brudlewsky, geb. Hamelmann; Krankenschwester; 39387 Oschersleben – * 4. 5. 1946 Groß-Ottersleben, kath., verh., 2 Töchter – 1964 Abitur in Halberstadt. 1964/66 medizinische Fachschule mit Abschluß Krankenschwester-Examen. 1966/90 Tätigkeiten im Krankenhaus, in einer Krankenhaus, in einer Einrichtung für geistig Behinderte und in einer Arztpraxis für Allgemeinmedizin. Seit 1992 Mitgl. des Zentralkomitees der deutschen Katholiken. Seit 1973 Mitgl. der CDU, seit 1990 der CDA und der Frauen-Union; 1993/95 Mitgl. im Landesvorst. der CDU Sachsen-Anhalt. Im Herbst 1989 aktive Teilnahme in Oschersleben an der politischen Wende, Kandidatur zur ersten freien Volkskammer, Mitgl. der Volkskammer März/Okt. 1990. – MdB seit Okt. 1990, Schriftführerin; stellv. Vors. der Arbeitnehmergruppe der CDU/CSU-Fraktion.

Wahlkreis 285 (Harz und Vorharzgebiet)
CDU 40,9 – SPD 36,3 – PDS 15,2 – Grüne 4,4 – F.D.P. 2,1

⁞ BRUNNHUBER   CDU

Georg Brunnhuber; Diplomingenieur (FH), Kreisbaurat; 73447 Oberkochen – * 18.2.1948 Oberkochen,
Kreis Aalen, röm.-kath., verh., 2 Kinder – 1965 Mittlere
Reife am Peutinger-Gymnasium Ellwangen. 1965/67
Lehre als Zimmermann, Gesellenbrief. 1969/72 Studium an der FH für Technik Stuttgart, 1972 Diplomingenieur (FH) für Architektur und Hochbau, Schwerpunkt Städtebau. 1967/69 18 Monate Grundwehrdienst bei der Panzerpionierkompanie 300 in
Ellwangen. Kreisbaurat, Leiter des Kreisplanungsam-
tes im Landratsamt, Wirtschaftsbeauftragter des
Ostalbkreises. Mitgl. im Regionalverband Ostwürt-
temberg. Seit 1981 CDU-Kreisvors. im Ostalbkreis. –
MdB seit 1990.

Wahlkreis 174 (Aalen–Heidenheim)
CDU 49,5 – SPD 34,5 – Grüne 7,1 – F.D.P. 3,3 – PDS -

⁞⁞ BÜHLER (Bruchsal)   CDU

Klaus Bühler; Referent für pol. Bildung; 76646 Bruch-
sal – * 16.1.1941 Bad Sachsa, kath., verh., 2 Kinder –
Volksschule, humanistisches Gymnasium in Bruchsal.
Studium in Heidelberg und Karlsruhe. Bis 1974 als Re-
alschullehrer tätig. 1974/76 Leiter der Außenstelle
Heidelberg für den Regierungsbezirk Karlsruhe der
Landeszentrale für politische Bildung. 1965/75 Kreis-
vors. der JU. 1968 Stadtrat, 1971 Kreisverordneter, 1973
Mitgl. der Regionalversammlung Mittlerer Oberrhein.
– MdB seit 1976; seit 1987 Mitgl. in der Parl. Versamm-
lung des Europarates und in der Versammlung der
WEU.

Wahlkreis 176 (Karlsruhe-Land)
CDU 53,2 – SPD 32,1 – Grüne 7,2 – F.D.P. 3,2 – PDS 0,5

⁞ BÜTTNER (Ingolstadt)   SPD

Hans Büttner; Redakteur; 85049 Ingolstadt –
* 18.10.1944 Ingolstadt, ev., verh., 2 Kinder – Abitur.
Studium der Zeitungswissenschaften, Politik und Geschichte in München, Abschluß M. A. Volontariat Zei-
tung/Zeitschrift, Redakteur bei diversen Publika-
tionsorganen, Bundessekretär der dju, Entwicklungs-
berater im südlichen Afrika; DGB-Kreisvors. in
Ingolstadt. Mitgl. der IG Medien und der AWO. Seit
1963 Mitgl. der SPD, versch. örtliche und bezirkliche
Parteifunktionen, Vors. der Arbeitsgemeinschaft für
Arbeitnehmerfragen (AfA) in der SPD Bayerns. – MdB
seit 1990.

Landesliste Bayern

⁑ BÜTTNER (Schönebeck)   CDU

Hartmut Büttner; Fleischermeister; 39218 Schönebeck
– * 2. 1. 1952 Kolenfeld, Landkr. Hannover, röm.-kath.,
verh., 3 Kinder – Mittlere Reife Abendrealschule Hannover, Abendgymnasium Hannover. 1976 Fleischermeisterprüfung Handwerkskammer Hamburg. 1976
selbständiger Fleischermeister, Fleischerei mit Partyservice. 1990 Umzug nach Schönebeck. 1969 Eintritt
JU, 1970 in die CDU; 1980/83 Landesvors. JU Niedersachsen, Mitgl. im geschäftsf. Landesvorst. CDU Sachsen-Anhalt; 1984/90 Bezirksvors. der MIT Hannover,
4 Jahre stellv. Landesvors. MIT Niedersachsen, Sprecher der MIT der neuen Bundesländer, Mitgl. im geschäftsführenden Bundesvorst. der MIT. 1974/90 Ratsherr der Stadt Garbsen, 1985/90 Fraktionsvors. – MdB
seit 1990; stellv. Vors. Innenausschuß, Vors. Unterausschuß zur Bewältigung der Stasi-Vergangenheit in der
12. WP, Mitgl. Gauck-Beirat; stellv. Sprecher der Arbeitsgruppe „Neue Bundesländer" der CDU/CSU-Fraktion, Vors. CDU-Landesgruppe Sachsen-Anhalt.
Wahlkreis 287 (Magdeburg–Schönebeck–Wanzleben–Staßfurt)
CDU 40,6 – SPD 34,6 – PDS 17,7 – Grüne 3,5 – F.D.P. 2,0

* BULLING-SCHRÖTER   PDS

Eva Bulling-Schröter, geb. Bulling; Schlosserin; 85051
Ingolstadt – * 22. 2. 1956 Ingolstadt, verh. – Facharbeiterabschluß . Seit 1990 Mitgl. des Betriebsrats in einem Metallbetrieb, verantwortlich für Umweltschutz
(ruhendes Mandat). Mitbegründerin der Friedensbewegung in der Region Ingolstadt. Mitgl. BUND, Tierschutz-Bund e.V., Tierversuchsgegner e.V. NRW, Vereinigung der Verfolgten des Naziregimes/Bund der
Antifaschisten, Coordination gegen BAYER-Gefahren,
Freidenker, Netzwerk e.V., Verein zur Überwachung
der Sondermüllverbrennungsanlage in Baar-Ebenhausen. 1974/90 Mitgl. DKP in versch. ehrenamtl.
Funktionen, seit 1990 Mitgl. der PDS, davon einige
Jahre im Landesvorst. – MdB seit 1994; unweltpol.
Sprecherin der Gruppe der PDS und verantwortl. für
Tierschutz.

Landesliste Bayern

⁑ BULMAHN   SPD

Edelgard Bulmahn; Studienrätin a. D.; 30451 Hannover – * 4. 3. 1951 Minden/Westfalen, verh. – Volksschule Döhren, 1965/72 Aufbaugymnasium Petershagen, 1972 Abitur. 1972/73 Kibbuz Bror Chail (Israel);
anschl. Studium der Politischen Wissenschaften und
der Anglistik Univ. Hannover. Studienrätin. Senatsmitgl. der Fraunhofer Gesellschaft, München, Kuratoriumsmitgl. der Arbeitsgemeinschaft industrieller
Forschungseinrichtungen „Otto von Guericke", des
Öko-Institutes und des Fraunhofer-Institutes für Toxikologie und Aerosolforschung, Hannover. 1969 Eintritt
in die SPD; versch. Funktionen bei den Jungsozialisten; seit 1993 Mitgl. des SPD-Parteivorst. 1981/86
Bezirksratsfrau in Hannover-Linden. – MdB seit 1987;
seit 1991 Mitgl. SPD-Fraktionsvorst., stellv. Vors. der
Enquete-Kommission für Technikfolgen-Abschätzung
und -Bewertung des 11. Bundestages. Seit 1996 bildungs- und forschungspolitische Sprecherin der SPD-Fraktion.

Wahlkreis 37 (Stadt Hannover II)
SPD 45,1 – CDU 39,4 – Grüne 8,2 – FDP 2,9 – PDS 1,5

* BUNTENBACH
BÜNDNIS 90 / DIE GRÜNEN

Annelie Buntenbach; Setzerin; 33602 Bielefeld –
* 1955 Solingen, ledig – Abitur an der Ina-Seidel-
Schule, Opladen. 1. Staatsexamen (Geschichte und
Philosophie) an der Univ. Bielefeld, 2. Staatsexamen
am Städtischen Gymnasium Gütersloh. 1984 Mitbegründerin und Setzerin in einem selbstverwalteten
graphischen Betrieb in Bielefeld. Mitgl. der IG Medien und des Vereins "Argumente und Kultur gegen
rechts. Verein für Bildung, Kreativität und Information", Bielefeld. Seit 1982 Mitgl. der GRÜNEN; seit
1984 Mitarbeit in verschiedenen Antifa-Initiativen.
1984/89 Mitgl. im Bielefelder Stadtrat. – MdB seit
1994.

Landesliste Nordrhein-Westfalen

⁞ BURCHARDT   SPD

Ulla Burchardt; Diplompädagogin; 53113 Bonn –
* 22. 4. 1954 Dortmund, verh., 2 Töchter – 1972 Abitur.
1972/77 Studium der Pädagogik, der Sozialwissenschaften und der Psychologie in Bochum und Bielefeld. 1977/78 Jugendbildungsreferentin, seit 1979 Referentin in der Erwachsenenbildung. Mitgl. im Kuratorium der Univ. Dortmund, der Fachhochschule
Dortmund, des Fördervereins Forschungszentrum
Umwelttechnologien e. V. und des Umweltbildungs-
zentrums. Mitgl. von Greenpeace, der ÖTV, der Sozialistischen Jugend Deutschlands – Die Falken sowie
versch. politischer und sozialer Einrichtungen. Eintritt
in die SPD 1976, Mitgl. Unterbezirksvorst. Dortmund
und im Bezirksvorst. Westliches Westfalen. – MdB seit
1990.

Wahlkreis 115 (Dortmund III)
SPD 53,1 – CDU 33,5 – Grüne 7,4 – FDP 2,8 – PDS 0,8

⁞ BURY   SPD

Hans Martin Bury; Vorstandsassistent; 74321 Bietig-
heim-Bissingen – * 5. 4. 1966 Bietigheim Krs. Ludwigsburg – 1985 Abitur. 1985/88 Studium Betriebswirtschaft in Stuttgart und Mosbach, Dipl.-Betriebswirt
(BA). Seit 1988 Vorstandsassistent der Volksbank Ludwigsburg eG, Anstellungsverhältnis z. Z. ruhend. Seit
1997 Mitgl. des Verwaltungsrates der Deutschen
Ausgleichsbank. Mitgl. Aktionskreis Finanzplatz, amnesty international, Eurosolar, Greenpeace, HBV, Gesellschaft für bedrohte Völker, Junior Chamber International, Wirtschaftsjunioren Ludwigsburg bei der
IHK Region Stuttgart. 1988 SPD, 1989/91 Vors. Juso-
Kreisverb. Ludwigsburg. 1989/90 Stadtrat in Bietig-
heim-Bissingen. – MdB seit 1990; 1992/94 Sprecher
der Gruppe junger Abgeordneter – "Youngsters" – der
SPD-Fraktion, seit Dez. 1994 Sprecher für Post und Telekommunikation, seit 1995 Mitgl. Regulierungsrat
beim BMPT.

Landesliste Baden-Württemberg

⁚ BUWITT CDU

Dankward Buwitt; Kaufmann; 12307 Berlin –
* 6.7.1939 Berlin, verh., 2 Töchter – Realschulabschluß. 1954/57 Lehre, 1957/59 Industriekaufmann,
1959/63 Zusatzausbildung im Verkauf. 1963/71 Reise-
bevollmächtigter, Verkaufsleiter, Handlungsbevollm.
in der chem. Industrie, seit 1971 selbständig als Handelsvertreter in Berlin, seit Jan. 1991 Mitarbeiter bei
einer Immobilien GmbH, Berlin. Mitgl. AR der Berlin-
Hannoverschen Hypothekenbank, des Stiftungsrates
der Deutschen Klassenlotterie Berlin, 1984/89 und
seit 1991 deren Vors. 1968 Eintritt in die CDU, 1974/91
Ortsverbandsvors., seit 1981 Vors. CDU-Kreisverband
Neukölln, 1984/89 Mitgl. Landesvorst. als Fraktionsvors., 1991/93 stellv. Landesvors., seit 1993 Landesschatzmeister. 1975/91 Mitgl. Abgeordnetenhaus von
Berlin, 1984/89 Fraktionsvors., 1989/91 Geschäftsführender Fraktionsvors. – MdB seit 1990.

Wahlkreis 257 (Berlin-Neukölln)
CDU 42,2 – SPD 39,4 – Grüne 9,1 – FDP 2,4 – PDS 2,2

⁚⁚⁚ CARSTENS (Emstek) CDU

Manfred Carstens; Sparkassenbetriebswirt, Parl.
Staatssekretär; 49685 Emstek – * 23. 2. 1943 Molber-
gen, kath., verh., 3 Kinder – Handelsschule, Sparkas-
senlehre, Fachprüfungen als Sparkassenbetriebswirt.
Angestelltentätigkeit in Cloppenburg, Lohne und Oldenburg. Seit 1967 Direktor der Landessparkasse Emstek, ab Dez. 1972 beurlaubt. Mitgl. der Kolpingfamilie, Landessenior der Kolping-Familien des Oldenburger Landes 1964/70; drei Jahre stellv. Vors. des
Oldenburger Katholikenkomitees. Mit 19 Jahren Eintritt in die CDU, 1969 Wahl zum Vors. des CDU-Ortsverbandes Emstek; Mitbegründer der JU in Emstek;
Mitgl. der CDU-Mittelstandsvereinigung; seit 1980
Vors. CDU-Kreisverband Cloppenburg, seit April 1985
Vors. CDU-Landesverband Oldenburg. – MdB seit
1972; April 1989/Jan. 1993 Parl. Staatssekretär beim
Bundesminister der Finanzen, Jan. 1993/Mai 1997
beim Bundesminister für Verkehr, seit 15. Mai 1997
beim Bundesminister des Innern.

Wahlkreis 27 (Cloppenburg – Vechta)
CDU 67,7 – SPD 27,1 – Grüne 3,6 – FDP 3,6 – PDS -

⁚ CARSTENSEN (Nordstrand) CDU

Peter H. Carstensen; Diplomagraringenieur, Ober-
landwirtschaftsrat a. D.; 25845 Nordstrand –
* 12. 3. 1947 Nordstrand, Elisabeth-Sophien-Koog, ev.,
verh., 2 Töchter – Abitur 1966. Landwirtschaftl. Praktikum, Studium der Agrarwissenschaften in Kiel.
Diplomagraringenieur, Landwirtschaftsreferendar, 2.
Staatsexamen 1976. Seit April 1976 als Landwirt-
schaftslehrer an der Landwirtschaftsschule Bredstedt
und als Wirtschaftsberater bei der Landwirtschaftskammer Schleswig-Holstein tätig. Präs. des Deutschen Fischereiverbandes e. V., Union der Berufs- und
Sportfischer (DFV), Präs. der Deutschen Gesellschaft
für Agrar- und Umweltpolitik e. V. (DGAU), Mitgl. im
Präs. des Bundesverbandes Schießstätten, im Landes-
jagdverband Schleswig-Holstein und in der Landsmannschaft im CC Troglodytia, Kiel. Seit 1971 Mitgl.
der CDU. – MdB seit 1983; Vors. Ausschuß für
Ernährung, Landwirtschaft und Forsten.

Wahlkreis 2 (Nordfriesland – Dithmarschen-Nord)
CDU 48,4 – SPD 40,5 – Grüne 6,8 – FDP 3,1 – PDS -

⁝ CASPERS-MERK SPD

Marion Caspers-Merk, geb. Caspers; Kommunalwissenschaftlerin und Lehrbeauftragte; 79539 Lörrach – * 24.4.1955 Mannheim, ev., verh. – 1974 Abitur. Studium der Politikwissenschaft, Germanistik und Geschichte Univ. Berlin und Freiburg, 1980 Magisterexamen. Wissenschaftl. Mitarbeiterin an einem Forschungsinstitut, Dozentin in der Erwachsenenbildung, Lehrbeauftragte an der Fachhochschule für öff. Verwaltung in Kehl sowie an der Ev. und Kath. Fachhochschule für Sozialwesen in Freiburg. Publikationen zur Kommunalpolitik und Umweltplanung. Mitgl. BUND, in der AWO und bei den Naturfreunden. Seit 1972 Mitgl. der SPD, 1975/86 im Vorst. und Vors. Ortsverein March, 1984/86 Mitgl. im SPD-Kreisvorst. und 1986/90 Kreisvors. der AsF Breisgau-Hochschwarzwald, seit 1991 stellv. Landesvors. der SGK Baden-Württemberg. 1980/90 Gemeinderätin in March/Breisgau. – MdB seit 1990.

Landesliste Baden-Württemberg

⁝⁝* CATENHUSEN SPD

Wolf-Michael Catenhusen; Studienrat a. D.; 48157 Münster – * 13.7.1945 Höxter (Weser), ev., verh., 2 Kinder – Abitur 1965. Studium in den Fächern Latein, Geschichte und Sozialwissenschaft Univ. Göttingen und Münster, 1. und 2. Staatsexamen. Seit 1977 Studienrat am Gymnasium Arnoldinum in Burgsteinfurt. Mitgl. ÖTV, AWO und Reichsbund. 1968 Eintritt in die SPD; 1970/74 versch. Funktionen bei den Jungsozialisten; 1971 stellv. Vors. der SPD Münster, 1975/85 Unterbezirksvors., seit 1976 Mitgl. Bezirksvorst. Westliches Westfalen. 1975/78 Mitgl. Bezirksvertretung Münster-Mitte. – MdB seit 1980; Parl. Geschäftsführer der SPD-Fraktion, Ä; Vors. der Enquete-Kommission „Chancen und Risiken der Gen-Technologie" des 10. BT., Vors. Ausschuß für Forschung, Technologie und Technikfolgenabschätzung des 11. BT.

Landesliste Nordrhein-Westfalen

⁝⁝⁝* CONRADI SPD

Peter Conradi; Architekt; 70188 Stuttgart – * 10.12.1932 Schwelm/Westfalen, ev. – 1947/49 Odenwaldschule, 1951 Abitur in Stuttgart. 1951/52 Zimmermannspraktikum. 1952/53 sozialwissenschaftl. Studium, USA, 1953/61 Architekturstudium an der TH Stuttgart, 1961 Diplomingenieur, Architekt. 1963 Regierungsbaumeister. 1961/63 Hochbauverwaltung Baden-Württemberg, 1963/67 Assistent, Univ. Stuttgart, 1967/72 Hochbauverwaltung Baden-Württemberg, 1969/72 Leiter des Staatlichen Hochbauamts I Stuttgart, 1972 Oberregierungsbaudirektor. 1958/60 Sozialistischer Deutscher Studentenbund. 1959 Eintritt in die SPD, 1966/69 Kreisvorst. SPD Stuttgart, 1968/72 Landesvorst. SPD Baden-Württemberg, 1972/77 Kreisvors. SPD Stuttgart, 1972/74 SPD-Kommission Bodenrechtsreform, 1979/93 Mitgl. Parteirat, 1984/93 SPD-Kontrollkommission. Mitgl. der AWO, von ai, DAV, Vorstand der Odenwaldschule e. V. – MdB seit 1972, Ä.

Landesliste Baden-Württemberg

:::: **Dr. DÄUBLER-GMELIN   SPD**

Herta Däubler-Gmelin; Rechtsanwältin; 72070 Tübingen – * 12.8.1943 Preßburg, ev., verh., 1 Tochter, 1 Sohn – Studium der Rechtswissenschaft und Volkswirtschaft in Tübingen und Berlin. Rechtsanwältin in Stuttgart. Mitgl. Kammer für Sozialordnung der EKD, der World Women Parliamentarians for Peace, Parliementarians for Global Action, ÖTV, AWO, Naturfreunde, der Marie-Schlei-Stiftung und Kuratorium „Lebenshilfe". Schirmherrin der DCCV (Deutsche Morbus-Crohn/Colitis Ulcerosa Vereinigung e. V.), des Selbsthilfeverbands „Muskelkranke in Baden-Württemberg e. V., der Epilepsie-Selbsthilfegruppen Baden-Württemberg e. V. Mitgl. SPD seit 1965; seit 1988 stellv. Bundesvors. – MdB seit 1972; 1980/83 Vors. Rechtsausschuß; 1983/93 stellv. Vors. der SPD-Fraktion, 1994 Vors. Arbeitsgruppe Rechtspolitik der SPD-Fraktion.

Landesliste Baden-Württemberg

:* **DEHNEL   CDU**

Wolfgang Dehnel; Werkzeugmacher, Ingenieur für Maschinenbau; 08340 Schwarzenberg – * 11.2.1945 Schwarzenberg/Erzgebirge, Bez. Chemnitz, ev., verh., 2 Kinder – Oberschule, Abitur. Abschluß der Lehre als Werkzeugmacher; Ingenieurstudium an der TH Chemnitz/Außenstelle Breitenbrunn, Abschluß als Ingenieur für Technologie des Maschinenbaus. 1966/67 Ableistung der Wehrpflicht. Bis 1969 Tätigkeit als Werkzeugmacher, bis 1976 als Technologe, dann als Gruppenleiter, seit Jan. 1990 Leiter der Fertigungstechnologie in der Formenbau GmbH Schwarzenberg. Seit 1976 Mitgl. der CDU. 1980/90 Mitgl. des Stadtparlaments Schwarzenberg, Einbringer der Städtepartnerschaft und der Politischen Fragestunde, Teilnehmer an den Montagsdemonstrationen 1989/90, Mitinitiator der Willenserklärung sowie der Forderung der Länderbildung. Seit Febr. 1990 Vors. des Kreisverbandes CDU Schwarzenberg. Mitgl. Volkskammer März/Okt. 1990. – MdB seit Okt. 1990.

Wahlkreis 326 (Aue–Schwarzenberg–Klingenthal)
CDU 55,3 – SPD 26,3 – PDS 15,1 – F.D.P. 3,3 – Grüne -

* **DEICHMANN   SPD**

Christel Deichmann, geb. Kruse; Dipl.-Ing. (FH); 19075 Holthusen – * 29.8.1941 Holthusen, Kreis Schwerin, ev., verh., 3 Kinder – Besuch von Grundschule und Oberschule, Abitur. Laborantin bei den chemischen Werken Buna. Besuch der Fachschule für Chemie Berlin, Diplom-Ingenieurin (FH). Angestellte im Geologischen Landesamt Mecklenburg-Vorpommern, Sachbearbeiterin für chemische Analytik. Mitgl. in der ÖTV und im Verein „Miteinander" Holthusen. Bis 1990 parteilos. 1990 Eintritt in die SPD, Mitgl. des Kreisvorst. Ludwigslust. Mitgl. der Gemeindevertretung Holthusen/Amtsausschuß Stralendorf, 1. stellv. Bürgermeisterin von Holthusen, 1. stellv. Amtsvorsteherin im Amt Stralendorf. – MdB seit 1994, Schriftführerin.

Landesliste Mecklenburg-Vorpommern

* **DEITTERT   CDU**

Hubert Deittert; Landwirt; 33397 Rietberg –
* 21.3.1941 Neuenkirchen, Kreis Wiedenbrück (heute
Rietberg, Kreis Gütersloh), kath., ledig – Volksschule.
Landwirtschaftl. Lehre, landwirtschaftl. Fachschule.
Nach der Ausbildung selbständiger Landwirt, Verede-
lungsbetrieb 50 ha. Mitgl. des Deutschen Bauernverbandes, 1975/87 Mitgl. der Kreisstelle der Landwirtschaftskammer Westfalen-Lippe. Seit 1972 Vorstandsvors. der Molkereigenossenschaft Neuenkirchen e. G.
1964 Eintritt in die CDU, 1965 im Ortsvorstand und
1970 im Kreisvorstand der CDU. 1975 Wahl in den Rat
der Stadt Rietberg, seit 1977 ehrenamtl. Bürgermeister
der Stadt Rietberg. – MdB seit 1994.

Wahlkreis 101 (Gütersloh)
CDU 48,2 – SPD 39,6 – Grüne 6,6 – F.D.P. 3,5 – PDS 0,5

:: **DEMPWOLF   CDU**

Gertrud Dempwolf, geb. Weber; Landfrau, Parl.
Staatssekretärin; 37520 Osterode/Harz – * 3.2.1936
Mönchengladbach, kath., verh., 1 Tochter – Landfrau.
Mitgl. im Landesvorst. der CDU Niedersachsen. –
MdB seit März 1984; seit 1989 Aussiedlerbeauftragte
der CDU/CSU-Fraktion; seit Nov. 1994 Parl. Staatsse-
kretärin bei der BMin. für Familie, Senioren, Frauen
und Jugend.

Landesliste Niedersachsen

: **DESS   CSU**

Albert Deß; Landwirt; 92361 Röckersbühl –
* 17.4.1947 Röckersbühl, kath., verh., 4 Kinder –
Volksschule. Berufsschule, Landwirtschaftliche Fach-
schule, Landwirtschaftsmeister. Arbeit in Handel und
Industrie, 1972/77 Geschäftsführer einer bäuerlichen
Genossenschaft, 1977 selbständiger Vollerwerbsland-
wirt, seit 1979 landwirtschaftl. Lehrmeister. 1966/72
Maschinenringvors., seit 1967 Ortsobmann, 1977 stellv.
Kreisobmann, seit 1991 Kreisobmann des Bayerischen
Bauernverbandes. Seit 1990 Vors. AR Milchwerke Re-
gensburg. Seit 1983 Mitgl. Hauptausschuß landwirt-
schaftl. Fachschulabsolventen. 1963 Mitgl. JU und
CSU, 1974/82 JU-Ortsvors., seit 1981 Mitgl. CSU-
Kreisvorst., seit 1984 CSU-Ortsvors., seit 1987 Bezirks-
vors.; seit 1989 stellv. Landesvors. Arbeitsgemeinschaft Landwirtschaft der CSU Bayern. Seit 1972 Ge-
meinderat, seit 1978 Kreisrat, seit 1984 2.
Bürgermeister und stellv. Landrat. – MdB seit 1990.

Landesliste Bayern

⁑ DIEMERS   CDU

Renate Diemers; Referentin; 45721 Haltern –
* 8.4.1938 Werdohl, ev., verh. – Volksschule. Lehre als
Großhandelskauffrau. Bis 1963 versch. Tätigkeiten als
selbständige Sachbearbeiterin; seit 1963 hauptamtlich
beschäftigt bei der CDU Westfalen-Lippe, zunächst
Sachbearbeiterin der CDU-Frauenvereinigung; Juni
1972 Frauenreferentin der CDU Westfalen-Lippe, ab
1986 der CDU NRW. Ende 1984/86 stellv. Geschäftsführerin der CDU Westfalen-Lippe. Seit 1972 Geschäftsführerin des Landesfachausschusses „Jugend
und Familie" der CDU; 1984/86 der Arbeitsgemeinschaft Berufstätige Frauen in der CDA, seit der Fusion
ehrenamtl. Mitarbeit. Seit 1963 Mitarbeit im christli-
chen Frauenbildungswerk Westfalen-Lippe e. V., seit
1965 dessen Bildungsleiterin und Geschäftsführerin,
jetzt ehrenamtl. Geschäftsführerin. Eintritt in die CDU
1966, ehrenamtl. Tätigkeiten auf Bundes-, Landes-,
Bezirks- und Kreisebene; Mitgl. der CDA seit 1973. –
MdB seit 1990.

Landesliste Nordrhein-Westfalen

* DIETERT-SCHEUER
BÜNDNIS 90/DIE GRÜNEN

Amke Dietert-Scheuer; Lehrerin; 22297 Hamburg –
* 14.5.1955 Brake/Unterweser, verh. – Abitur 1975.
Studium der Germanistik, Philosophie und Orienta-
listik/Turkologie in Mainz und Hamburg, 1983 1. und
1987 2. Staatsexamen für das Lehramt an Gymnasien
in Hamburg. 1987/88 Universitätslektorin in Istanbul,
seit 1989 Parteiangestellte der Grün-Alternativen Liste
in Hamburg. Mitgl. bei ai. 1989 Eintritt in die Partei
DIE GRÜNEN/GAL. – MdB seit 1994.

Landesliste Hamburg

* DIETZEL   CDU

Wilhelm Dietzel; Landwirtschaftsmeister; 34474 Die-
melstadt-Neudorf – * 23.7.1948 Neudorf, Kreis Waldeck, ev., verh., 3 Kinder – Volksschule. Landwirtschaftl. Fachschule, 1969 Gehilfenprüfung, 1973 Meisterprüfung. Selbständiger Landwirt. Seit 1987
Vizepräs. des Hessischen Bauernverbandes, Vors. der
Landwirtschaftl. Sozialversicherung Kassel und des
Landesagrarausschusses. Mitgl. der CDU seit 1974.
1972 Ortsbeirat in Neudorf, 1977 Stadtverordneter in
Diemelstadt, z. Z. Fraktionsvors. der CDU; 1981 Kreistagsabg. in Waldeck-Frankenberg. – MdB seit 1994.

Landesliste Hessen

:* DILLER SPD

Karl Diller; Lehrer a. D.; 54411 Hermeskeil –
* 27.1.1941 Kaiserslautern, kath., verh., 1 Tochter – Abitur 1961. Pädagogische Hochschule Landau 1961/63.
Lehrer 1963/79, Assistent in England 1969/70. Mitgl.
der GEW, der AWO und von amnesty international.
Mitgl. des Verwaltungsrates der Sparkasse Trier. Seit
1968 Mitgl. der SPD. Mitgl. Kreistag Trier-Saarburg,
des Stadt- und des Verbandsgemeinderates Hermeskeil. 1979/87 MdL Rheinland-Pfalz. – MdB seit 1987.

Landesliste Rheinland-Pfalz

:* Dr. DOBBERTHIEN SPD

Marliese Dobberthien; Gewerkschaftssekretärin, Sozialwissenschaftlerin, Staatsrätin a. D.; 22559 Hamburg – * 22.5.1947 Lübeck, 1 Tochter – 1966 Abitur.
Studium der Sozialwissenschaft, pol. Wissenschaft
und Erziehungswissenschaft in Bochum und Hamburg, Auslandsstudienaufenthalte, Promotion Univ.
Hamburg. Volkshochschuldozentin. Lehraufträge
Univ. Hamburg. 1976/88 Abteilungsleiterin beim
DGB, BW; 1988/90 Staatsrätin in Hamburg. Zahlr. Veröffentlichungen. Mitgl. der IG Medien, der AWO, des
Vereins alleinerziehender Mütter und Väter (VAMV)
und des Verbandes alleinstehender Frauen (VAF).
Langjährig Rundfunkrätin, langjährig Vors. des baden-württ. DGB-Landesfrauenausschusses und Mitgl.
im DGB-Landesbezirksvorst.; langjährig Vorstandsmitgl. der baden-württ. Verbraucherzentrale und Lan-
desfrauenrat; Mitgl. Kuratorium für Frauenfragen, u.
a. aktiv in der Frauen- und Umweltbewegung. Seit
1972 Mitgl. der SPD. – MdB 1987/88 und seit 1990.
Wahlkreis 13 (Hamburg-Altona)
SPD 40,5 – CDU 40,0 – Grüne 13,4 – F.D.P. 2,9 – PDS -

:* DÖRFLINGER CDU

Werner Dörflinger; Bürgermeister a. D.; 79761 Waldshut-Tiengen – * 2.10.1940 Tiengen, kath., verh., 3 Kinder – Höhere Handelsschule, Lehre, 1958/62 Industriekaufmann. 1962/75 Redakteur des SÜDKURIER.
Ab 1975 1. Beigeordneter (Bürgermeister) Waldshut-
Tiengen (Wahlbeamter bis 1983). Mitgl. des Deutschen Journalistenverb. Stellv. Vors. des Caritas-Ver-
bandes Waldshut. Präs. der Ges. zur Förderung der
deutsch-amerikanischen Freundschaft. Bundesverdienstkreuz. 1961 CDU, 10 Jahre Vors. Kreisverb.
Waldshut der JU, 1967/91 stellv. Vors. CDU-Kreisverb.
Waldshut, 1991/93 Kreisvors.; Vors. CDU-Bundesfachausschuß „Städte- und Wohnungsbau". 1965 Stadtrat
von Tiengen, 1971 ehrenamtl. Bürgermeistervertre-
ter von Tiengen, 1975 Stadtrat der Stadt Waldshut-
Tiengen und bis zur Wahl zum 1. Beigeordneten ehrenamtl. Bürgermeisterstellv., seit 1994 wieder Mitgl.
Stadtrat von Waldshut-Tiengen. 1989/94 Mitgl. Kreistag, seit 1989 Mitgl. der Regionalverbandvers. Hoch-
rhein-Bodensee. – MdB seit 1980; Vors. Ausschuß für
Raumordnung, Bauwesen und Städtebau.
Wahlkreis 192 (Waldshut)
CDU 52,6 – SPD 28,2 – Grüne 9,1 – F.D.P. 4,4 – PDS -

⁘ DOSS CDU

Hansjürgen Doss; Architekt BDA; 55131 Mainz –
* 9.8.1936 Münster (Westfalen), kath., verh., 3 Kinder –
Volksschule, Realgymnasium. Kaufmännische Lehre in
Mainz. Schreinerpraktikum in London. Fachhochschule Mainz, 1959 Innenarchitekt. Ein Jahr in den
USA. Besuch der Hochschule für Bildende Künste,
Frankfurt, 1963 Architekt BDA. 1963/65 Bürogemein-
schaft für Architektur und Baustatik in Marburg/Lahn.
Seit 1965 selbständiger Architekt in Mainz. 1965 Eintritt in die CDU, Mitgl. im Landesvorst. der CDU Rheinland-Pfalz; stellv. Bundesvors. der Mittelstandsvereinigung der CDU/CSU, Landesvors. der Mittelstandsvereinigung der CDU Rheinland-Pfalz. Stadtrat in
Mainz 1979/81. MdL Rheinland-Pfalz Jan. 1981/Aug.
1981. – MdB seit Juli 1981; Vors. der Arbeitsgemeinschaft Parlamentskreis Mittelstand der CDU/CSU-
Fraktion.

Landesliste Rheinland-Pfalz

⁘ Dr. DREGGER CDU

Alfred Dregger; Oberbürgermeister a. D.; 36039 Fulda
– * 10.12.1920 Münster (Westfalen), kath., verh., 2
Kinder – Grundschule, human. Gymnasium. 1939/45
Wehrdienst, zuletzt Hauptmann und Bataillonskommandeur, viermal verwundet. 1946/49 Studium der
Rechts- und Staatswissenschaften. 1950 Promotion
zum Dr. jur., 1953 große jur. Staatsprüfung. 1954/56
Referent in Verbänden. 1956/70 Oberbürgermeister
von Fulda; 1965/70 Präs. bzw. Vizepräs. des Deutschen Städtetages. 1970/83 Vorstandsmitgl. eines Unternehmens der Energieversorgung. 1967/82 Landesvors. der hessischen CDU, seit 1969 Mitgl. Bundesvorst., 1977/83 stellv. Bundesvors., seit 1977 Mitgl. des
Präsidiums der CDU Deutschlands. 1962/72 MdL
Hessen, zuletzt Vors. der CDU-Fraktion und Opposi-
tionsführer. – MdB seit 1972; Mitgl. Vorst. der
CDU/CSU-Fraktion seit 1972, 1976 stellv. Vors., Okt.
1982/Nov. 1991 Vors. der CDU/CSU-Fraktion.

Wahlkreis 132 (Fulda)
CDU 55,1 – SPD 33,0 – Grüne 5,4 – F.D.P. 3,0 – PDS 0,6

* DRESSEN SPD

Peter Dreßen; DGB-Kreisvorsitzender; 79312 Emmen-
dingen-Wasser – * 9. 9. 1943 Freiburg, ev., verh., 3
Töchter – Volksschule. Kaufm. Lehre. Weiterbildung
zum Betriebswirt Akademie Meersburg. 1972/80 SPD-
Unterbezirksgeschäftsführer. 1980/94 DGB-Kreisvors.
von Freiburg und Breisgau, mit Annahme des Mandats vom DGB beurlaubt ohne Fortsetzung der Be-
züge. Seit 1982 alternierender Vors. der AOK Emmendingen und des Verwaltungsausschusses Arbeitsamt
Freiburg. Seit 1980 ehrenamtl. Richter beim Arbeitsgericht Freiburg. Seit 1980 Mitgl. im Berufsbildungsaus-
schuß der IHK Freiburg, an der Univ. Freiburg
und im Wirtschaftsbeirat der Stadt Freiburg. Seit 1970
Mitgl. der IG Metall, der AWO. Förderndes Mitgl. des
Fußballbezirksligavereins SV Wasser. Alle Ämter, mit
Ausnahme der Funktionen bei der AOK, mit Eintritt in
den BT niedergelegt. Seit 1968 Mitgl. der SPD.
1971/94 Stadtrat Kreisstadt Emmendingen; 1973/85
Mitgl. Kreistag Landkreis Emmendingen. – MdB seit
1994.
Landesliste Baden-Württemberg

⁝⁚ DRESSLER SPD

Rudolf Dreßler; Schriftsetzer, Parl. Staatssekretär a.
D.; 42115 Wuppertal – * 17. 11. 1940 Wuppertal, verh.,
1 Tochter, 1 Sohn – Volksschule, Sprachschule (englisch). Ausbildung zum Schriftsetzer, Gehilfenprüfung
1958. Metteur, Linotypesetzer. Freie Mitarbeitertätig-
keit für versch. Zeitungen. 1969/81 Vors. Betriebsrat
im Hause der „Westdeutschen Zeitung". Mitgl. AR der
Laubag AG. 1974/83 Mitgl. Hauptvorst. IG Druck und
Papier. Mitautor des Buches „Sozialplan und Interes-
senausgleich nach dem BetrVG 1972", Mitherausgeber des „Schwarzbuch der Wirtschaftskriminalität"
und anderer Veröffentlichungen. Mehrere Jahre ehrenamtl. Richter am Sozialgericht Düsseldorf und
Oberverwaltungsgericht in Münster. 1969 SPD,
1986/96 Vors. SPD Wuppertal; Vors. AfA in der SPD
seit 1984, seit 1984 Mitgl. Parteivorst., seit 1991 des
Präsidiums der SPD. – MdB seit 1980; April bis Okt.
1982 Parl. Staatssekr. beim BMin. f. Arbeit u. Sozialordnung. Seit Juni 1987 stellv. Vors. SPD-Fraktion.
Wahlkreis 69 (Wuppertal I)
SPD 45,5 – CDU 36,9 – Grüne 6,9 – FDP 6,6 – PDS 1,1

⁝⁚ DUVE SPD

Freimut Duve; Publizist; 20148 Hamburg –
* 26.11.1936 Würzburg, aufgewachsen in Hamburg,
verh., 3 Kinder – 1956 Abitur. Studium in Hamburg:
Geschichte, Anglistik, Soziologie. 1961 Forschungs-
aufenthalt in Südafrika und Simbabwe. Während des
Studiums journalistisch tätig. Seit 1962 Mitaufbau der
Deutsch-Kurse für Gastarbeiter (VHS). 1965 hauptamtl. Betreuer für ausländische Studenten Univ. Hamburg. 1966/69 Pers. Referent des Hamb. Wirtschafts-
senators. 1969/70 pol. Redakteur beim „Stern".
1970/89 Lektor im Rowohlt Verlag, Herausgeber der
Buchreihe rororo-aktuell. 1975 Gründung der Viertel-
jahresschrift „Technologie und Politik". 1990/92 Herausgeber der Reihe „Luchterhand Essay". 1975/80
Mitgl. Rundfunkrat NDR. Mitgl. IG Druck und Papier.
Veröffentlichungen: 1965 – Kap ohne Hoffnung oder
die Politik der Apartheid (Hrsg.); 1968 – Die Restaura-
tion entläßt ihre Kinder (Hrsg.); 1970 – Der Rassen-
krieg findet nicht statt; 1986 – Aufbrüche (Hrsg.); 1994
– Vom Krieg in der Seele. 1966 SPD, 1974/89 Mitgl.
Hamburger Landesvorst. – MdB seit 1980.
Wahlkreis 12 (Hamburg-Mitte)
SPD 45,1 – CDU 31,6 – Grüne 14,4 – F.D.P. 2,9 – PDS 2,2

⁝ EICH SPD

Ludwig Eich; Datenverarbeitungskaufmann; 53567
Buchholz – * 18.8.1942 Solscheid, kath., verh., 2 Kinder – Volksschule. Landwirt, Bauarbeiter, Gesenk-
schmied. Umschulung zum Datenverarbeitungskaufmann, SPD-Unterbezirksgeschäftsführer. Mitgl. von
ÖTV, AWO, BUND und Greenpeace. Auszeichnung
mit dem Umwelttaler des Bundes Umwelt und Naturschutz Deutschland e. V. (BUND). Mitgl. der SPD seit
1969, Mitgl. SPD-Kreisvorst. Fraktionsvors. im Ortsge-
meindrat, bis 1982 auch im Verbandsgemeinderat;
seit 1976 Mitgl. des Kreistages, 1984/92 Fraktionsvors.
1983/90 MdL Rheinland-Pfalz. – MdB seit 1990.

Landesliste Rheinland-Pfalz

: EICHHORN   CSU

Maria Eichhorn, geb. Hetzenegger; Diplomhandelleh-
rerin; 93083 Obertraubling – * 11.9.1948 Piesenkofen,
Landkreis Regensburg, röm.-kath., verh., 2 Kinder –
Volksschule. Lehre als ländliche Hauswirtschaftsgehil-
fin, Landwirtschaftsschule, Abteilung Hauswirtschaft.
1967/69 Bankkaufmannslehre, 1967/70 Berufsaufbauschule, 1970/73 Studium der Betriebswirtschaft an der
FH Regensburg, Diplombetriebswirtin (FH). 1973/74
Fachlehrerin. 1974/77 Studium der Wirtschaftspädagogik Univ. Erlangen-Nürnberg, Diplomhandelsleh-
rerin. 1980 Anstellungsprüfung für das Höhere Lehramt an kaufm. Schulen. 1980/90 Studienrätin an der
Kaufm. Berufsschule Regensburg. 1967 Mitgl. der JU,
seit 1970 Mitgl. der CSU, Tätigkeit im Kreis-, Bezirks-
und Landesvorst., seit 1987 stellv. Kreisvors.; seit 1975
Mitgl. der Frauen-Union, seit 1983 Mitgl. Landesvorst.
der Frauen-Union, 1991 stellv. Landesvors., seit Juli
1995 Landesvors. der Frauen-Union Bayern. Seit 1972
Mitgl. Kreistag Regensburg, 1978/90 stellv. Fraktionsvors., seit 1990 stellv. Landrätin. – MdB seit 1990; Vors.
der Arbeitsgruppe Familie, Senioren, Frauen und Jugend der CDU/CSU-Fraktion.
Landesliste Bayern

* EICHSTÄDT-BOHLIG
BÜNDNIS 90/DIE GRÜNEN

Franziska Eichstädt-Bohlig, geb. Bohlig; Stadtplane-
rin, Architektin, Diplomingenieurin; 10629 Berlin –
* 10.9.1941 Dresden, ev., verh., 2 erwachsene Söhne –
Schulbesuch in Bayern und NRW, 1961 Abitur in Unna.
Studium von Architektur und Städtebau in Hannover
und Berlin. Diplomingenieurin, Architektin und Stadt-
planerin, zuletzt über acht Jahre Geschäftsführerin
des „alternativen" Sanierungsträgers STATTBAU Berlin mit Schwerpunkt in der bewohnerorientierten und
ökologischen Stadterneuerung. Als Parteilose aktiv in
Stadtteilinitiativen und Selbsthilfebewegung. Seit
1993 Mitgl. von BÜNDNIS 90/DIE GRÜNEN. 1989/90
Baustadträtin im Bezirk Kreuzberg (parteilos, nomi-
niert von der Alternativen Liste). – MdB seit 1994; Ob-
frau und wohnungspolitische Sprecherin der Fraktion
BÜNDNIS 90/DIE GRÜNEN.

Landesliste Berlin

:* Dr. EID
BÜNDNIS 90/DIE GRÜNEN

Uschi Eid; Dipl.-Haushaltswissenschaftlerin, Wiss.
Angestellte; 72622 Nürtingen – * 18.5.1949
Landau/Pfalz, ev., verh. – Studium an der Universität
Hohenheim, an der Landbouwhogeschool Wagenin-
gen/Niederlande und an der Oregon State Univer-
sity/USA. Universitätsabschluß als Diplom-Haushalts-
wissenschaftlerin, Promotion zum Dr. rer. soc. Wissenschaftl. Angestellte Univ. Hohenheim, in den letzten
beiden Jahren freigestellt für entwicklungspolitische
Tätigkeit in Eritrea/Horn von Afrika. 1980 Eintritt in
die Partei DIE GRÜNEN. – MdB April 1985/90 und
seit 1994; stellv. Vors. Ausschuß für wirtschaftliche Zusammenarbeit.

Landesliste Baden-Württemberg

* Graf von EINSIEDEL   PDS

Heinrich Graf von Einsiedel; Schriftsteller; 81675
München – * 26.7.1921 Potsdam, verh., 2 Söhne – 1939
Abitur. Berufsoffizier, Jagdflieger, Juli 1941 / Aug. 1942
Fronteinsatz. Nov. 1942 Anschluß an die antifaschisti-
sche Offiziersgruppe in sowjetischer Gefangenschaft,
Mitbegründer des National-Komitees Freies Deutsch-
land und des Bundes Deutscher Offiziere; Juni 1947
Rückkehr aus sowjetischer Gefangenschaft. Nach der
Heimkehr Redakteur bei der Zeitung der sowjetischen
Militärregierung; Dez. 1948 Flucht aus der sowjeti-
schen Besatzungszone. Übersetzer, Drehbuchautor.
Verfasser von Essays zur Zeitgeschichte. Juli
1947 / Dez. 1948 Mitgl. SED, 1957 / 92 Mitgl. der SPD. –
MdB seit 1994.

Landesliste Sachsen

* Dr. ELM   PDS

Ludwig Elm; Diplomlehrer; 07743 Jena – * 10.8.1934
Greußen, Kreis Sondershausen, Thüringen, verh., 3
Töchter – Grundschule. Lehre, Landwirtschaftsgehilfe. Studium der Landwirtschaft, Geschichte und
Philosophie Humboldt-Univ. Berlin und Karl-Marx-
Univ. Leipzig, Diplomlehrer für Marxismus-Leninis-
mus 1956, Dr. phil. 1964, Dr. sc. phil. 1971. 1956 / 91 wissenschaftl. Assistent und Hochschullehrer an der
Friedrich-Schiller-Univ. Jena, Prof. a. D. Versch. Veröffentlichungen. 1949 / 91 Mitgl. FDGB, seither GEW,
1958/91 im Kulturbund, versch. Funktionen auf Kreis-,
Bezirks- und zentraler Ebene. Mitbegründer und
1992/94 Vors. Jenaer Forum für Bildung und Wissenschaft e. V., 1. Landessprecher des Bundes der Antifaschisten (BdA) Thüringen seit 1994. J.-R.-Becher-Me-
daille des Kulturbundes, Nationalpreis III. Klasse für
Wissenschaft und Technik 1987. Mitgl. SED 1952 / 89,
seither der PDS; 1964/78 Mitgl. SED-Parteileitung an
der Univ. Jena und 1967 / 78 der SED-Kreisleitung
Jena-Stadt. MdV (Kulturbund) 1971 / 81. – MdB seit
1994.
Landesliste Thüringen

* ENDERS   SPD

Peter Enders; Schulleiter a. D., Industriekaufmann;
47475 Kamp-Lintfort – * 7.12.1942 Leipzig, ev., verh., 3
Kinder – Mittlere Reife. Kaufm. Lehre. Hochschulzu-
gang über den 2. Bildungsweg; Studium für das Lehramt an berufsbildenden Schulen Univ. Bochum. 8
Jahre als kaufm. Angestellter in der Werft- und Bauin-
dustrie tätig, in dieser Zeit auch Betriebsratstätigkeit,
18 Jahre an berufsbildenden Schulen, zuletzt als
Schulleiter. Mitgl. in der AWO, in versch. örtl. Vereinen, insbesondere im Bereich Lokalradio, Mitgl. im
Verein Jugendberufshilfe und im Verein Europäische
Begegnungsstätte sowie im Beirat bei der Wirtschafts-
förderungsgesellschaft und im Volkshochschulbeirat
der Stadt Kamp-Lintfort. Mitgl. der SPD seit 1964, seit
1985 Mitgl. Unterbezirksvorst. Kreis Wesel, stellv.
Ortsvereinsvors. Kamp-Lintfort. Mitgl. im Rat der
Stadt Kamp-Lintfort. – MdB seit 1994.

Wahlkreis 83 (Wesel II)
SPD 51,8 – CDU 35,5 – Grüne 6,3 – F.D.P. 3,6 – PDS 0,6

⁝ ENGELMANN CDU

Wolfgang Engelmann; Werkzeugmacher; 09397 Neuwürschnitz – * 27.6.1942 Neuwürschnitz, Lkr. Stollberg, Ev.-luth. Freikirche (Altlutheraner), verh., 1 erwachsene Tochter – Grundschule 1948/56, anschl. Oberschule, mittlere Reife 1958. Lehre als Werkzeugmacher bis 1961, 1963/65 Tätigkeit als Grubenschlosser in der SDAG-Wismut, Zusatzausbildung als Hauer unter Tage, als solcher 5 Jahre tätig, 1969 Abschluß als Bergbaumeister. Studium zum Ingenieur-Ökonom bis 1974. Wehrdienst 1961/63. Kreisgeschäftsführer des Kreisverbands Stollberg der CDU. Gründungsmitgl. des Kreises zur Förderung des Bergbaumuseums e. V. in Oelsnitz/Erzgebirge. Mitgl. der CDU seit 1962, 1979 Ortsgruppenvors. der CDU, Mitgl. des Kreisvorst. seit 1965. Seit 1966 Gemeindevertreter und Ratsmitgl. in der Heimatgemeinde, seit 1985 Mitgl. Kreistag Stollberg. – MdB seit 1990.

Wahlkreis 325 (Annaberg–Stollberg–Zschopau)
CDU 54,4 – SPD 30,0 – PDS 11,9 – F.D.P. 3,8 – Grüne -

⁝* Dr. ENKELMANN PDS

Dagmar Enkelmann; Diplomhistorikerin; 16321 Bernau – * 5. 4. 1956 Altlandsberg, Kreis Strausberg, gesch., 3 Kinder – 1974/79 Studium an der Sektion Geschichte der Karl-Marx-Univ. Leipzig. 1979/85 Lehrerin für Geschichte; 1985/89 Aspirantur auf dem Gebiet der Jugendforschung. Seit 1977 Mitgl. der SED, seit 1990 der PDS. MdV März/Okt. 1990. – MdB seit Okt. 1990; Parl. Geschäftsführerin.

Landesliste Brandenburg

⁝ EPPELMANN CDU

Rainer Eppelmann; Maurer, Pfarrer; 15562 Rüdersdorf – * 12. 2. 1943 Berlin, ev., verh., 5 Kinder – 11. Klasse Oberschule, Facharbeiterbrief als Maurer. 1. und 2. Examen an der Theologischen Fachschule Paulinum. Bausoldat 1964/66. Letzte Tätigkeiten: Pfarrer; Minister ohne Geschäftsbereich im Kabinett Modrow, Minister für Abrüstung und Verteidigung im Kabinett de Maizière. Mitgl. in der IG Bau-Steine-Erden und in der Senioren-Union. Gründungsmitgl. und später Vors. des Demokratischen Aufbruchs (DA). Mitgl. der Volkskammer März/Okt. 1990. Mitgl. der CDU seit Sept. 1990, stellv. Landesvors. der CDU, seit März 1993 Kreisvors. der CDU Märkisch-Oderland; bis Dez. 1993 Landesvors. und stellv. Bundesvors. der CDA, seit März 1994 Bundesvors. – MdB seit 1990.

Landesliste Brandenburg

⁑ ERLER SPD

Gernot Erler; Verlagsleiter; 79100 Freiburg –
* 3.5.1944 Meißen, verh., 1 Tochter – Gymnasium in
Berlin-Steglitz. Studium der Geschichte, slavischen
Sprachen und Politik FU Berlin und Albert-Ludwigs-
Univ. in Freiburg 1963/67, Staatsexamen 1967. Ver-
lagsredakteur 1968/69. Wissenschaftl. Assistent und
wissenschaftl. Mitarbeiter am Seminar für osteuropäi-
sche Geschichte der Univ. Freiburg 1969/79. Verlagsleiter in Freiburg 1980/87. Mitgl. der Gewerkschaft
HBV, der AWO, des Bundes für Umwelt und Naturschutz Deutschland (BUND), des Öko-Instituts Freiburg und der „Freiburger Friedenswoche". Vors.
West-Ost-Gesellschaft Südbaden. SPD-Mitgl. seit
1970, Ortsvereinsvors. in Freiburg-Tiengen 1973/77,
Kreisvors. der Freiburger SPD 1977/87, Mitgl. im Landesvorst. der SPD Baden-Württemberg seit 1983,
Mitgl. Präsidium der SPD Baden-Württemberg seit
1985; Vors. des Beirats Sicherheitspolitik der SPD Baden-Württemberg. 1976/84 Ortschaftsrat in Freiburg-
Tiengen. – MdB seit 1987.

Landesliste Baden-Württemberg

* ERNSTBERGER SPD

Petra Ernstberger, geb. Rosenberger; Wissenschaftl.
Mitarbeiterin; 95679 Waldershof – * 11.11.1955 Remscheid, kath., verh., 2 Kinder – Volksschule, Gymnasium, Abitur 1975. Studium an der Univ. Bayreuth für
das Lehramt an Volksschulen, 1. Staatsexamen 1978,
2. Staatsexamen 1981. 1981/90 Lehrerin an Volksschulen mit dem Schwerpunkt Grundschule (3.-4. Klasse);
1990/94 Dozentin an der Univ. Bayreuth als wissenschaftl. Mitarbeiterin, Schwerpunkt Grundschul-
pädagogik/Grundschuldidaktik am gleichnamigen
Lehrstuhl. Mitgl. der IG Chemie. Bis 1994 Frauenbe-
auftragte der kulturwissenschaftl. Fakultät der Univ.
Bayreuth. Mitgl. der SPD seit 1990, Schriftführerin im
Ortsverein Waldershof, 1992 Vors. Unterbezirk
Hof/Saale. – MdB seit 1994.

Landesliste Bayern

⁝ van ESSEN F.D.P.

Jörg van Essen; Oberstaatsanwalt a. D.; 59071 Hamm
– * 29.9.1947 Burscheid, kath., nicht verheiratet – Abitur 1966 in Siegen. Jur. Studium 1968/72, 1. jur.
Staatsexamen 1973, 2. jur. Staatsexamen 1976. Grundwehrdienst, 1993 Oberst d. R. 1976/85 Staatsanwalt in
Münster, Hagen und Dortmund, 1985/90 Oberstaatsanwalt bei der Generalstaatsanwaltschaft Hamm;
1978/84 Lehrauftrag „Strafrecht" an der FH für öffentliche Verwaltung des Landes NRW, 1985/89 Leiter von
Referendararbeitsgemeinschaften. Mitgl. der F.D.P.
seit 1980, Mitgl. im Landesvorst. NRW, Tätigkeiten auf
versch. Ebenen, u. a. Vors. Landesfachausschuß
„Außen- und Europapolitik" der F.D.P. seit 1986, Vors.
des Bezirksverbandes Westfalen-Süd. – MdB seit 1990;
Parl. Geschäftsführer der F.D.P.-Fraktion seit Nov.
1994, Ä.

Landesliste Nordrhein-Westfalen

• ESSMANN   CDU

Heinz Dieter Eßmann; Prokurist; 38300 Wolfenbüttel –
* 17. 11. 1938 Wolfenbüttel, ev., gesch., 2 Kinder – Realschule. Lehre als Großhandelskaufmann und Kfz-
Mechaniker; Abendschulausbildung als Betriebswirt
und Werbekaufmann. Prokurist und Marketingleiter
in einer Unternehmensgruppe der Automobilbranche.
Vors. des MTV Wolfenbüttel. Mitgl. der CDU seit 1966;
Mitgl. im Niedersachsenrat der JU, im Bundesvertei-
digungsbeirat und im Bundesfachausschuß Sport;
Stadtverbandsvors. der CDU in Wolfenbüttel. Mitgl.
des Rates der Stadt Wolfenbüttel seit 1972, 1974/96
Bürgermeister. Mitgl. Kreistag 1968/96, zeitweise
Fraktionsvors. – MdB seit 1994.

Landesliste Niedersachsen

:: EYLMANN   CDU

Horst Eylmann; Rechtsanwalt und Notar; 21682 Stade
– * 1. 12. 1933 Altendorf, jetzt Osten/Oste, Kreis Cux-
haven, ev.-luth., verh. – Abitur am Athenaeum in
Stade 1955. Anschl. Studium der Volkswirtschaft und
Psychologie (nicht abgeschlossen) sowie der Rechts-
wissenschaft in Hamburg und München, 1959 1. jur.
Staatsexamen, 1963 2. jur. Staatsexamen. Seit 1963
Rechtsanwalt, seit 1968 Notar in Stade. Mitgl. AR der
Volksbank Stade. 1968 Eintritt in die CDU. Seit 1972
Mitgl. Rat der Stadt Stade, zeitweise Fraktionsvors.
und Bürgermeister; ebenfalls seit 1972 Mitgl. Kreistag
Stade, zeitweise Fraktionsvors. – MdB seit 1983; zwei-
mal Vors. von Untersuchungsausschüssen, Vors.
Rechtsausschuß.

Wahlkreis 25 (Stade–Rotenburg I)
CDU 48,0 – SPD 41,3 – Grüne 5,2 – F.D.P. 4,1 – PDS -

: EYMER   CDU

Anke Eymer, geb. Kalinka; Rektorin a. D., Galeristin;
53113 Bonn – * 12. 4. 1949 Fiefbergen, Kreis Plön, verh.,
1 Sohn – Abitur. Höhere Frauenfachschule Kiel, ein-
jähriges Haushaltspraktikum. Studium an der PH Kiel,
Fachbereiche Pädagogik, Soziologie, Kunsterziehung,
Geographie, evangelische Religion; 1972 1. Prüfung
für das Lehramt an Grund- und Hauptschulen, Eintritt
in den Schuldienst. 1987 Rektorin der Bugenhagen-
Schule Lübeck. 1970 Eintritt in die JU, 1972 in die
CDU; versch. Vorstandsämter in der JU, der CDU und
der Frauen-Union, stellv. Kreisvors. der CDU in der
Hansestadt Lübeck, 1991 Mitgl. Landesvorst. der CDU
Schleswig-Holstein, Kreisvors. der Frauen-Union Lü-
beck. – MdB seit 1990; Schriftführerin, stellv. Vors.
Ausschuß für Familie, Senioren, Frauen und Jugend.

Landesliste Schleswig-Holstein

⁝ FALK CDU

Ilse Falk, geb. v. Lüpke; Hausfrau; 46509 Xanten –
* 21. 9. 1943 Bevensen, Kreis Uelzen, ev., verh., 4 Kinder
– Gymnasium, Reifensteiner Landfrauenschule, Gar-
tenbaulehre. Hausfrau, Mitarbeit im Vermessungs-
büro des Ehemannes. 1984 Presbyterin an der ev. Kirche Xanten-Obermörmter, 1991 in der Jugendkammer
der EKD und im Kuratorium der Ev. Akademie
Mülheim; Mitgl. in der Landsmannschaft Siebenbür-
ger Sachsen und in der Kath. Frauengemeinschaft
Deutschlands (kfd). 1984 Eintritt in die CDU, Mitgl. im
Kreisvorst. der CDU Kreis Wesel, seit 1989 Kreisvors.
der Frauen-Union, Mitgl. in der Mittelstandsvereinigung der CDU. Seit 1989 Stadtverordnete in Xanten. –
MdB seit 1990.

Landesliste Nordrhein-Westfalen

⁝⁝* Dr. FALTLHAUSER CSU

Kurt Faltlhauser; Dipl.-Volkswirt, Prof., Parl. Staatssekretär; 81243 München – * 13. 9. 1940 München, kath.,
verh., 2 Kinder – Gymnasium, Abitur 1961. Studium
der Volkswirtschaft, der Politischen Wissenschaft und
der Rechtswissenschaft in München, Berlin und
Mainz; 1964/65 Vors. des AStA Univ. München; 1967
Diplomvolkswirt, 1971 Doktor der Politischen Wissenschaft. 1970/94 Geschäftsf. Gesellschafter der Firma
„Gesellschaft f. innerbetriebliche Zusammenarbeit
GIZ GmbH", Lehrbeauftragter der Volksw. Fakultät
Univ. München. Mitgl. CSU seit 1963; Kreisvors. München-West, Mitgl. Bezirksvorst. München, Schatzmeister der CSU. MdL Bayern 1974/80. – MdB seit 1980;
1993/94 Stellv. Vors. CDU/CSU-Fraktion; Nov. 1994
Parl. Staatssekretär beim BMin. der Finanzen.

Wahlkreis 207 (München-West)
CSU 49,8 – SPD 34,6 – Grüne 7,5 – F.D.P. 3,4 – PDS 0,7
ausgeschieden am 20. 11. 1995
Nachfolger > Abg Strehl (ABC ab S. 277)

⁝ FASSE SPD

Annette Faße; Erzieherin; 27607 Langen – * 6. 9. 1947
Langen-Imsum, ev., verh., 2 Kinder – Realschulabschluß. Fachschule für Erzieherinnen, staatlich geprüfte Erzieherin. Kindergartenleiterin, pädagogische
Mitarbeit an einer Schule für körperbehinderte Kinder. Hausfrau. Selbständige pädagogische Mitarbeiterin in der Erwachsenenbildung. Mitgl. der Gewerkschaft Bau-Steine-Erden, der AWO, der Hafenwirt-
schaftsgemeinschaft Cuxhaven, im Nautischen
Verein, im Sportverein, im Betreuungsverein Frauen
helfen Frauen; ehrenamtl. Geschäftsführerin bei Familie in Not. Eintritt in die SPD 1972, Kreisvors., stellv.
Bezirksvors. Kreistagsmitgl. – MdB 1987/90 und seit
1994.

Wahlkreis 24 (Cuxhaven)
SPD 46,0 – CDU 44,7 – Grüne 5,3 – F.D.P. 2,5 – PDS -

:: FEILCKE   CDU

Jochen Feilcke; Verbandsreferent; 10825 Berlin –
* 19.8.1942 Hannover, ev.-luth., verh., 1 Kind – 1963
human. Abitur in Hannover. 1963/68 Studium FU Berlin (Politologie und Volkswirtschaft). 1968/71 freiberufl. Dozent in der pol. Bildungsarbeit. 1972/73 Geschäftsführer des Demokratischen Klubs e. V., seit
1973 Verbandsreferent (Zentralvereinigung Berliner
Arbeitgeberverbände). 1978/81 Geschäftsführer des
Bildungswerkes der Berliner Wirtschaft, dann Leiter
der Abteilung Arbeitsmarkt und internationale Sozialpolitik der Zentralvereinigung Berliner Arbeitgeberverbände und des Arbeitgeberverbandes der Berliner
Metallindustrie, seit 1983 beurlaubt. Seit 1964 Mitgl.
der CDU; 1967/71 Vors. der JU Berlin-Schöneberg;
1970/82 Vors. Ortsverband Innsbrucker Platz der
CDU, seit 1977 Vors. CDU-Kreisverband Schöneberg,
seit 1981 Mitgl. Landesvorst. der CDU Berlin. 1971/75
Bezirksverordneter in Schöneberg, 1975/83 Mitgl. des
Abgeordnetenhauses von Berlin, 1981/83 Mitgl. Fraktionsvorst. der CDU und des Ältestenrates. – MdB seit
1983.
Landesliste Berlin

:* Dr. FELDMANN   F.D.P./DVP

Olaf Feldmann; Jurist, Geschäftsführer; 76530 Baden-Baden – * 9.5.1937 Elbing, verh., 1 Tochter – 1957 Abitur. Studium der Rechts- und Staatswissenschaften in
Freiburg; 1961 1. jur. Staatsprüfung. Assistent und Arbeitsgemeinschaftsleiter Univ. Freiburg – Institut für
öffentliches Recht; 1969 Promotion und Assessorexamen. 1967/73 selbständiger Kaufmann, seit 1973 Geschäftsführer im Hotel- und Gaststättenverband Baden-Württemberg. Seit 1972 Mitgl. der F.D.P., Mitgl. im
Landesvorst. Baden-Württemberg und im Bundesvorst. der F.D.P.. Seit 1975 Stadtrat in Baden-Baden. –
MdB seit Jan. 1981; Fremdenverkehrspol. und abrüstungspol. Sprecher der F.D.P.-Fraktion; stellv. Vors.
Sportausschuß.

Landesliste Baden-Württemberg

:* Dr. FELL   CDU

Karl H. Fell; Rechtsanwalt; 41844 Wegberg –
* 16. 12. 1936 Erkelenz, röm.-kath., verh., 6 Kinder –
Abitur. Jurastudium in Köln, Freiburg/Breisgau und
Bonn, 1. und 2. jur. Staatsexamen, Dr. jur. Univ. Bonn.
Richter in NRW, zuletzt Landgerichtsrat in Mönchengladbach. 1972/77 Referent des Bundesverbandes
deutscher Banken, 1977/81 Justitiar der IKB-Deutsche
Industriebank AG, Düsseldorf; 1981/93 Syndikus der
Bankhaus Hermann Lampe KG, Düsseldorf. Geschäftsführer der Depfa-Holding-Verwaltungs-GmbH,
Düsseldorf. 1986/Mai 1996 Präs. Familienbund der
Deutschen Katholiken, Bonn. Vors. Verwaltungsrat
der St. Antonius-Krankenhaus Wegberg GmbH (ehrenamtl.). Mitgl. im ZDK, Bonn; Kirchensteuerrat des
Bistums Aachen. Bundesverdienstkreuz 1. Klasse.
Mitgl. CDU seit 1964, stellv. Kreisvors. der CDU
1965/85. Mitgl. Stadtrat Wegberg 1969/85, 1969/72
Fraktionsvors.; 1972/85 Bürgermeister der Stadt Wegberg. MdL NRW 1970/85. – MdB seit 1987.
Wahlkreis 55 (Heinsberg)
CDU 53,4 – SPD 35,9 – Grüne 6,2 – FDP 2,8 – PDS –
**verstorben am 5. 12. 1996, Nachfolger > Abg. Helling
(ABC ab S. 277)**

* FINK   CDU

Ulf Fink; Dipl.-Volkswirt, Senator a. D.; 16761 Hen-
ningsdorf – * 6. 10. 1942 Freiberg/Sachsen, ev., verh.,
2 Kinder – 1962 Abitur. 1962/66 Studium der Volkswirtschaft in Marburg, Hamburg und Bonn, Abschluß
als Diplom-Volkswirt. 1967 wissenschaftl. Mitarbeiter
im Bundesministerium für Arbeit und Sozialordnung.
1970 wissenschaftl. Mitarbeiter im Planungsstab der
CDU/CSU-Fraktion. 1973 Leiter der Planungsgruppe
für Gesellschaftspolitik im Ministerium für Soziales
und Gesundheit des Landes Rheinland-Pfalz. 1977
Leiter der Hauptabteilung Politik der CDU-Bundesge-
schäftsstelle, 1979 Bundesgeschäftsführer der CDU.
1990/94 stellv. Bundesvors. des DGB. 1987/93 Bundesvors. der Christlich-Demokratischen Arbeitneh-
merschaft (CDA). 1991/93 Vors. Landesverb. der CDU
Brandenburg. 1985/92 Mitgl. des Abgeordnetenhauses von Berlin, 1981/89 Senator für Gesundheit und
Soziales des Landes Berlin. – MdB seit 1994.

Landesliste Brandenburg

* FISCHER (Berlin)
BÜNDNIS 90/DIE GRÜNEN

Andrea Fischer; Druckerin, Volkswirtin; 10827 Berlin
– * 14. 1. 1960 Arnsberg/Westfalen, verh. – Abitur.
Ausbildung als Offsetdruckerin; Tätig als Druckerin
und Korrektorin. Studium der Volkswirtschaftslehre.
Wissenschaftl. Mitarbeiterin bei Europaparlament, am
Wissenschaftszentrum Berlin und bei der BfA. Mitgl.
ÖTV, Fördermitgl. bei Pro Asyl und Medica. Mitgl. der
GRÜNEN seit 1985; Delegierte im Länderrat, Mitgl. im
Landesvorst. Berlin. – MdB seit 1994.

Landesliste Berlin

: FISCHER (Frankfurt)
BÜNDNIS 90/DIE GRÜNEN

Joseph Fischer; Staatsminister a. D.; 53113 Bonn –
* 12. 4. 1948 Gerabronn/Baden-Württemberg, verh. –
MdB 1983/März 1985 und seit 1994; Sprecher der
Fraktion BÜNDNIS 90/DIE GRÜNEN.

Landesliste Hessen

⁛⁎ FISCHER (Hamburg)   CDU

Dirk Fischer; Rechtsanwalt; 22301 Hamburg – * 29.11.1943 Bevensen, Kreis Uelzen, ev., ledig – Abitur 1964 am Ostseegymnasium Timmendorfer Strand. 1964/66 Wehrdienst bei der Bundeswehr, z. Z. Oberleutnant d. R. Studium an der Univ. Hamburg, Rechtswissenschaftl. Fakultät, 1975 1., 1978 2. jur. Staatsexamen. 1978/80 Justitiar in einem Großhandelsunternehmen. Seit 1982 Zulassung als Rechtsanwalt. Seit 1967 Mitgl. der CDU und der JU, 1970/77 Landesvors. der JU Hamburg; seit 1972 Mitgl. CDU-Landesvorst. in Hamburg, seit 1976 stellv. CDU-Landesvors., seit 1974 Kreisvors. der CDU Hamburg-Nord, seit 1992 Landesvors. der CDU Hamburg. Mitgl. der Hamburger Bürgerschaft 1970/81. – MdB seit 1980; seit 1989 Vors. der Arbeitsgruppe Verkehr der CDU/CSU-Fraktion.

Wahlkreis 15 (Hamburg-Nord)
CDU 40,9 – SPD 34,3 – Grüne 18,6 – F.D.P. 3,3 – PDS 1,0

⁛⁎ FISCHER (Homburg)   SPD

Lothar Fischer; Diplommathematiker; 66424 Homburg – * 21.6.1942 Homburg (Saarland), ev., verh. – Volksschulentlassungszeugnis. 1956/57 Lehrling bei einer Zollagentur. Berufsschule, Aufbaugymnasium, 1963 Abitur. Studium der Mathematik und Physik, 1968 Diplomhauptexamen im Hauptfach Mathematik und Nebenfach Physik. 1968/73 Assistent am Mathematischen Institut der Univ. des Saarlandes. 1969/80 Mathematik- und Physiklehrer am Gymnasium. Mitgl. in mehreren Sportvereinen, Mitgl. in der AWO und der ÖTV. Seit 1966 Mitgl. der SPD; Juso-AG-Vors., Juso-Unterbezirksvors.; stellv. Stadtverbandsvors., Unterbezirksvorstandsmitgl., 1981/90 stellv. Unterbezirksvors. 1974/80 Kreistagsmitgl., 1979/80 ehrenamtl. Kreisbeigeordneter. – MdB seit 1980.

Wahlkreis 248 (Homburg)
SPD 50,6 – CDU 38,1 – Grüne 5,6 – F.D.P. 1,9 – PDS 0,6

⁛⁙ FISCHER (Unna)   CDU

Leni Fischer, geb. Lechte; Konrektorin a. D., Hausfrau; 48485 Neuenkirchen – * 18.7.1935 Haltern, Kreis Recklinghausen, kath., verh., 3 Kinder – 1955 Abitur in Rheine. Philologiestudium an der Westfälischen Wilhelms-Univ. Münster, Englisch, Französisch und Geschichte; zahlr. Studienaufenthalte in England und Frankreich, Examen 1959. Realschuldienst, bis 1976 Konrektorin in Neuenkirchen. Langjährige Mitarbeit in der Erwachsenenbildung, zuletzt Leiterin der Volkshochschule Neuenkirchen. Eintritt in die CDU 1968; stellv. Landesvors. CDU Westfalen-Lippe bis 1986, seitdem Mitgl. Landesvorst. NRW, 1975/86 Landesvors. Frauen-Union Westfalen-Lippe, 1987/91 der Frauen-Union NRW, stellv. Bundesvors. 1981/90. – MdB seit 1976; seit 1985 Mitgl., jetzt Präsidentin der Parl. Versammlung des Europarates und der WEU, im Europarat Vors. Ausschuß für Kultur und Erziehung, seit 1994 Vors. der EVP-Fraktion Europarat; Leiterin der deutschen Delegation in der IPU.

Landesliste Nordrhein-Westfalen

* FOGRASCHER SPD

Gabriele Fograscher, geb. Graf; Erzieherin, Fachlehrerin; 86720 Nördlingen – * 6.5.1957 Nördlingen, Landkreis Donau-Ries, ev., verh., 2 Kinder – 1974 Abschluß Mittlere Reife. 1978 Abschluß als staatlich geprüfte Hauswirtschaftsleiterin, 1979 1. Lehramtsprüfung am Staatsinstitut für Ausbildung von Fachlehrern, 1981 2. Lehramtsprüfung, Fächerverbindung Handarbeit/Hauswirtschft; 1984 Ernennung in das Beamtenverhältnis auf Lebenszeit. Seit 1987 als Erzieherin in der familienersetzenden Wohngruppe des Kinderheims Nördlingen (Träger Rummelsberger Anstalten) tätig. Mitgl. ÖTV und Deutscher Kinderschutzbund (DKSB). Mitgl. der SPD seit 1992, Vors. der Arbeitsgemeinschaft sozialdemokratischer Frauen (AsF) Donau-Ries seit Juli 1992; Mitgl. Unterbezirksvorst. Donau-Ries, Mitgl. des Landesparteirats. – MdB seit 1994.

Landesliste Bayern

* FOLLAK SPD

Iris Follak, geb. Aschmutat; Zahntechnikerin; 08352 Raschau – * 16.10.1958 Schneeberg, verh., 1 Sohn – 1965/75 Polytechnische Oberschule Raschau, 1975/78 medizinische Fachschule in Chemnitz. 1978/90 im Gesundheitswesen, 1990/92 selbständig in Handel und Vertrieb tätig. 1992/94 Mitarbeiterin eines SPD-Bundestagsabgeordneten. 1990 Eintritt in die SPD, 1990 Gründungsmitgl. SPD-Ortsverband Raschau, stellv. Ortsvereinsvors. 1994 Gemeinderätin in Raschau. – MdB seit 1994.

Landesliste Sachsen

: FORMANSKI SPD

Norbert Formanski; Starkstromelektriker; 45701 Herten – * 1.8.1951 Westerholt, Kreis Recklinghausen, verh., 1 Sohn – Volksschule, über Abendschule Mittlere Reife, anschl. Fachhochschulreife. Starkstromelektriker, Elektrohauer und Ausbilder. 1972/73 fünfzehn Monate Wehrdienst. 1967/71 Jugendvertreter, seit 1978 freigestelltes Betriebsratsmitgl. auf dem RAG-Bergwerk (Steinkohle) Westerholt, seit 1984 Betriebsratsvors., seit 1994 Mitgl. Geschäftsführung Gesamtbetriebsrat Ruhrkohle Bergbau AG; seit 1994 Mitgl. im Arbeitskreis der Gesamtbetriebsräte/Betriebsräte der Steinkohlenunternehmen in der Ruhrkohle AG. Seit 1966 Mitgl. der IG Bergbau und Energie, in dieser Gewerkschaft seit 1980 Bezirksvorstandsmitgl. in Gelsenkirchen, seit 1980 Ortsgruppenvors., seit 1988 Mitgl. und seit 1991 Vors. Kontrollausschuß. Mitgl. Naturfreunde und AWO. Seit 1969 Mitgl. der SPD, seit 1976 Mitgl. und seit 1992 stellv. Vors. im SPD-Stadtverbandsvorst. in Herten. 1975/79 sachkundiger Bürger im Bezirksausschuß Westerholt/Bertlich. 1979/91 Mitgl. im Rat der Stadt Herten. – MdB seit 1990.
Wahlkreis 94 (Gelsenkirchen II – Recklinghausen III) SPD 58,0 – CDU 30,9 – Grüne 5,8 – F.D.P. 1,9 – PDS 0,7

⁝⁝⁝ FRANCKE (Hamburg)   CDU

Klaus Francke; Kaufmännischer Angestellter; 22359
Hamburg – * 17.7.1936 Hamburg, ev., verh., 3 Kinder –
Mittlere Reife. Lehre im Groß- und Außenhandel,
Kaufmannsgehilfenbrief 1958. Seit 1958 kaufm. Angestellter in der Mineralölbranche. Vorstandsmitgl. des
„Fördervereins Invalidenfriedhof e. V.", Berlin; Vors.
des Vereins „Rettet die Deichstraße e. V.", Hamburg.
1956 Eintritt in die JU und die CDU; 1964/89 Kreisvors. des CDU-Kreisverbandes Hamburg-Wandsbek
und Mitgl. Landesvorst.; Mitgl. der Mittelstandsvereinigung und des Wirtschaftsrates der CDU/CSU. 1962
Bezirksabgeordneter, 1964/76 Vors. der CDU-Fraktion in der Bezirksversammlung Hamburg-Wandsbek.
1966/78 Mitgl. der Hamburger Bürgerschaft und des
Fraktionsvorst. – MdB seit 1976; Stellv. Vors. der kon-
servativen/christlich-demokratischen Gruppe in der
Nordatlantischen Versammlung, Leiter der deutschen
Delegation in der Nordatlantischen Versammlung.

Landesliste Hamburg

⁝ FRANKENHAUSER   CSU

Herbert Frankenhauser; Industriekaufmann; 81549
München – * 23.7.1945 München, kath., verh., 1 Tochter – Ausbildung zum Industriekaufmann. Sonderbe-
auftragter der Mercedes-Benz AG, Niederlassung
München. Präs. des Deutschen Instituts für Reines
Bier e. V. Seit 1965 Mitgl. CSU, Mitgl. Wirtschaftsbeirat der Union. Stadtrat München 1972/91, stellv. Fraktionsvors. CSU-Stadtratsfraktion 1982/91. – MdB seit
1990.

Wahlkreis 205 (München-Ost)
CSU 48,3 – SPD 34,2 – Grüne 7,0 – F.D.P. 5,0 – PDS 0,6

* FREITAG   SPD

Dagmar Freitag; Lehrerin; 58640 Iserlohn – * 3.3.1953
Letmathe, nicht verh. – 1972 Abitur. Lehramtsstudium
Englisch und Sport in Bochum; Referendarzeit in Gel-
senkirchen-Buer. Realschullehrerin, 1992/94 an der
Gesamtschule Schwerte tätig. Mitgl. der AWO, diver-
ser Sportvereine und des Fördervereins Städtisches
Altenheim. Mitgl. AR der Stadtwerke GmbH Iserlohn.
Mitgl. der SPD seit 1975. Seit 1989 Ratsmitgl. und Vors.
des Sportausschusses der Stadt Iserlohn. – MdB seit
1994.

Landesliste Nordrhein-Westfalen

* FRICK F.D.P. / DVP

Gisela Frick, geb. Schulzke; Professorin; 70569 Stuttgart – * 23.9.1946 Köln, kath., verh., 2 Kinder – 1965 Abitur in Köln. Studium der Rechts- und Staatswissenschaften in Köln, Tübingen und Bonn, 1969 1. jur. Staatsprüfung in Bonn, 1972 2. jur. Staatsprüfung in Stuttgart. 1973/75 in der Steuerverwaltung des Landes Baden-Württemberg tätig, seit 1975 an der FH für Finanzen Ludwigsburg, seit 1979 Professorin für Steuer- und Verfassungsrecht. Mitgl. im Deutschen Juristinnenbund. Seit 1988 Mitgl. der F.D.P., jetzt stellv. Kreisvors. Stuttgart. – MdB seit 1994.

Landesliste Baden-Württemberg

⁑ FRIEDHOFF F.D.P.

Paul K. Friedhoff; Unternehmer; 47533 Kleve – * 2.2.1943 Altenbunnen, Kreis Cloppenburg, aufgewachsen in Hattingen/Ruhr, röm.-kath., verh., 3 Kinder – Mittlere Reife. 1961/64 Lehre als Physiklaborant, 1964/67 Ingenieurstudium, Fachrichtung „Physikalische Technik" an der FH Iserlohn, Ing. (grad.). 1967/73 Ingenieur in der deutschen Stahlindustrie, Tätigkeit in der Forschung und in der Qualitätsstelle; 1974/79 Ingenieur in der Meßgeräteindustrie. 1979 Gründung der Firma SPECTRO. Geschäftsführender Gesellschafter der SPECTRO-Gruppe Kleve, Meßgeräte für die analytische Chemie, weltweit tätig. Mitgl. der Vollversammlung IHK Duisburg, Mitgl. Mittelstandsausschuß des DIHT; Vorstandsmitgl. im Bundesverband der mittelständischen Wirtschaft. 1972 Eintritt in die FDP; 1982/90 und seit 1994 Vors. Ortsverband Kleve, Mitgl. des Bezirksvorst. Niederrhein; seit 1992 Landesschatzmeister der F.D.P. in NRW, stellv. Vors. Bundesfachausschuß Wirtschaft. 1975/78 Mitgl. Rat der Stadt Freudenberg; 1989/92 Mitgl. Rat der Stadt Kleve. – MdB seit 1990.

Landesliste Nordrhein-Westfalen

⁑ Dr. FRIEDRICH CSU

Gerhard Friedrich; Rechtsanwalt; 91058 Erlangen – * 10.3.1948 Gunzenhausen, Lkr. Weißenburg-Gunzenhausen, röm.-kath., verh., 2 Söhne – Volksschule, Übertritt in die damalige Oberrealschule in Gunzenhausen, Abitur 1967. Studium der Rechtswissenschaften Univ. Erlangen-Nürnberg, 1975 2. jur. Staatsprüfung, 1978 Promotion. 1975 Eintritt in den Staatsdienst, Mitarbeiter in der Presseabteilung der bayerischen Staatskanzlei, ab 1976 Leiter der Bauabteilung des Landratsamtes Nürnberger Land, ab 1980 Leiter der Sozialverwaltung des Bezirks Mittelfranken. Seit 1986 Rechtsanwalt in Erlangen, inzwischen selbständig. Mitgl. der Freiw. Feuerwehr Erlangen-Tennenlohe und der Schützengemeinschaft Tennenlohe; Mitgl. Kuratorium von DSD. Eintritt in die CSU 1966. Mehrere Jahre Vors. RCDS Erlangen. Versch. Funktionen in der JU, 1975/83 stellv. Landesvors. der JU Bayern, seit 1993 Kreisvors. der CSU Erlangen. Stadtrat in Erlangen 1978/87. – MdB seit 1987; stellv. Vors. CDU/CSU-Fraktion.

Wahlkreis 228 (Erlangen)
CSU 48,9 – SPD 36,9 – Grüne 6,3 – FDP 3,4 – PDS 0,6

⁝ FRIEDRICH F.D.P.

Horst Friedrich; Betriebswirt (VWA), Handelvertreter; 95447 Bayreuth – * 12.10.1950 Bayreuth, ev.-luth., verh., 2 Kinder – Volksschule, Staatliche Realschule (mittlere Reife). Lehre als Industriekaufmann bei Beton- und Fertigteilbau-Unternehmen in Bayreuth, Weiterbildung zum Betriebswirt (VWA) an der Verwaltungs- und Wirtschaftsakademie in Bayreuth. Wehrdienst beim Gebirgsjägerbataillon 231. Langjährige Tätigkeit als Industriekaufmann in der Lehrfirma, u. a. fünf Jahre als Personalchef. Seit 1983 als Handelsvertreter selbständig. Mitgl. beim Landesbund für Vogelschutz, bei der Fränkischen Arbeitsgemeinschaft e. V., Vereinigung für Liberale Mittelstandspolitik (VLM), Schöffe am Amtsgericht Bayreuth, langjähriger Elternbeirat. Mitgl. der F.D.P. seit 1984, Ortsvors. in Bayreuth seit 1985, seit 1988 auch stellv. Kreisvors. Bayreuth, Bezirksschatzmeister seit 1987, Mitgl. im Landesfachausschuß Verkehr. – MdB seit 1990.

Landesliste Bayern

⁝ FRITZ CDU

Erich G. Fritz; Lehrer; 44319 Dortmund – * 9.12.1946 Teisendorf/Obb., röm.-kath., verh., 2 Kinder – Volks- und Mittelschule, Mittlere Reife. Zweiter Bildungsweg, Studium der Pädagogik an der PH Ruhr-Dortmund, 1972 1. und 1975 2. Staatsexamen. Grundwehrdienst. Vizepräs. der Auslandsgesellschaft Nordrhein-Westfalen, Mitgl. Kuratorium der Univ. Dortmund. Mitgl. der CDU seit 1976, Vors. CDU-Kreisverband Dortmund seit 1985, Mitgl. CDU-Bezirksvorst. Ruhrgebiet seit 1986. 1979/90 im Rat der Stadt Dortmund, 1987/90 Fraktionsvors. – MdB seit 1990; stellv. Vors. der Enquete-Kommission „Schutz des Menschen und der Umwelt".

Landesliste Nordrhein-Westfalen

⁝* Dr. FUCHS PDS

Ruth Fuchs, geb. Gamm; Diplomsportlehrerin; 07747 Jena – * 14.12.1946 Egeln, Sachsen-Anhalt – 1964 Abitur. Besuch der medizinischen Fachhochschule, 1966 Abschluß als medizinisch-technische Assistentin. Studium an der Deutschen Hochschule f. Körperkultur, 1981 Diplomsportlehrerin; Promotion A, Abschluß 1984 als Dr. päd. 1984/August 1991 wiss. Assistentin an der Friedrich-Schiller-Univ. Jena. Mitgl. in der Frauenkommission der International Amateur Athletic Federation (IAAF). 1972 und 1976 Olympiasiegerin im Speerwerfen. Buchveröffentlichung: „Gott schütze unser deutsches Vaterland! – Erlebnisse einer Volkskammerabgeordneten". Seit 1971 Mitgl. der SED, 1990 der PDS, seit 1991 stellv. Landesvors. der PDS Thüringen. Mitgl. der Volkskammer März/Okt. 1990, Vors. des Ausschusses für Jugend und Sport. – MdB Okt./Dez. 1990 und seit März 1992.

Landesliste Thüringen

:::* **FUCHS (Köln)**   **SPD**

Anke Fuchs, geb. Nevermann; Juristin, BMin. a. D.;
53173 Bonn – * 5.7.1937 Hamburg, verh., 2 Kinder –
Studium der Rechte, 1. und 2. jur. Staatsprüfung. 1964
Referentin beim DGB Landesbezirk Nordmark. 1971
geschäftsführendes Vorstandsmitgl. der IG Metall.
1977 beamtete Staatssekretärin im Bundesministerium
für Arbeit und Sozialordnung. Mitgl. AR der Klöckner-
Werke AG, der Ruhr-Kohle AG und des Fernsehrats
beim ZDF. Seit 1956 Mitgl. der SPD, 1968 Mitgl. Landesvorst. in Hamburg. Seit 1979 Mitgl. Parteivorst.
1986/91 Mitgl. Präsidium der SPD, 1987/91 Bundes-
geschäftsführerin der SPD. 1971 Mitgl. der Bürgerschaft Hamburg. – MdB seit 1980; Nov. 1980/April
1982 Parl. Staatssekretärin beim Bundesminister für
Arbeit und Sozialordnung, April/Okt. 1982 BMin. f.
Jugend, Familie und Gesundheit. Seit April 1993
stellv. Vors. der SPD-Fraktion.

Landesliste Nordrhein-Westfalen

:: **FUCHS (Verl)**   **SPD**

Katrin Fuchs, geb. Schrödter; Hausfrau; 33415 Verl –
* 25.5.1938 Goldap/Ostpreußen, verh., 2 Kinder –
Seit 1970 Mitgl. der SPD; Mitgl. des SPD-Bezirksvorst.
Ostwestfalen-Lippe, Mitgl. im Parteivorst. und Parteirat; mehrere Jahre Vors. der AsF, Unterbezirk Gütersloh. – MdB seit 1983; Parl. Geschäftsführerin der SPD-
Fraktion seit Dez. 1994, Ä.

Landesliste Nordrhein-Westfalen

:* **FUCHTEL**   **CDU**

Hans-Joachim Fuchtel; Rechtsanwalt; 72213 Altensteig – * 13.2.1952 Sulz am Neckar, ev., verh., 4 Kinder
– Grundschule in Eutingen im Gäu, Abitur in Nagold.
Studium der Rechtswissenschaft und Wirtschaftswis-
senschaft Univ. Tübingen, 2. jur. Staatsexamen
1979/80. Anschl. Eintritt in den höheren Verwaltungsdienst des Landes Baden-Württemberg, 1982 Regierungsrat, 1984 Oberregierungsrat, 1986 Parlamentsrat,
vom Landtag abgeordnet zur CDU-Landtagsfraktion
als Parlamentarischer Berater. Rechtsanwalt in Nagold. 1975/87 Stadtrat in Altensteig, mehrere Jahre 1.
Bürgermeister-Stellvertreter, seit 1979 Mitgl. des Cal-
wer Kreistages. – MdB seit 1987, Schriftführer.

Wahlkreis 184 (Calw)
CDU 53,0 – SPD 30,5 – Grüne 6,8 – F.D.P. 3,9 – PDS -

⁝ FUHRMANN SPD

Arne Fuhrmann; Stadtaltenpfleger; 21385 Ameling-
hausen – * 5.6.1941 Kattowitz (Oberschlesien), ev.,
verh., 4 Kinder – Hauptschule, Handelsschule. Tisch-
lerlehre, anschließend 8 Jahre Bundeswehr. Schulwis-
senschaftliche Prüfung und Studium der Sozialpädagogik in Göttingen. Tätigkeit im Heilpädagogi-
schen Kinderheim der AWO „Immenhof" in Hützel,
dann Stadtaltenpfleger in Lüneburg. Mitgl. ÖTV,
AWO, der Falken, des Arbeitskreises Lüneburger Alt-
stadt (ALA), des Vereins Unsere Welt – für Frieden,
Umwelt, Gerechtigkeit (Heinrich-Böll-Haus Lüneburg) und im Verein „Gegen Vergessen – Für Demokratie". Seit 1972 Mitgl. der SPD, stellv. Unterbezirksvors. Lüneburg, Mitgl. SPD-Bezirksvorst. Hannover. –
MdB seit 1990.

Landesliste Niedersachsen

⁞ FUNKE F.D.P.

Rainer Funke; Rechtsanwalt, Parl. Staatssekretär;
53170 Bonn – * 18.11.1940 Berlin, ev., verh., 2 Söhne –
1960 Abitur am hum. Gymnasium Andreaneum in Hildesheim. 1960/65 Studium der Rechtswissenschaften
in Frankfurt und Hamburg, 1. jur. Staatsexamen, 1969
2. jur. Staatsexamen. Rechtsanwalt; Syndikus der
Bank M. M. Warburg, Hamburg. 1. Vors. des Bürger-
vereins Hoheluft-Großlokstedt. Vorstandsmitgl. Verein der Freunde des Museums für Hamburgische Geschichte. Revisor der Friedrich-Naumann-Stiftung.
Mitgl. Kuratorium der Orient-Stiftung. Stellv. Vors.
Kuratorium der Deutschen Stiftung für Internationale
rechtliche Zusammenarbeit. 1972 Eintritt in die F.D.P..
1974/80 und 1986/87 Mitgl. der Bezirksversammlung
Eimsbüttel, 1975 dort Fraktionsvors. 1978 Wahl zum
Landesschatzmeister der F.D.P. Hamburg, seit 1993
Landesvors. – MdB 1980/83 und seit 1987; seit Jan.
1991 Parl. Staatssekretär bei der BMin. der Justiz.

Landesliste Hamburg

⁝* GANSEFORTH SPD

Monika Ganseforth, geb. Dessel; Fachhochschullehre-
rin, Professorin; 31535 Neustadt – * 15.12.1940 Gleiwitz (Oberschlesien), ev., gesch., 2 Kinder – Neusprachliches Gymnasium für Mädchen in Peine, 1960
Abitur. Studium des Maschinenbaus an der TU Braunschweig, 1966 Diplomingenieurin. 1966/70 Entwick-
lungs- und Konstruktionsingenieurin in der Industrie.
1971/87 Professorin an der FH Hannover im Fachbereich Maschinenbau, Fachgebiet Steuerungs- und Re-
gelungstechnik. Mitgl. der GEW, des Bundes für Umwelt und Naturschutz Deutschland (BUND), des Ver-
kehrsclubs Deutschland (VCD), von pro familia und
der AWO. Mitarbeit in Frauen- und Friedensgruppen.
Seit 1974 Mitgl. der SPD; Vors. der Arbeitsgemeinschaft sozialdemokratischer Frauen im Bezirk Hannover; Mitgl. im SPD-Bezirksvorst. Hannover. 1976/86
Mitgl. im Rat der Stadt Neustadt am Rübenberge. –
MdB seit 1987.

Landesliste Niedersachsen

:::* GANSEL SPD

Norbert Gansel; Jurist; 24145 Kiel – * 5. 8. 1940 Kiel,
protestantisch, verh., 1 Tochter – Oberschule in Kiel,
Abitur. 1960/72 Wehrdienst, Leutnant zur See d. R.
1962/69 Studium der Geschichte und Wissenschaft
der Politik, der Rechts- und Staatswissenschaften in
Kiel. 1963/66 wiss. Mitarbeiter, dann Stipendiat der
Friedrich-Ebert-Stiftung, 1969 1. jur. Staatsexamen.
1970/73 Referendarausbildung, 1973 2. jur. Staatsexamen. Assessor. Jurist, z. Z. Abg., keine Nebentätig-
keit. Mitgl. ÖTV und AWO, im Vorst. der Atlantikbrücke und im Kuratorium des Leo-Baeck-Instituts.
1965 SPD; 1969/70 stellv. Bundesvors. der Jungsozialisten. Seit 1968 Mitgl., 1986/91 Vors. Parteirat der SPD
(auf Bundesebene), seit 1991 Mitgl. Parteivorst. – MdB
seit 1972; 1983/87 Sprecher der SPD in der Nordatlantischen Vers. und der Vers. der WEU. Jan./Dez. 1991
stellv. Vors. und Vors. Arbeitskreis I, Außen- und Sicherheitspolitik, Europa- und Entwicklungspolitik der
SPD-Fraktion.
Wahlkreis 5 (Kiel)
SPD 52,7 – CDU 34,8 – Grüne 8,3 – FDP 2,8 – PDS -
**ausgeschieden am 16. 6. 1997, Nachfolger > Abg.
Bürsch (ABC ab S. 277)**

:::* GEIGER CSU

Michaela Geiger, geb. Rall; Bildtechnikerin, Vizepräs.
des BT; 53113 Bonn – * 29. 9. 1943 Oberammergau
(Bayern), ev., 1 Sohn – 1963 Abitur am Werdenfelsgym-
nasium in Garmisch-Partenkirchen. Ausbildung zur
Fernsehbildtechnikerin, Abschlußprüfung 1964 bei der
Rundfunkbetriebstechnik in Nürnberg. 1964/67 Bildtechnikerin beim Bayer. Fernsehen in München-Frei-
mann. 1967/80 Hausfrau und Mitarbeit im mittelständischen Betrieb des Ehemannes. Bundesverdienstkreuz am Bande, Bayer. Verdienstorden und weitere
Auszeichnungen. 1971 Eintritt in die CSU, seit 1975 im
Kreisvorst. der CSU Garmisch-Partenkirchen, 1974/81
Kreisvors. der Frauen-Union Garmisch-Partenkirchen,
seit 1977 stellv. Bezirksvors. der CSU Oberbayern, seit
1987 Mitgl. Landesvorst. der CSU. 1978/81 Marktge-
meinderätin in Garmisch-Partenkirchen. – MdB seit
1980; 1987/91 Vors. der Arbeitsgruppe 12 „Außenpolitik" der CDU/CSU-Fraktion. 1991/93 Parl. Staatssekretärin beim BMin. f. wirtschaftl. Zusammenarbeit,
Jan. 1993/Jan. 1997 beim BMin. d. Verteidigung. Seit
16. Jan. 1997 Vizepräs. des BT.
Wahlkreis 212 (Weilheim)
CSU 62,0 – SPD 20,7 – Grüne 7,7 – FDP 2,8 – PDS -

:* GEIS CSU

Norbert Geis; Rechtsanwalt; 63828 Kleinkahl-Edelbach – * 13. 1. 1939 Großwallstadt, kath., verh., 4 Kinder – Human. Gymnasium in Aschaffenburg. Studium
der Philosophie, Theologie und Rechtswissenschaft,
1966 und 1969 1. und 2. Staatsexamen in Rechtswissenschaft, dann kurzfristig wissenschaftl. Assistent im
Bundestag, seit 1970 Rechtsanwalt mit Anwaltsbüro in
Aschaffenburg. 1967 Eintritt in die JU und CSU, 1970
Kreisvors. der JU, seit 1972 Kreisvors. der CSU im
Landkreis Aschaffenburg. 1971 Bürgermeister von
Edelbach bis zur Gebietsreform (1972), Mitgl. Gemeinderat in Kleinkahl-Edelbach bis 1978, seit 1972
Mitgl. Kreistag des Landkreises Aschaffenburg.
1981/86 MdL Bayern. – MdB seit 1987; Vors. der Ar-
beitsgruppe Recht der CDU/CSU-Fraktion.

Wahlkreis 233 (Aschaffenburg)
CSU 53,3 – SPD 30,5 – Grüne 8,5 – F.D.P. 2,5 – PDS 0,5

::: Dr. GEISSLER CDU

Heiner Geißler; BMin. a. D.; 76835 Gleisweiler –
* 3.3.1930 Oberndorf (Neckar), kath., verh., 3 Kinder –
Abitur 1949. Studium der Philosophie und der Rechts-
wissenschaft in München und Tübingen, 1957 1. jur.
Staatsprüfung, 1960 Promotion, 1962 große jur. Staats-
prüfung. Richter. 1962/65 Leiter des Ministerbüros des
Arbeits- und Sozialministers von Baden-Württemberg,
Regierungsrat. Seit 1986 Mitgl. des Beirats der Bar-
menia-Versicherungen, seit 1992 Vors. des Kuratoriums
Sport und Natur. Während des Studiums Vors. des
RCDS Univ. Tübingen. 1961/65 Vors. der JU Baden-
Württemberg. 1977/89 Generalsekretär der CDU,
Mitgl. Präsidium der CDU, seit 1994 Mitgl. des Bundes-
vorst. der CDU und der Sozialausschüsse der CDA.
1986/93 Vize-Präs. der Christlich-Demokratischen In-
ternationale. 1967/77 Minister für Soziales, Gesund-
heit und Sport des Landes Rheinland-Pfalz, Mitgl. Bun-
desrat. 1971/79 MdL Rheinland-Pfalz. – MdB 1965/67
und seit 1980; Okt. 1982/Sept. 1985 BMin. für Jugend,
Familie und Gesundheit. Seit Jan. 1991 stellv. Vors. der
CDU/CSU-Fraktion.
Wahlkreis 161 (Südpfalz)
CDU 50,9 – SPD 35,6 – Grüne 6,1 – F.D.P. 2,9 – PDS -

:::: GENSCHER F.D.P.

Hans-Dietrich Genscher; Rechtsanwalt, BMin. a. D.;
53113 Bonn – * 21.3.1927 Reideburg (Saalkreis), ev.,
verh., 1 Kind – Oberschule in Halle (Saale). 1943 Luftwaffenhelfer, 1944 Reichsarbeitsdienst, 1945 Wehrdienst; amerikanische und englische Kriegsgefangenschaft. Bauhilfsarbeiter. 1946 Ergänzungsreifeprüfung.
1946/49 Studium der Rechtswissenschaften Univ.
Halle und Leipzig, 1949 1. jur. Staatsprüfung in Leipzig, 1954 2. jur. Staatsprüfung in Hamburg; Anwaltsas-
sessor, Zulassung als Rechtsanwalt. 1946/52 Mitgl. Li-
beral-Demokratische Partei in Halle/Saale, seit 1952
Mitgl. F.D.P. 1956 wissenschaftl. Assistent. 1959/65
Geschäftsführer der Bundestagsfraktion der F.D.P.,
daneben 1962/64 Bundesgeschäftsführer der F.D.P.
1968/74 stellv. Bundesvors. F.D.P., 1974/85 Bundesvors. F.D.P. – MdB seit 1965; 1965/69 Parl. Geschäftsführer der F.D.P.-Fraktion. Okt. 1969 BMin. des Innern, Mai 1974/Mai 1992 BMin. des Auswärtigen und
Stellv. des BK.

Landesliste Nordrhein-Westfalen

* Dr. GERHARDT F.D.P.

Wolfgang Gerhardt; Staatsminister a. D.; 65191 Wiesbaden – * 31.12.1943 Ulrichstein-Helpershain, verh., 2
Kinder – 1963 Abitur. Studium der Erziehungswissenschaften, Germanistik und Politik, 1970 Promotion
zum Dr. phil. Leiter des Regionalbüros der Friedrich-
Naumann-Stiftung in Hannover sowie Leiter der In-
landsabteilung in Bonn-Bad Godesberg. 1970/78 zuerst persönl. Referent des Hessischen Ministers des Innern, dann Leiter des Ministerbüros. Seit Nov. 1982
Vors. F.D.P.-Landesverband Hessen, Mitgl. im F.D.P.-
Bundesvorst., Febr. 1985 stellv. Bundesvors., seit Juni
1995 Bundesvors. der F.D.P. MdL Hessen 1978/82,
1983/87 und 1991/94, Vors. der F.D.P.-Fraktion
1983/87 und 1991/Jan. 1994. 1987/91 Minister für
Wissenschaft und Kunst und zugleich Bevollmächtigter des Landes Hessen beim Bund, 1987/91 stellv. Ministerpräsident. 1988 Präs. der ständigen Konferenz
der Kultusminister der Länder. Mitgl. Bundesrat
1987/91. Mitgl. der 8. und 9. Bundesversammlung. –
MdB seit 1994.

Landesliste Hessen

∴ GILGES SPD

Konrad Gilges; Fliesenleger; 50825 Köln – * 13.2.1941 Köln, verh. – Kath. Volksschule. Fliesenlegerlehre bis 1959, bis 1970 Fliesenlegergeselle. Anerkannter Kriegsdienstverweigerer. 1970/73 Jugendsekretär. 1973/79 Bundesvors. der Sozialistischen Jugend Deutschlands – Die Falken. Vors. des Deutschen Bundesjugendringes 1977/79. Seit 1988 Vors. des DGB-Kreises Köln, Leverkusen, Erft. Mitgl. der IG Bau-Steine-Erden, der AWO, des ASB und der Deutschen Friedensgesellschaft – Vereinigte Kriegsdienstgegner e. V. (DFG/VK). Vors. Arbeitskreis für das ausländische Kind e. V. Köln (AaK); stellv. Vors. des Sozialistischen Bildungszentrums Haard e. V. Salvador-Allende-Haus. Eintritt in die SPD 1960, Mitgl. des SPD-Unterbezirksvorst. Köln. – MdB seit 1980.

Wahlkreis 61 (Köln III)
SPD 48,1 – CDU 34,8 – Grüne 10,3 – F.D.P. 3,0 – PDS 1,2

∶ GLEICKE SPD

Iris Gleicke; Bauingenieurin; 98553 Schleusingen – * 18.7.1964 Schleusingen, Kreis Suhl, ev., gesch., 1 Sohn – POS Schleusingen; im Anschluß daran Bauzeichnerlehre. Studium an der Fachschule in Gotha mit Abschluß Ingenieur für Hochbau. Projektantin im VEB Stadtbau Suhl, Angestellte im Stadtbauamt Schleusingen, zuletzt Bereichsingenieurin in der Flurneuordnungsbehörde Südthüringen. Mitgl. IG Bau-Steine-Erden; stellv. Vors. Thüringer Mieterbund. Mitgl. der SPD seit Jan. 1990, Gründungs- und Vorstandsmitgl. der SPD Schleusingen. Fraktionsvors. und Vors. des Bauausschusses sowie Mitgl. des Sozialausschusses im Rat der Stadt Schleusingen bis Dez. 1990. – MdB seit 1990.

Landesliste Thüringen

∴ GLOS CSU

Michael Glos; Müllermeister und Landwirt; 97357 Prichsenstadt – * 14.12.1944 Brünnau (Unterfranken), kath., verh., 2 Kinder – Müllermeister, Inhaber eines Getreidemühlen- und Landwirtschaftsbetriebes. Vorstandsvors. der Unterfränkischen Überlandzentrale e. G. (Lülsfeld). Vors. des CSU-Bezirksverbandes Unterfranken. – MdB seit 1976; Vors. der CSU-Landesgruppe und 1. stellv. Vors. der CDU/CSU-Fraktion.

Wahlkreis 236 (Schweinfurt)
CSU 56,9 – SPD 30,0 – Grüne 6,0 – F.D.P. 2,6 – PDS -

* GLOSER   SPD

Günter Gloser; Verwaltungsdirektor a. D.; 90425
Nürnberg – * 27.1.1950 Nürnberg, ev.-luth., verh., 2
Söhne – Abitur 1970 am Leibniz-Gymnasium Altdorf.
Studium der Rechtswissenschaften an der Friedrich-
Alexander-Univ. Erlangen-Nürnberg, 1981 2. Staats-
examen. Wehrdienst. Referatsleiter bei der Bundesan-
stalt für Arbeit. Mitgl. AWO, ÖTV, der Wohngemein-
schaft für Flüchtlingskinder Nürnberg e. V., der
Museumsinitiative, des Bundes Naturschutz und der
Karl-Bröger-Gesellschaft. Mitgl. der SPD seit 1969,
Vors. der SPD Mittelfranken. Mitgl. des Bezirkstages
Mittelfranken 1974/78 und 1990/94. – MdB seit 1994.

Landesliste Bayern

::: Dr. GLOTZ   SPD

Peter Glotz; Kommunikationswissenschaftler, Honorarprof.; 80801 München – * 6.3.1939 Eger – 1945
Flucht nach Bayern. Ab 1959 Studium der Zeitungs-
wissenschaft, Philosophie, Germanistik und Soziologie; gleichzeitig Mitarbeiter in der Schadensabteilung
einer Versicherungsges. in München und Wien. 1964
wissenschaftl. Mitarbeiter am Institut für Zeitungswis-
senschaft der Univ. München; 1969/70 Konrektor der
Univ. München. 1970/72 Geschäftsführer eines For-
schungsinstituts in München. Chefredakteur der Zeitschrift „Neue Gesellschaft/Frankfurter Hefte". Mitgl.
im ZDF-Fernsehrat, im AR Telekom, im Stiftungsrat
Wissenschafts-Kolleg Berlin und im Vorst. der Friedrich-Ebert-Stiftung. 1961 Eintritt in die SPD. 1970/72
MdL Bayern. 1977/Jan. 1981 Senator für Wissenschaft
und Forschung des Landes Berlin. 1981/87 Bundesgeschäftsführer der SPD, Mitgl. im Vorst. der SPD. – MdB
1972/Mai 1977 und seit 1983; Mai 1974/Mai 1977 Parl.
Staatssekretär beim BMin. f. Bildung und Wissenschaft.
Landesliste Bayern
**ausgeschieden am 24. 9. 1996, Nachfolgerin > Abg.
Rupprecht (ABC ab S. 277)**

* GLÜCKLICH   CDU

Wilma Glücklich; Dipl.-Ingenieurin; 10117 Berlin –
* 18. 9. 1952 Oelde/Westfalen, kath., verh., 1 Tochter –
Technische Universität Berlin. Tätigkeiten in einem
privaten Planungsbüro, in der Stadt- und Bezirksverwaltung sowie beim Senator für Stadtentwicklung und
Umweltschutz. Geschäftsführerin der Grün Berlin
Park und Garten GmbH. Mitgl. im Architekten- und
Ingenieurverein zu Berlin, in der Deutschen Gesellschaft für Gartenkunst und Landschaftspflege e. V.
und im Volksbund Naturschutz Berlin. Seit 1974 Mitgl.
der CDU; Landesvors. der Frauen-Union; Mitgl. Landesvorst. der CDU Berlin. – MdB seit 1994.

Landesliste Berlin

:: **Dr. GÖHNER   CDU**

Reinhard Göhner; Rechtsanwalt, Fachanwalt für Arbeitsrecht, Hauptgeschäftsführer der Bundesvereinigung der Deutschen Arbeitgeberverbände; 32278 Kirchlengen – * 16. 1. 1953 Bünde, Kreis Herford, ev., verh., 4 Kinder – Volks- und Realschule; Höhere Handelsschule, Abitur 1972. Studium der Rechtswissenschaften, Soziologie und Wirtschaftswissenschaften in Bielefeld; wissenschaftl. Mitarbeiter und Promotion Univ. Bielefeld 1977/79; 1979/81 Rechtsreferendar. Seit 1981 Rechtsanwalt, Fachanwalt für Arbeitsrecht; Hauptgeschäftsführer der Bundesvereinigung der Deutschen Arbeitgeberverbände. Landesvors. der JU Westfalen-Lippe 1978/86; Mitgl. Bundesvorst. der CDU 1992/96, Vors. der Grundsatzprogrammkommission der CDU seit 1991. Mitgl. Kreistag Kreis Herford 1979/90. – MdB seit 1983; Vors. Ausschuß für Umwelt, Naturschutz und Reaktorsicherheit 1986/90; 1991/93 Parl. Staatssekretär beim BMin. d. Justiz, Jan. 1993/Okt. 1994 Parl. Staatssekretär beim BMin. f. Wirtschaft.

Landesliste Nordrhein-Westfalen

: **GÖTZ   CDU**

Peter Götz; Bürgermeister a. D.; 76437 Rastatt – * 24. 9. 1947 Baden-Baden, röm.-kath., verh., 4 Kinder – 1965 Mittlere Reife. Bis 1968 Ausbildung für den gehobenen Verwaltungsdienst, 1973/75 Verwaltungs- und Wirtschaftsakademie Freiburg, Immobilienwirt, VWA-Diplom. 1968/70 Bundeswehr. 1970/85 versch. Funktionen bei der Stadt Gaggenau, zuletzt Stadtoberamtsrat, 1985/90 1. Beigeordneter (Bürgermeister). 1985/90 stellv. Vors. AR der Kurges. Bad Rotenfels mbH und der Städtischen Wohnungsges. Gaggenau mbH. Seit 1974 Mitgl. CDU, CDA und JU; 1974/82 Beisitzer im CDU-Vorst. Rastatt; 1985/93 Kreisvors. KPV Rastatt, 1985/93 Mitgl. Bezirksvorst. KPV Nordbaden, seit 1992 Bezirksvors., seit 1989 Mitgl. Landesvorst. KPV BW, seit 1994 stellv. Landesvors., seit 1993 Mitgl. Bundesvorst. der KPV. 1975/85 Stadtrat in Rastatt, seit 1984 Mitgl. Fraktionsvorst.; 1975/85 Ortschaftsrat in Rastatt-Wintersdorf, 1978/85 ehrenamtl. Ortsvorsteher. – MdB seit 1990; stellv. Vors. Arbeitsgem. Kommunalpolitik der CDU/CSU-Fraktion. Vors. ausschußübergreifende Arbeitsgruppe Habitat im BT.
Wahlkreis 177 (Rastatt)
CDU 53,4 – SPD 29,6 – Grüne 7,6 – FDP 5,4 – PDS -

:* **Dr. GÖTZER   CSU**

Wolfgang Götzer; Rechtsanwalt; 84028 Landshut – * 10. 1. 1955 Landshut, kath., verh., 2 Kinder – Human. Gymnasium in Landshut. 1974/75 Wehrdienst. 1976/80 Studium der Rechts- und Staatswissenschaften Univ. München, 1986 Promotion zum Dr. jur. utr. Seit 1984 selbständiger Rechtsanwalt in Landshut. 1969 bzw. 1970 Eintritt in die JU bzw. CSU, 1972/82 Kreisvors. der JU Landshut-Stadt, 1975/83 stellv. Landesvors. der JU Bayern, 1983/89 Bezirksvors. der JU Niederbayern; seit 1982 Kreisvors. der CSU Landshut-Stadt. Seit 1978 Stadtrat in Landshut. – MdB Juni 1984/87 und seit 1990.

Wahlkreis 214 (Landshut)
CSU 57,8 – SPD 27,9 – Grüne 5,9 – F.D.P. 4,0 – PDS -

103

⁛ GRAF (Friesoythe)   SPD

Günter Graf; Polizeihauptkommissar a. D., Dipl.-Verwaltungswirt; 26169 Friesoythe – * 1.12.1941 Schönlanke/Netzekreis (Pommern); 1945 Flucht nach Jever/Niedersachsen, ev.-luth., verh. – 1948/56 Stadtknabenschule Jever, 1956/57 Mittlere Handelsschule. 1957/60 Lehre als Rechtsanwaltsgehilfe. 1960 Eintritt in den Polizeidienst des Landes Niedersachsen. 1960/61 Landespolizeischule Hannoversch Münden; 1961/63 Bereitschaftspolizei Braunschweig und Hannover, 1963/72 Polizeivollzugsdienst Polizeistation Friesoythe; 1972 Aufstieg in den gehobenen Polizeivollzugsdienst, 1972/87 Dienstlagezentrum Oldenburg, zuletzt Leiter des Polizeireviers Westerstede, zeitgleich Führer einer Polizeieinzeldiensthundertschaft. Mitgl. der GdP, der AWO, DLRG, VdK, Feuerwehrkapelle Cloppenburg, Kolpingblasorchester Friesoythe, Förderverein für inhaftierte Frauen, Verkehrswacht, Sportverein Hansa Friesoythe e. V. 1973 SPD, seit 1976 Mitgl. SPD-Unterbezirksvorst. Cloppenburg; Mitgl. Bezirksausschuß Weser-Ems. Seit 1974 Mitgl. Stadtrat Friesoythe als Fraktionsvors. – MdB seit 1987; Mitgl. der Interparlamentarischen Arbeitsgemeinschaft (IPA).
Landesliste Niedersachsen

* GRAF (Rosenheim)   SPD

Angelika Graf, geb. Bachmann; Pädagogische Mitarbeiterin, Programmiererin; 83064 Raubling – * 10.5.1947 München, verh., 2 Töchter – 1966 Abitur. Studium der Mathematik und Physik an der TU München. 1971/76 Programmiererin, anschließend bis 1991 Hausfrau. Ab 1991 Lehrerin bei den ausbildungsbegleitenden Hilfen des Diakonischen Werkes; Angestellte bei einer Computer-Softwarefirma. 1992/93 selbständige Verlegerin einer monatlich erscheinenden Landkreiszeitung. 1994 pädagogische Mitarbeiterin bei einer privaten Wirtschaftsschule. Mitgl. IG Metall, Bund Naturschutz, AWO und im Verein Frauennotruf Rosenheim. 1977 Eintritt in die SPD, seitdem Ortsvors., Unterbezirksvors., derzeit stellv. Bezirksvors. Oberbayern. Bis Dez. 1994 Gemeinderätin, Kreisrätin. – MdB seit 1994.

Landesliste Bayern

* GRASEDIECK   SPD

Dieter Grasedieck; Dipl.-Ingenieur, Oberstudiendirektor a. D.; 46244 Bottrop – * 2.7.1945 Gladbeck, kath., verh. – 1962 Mittlere Reife. 1962/65 Ausbildung zum Schlossser. 1965/68 Studium an der Ingenieurschule Hagen, 1968/71 an der TH Aachen, Diplom-Ingenieur; 1. und 2. Staatsexamen für das berufliche Lehramt. 1971/79 Schuldienst, 1979/82 stellv. Schulleiter, 1982/94 Oberstudiendirektor. Mitgl. in der ÖTV, AWO und im VdK. Seit 1971 Mitgl. SPD, seit 1978 Ortsvereinsvors., stellv. Unterbezirksvors. Bottrop. Seit 1976 Mitgl. Rat der Stadt Bottrop, 1991/92 Bürgermeister, 1992/94 Fraktionsvors., Vors. des Ratsausschusses für Kultur. – MdB seit 1994.

Wahlkreis 95 (Bottrop–Recklinghausen IV)
SPD 57,4 – CDU 32,5 – Grüne 5,1 – F.D.P. 2,1 – PDS 1,0

⁑ GRES CDU

Joachim Gres; Rechtsanwalt und Notar; 60322 Frankfurt am Main – * 1.3.1947 Hameln/Westfalen, ev., verh. – 1966 Abitur am Comenius Gymnasium in Düsseldorf. Studium der Rechtswissenschaft in Heidelberg und Bonn, 1971 1. jur. Staatsprüfung in Bonn, 1974 2. jur. Staatsprüfung in Wiesbaden. Seit 1974 Rechtsanwalt in Frankfurt, seit 1989 Notar. Seit 1971 Mitgl. der CDU. 1977/90 Mitgl. der Stadtverordnetenversammlung der Stadt Frankfurt am Main, zuletzt stellv. Vors. der CDU-Fraktion. – MdB seit 1990.

Wahlkreis 139 (Frankfurt am Main II)
CDU 45,3 – SPD 33,6 – Grüne 11,5 – F.D.P. 4,0 – PDS 1,5

* GRIESSHABER BÜNDNIS 90/DIE GRÜNEN

Rita Grießhaber; Dipl.-Pädagogin; 78050 Villingen-Schwenningen – * 27. 5. 1950 Bad Dürrheim, verh., 1 Kind – 1962/67 Gymnasium Schwenningen, 1967/70 Wirtschaftsgymnasium Villingen. 1970/76 Studium der Erziehungswissenschaften Univ. Tübingen und PH Berlin, Diplom-Pädagogin. 1977/79 Institut für Bibliothekarausbildung Berlin, Diplom-Bibliothekarin. 1976/77 Arbeit in einem Berliner Kinderheim. 1980/82 Diplom-Bibliothekarin Stadtbücherei Neukölln. 1971 Mitarbeit an der Stern-Aktion gegen § 218, 1978 Mitbegründerin des Frauenbildungs-, -forschungs-, und -informationszentrums Berlin (FFBIZ). Sei 1991 Mitgl. bei den GRÜNEN, 1993/94 Mitgl. im Landesvorst. von BÜNDNIS 90/DIE GRÜNEN BW. 1989/94 Stadträtin in Freiburg. – MdB seit 1994; frauenpolitische Sprecherin der Fraktion BÜNDNIS 90/DIE GRÜNEN, Mitgl. Kinderkommission, Mitgl. Kuratorium der Bundeszentrale f. pol. Bildung.

Landesliste Baden-Württemberg

* GRILL CDU

Kurt-Dieter Grill; Ingenieur (grad.), Bauoberinspektor a. D.; 29451 Dannenberg – * 28.12.1943 Rathenow/Westhavelland, Brandenburg, ev.-luth., verh., 3 Kinder – Gymnasium. Studium an der FH in Suderburg, Ingenieur (grad.) für Wasserwirtschaft und Kulturtechnik; Ausbildung für den gehobenen Dienst der Wasserwirtschaftsverwaltung in Niedersachsen. Oberleutnant d. R. Bis Juni 1974 Bauoberinspektor. U.a. Mitgl. der DAG, Mitarbeit in der Deutschen Gesellschaft des Club of Rome, Mitgl. im Bund der Wasser- und Kulturbauingenieure, Vorstandsmitgl. der Freunde der Sommerlichen Musiktage in Hitzacker. Seit 1962 Mitgl. der CDU, bis 1987 der JU, 1968/72 Kreisvors. und 1972/76 Bezirksvors. und Landesschatzmeister der JU, seit 1972 im CDU-Bezirksvorst., seit 1984 Beisitzer im Vorst. der CDU Niedersachsen, seit 1987 Vors. des Bundesfachausschusses Umwelt der CDU. Seit 1976 Kreistagsabg. in Lüchow-Dannenberg, 1978/91 Vors. der Gorleben-Kommission. 1974/94 MdL Niedersachsen, seit 1986 stellv. Fraktionsvors. – MdB seit 1994.

Wahlkreis 31 (Lüneburg–Lüchow-Dannenberg)
CDU 44,6 – SPD 41,3 – Grüne 7,9 – F.D.P. 3,5 – PDS 1,3

∴* GRÖBL   CSU

Wolfgang Gröbl; Dipl.-Forstwirt, Landrat a. D., Parl. Staatssekretär; 53123 Bonn – * 12. 3. 1941 Erfurt, röm.-kath., verh., 3 Kinder – Human. Gymnasium, Abitur. Studium an der Forstwissenschaftlichen Fakultät Univ. München. Diplom-Forstwirt, große forstl. Staatsprüfung. Wehrdienst, Hauptmann d. R. 1969 Persönl. Referent von Generalsekretär Max Streibl, CSU; 1971 Referent im neugegründeten Bayer. Staatsministerium für Landesentwicklung und Umweltfragen. 1976/89 Präsidiumsmitgl. im Rat der Gemeinden und Regionen Europas. Präs. Lassus Musikkreis e. V.; seit 1985 Kreisvors. des BRK Miesbach. 1969 Eintritt in die CSU. 1972/87 Landrat LKr. Miesbach. – MdB seit 1987; 1987/91 Parl. Staatssekretär beim BMin. für Umwelt, Naturschutz und Reaktorsicherheit, Jan. 1991/Jan. 1993 beim BMin. f. Verkehr, seitdem beim BMin. f. Ernährung, Landwirtschaft und Forsten.

Wahlkreis 210 (Starnberg)
CSU 59,7 – SPD 20,8 – F.D.P. 7,1 – Grüne 7,1 – PDS -

* GRÖHE   CDU

Hermann Gröhe; Rechtsanwalt; 41460 Neuss – * 25. 2. 1961 Uedem, Kreis Kleve, ev., verh., 1 Kind – 1971/80 Quirinus-Gymnasium Neuss, Abitur 1980. 1980/87 Studium der Rechtswissenschaften an der Univ. Köln, 1987 1. jur. Staatsprüfung. 1987/93 wissenschaftl. Mitarbeiter bzw. wissenschaftl. Hilfskraft am Seminar für Staatsphilosophie und Rechtspolitik Univ. Köln; 1991/93 Rechtsreferendariat am Landgericht Köln, 1993 2. jur. Staatsprüfung. Seit 1994 Rechtsanwalt. Mitgl. im BUND und in der Konrad-Adenauer-Stiftung. Seit 1977 Mitgl. CDU, 1983/89 Kreisvors. JU Neuss, 1989/94 Bundesvors. der JU Deutschlands. 1984/89 und 1993/94 Mitgl. Kreistag Neuss. – MdB seit 1994; Sprecher der „Jungen Gruppe" der CDU/CSU-Fraktion.

Landesliste Nordrhein-Westfalen

∴* GROSSMANN   SPD

Achim Großmann; Dipl.-Psychologe; 52146 Würselen – * 17. 4. 1947 Aachen, kath., verh., 2 Kinder – Abitur 1966 am Kaiser-Karls-Gymnasium in Aachen. Studium der Psychologie an der Rheinisch-Westfälischen TH Aachen, Abschluß als Dipl.-Psychologe 1972. 1972/86 Erziehungsberater an der Beratungsstelle für Eltern, Kinder und Jugendliche in Alsdorf, 1979/86 Leiter dieser Einrichtung. Einige Semester Dozent an der FH für öffentl. Verwaltung für das Fach Verwaltungspsychologie. Mitgl. des Euregio-Rates Maas-Rhein (D-B-NL), der IG BAU, der AWO, des Deutschen Kinderschutzbundes und des BUND; Mitarbeit bei ai. 1971 Eintritt in die SPD; seit 1982 Vors. SPD-Unterbezirk Kreis Aachen, 1983/95 Mitgl. des Bezirksvorst. SPD Mittelrhein. Seit 1975 Mitgl. im Rat der Stadt Würselen. – MdB seit 1987; seit 1991 wohnungspol. Sprecher der SPD-Fraktion, Mitgl. Fraktionsvorst.

Wahlkreis 54 (Kreis Aachen)
SPD 46,0 – CDU 44,6 – Grüne 5,4 – F.D.P. 2,3 – PDS -

⁝ GROTZ CDU

Claus-Peter Grotz; Politologe, Referent im Innenministerium Baden-W.; 72379 Hechingen – * 22.4.1957 Ba-
lingen, kath., ledig – Grundschule und Gymnasium in
Hechingen, 1977 Abitur. Studium der Politikwissenschaft, Zeitgeschichte und Soziologie in Tübingen,
Magisterexamen. 1986/88 wissenschaftl. Angestellter
am Institut für Politikwissenschaft der Univ. Tübingen.
Seit 1988 Referent im Innenministerium Baden-Württemberg. Mitgl. der Deutschen Vereinigung für Politische Wissenschaft sowie örtlicher Vereine wie Hohen-
zollerischer Geschichtsverein. Seit 1972 Mitgl. der JU,
seit 1974 der CDU. Politische Funktionen u. a. 1973/79
Ortsvors. der JU in Hechingen, 1977/89 Mitgl. Bezirksvorst. der JU Württemberg-Hohenzollern, 1981/85 des
Landesvorst. der JU Baden-Württemberg; seit 1993
Vors. der CDU im Zollernalbkreis. – MdB seit 1990.

Wahlkreis 194 (Tübingen)
CDU 42,4 – SPD 42,2 – Grüne 6,0 – F.D.P. 3,7 – PDS 0,8

* GRUND CDU

Manfred Grund; Dipl.-Elektroingenieur; 37308 Heil-
bad Heiligenstadt – * 3.7.1955 Zeitz (Sachsen-Anhalt),
röm.-kath., verh., 3 Kinder – Abitur in Lützen. Anschl.
Tätigkeit als Turbinenmaschinist im Braunkohlenkombinat Deuben. 1974/75 Grundwehrdienst.
1976/80 Studium der Elektrotechnik an der TU Dresden. 1980/90 Bereichsingenieur im Energiekombinat
Erfurt, Betriebsteil Bleicherode. Okt. 1990/Juni 1994
1. Kreisbeigeordneter und Dezernent in der Kreisverwaltung Heiligenstadt. Mitgl. im Bund der Vertriebenen. Bis 1990 ohne parteipolitische Bindung. Herbst
1989 Sprecher der Bürgerinitiative Heiligenstadt. Eintritt in die CDU Jan. 1990, seit Febr. 1990 stellv. Kreisvors. Kreisverband Eichsfeld. – MdB seit 1994.

Wahlkreis 296 (Nordhausen–Worbis–Heiligenstadt)
CDU 51,4 – SPD 25,8 – PDS 14,6 – Grüne 3,5 – F.D.P. 3,4

⁝* GÜNTHER (Duisburg) CDU

Horst Günther; Gewerkschaftssekretär, Parl. Staatssekretär; 53107 Bonn – * 17.7.1939 Rheinhausen (jetzt
Duisburg), ev., verh., 2 Kinder – Volksschule. Berufsschule, 1954/57 Ausbildung zum Industriekaufmann,
Kaufmannsgehilfenbrief. 1957/60 kaufm. Angestellter
bei der Fried. Krupp-Hüttenwerk Rheinhausen AG.
1960/71 Gewerkschaftssekretär der DAG als Geschäftsführer in Duisburg. 1971/77 Ressortleiter Tarif-
und Betriebspolitik der DAG in NRW. 1977/82 Landes-
verbandsleiter der DAG in NRW. Mitgl. DAG, 1971/77
Vors. Landesbetriebsrat und 1975/77 Gesamtbetriebsratsvors. der DAG. 1980/86 Mitgl. Vertreterversammlung der DAK, seit 1986 der BfA. 8 Jahre Sozialrichter
beim Sozialgericht Duisburg. Arbeitnehmervertreter
im AR der Victoria-Versicherungs-Gesellschaften;
Mitgl. Vertretervers. BfA, Berlin. Seit 1962 Mitgl. der
CDU, Mitgl. CDA, diverse Vorstandsfunktionen in der
Arbeitsgemeinschaft CDA/DAG. CDU-Kreisvors.
Duisburg. – Seit 1991 Parl. Staatssekretär beim BMin f.
Arbeit und Sozialordnung.

Landesliste Nordrhein-Westfalen

⁞ GÜNTHER (Plauen) F.D.P.

Joachim Günther; Dipl.-Ingenieur, Parl. Staatssekretär; 08541 Theuma – * 22.10.1948 Syrau/Vogtland,
verh., 3 Kinder – Oberschule. Berufsausbildung als
Maschinenbauer. Studium in Chemnitz, Fachrichtung
Maschinenbau/Konstruktion, Abschluß 1970. Hochschulstudium, Fachrichtung Wirtschaftsrecht, Abschluß 1982. Arbeit in einem Ingenieurbüro. Mitgl. der
LDPD seit 1971, Mitgl. Kreisvorst. Plauen. Hauptgeschäftsführer der LDP seit Febr. 1990. Vors. des Landesverbandes der F.D.P. in Sachsen seit 1990, Mitgl.
Präsidium der F.D.P. seit Aug. 1990. Seit 1985 Stadtverordneter in Plauen. – MdB seit 1990; seit Jan. 1991
Parl. Staatssekretär beim BMin. für Raumordnung,
Bauwesen und Städtebau.

Landesliste Sachsen

⁞ Dr. GUTTMACHER F.D.P.

Karlheinz Guttmacher; Diplomchemiker, Diplomlehrer; 07749 Jena – * 24.8.1942 Danzig, verh., 2 Kinder – 1961 Abitur in Wernigerode. 1963/70 Studium an
der Univ. Jena mit Abschlüssen als Diplomchemiker
und Diplomlehrer, 1975 Promotion, 1990 Habilitation
in der Anorganischen Chemie, Dr. rer. nat. habil. Dezernent für studentische und akademische Angelegenheiten der Friedrich-Schiller-Univ. Jena, nebenbei
Vorlesungen auf dem Gebiet der Chemie in der Ausbildung von Diplomchemikern, wissenschaftliche Arbeit auf dem Gebiet Glas und Keramik sowie der ana-
lytischen Chemie. Mitgl. der Chemischen Gesellschaft
Deutschlands. 1961 Eintritt in die liberale Partei LDPD,
1990 Kreisvors. der F.D.P. Jena, seit 1991 Mitgl. Landesvorst. und ab 1995 des Präsidiums der F.D.P.
Thüringen, ab Dez. 1994 Mitgl. des Bundesvorst. der
F.D.P.. 1990 Stadtrat im Magistrat der Stadt Jena. –
MdB seit 1990; Stellv. Vors. des Ausschusses für Bildung, Wissenschaft, Forschung, Technologie und
Technikfolgenabschätzung.

Landesliste Thüringen

GYSI, Andrea   siehe S. 159

⁞* Dr. GYSI PDS

Gregor Gysi; Rinderzüchter, Diplomjurist; 53113 Bonn
– * 16.1.1948 Berlin, verh., 3 Kinder – 1954/62 POS,
1962/66 EOS, gleichzeitig Ausbildung zum Facharbeiter für Rinderzucht im VEG Blankenfelde, 1966
Abitur. 1966/70 Jurastudium an der Humboldt-Univ.
Berlin, 1970/71 Richterassistent, dann Wechsel zum
Kollegium der Rechtsanwälte als Assistent; 1976 Promotion. Seit 1971 Rechtsanwalt in Berlin; Vors. des
Kollegiums der Rechtsanwälte in Berlin ab 1988, Vors.
des Rates der Vors. des Kollegiums der Rechtsanwälte
in der DDR 1988/89. Mitgl. HBV, im Kuratorium der
unselbständigen „Stiftung Archiv der Parteien und
Massenorganisationen der DDR" und in der Vereinigung Demokratischer Juristen. Versch. Veröffentlichungen, u. a. „Handbuch für Rechtsanwälte". Dez.
1989/Jan. 1990 Vors. der SED/PDS, Febr. 1990/Jan.
1993 Vors. der PDS, seit Febr. 1993 Ständiger Gast
beim Parteivorst. der PDS. MdV März/Okt. 1990, Vors.
der PDS-Fraktion. – MdB seit Okt. 1990; Vors. der
Gruppe der PDS.
Wahlkreis 260 (Berlin-Hellersdorf–Marzahn)
PDS 48,9 – SPD 26,8 – CDU 17,2 – Grüne 3,1 – FDP 1,0

⁑ HAACK (Extertal)   SPD

Karl Hermann Haack; Apotheker; 32699 Extertal –
* 17.2.1940 Extertal-Bösingfeld, Kreis Lippe, ev., verh.,
2 Kinder – 1961 Abitur. Studium der Pharmazie,
1967/69 der Geschichte, Politik und Soziologie an der
FU Berlin. 1967 Verwaltungspraktikum bei der EG,
Generaldirektion Landwirtschaft. 1969/71 Tätigkeit
beim Bundesverband der Pharmazeutischen Industrie
in Frankfurt. Inhaber der Sternberg-Apotheke in Extertal-Bösingfeld. 1. Vors. Heimat- und Verkehrsverein
e. V. Extertal-Bösingfeld. Mitgl. im Rat der Gemeinde
Extertal seit 1975, 1979/94 Bürgermeister. Mitgl.
Kreistag Lippe 1973/87. 1978/87 Mitgl. Landschaftsverband Westfalen-Lippe. – MdB seit 1987.

Wahlkreis 105 (Lippe I)
SPD 46,7 – CDU 41,8 – Grüne 6,9 – F.D.P. 3,8 – PDS 0,8

⁑ HACKER   SPD

Hans-Joachim Hacker; Diplomjurist, Rechtsanwalt;
19055 Schwerin – * 10.10.1949 Mahlow, Kr. Teltow,
Bez. Potsdam, ev., verh., 4 Kinder – 1966 Mittlere Reife.
1969 Berufsausbildung als Maschinenbauer mit Abitur. 1973 Diplomjurist (Wirtschaftsrecht). 1973/90 Justitiar bzw. Leiter der Rechtsabteilung im VEB Kombinat Obst, Gemüse und Speisekartoffeln Bezirk Schwerin. Seit Febr. 1990 bis zum Eintritt als Abg. in die
Volkskammer angestellt bei der SPD (DDR). Mitgl.
AWO. Seit Okt. 1989 Mitgl. der SDP, spätere SPD,
Vors. Ortsverein Schwerin Nov. 1989/Jan. 1990,
Jan./Febr. 1990 Vors. Kreisvorst. Schwerin, Febr./Mai
1990 Vors. Bezirksvorst. SPD Schwerin. März/Okt.
1990 MdV, Vors. Rechtsausschuß. – MdB seit Okt.
1990.

Wahlkreis 263 (Schwerin–Hagenow)
SPD 35,2 – CDU 32,8 – PDS 26,4 – F.D.P. 3,5 – Grüne -

⁑ HÄFNER
BÜNDNIS 90/DIE GRÜNEN

Gerald Häfner; Waldorflehrer, Landesvors.; 80638
München – * 3.11.1956 München, ledig – 1977 Abitur.
Studium der Germanistik, Waldorfpädagogik und Sozialwissenschaften in München, Witten und Bochum,
1984 Abschluß Waldorflehrer. Tätigkeiten an Waldorf-
und Montessori-Schulen, am Institut für Sozialforschung Achberg und im Internationalen Kulturzen-
trum Achberg. Seit 1977 Mitgl. „Aktion Dritter Weg"
und „Freie Internationale Universität", 1983 Gründung und Mitgl. Vorst. „Aktion Volksentscheid", seit
1988 „Initiative DEmokratie Entwickeln" (IDEE),
1990/92 Mitgl. Kuratorium für einen demokratisch
verfassten Bund Deutscher Länder, Mitgl. Stiftungsrat
„Die Mitarbeit". Versch. Buch- und Zeitschriftenveröf-
fentlichungen. 1979 Gründungsmitgl. Die Grünen,
1979/80 Kreisvors. in München, 1980/81 Landesgeschäftsführer und Pressesprecher in Bayern, seit 1991
Landesvors. Bündnis 90/Die Grünen in Bayern. – MdB
1987/90 und seit 1994.
Landesliste Bayern

* HAGEMANN SPD

Klaus Hagemann; Grund- und Hauptschullehrer;
67574 Osthofen – * 31. 12. 1947 Wölkau, Kreis Mer-
seburg, ev., verh. – Gymnasium, Abitur. Erziehungs-
wissenschaftl. Hochschule, Lehrer für Grund- und
Hauptschule. Bürgermeister a. D. Mitgl. ÖTV, stellv.
Kreisvors. der AWO Alzey-Worms; ev. Kirchenvorst.
und Mitgl. der ev. Dekanatssynode Osthofen; Mitgl. im
BUND und in zahlr. Vereinen; Aufsichtsratsmitgl. der
Lebenshilfeeinrichtungen Worms. Mitgl. der SPD seit
1966, Ortsvereinsvorstandsmitgl. in Osthofen, Vors. des
SPD-Unterbezirks Alzey-Worms, Vorstandsmitgl. des
SPD-Bezirks Rheinhessen und des Landesvorst. Rhein-
land-Pfalz. Mitgl. Kreistag des Landkreises Alzey-
Worms, bis 1994 Stadtrat der Stadt Osthofen. – MdB seit
1994.

Wahlkreis 155 (Worms)
SPD 43,7 – CDU 40,2 – Grüne 7,6 – FDP 4,0 – PDS -

:* Freiherr von HAMMERSTEIN CDU

Carl-Detlev Freiherr von Hammerstein; Landwirt;
27404 Bockel – * 26. 1. 1938 Bockel, ev., verh., 3 Kinder
– Mittlere Reife. 1961 staatlich geprüfter Landwirt,
1966 landwirtschaftliche Meisterprüfung. Seit 1964
selbständiger Land- und Forstwirt in Gyhum-Bockel.
Vors. AR der CONCORDIA Versicherungsgruppe,
Kreislandwirt des Kreises Rotenburg, 1. Vors. eines
Sportvereins und Mitgl. weiterer dörflicher Vereine.
Seit 1975 Mitgl. der CDU, kooptiertes Mitgl. der CDU-
Kreisverbände Osterholz und Verden. Mitgl. eines Ge-
meinderates, Mitgl. im Kreistag Rotenburg. – MdB
April 1984 / 87 und seit 1990.

Landesliste Niedersachsen

: HAMPEL SPD

Manfred Hampel; Dipl.-Ingenieurökonom; 06366
Köthen (Anhalt) – * 14. 6. 1942 Königshütte, Kr. Kö-
nigshütte, kath., verh., 1 Tochter – Grundschule.
Kaufm. Berufsschule Leipzig, Ingenieurschule Automatisierungstechnik Leipzig, TU Dresden, Abschluß
Verkehrskaufmann, Ingenieur für Automatisierungstechnik, Dipl.-Ing.-Ökonom (Betriebswirtschaft).
1962/64 Wehrdienst. Leiter Ökonomie, stellv. Leiter,
dann Leiter Datenverarbeitung und Projektierung.
Geschäftsf. Branche Lebensmittelindustrie, Fisch- und
Feinkost. Mitgl. IG Handel, Nahrung, Genuß, Mitgl.
KDT, IHK Halle, Mieterverein, Anglerverband, Brief-
markenverein. Mitgl. SPD seit Dez. 1989, Vors. Ortsverein Köthen, Mitgl. Bezirksvorst. Halle. Seit Mai
1990 Abg. Kreistag, Vors. Haushalts- und Finanzausschuß, Mitgl. im Hauptausschuß. – MdB seit 1990.

Landesliste Sachsen-Anhalt

⁝ HANEWINCKEL SPD

Christel Hanewinckel; Buchhändlerin, Pfarrerin;
06110 Halle – * 6.4.1947 Bad Tennstedt, ev., verh., 2
Kinder – 1965 Abitur an der Arnoldi-Oberschule Gotha. 1970/76 Theologiestudium an der Martin-Luther-
Univ. Halle-Wittenberg, Diplom 1976. 1965/70 Buchhändlerin; 1976/90 Pastorin in der Kreispfarrstelle für
Klinikseelsorge, Halle/Saale. 1983/88 Mitgl. des Präsidiums der Kreissynode Halle, Mitgl. der Provinzial-
synode der Ev. Kirche Sachsen-Anhalt; 1988/90 stellv.
Superintendentin, 1990 Abschluß als Supervisorin der
Pastoralpsychologie. Seit 1980 aktiv in der Friedensbewegung, Mitbegründerin der SDP in Halle im Okt.
1989, Dez. 1989 bis Mai 1990 Moderatorin des Runden
Tisches der Stadt Halle. Seit 1991 Vors. des SPD-Stadt-
verbandes. 1990/92 Stadträtin und Vizepräsidentin
der Stadtverordnetenversammlung der Stadt Halle. –
MdB seit 1990; Mitgl. Fraktionsvorst., Sprecherin für
Familien-, Senioren-, Frauen- und Jugendpolitik.

Wahlkreis 291 (Halle-Altstadt)
SPD 33,1 – CDU 32,9 – PDS 22,0 – F.D.P. 6,7 – Grüne 4,6

* HARTENBACH SPD

Alfred Hartenbach; Amtsgerichtsdirektor; 34376 Im-
menhausen – * 5.3.1943 Niedergrenzebach
(Schwalmstadt), Hessen, ev., verh., 2 Kinder – 1963
Abitur. Bis 1965 Wehrdienst. 1965/66 Studium der
Theologie, ab 1966 juristisches Studium, 1971 1.
Staatsexamen in Marburg, bis 1973 Vorbereitungs-
dienst. Ab 1974 Staatsanwalt (Wirtschaftsstrafsachen),
1986 Richter, 2 Jahre Direktor des Kreisgerichts Nordhausen (Thüringen). Richter, Direktor des Amtsgerichts Hofgeismar in Hessen. Mitgl. in mehreren Vereinen. 1968 Eintritt in die SPD, seit 1972 Vorstandsmitgl. im Ortsverein, 1978 stellv. Vors. der SGK
Kreisverband Kassel-Land, seit 1990 des Bezirksaus-
schusses. 1972 Stadtverordneter und Fraktionssprecher. – MdB seit 1994.

Wahlkreis 124 (Waldeck)
SPD 47,4 – CDU 41,0 – Grüne 5,8 – F.D.P. 3,5 – PDS -

⁝⁝ Dr. HARTENSTEIN SPD

Liesel Hartenstein, geb. Rössler; Gymnasiallehrerin;
75365 Calw – * 20.9.1928 Steinehaig, Kreis Crailsheim, verh., 2 Kinder – Studium der Fächer Germanistik, Geschichte, Philosophie, Französisch und Kunstgeschichte; Promotion 1958 in Tübingen. 1959/64
Tätigkeit als freiberufl. Journalistin für versch. Zeitungen, Zeitschriften und den Süddeutschen Rundfunk.
Autorin und Herausgeberin mehrerer Bücher.
1964/77 Lehrerin am Mörike-Gymnasium Stuttgart.
Mitgl. AWO, DRK, GdED, BUND und anderer Verb.
Ab 1971 Mitgl. SPD-Kreisvorst. Esslingen, 1975 stellv.
Kreisvors.; 1973 Wahl in den Landesvorst. der AsF Ba-
den-Württemberg, 1975 stellv. Landesvors.; Mitgl.
SPD-Landesvorst. Baden-Württemberg. 1968 Wahl in
den Gemeinderat, später Fraktionsvors. 1971/73
Mitgl. Kreistag Esslingen. – MdB seit 1976; Stellv. Vors.
Ausschuß für Umwelt, Naturschutz und Reaktorsi-
cherheit und der Enquete-Kommission „Schutz der
Erdatmosphäre" bis 1994.

Landesliste Baden-Württemberg

❊ HASCHKE (Großhennersdorf) CDU

Gottfried Haschke; Landwirtschaftsmeister, Parl.
Staatssekretär a. D.; 02747 Großhennersdorf –
* 25.3.1935 Großhennersdorf, ev.-luth., verw., 5 Kinder – 1960 Übernahme des elterl. Betriebes, 1960 LPG
– Typ I-Bauer, 1973/90 in der LPG Pflanzenproduktion
als Produktionsleiter tätig, 1990 Privatlandwirt (Wie-
dereinrichter). Seit 1952 Mitgl. der CDU, Ortsverbandsvors. MdV März/Okt. 1990, Obmann der
Arbeitsgruppe Landwirtschaft, Aug. 1990 Parl. Staatssekretär und amtierender Minister für Ernährung,
Landwirtschaft und Forsten der Regierung de Mai-
ziäre. – MdB seit Okt. 1990; Jan. 1991/Jan. 1993 Parl.
Staatssekretär beim BMin. für Ernährung, Landwirtschaft und Forsten.

Wahlkreis 316 (Bautzen–Löbau)
CDU 60,3 – SPD 19,2 – PDS 15,9 – F.D.P. 3,3 – Grüne -

❊ HASENFRATZ SPD

Klaus Hasenfratz; Dreher; 44869 Bochum –
* 31.5.1946 Bochum, verh., 1 Tochter – Volksschule
1952/60. Lehre als Dreher 1960/63. Facharbeiterprüfung 1963. Grundwehrdienst 1967/68. Betriebsratsmitgl. seit 1981, seit 1984 Betriebsratsvors. der Vereinigte Schmiedewerke GmbH, Betrieb Bochum, 1988
Gesamtbetriebsratsvors.; Mitgl. IG Metall seit 1960,
der Vertretervers. der IG Metall seit 1981. Vorstandsmitgl. Betriebskrankenkasse Krupp-Stahl AG. Mitgl.
SPD seit 1976; seit 1987 AfA-Unterbezirksvors. Bochum. – MdB seit 1987.

Wahlkreis 110 (Bochum I)
SPD 55,7 – CDU 31,8 – Grüne 7,3 – F.D.P. 1,7 – PDS 1,0

❊ HASSELFELDT CSU

Gerda Hasselfeldt, geb. Rainer; Diplomvolkswirtin,
BMin. a. D.; 53113 Bonn – * 7.7.1950 Straubing (Niederbayern), röm.-kath., verh., 2 Kinder – Abitur 1969.
Studium der Volkswirtschaftslehre in München und
Regensburg, Diplomprüfung 1975. 1975/87 Mitarbeiterin bei der Bundesanstalt für Arbeit, zuletzt Leiterin
der Abteilung Berufsberatung im Arbeitsamt Deggendorf. Seit 1969 Mitgl. der CSU; seit 1991 Landesvors.
der Frauen-Union Bayern. 1978/90 Mitgl. Kreistag Re-
gen. – MdB seit März 1987; April 1989/Jan. 1991
BMin. für Raumordnung, Bauwesen und Städtebau,
Jan. 1991/Mai 1992 BMin. für Gesundheit.

Wahlkreis 201 (Fürstenfeldbruck)
CSU 55,6 – SPD 28,5 – Grüne 6,8 – F.D.P. 4,2 – PDS -

:: Dr. HAUCHLER   SPD

Ingomar Hauchler; Professor; 21266 Jesteburg –
* 15.3.1938 Biberach/Riß, verh., 3 Kinder – Abitur.
Schriftsetzer. Diplomvolkswirt, Promotion. Seit 1967
Vorstandsassistent bei der Metallgesellschaft AG
Frankfurt. Verlagsdirektor und Mitgl. der Geschäfts-
leitung Verlagsgruppe Bertelsmann Gütersloh. Seit
1976 an der Hochschule für Wirtschaft in Bremen, Pro-
fessor für Wirtschaftswissenschaften. Vorstandsmitgl.
Stiftung Entwicklung und Frieden. Mitgl. IG Medien,
AWO, Reichsbund, Naturfreunde und BUND. 1977/83
Unterbezirksvors. Landkreis Harburg, 1983/93 stellv.
Unterbezirksvors. 1987 Mitgl. Programmkommission
des Parteivorstandes. Stellv. Vors. Kommission für in-
ternationale Beziehungen. 1976/83 Mitgl. Kreistag. –
MdB seit 1983.

Landesliste Niedersachsen

:: HAUNGS   CDU

Rainer Haungs; Unternehmer, Diplomvolkswirt; 77933
Lahr – * 7.9.1942 Lahr/Schwarzwald, kath., verh., 2
Kinder – Gymnasium in Lahr, Abitur. Handwerks-
lehre, Facharbeiterprüfung als Maler, Besuch der Ba-
dischen Malerfachschule in Lahr. Studium der Wirt-
schaftswissenschaft in Freiburg, Abschluß als Diplomvolkswirt. Geschäftsführender Gesellschafter der IFP
Haungs GmbH und der GSB-Haungs GmbH. Vizepräs. der Arbeitsgemeinschaft Selbständiger Unternehmer e. V. (ASU). Mitgl. der CDU seit 1975. Mitgl.
des Gemeinderates der Stadt Lahr 1975/90. – MdB seit
1983.

Wahlkreis 187 (Emmendingen–Lahr)
CDU 48,0 – SPD 34,4 – Grüne 9,5 – F.D.P. 3,5 – PDS 0,6
**verstorben am 18.1.1996, Nachfolger > Abg. Romer
(ABC ab S. 277)**

:: HAUSER (Esslingen)   CDU

Otto Hauser; Politischer Redakteur; 73728 Esslingen –
* 11.7.1952 Göppingen, ev., verh., 1 Sohn, 1 Tochter –
Nach dem Schulbesuch Lehre als Bankkaufmann mit
anschl. betriebswirtschaftl. Aufbaustudium. Danach
Volontariat bei der „Esslinger Zeitung". Zuletzt politischer Redakteur bei der Tageszeitung „Die Welt" in
Bonn. 1975/76 Wehrdienst. Mitgl. CDU und JU seit
1969, Orts- und Kreisvors. der JU; Mitgl. Landesvorst.
und Parteipräsidium. CDU Baden-Württemberg. –
MdB seit 1983; Vors. Landesgruppe Baden-Württemberg in der CDU/CSU-Fraktion.

Wahlkreis 165 (Esslingen)
CDU 47,3 – SPD 37,7 – Grüne 6,9 – F.D.P. 3,4 – PDS 0,5

⁝ HAUSER (Rednitzhembach)   CSU

Hansgeorg Hauser; Dipl.-Kaufmann, Parl. Staatssekretär; 91126 Rednitzhembach – * 20.6.1943 Plöcken-
dorf/Rednitzhembach, Lkr. Roth, ev., verh., 2 Kinder –
Abitur 1963. Studium der Betriebswirtschaftslehre
Univ. Erlangen-Nürnberg 1965/70, Diplom-Kauf-
mann. Wehrdienst 1963/65, Leutnant d. R. 1970/74
WP-Gesellschaft Price Waterhouse. 1975 Steuerbera-
ter-Examen und Zulassung, seitdem selbständig; 1989
Verkauf der Kanzlei. Mitgl. EU, JCI-Senator (Wirtschaftsjunioren), Mitgl. Lions-Club Schwabach, ehrenamtl. Mitgl. Verwaltungsrat Rummelsberger Anstalten. Mitgl. der CSU seit 1982, Vors. Ortsverb. Rednitzhembach 1984/89, Mitgl. CSU-Kreisvorst. Roth
und Bezirksvorst. Mittelfranken, seit Mai 1993 stellv.
Kreisvors. – MdB seit 1990; seit 1993 Vors. Arbeitsgruppe Finanzen und finanzpolitischer Sprecher der
CDU/CSU-Fraktion; seit Nov. 1995 Parl. Staatssekretär beim BMin. der Finanzen.

Wahlkreis 232 (Roth)
CSU 50,7 – SPD 37,5 – Grüne 5,4 – F.D.P. 2,6 – PDS -

⁝⁝ Dr. HAUSSMANN   F.D.P./DVP

Helmut Haussmann; Selbständiger Diplomkaufmann,
BMin. a. D.; – * 18.5.1943 Tübingen, ev., verh. – 1961
Abitur in Metzingen. Bank- und Industriepraktikum.
Studium der Wirtschafts- und Sozialwissenschaften in
Tübingen, Hamburg und Erlangen-Nürnberg, Diplom-
prüfung 1968. 1968/71 geschäftsf. Gesellschafter der
Firma Berninger & Spilcke KG in Bad Urach. 1971/75
Forschungsassistent, wissenschaftl. Mitarbeiter am
Lehrstuhl für Unternehmensführung Univ. Erlangen-
Nürnberg. 1975 Promotion Dr. rer. pol. Seit 1991 Partner
des internat. Beratungsunternehmens GEMINI. Seit
1978 Lehrauftrag „Führung mittlerer Unternehmen"
Univ. Erlangen-Nürnberg. Veröffentlichungen: „Un-
ternehmensordnung und Selbstbestimmung" (1975),
Hrsg.: „Handbuch der Internationalen Unternehmen-
stätigkeit" (1992). 1975/87 Kreisvors. F.D.P. Reutlingen; 1984/88 Generalsekretär der F.D.P.. 1975/80
Stadtrat in Bad Urach. – MdB seit 1976; u. a. 1980/88
Obmann der F.D.P. im Ausschuß für Wirtschaft. Dez.
1988/Jan. 1991 BMin. für Wirtschaft; seit 1991 europapolitischer Sprecher der F.D.P.-Fraktion und Obmann
im EG-Ausschuß.
Landesliste Baden-Württemberg

⁝⁝ HEDRICH   CDU

Klaus-Jürgen Hedrich; Studienrat a. D., Parl. Staatssekretär; 29525 Uelzen – * 21.12.1941 Stettin (Pommern), ev.-luth., verh., 3 Kinder – Gymnasium. Studium der Theologie und Anglistik Univ. Göttingen.
1970/71 Referendarzeit am Ernestinum in Celle;
1971/74 am Herzog-Ernst-Gymnasium im Lehramt
tätig. Ehrenamtl. Mitgl. Verwaltungsrat der Sparkasse
Uelzen. Mitgl. im Philologenverband. 1961 CDU und
JU; 1963/67 stellv. Landesvors. JU Hannover; 1970/81
Vors. CDU-Kreisverb. Uelzen. 1978/90 Mitgl. Landesvorst. CDU Niedersachsen, 1981/91 Vors. des CDU-
Bezirksverb. Lüneburg. 1974/83 MdL Niedersachsen.
Seit 1972 Kreistagsabgeordneter, 1976/86 Vors. der
CDU-Kreistagsfraktion, Landkreis Uelzen. – MdB seit
1983; seit Nov. 1994 Parl. Staatssekretär beim BMin.
für wirtschaftl. Zusammenarbeit und Entwicklung.

Wahlkreis 39 (Celle-Uelzen)
CDU 49,5 – SPD 40,7 – Grüne 4,5 – F.D.P. 2,8 – PDS -

:* HEINRICH   F.D.P./DVP

Ulrich Heinrich; Landwirtschaftsmeister; 74632 Neuenstein-Großhirschbach – * 11.12.1939 Tettnang, Baden-Württemberg, verh., 4 Kinder – Volksschule, landwirtschaftliche Lehre, Berufsschule, Fachschule, Ackerbauschule der Univ. Stuttgart-Hohenheim. Verwaltertätigkeit. Wehrdienst. Carl-Duisberg-Stipendium, 2 Jahre USA als Austauschstudent, Landwirtschaftsmeister. Selbständiger Landwirt, Bewirtschaftung des eigenen landwirtschaftl. Ausbildungsbetriebes. Stellv. Vors. Kreisbauernverband Hohenlohe und des Kreisvereins der landwirtschaftl. Hochschulabsolventen. Mitgl. in örtlichen Vereinen. Seit 1974 Mitgl. F.D.P., Ortsverbandsvors. Neuenstein, Kreisvors. Hohenlohekreis, stellv. Bezirksvors. Franken, Mitgl. Landesvorst. Baden-Württemberg, Vors. Landesfachausschuß Agrarpolitik und ländliche Räume. Langjähriger Stadtrat der Stadt Neuenstein. – MdB seit 1987; parl. Geschäftsführer der F.D.P.-Fraktion.

Landesliste Baden-Württemberg

: HEISE   CDU

Manfred Heise; Dipl.-Ingenieur (FH); 99830 Treffurt – * 16.11.1940 Treffurt/Werra, Kr. Eisenach, kath., verh., 1 Sohn – Grundschule. Lehrausbildung als Kfz.-Schlosser, Vorbereitungslehrgang für Studium an Volkshochschule, Studium Ing.-Schule in Zwickau, Kfz.-Ingenieur Fachrichtung Instandhaltung. Betriebsingenieur 1964/66, Produktions- u. Techn. Leiter 1966/72, stellv. Betriebsleiter 1972/75, Betriebsleiter 1975/82, Betriebsstellenleiter 1982/89, Betriebsteilleiter bis Frühjahr 1990, immer im gleichen Betrieb über alle Ereignisse hinweg (Ing. Maier-Rehm KG Eisenach, VEB Autohof Eisenach, VEB Kfz.-Instandsetzung Bad Langensalza, Betriebsteil Eisenach). Eintritt in die CDU 1964, 1982/93 Kreisvors. CDU Eisenach. MdV März/Okt. 1990, Stellv. des Landessprechers Thüringen. – MdB seit 1990.

Wahlkreis 297 (Eisenach–Mühlhausen)
CDU 42,7 – SPD 35,0 – PDS 13,8 – Grüne 4,4 – F.D.P. 2,7

::* HEISTERMANN   SPD

Dieter Heistermann; Angestellter; 37688 Beverungen – * 30.9.1936 Bielefeld, verh., 3 Kinder – Volks- und Berufsschule. 1951/54 Werkzeugmacherlehre. 1954/57 Werkzeugmacher. Ab 1958 hauptamtlich tätig bei der SPD. 1963/80 Geschäftsführer der SPD für den Unterbezirk Höxter/Warburg. Mitgl. der SPD seit 1957, seit 1992 Vors. des SPD-Unterbezirks Höxter/Warburg. Mitgl. des Kreistages Höxter 1964/81, seit 1970 Vors. der SPD-Kreistagsfraktion. Mitgl. der Landschaftsversammlung Westfalen-Lippe 1975/81. – MdB seit 1980; seit 1991 Vors. der Landesgruppe Nordrhein-Westfalen in der SPD-Fraktion; seit 1992 Mitgl. der Parl. Versammlung der KSZE; stellv. Vors. Verteidigungsausschuß.

Landesliste Nordrhein-Westfalen

❖ Dr. HELLWIG CDU

Renate Hellwig; Staatssekretärin a. D.; 74321 Bietig-
heim-Bissingen – ＊ 19.2.1940 Beuthen/Oberschle-
sien, ev., ledig – 1959 Abitur in München. Studium der
Rechts- und Wirtschaftswissenschaften, Assessorexamen und Promotion zum Dr. jur. 1967 in München.
1968 Praktikum bei der Europäischen Gemeinschaft,
Brüssel. 1969 Beamtin im BMin. für Arbeit und Sozialordnung. 1969/72 Referentin für Öffentlichkeitsarbeit
im Kultusministerium des Landes Baden-Württemberg. 1975/80 Staatssekretärin im Ministerium für Soziales, Gesundheit und Umwelt des Landes Rheinland-Pfalz. Mitgl. CDU seit 1970; 1975/89 Mitgl. Bundesvorst. der Frauen-Union der CDU; seit 1985 Mitgl.
Bundesvorst. der CDU. 1972/75 MdL Baden-Württemberg und Vorstandsmitgl. sowie hochschulpolitische
Sprecherin der CDU-Fraktion. – MdB seit 1980;
1983/94 Vors. der Europa-Kommission bzw. Vors. EG-
Ausschuß.

Wahlkreis 170 (Neckar-Zaber)
CDU 43,6 – SPD 37,1 – Grüne 7,3 – F.D.P. 5,5 – PDS 0,4

＊ HEMKER SPD

Reinhold Hemker; Pfarrer, Landwirt im Nebenerwerb;
48432 Rheine – ＊ 8.10.1944 Steinfurt, verh., 2 Kinder –
Abitur 1964. Lehramtsstudium 1969 und 1971 1. und 2.
Staatsprüfung für das Lehramt an der Realschule und
für das Lehramt am Gymnasium. 1971 und 1972 theo-
logische Examen. 1964/65 Grundwehrdienst bei der
Luftwaffe. 1971/72 Realschullehrer, 1972/74 Pfarrer in
Steinfurt und Rheine, 1974/79 kreiskirchlicher Schul-
referent für Lehrerfortbildung. 1979/85 Dozent für
entwicklungsbezogene Bildung am Päd. Institut,
1973/83 nebenamtlicher Religionslehrer am Gymna-
sium. Bis 1994 Aufbau von Projektpartnerschaften in
Afrika, Asien und Lateinamerika mit Fachschwer-
punkt Landwirtschaft. Nebenerwerbslandwirtschaft.
Mitgl. ÖTV. U. a. Mitgl. von Fachausschüssen der Ev.
Kirche von Westfalen. Außenstellenleiter im Bildungswerk des Landessportbundes NRW, Vorstandsmitgl.
Kreissportbund Steinfurt. Mitgl. SPD seit 1967; bis
1980 versch. Funktionen bei den Jungsozialisten,
dann versch. Vorstandsämter. 1985/94 MdL NRW. –
MdB seit 1994.
Wahlkreis 98 (Steinfurt II)
SPD 45,1 – CDU 44,6 – Grüne 6,1 – F.D.P. 3,1 – PDS -

＊ HEMPELMANN SPD

Rolf Hempelmann; Oberstudiendirektor, Schulleiter;
45276 Essen – ＊ 1.6.1948 Herten, Kreis Recklinghausen, röm.-kath., verh., 1 Tochter – Abitur 1966 in
Essen. Studium von Anglistik und Sport, 1974 Univ.
Bochum 1. Staatsexamen für das höhere Lehramt,
1976 2. Staatsexamen in Duisburg. 1976/85 Lehrer am
Gymnasium in Gelsenkirchen, 1985/94 Leiter eines
Gymnasiums in Essen. Autor diverser Publikationen
im Bereich Erziehungswissenschaft. Mitgl. AWO,
GEW sowie versch. Sport- und Kulturvereine. Eintritt
in die SPD 1982, Schatzmeister und Unterbezirksvorstandsmitgl. in der SPD Essen. 1984/94 kommunalpo-
litisches Mandat. – MdB seit 1994.

Wahlkreis 89 (Essen II)
SPD 60,8 – CDU 28,5 – Grüne 5,3 – F.D.P. 1,7 – PDS 0,8

* Dr. HENDRICKS   SPD

Barbara Hendricks; Ministerialrätin a. D.; 47533 Kleve
– * 29. 4. 1952 Kleve, kath., ledig – Abitur 1970. Studium der Geschichte und Sozialwissenschaften in
Bonn, 1976 Staatsexamen für das Lehramt an Gymnasien, 1980 Promotion zum Dr. phil. 1976/78 Honorar-
tätigkeit beim Deutschen Studentenwerk, 1978/81 Referentin in der Pressestelle der SPD-Bundestagsfrak-
tion, 1981/90 Sprecherin des nordrhein-westfälischen
Finanzministers; seit 1991 Ministerialrätin im Ministerium für Umwelt, Raumordnung und Landwirtschaft
des Landes NRW, Referatsleiterin für grenzüberschrei-
tende Planungen. Mitgl. IG Medien und AWO. Mitgl.
der SPD seit 1972, seit 1987 Mitgl. Landesvorst. der
SPD NRW, seit 1989 Vors. SPD Kreis Kleve, Mitgl. des
SPD-Parteirats. 1984/89 Mitgl. Kreistag Kleve. – MdB
seit 1994, Schriftführerin.

Landesliste Nordrhein-Westfalen

* HERMENAU
BÜNDNIS 90/DIE GRÜNEN

Antje Hermenau; Dipl.-Pädagogin; 01462 Mobschatz –
* 3. 7. 1964 Leipzig, konfessionslos, gesch. – 1983 Abitur an der EOS Thomas, Leipzig. 1983/89 Studium an
der Karl-Marx-Univ. Leipzig. 1989/90 Lehrerin für die
Fächer Englisch, Deutsch, Russisch und Latein,
1992/94 stundenweise Lehrtätigkeit im Fach Englisch. 1989 Austritt aus FDJ und FDGB, 1990 Eintritt in
BÜNDNIS 90/DIE GRÜNEN. 1990 Vertreterin am
Runden Tisch der Stadt Leipzig. 1990/94 MdL Sachsen. – MdB seit 1994.

Landesliste Sachsen

* HEUBAUM   SPD

Monika Heubaum, geb. Schramm; Dipl.-Finanzwirtin,
Arzthelferin; 49835 Wietmarschen – * 27. 2. 1954 Detmold, Kreis Lippe, ev., verh. – 1972 Abitur am Stadt-
gymnasium in Detmold. Ausbildung zur Dipl.-Finanz-
wirtin in Detmold und Nordkirchen bis 1975. Finanzbeamtin   in   Detmold   und   Bochum. 1981
Studienaufenthalt in Kanada und den USA. Ausbildung zur Arzthelferin, 1985 Prüfungsabschluß; anschl.
Mitarbeit in der Landarztpraxis des Ehemannes in
Wietmarschen bis zur Wahl in den BT. Mitgl. AWO,
DRK, Kunstverein Neuenhaus; Mitbegründerin einer
ökolog. orientierten Bürgerinitiative in Wietmarschen
und Mitgl. einer Bürgerinitiative gegen den Bomben-
abwurfplatz Nordhorn-Range. Mitgl. SPD seit 1990; u.
a. Vorstandsmitgl. im Ortsverein, Juni 1990 Mitgl. Unterbezirksvorst. Grafschaft Bentheim, seit März 1991
Mitgl. Unterbezirksvorst. AsF, März 1993 Bezirksvorstandsmitgl. der Arbeitsgem. der Selbständigen (AGS)
Weser-Ems. 1991 Ratsmitgl. und Kreistagsabg., u. a.
stellv. Fraktionsvors. – MdB seit 1994.

Landesliste Niedersachsen

:* Dr. HEUER PDS

Uwe-Jens Heuer; Prof., Rechtswissenschaftler; 10243 Berlin – * 11.7.1927 Essen, verh., 2 Kinder – Oberschule in Berlin bis 1943, 1945 Abitur Univ. Kiel. 1946/51 Studium der Rechtswissenschaft Humboldt-Univ. Berlin, Staatsexamen; 1961/64 Fernstudium Hochschule für Ökonomie, Berlin, 1956 Dr. jur., 1964 Dr. jur. habil., 1965 Professor. 1951/67 Hochschullehrer Humboldt-Univ., zuletzt Direktor Institut für Staatsrecht. Seit 1967 am Zentralinstitut für sozialistische Wirtschaftsführung, Berlin. 1959/60 Richter am staatl. Vertragsgericht. Kein Wehrdienst. 1982/90 Bereichsleiter am Institut für Rechtswissenschaft der AdW der DDR, Spezialgebiete Politische Wissenschaft und Wirtschaftsrecht. Korrespondierendes Mitgl. der AdW der DDR. Vizepräs. des ostdeutschen Kuratoriums von Verbänden e. V. Zahlr. Veröffentlichungen. Mitgl. der SED seit 1948, versch. ehrenamtl. Funktionen. Mitgl. der PDS. März/Okt. 1990 MdV. – MdB seit Okt. 1990.

Landesliste Sachsen

* HEYM PDS

Stefan Heym; Schriftsteller; 12527 Berlin – * 10.4.1913 Chemnitz, verh., 2 Kinder – Journalist, Schriftsteller. University of Chicago, MA; Dr. theol. h.c. Univ. Bern; Dr. lit. h.c. University of Cambridge. Sergeant, Lieutenant der U.S. Army. Mitgliedschaft im Schriftstellerverband, Pen-Zentrum und Akademie der Künste. Franz-Mehring-Preis, Heinrich-Mann-Preis, Nationalpreis II. Klasse, Jerusalem-Preis für Literatur. – MdB seit 1994.

Wahlkreis 249 (Berlin-Mitte–Prenzlauer Berg)
PDS 40,6 – SPD 37,2 – CDU 14,3 – Grüne 5,3 – F.D.P. 1,0
ausgeschieden am 31.10.1995
Nachfolger > Abg. Hartmann (ABC ab S. 277)

* HEYNE BÜNDNIS 90/DIE GRÜNEN

Kristin Heyne; Lehrerin; 21029 Hamburg – * 25.2.1952 Aumühle bei Hamburg, 2 Kinder – Abitur. Studium in Göttingen und Hamburg, Staatsexamen für Volks- und Realschule, Fächer Mathematik und Theologie. Tätigkeiten in der Krankenpflege und in der Erwachsenenbildung, seit 1990 Lehrerin an einer Grundschule. 1982 Mitbegründerin der Grün-Alternativen-Liste Hamburg, Mitgl. des Bezirksvorst. Hamburg-Bergedorf und des Landesvorst. Mitgl. der Hamburger Bürgerschaft. – MdB seit 1994.

Landesliste Hamburg

* **HIKSCH SPD**

Uwe Hiksch; Industriekaufmann; 96337 Ludwigsstadt
– * 12. 7. 1964 Coburg – Hauptschule. Lehre als Industriekaufmann, Berufsaufbauschule, Berufsober-
schule. Studium der Volkswirtschaftslehre in Bayreuth. Zivildienst. Referent in der pol. Bildung und beruflichen Weiterbildung. Mitgl. ÖTV, seit 1989 im
Kreisvorst., 4 Jahre Vors. Kreisjugendausschuß im
DGB-Kreis Kronach, dort auch im Vorst.; seit Gründung des DGB-Kreises Nordwest-Oberfranken 1993
im Vorst.; seit 1991 Kreisvors. AWO. Stellv. Kreisvors.
der Sozialistischen Jugend Deutschlands – „Die Falken", Kreisverb. Kronach. Mitgl. in Solidarität, ASB,
DRK, Reichsbund, im Bund Naturschutz, in der Vereinigung der Verfolgten des Naziregimes/Bund der Antifaschisten, im Deutschen Freidenkerverband, bei
den Naturfreunden und in versch. örtlichen Sport- und
Kulturvereinen. 1982 Eintritt SPD; Juso-Ämter auf allen Ebenen, u. a. 1990/93 stellv. Bundesvors.; Mitgl.
im Kreis-, Unterbezirks- und Bezirksvorst., seit 1989
Mitgl. im Vorst. der SPD Bayern, seit 1992 Mitgl. im
Präsidium. Seit 1990 Kreisrat. – MdB seit 1994.
Landesliste Bayern

:: **HILLER (Lübeck) SPD**

Reinhold Hiller; Diplomhandelslehrer; 23556 Lübeck
– * 2.8.1949 Lübeck, gesch., 1 Kind – Mittlere Reife
1966, Wirtschaftsabitur 1970. Studium der Betriebswirtschaftslehre, Geschichte und Germanistik Univ.
Hamburg; 1975 Abschluß als Diplomhandelslehrer;
1977 2. Staatsprüfung für das Lehramt an berufsbildenden Schulen, 1977 Studienrat z. A. an der Gewer-
beschule I in Lübeck. Mitgl. GEW und AWO. Seit 1970
Mitgl. der SPD. Seit 1974 zugewähltes Mitgl. in Ausschüssen der Lübecker Bürgerschaft, 1982 Mitgl. der
Bürgerschaft der Hansestadt Lübeck. – MdB seit 1983.

Wahlkreis 11 (Lübeck)
SPD 45,7 – CDU 42,5 – Grüne 7,8 – F.D.P. 2,9 – PDS -

:* **HILSBERG SPD**

Stephan Hilsberg; Informatiker; 53113 Bonn –
* 17.2.1956 Müncheberg/Mark, verh., 4 Kinder –
1962/72 Besuch einer 10klassigen POS in Berlin.
1972/74 Lehre zum Facharbeiter für Datenverarbeitung. 1974/76 anderthalbjähriger Grundwehrdienst in
der NVA. 1976/79 Programmierer am Institut für me-
dizinische- und Biophysik an der Berliner Charité.
1981 und 1984 Ablehnung eines Hochschulstudiums
für Klavier aus sozialen und politischen Gründen; seit
1985 Fernstudium zum Ingenieur für Informationsver-
arbeitung. Ab 1988 in kirchlichen Friedenskreisen
tätig, Okt. 1989 Gründungsmitgl. und 1. Sprecher der
SDP; Febr./Juli 1990 Geschäftsführer der SPD in der
DDR. März/Okt. 1990 MdV. Seit 1992 Mitgl. im Landesvorst. der SPD Brandenburg. – MdB seit 1990;
seit 1992 Mitgl. der Enquetekommission „Aufarbei-
tung der SED-Diktatur in Deutschland".

Wahlkreis 282 (Bad Liebenwerda – Finsterwalde –
Herzberg – Lübben – Luckau)
SPD 44,5 – CDU 38,3 – PDS 13,6 – F.D.P. 3,6 – Grüne -

⁘ HINSKEN CSU

Ernst Hinsken; Bäckermeister und Konditor; 94353 Haibach – * 5. 2. 1943 Plattling, Landkr. Deggendorf, kath., verh., 2 Kinder – Volksschule. Abendkurse an Handelsschule und Privatunterricht. Bäckerlehre, Meisterprüfung 1964; Konditorlehre mit Abschluß. Beschäftigungen in versch. Betrieben, anschl. Übernahme des elterlichen Betriebes. Stellv. Obermeister der Bäckerinnung Straubing. Mitgl. Verwaltungsrat Deutsche Ausgleichsbank. Mitgl. CSU seit 1967; 9 Jahre Kreisvors. JU. Seit 1972 Mitgl. CSU-Bezirksvorst. Niederbayern, seit 1995 Mitgl. Landesvorst. der CSU, seit 1985 Kreisvors. CSU Straubing-Bogen. Seit 1992 Landesvors. Mittelstandsunion in der CSU, seit 1993 stellv. Vors. der Mittelstandsvereinigung der CDU/CSU sowie 1. stellv. Vors. des Parlamentskreises Mittelstand. Mitgl. Kreistag Straubing-Bogen seit 1972. – MdB seit 1980; wirtschafts- und verkehrspolitischer Sprecher der CSU-Landesgruppe, Mitgl. Vorst. der CDU/CSU-Fraktion.

Wahlkreis 217 (Straubing)
CSU 63,6 – SPD 24,3 – Grüne 3,3 – FDP 1,6 – PDS -

⁚ HINTZE CDU

Peter Hintze; Theologe, Generalsekretär der CDU Deutschlands; 53113 Bonn – * 25. 4. 1950 Bad Honnef, ev. – Abitur. Studium der ev. Theologie, 1977/79 Vikar, 1979/80 Pastor i. H., 1980/83 Pfarrer. 1983/90 Bundesbeauftragter für den Zivildienst. 1971/74 Mitgl. RCDS-Bundesvorst. 1975/84 Mitgl. Deutschlandrat der JU. Stellv. Landesvors. der CDU NRW, Bundesvors. des ev. Arbeitskreises der CDU/CSU, seit Mai 1992 Generalsekretär der CDU Deutschlands. – MdB seit 1990; Jan. 1991/Mai 1992 Parl. Staatssekretär beim BMin. f. Frauen und Jugend.

Landesliste Nordrhein-Westfalen

* HIRCHE F.D.P.

Walter Hirche; Landesminister a. D., Parl. Staatssekretär; 30657 Hannover – * 13. 2. 1941 Leipzig, ev.-luth., verh., 2 Söhne – Studium von Geschichte, Französisch und Politischer Wissenschaft in Heidelberg und Grenoble, 1973 Assessor des Lehramts. 1969/72 Leiter des Landesbüros der Friedrich-Naumann-Stiftung in Niedersachsen, 1973/75 Landesgeschäftsführer der F.D.P. Niedersachsen, 1978/82 Industrietätigkeit. Kooptiertes Mitgl. der Deutschen UNESCO-Kommission, Mitgl. der Ludwig-Erhard-Stiftung, Vors. des Kuratoriums der Karl-Hamann-Stiftung, Potsdam, Mitgl. des Kuratoriums der Vereinigung deutsch-französischer Gesellschaften. Mitgl. F.D.P. seit 1970, Mitgl. Präsidium der F.D.P. seit 1984, Landesvors. F.D.P. Niedersachsen seit 1994. 1974/78 und 1982/90 MdL Niedersachsen, 1986/90 Niedersächsischer Minister für Wirtschaft, Technologie und Verkehr, 1990/94 Minister für Wirtschaft, Mittelstand und Technologie des Landes Brandenburg. – MdB seit 1994; Parl. Staatssekretär bei der BMin. für Umwelt, Naturschutz und Reaktorsicherheit.
Landesliste Niedersachsen

::: **Dr. HIRSCH F.D.P.**

Burkhard Hirsch; Rechtsanwalt, Vizepräsident des BT; 40545 Düsseldorf – * 29.5.1930 Magdeburg, verh., 2 Kinder – 1948 Abitur Halle (Saale). Studium der Rechts- und Staatswissenschaften in Marburg; 1954 Referendar, 1959 2. Staatsexamen in Düsseldorf, 1961 Dr. jur. 1964 Rechtsanwalt am Amts- und Landgericht Düsseldorf. 1960/67 Wirtschaftsvereinigung Eisen- und Stahlindustrie. 1967/71 Justitiar der Walzstahlkontor West GmbH. 1973/75 Direktor der Mannesmann AG in Düsseldorf. 1975/80 Innenminister des Landes NRW und Mitgl. BRat, 1979/80 stellv. MinPräs. NRW. Rechtsanwalt am OLG Düsseldorf. Theodor-Heuss-Preis 1975. 1948 Mitgl. LDP in Halle, seit 1949 der F.D.P. und bis 1964 der Deutschen Jungdemokraten; 1971 Vors. F.D.P.-Kreisverb. Düsseldorf und Mitgl. Landesvorst., seit 1973 Mitgl. Bundesvorst., 1979/83 Vors. Landesverb. NRW. 1964/72 Mitgl. Rat der Stadt Düsseldorf. – MdB 1972/Juni 1975 und seit 1980; seit 10.11.1994 Vizepräsident des BT.

Landesliste Nordrhein-Westfalen

* **HÖFER SPD**

Gerd Höfer; Lehrer; 34626 Neukirchen – * 23.2.1943 Aschersleben, heute Sachsen-Anhalt – 1964 Abitur in Gevelsberg. Studium an der Abteilung für Erziehungswissenschaften Univ. Gießen (Sport, Physik, Deutsch), 1969 1. Staatsexamen für das Lehramt an Grund-, Haupt- und Realschulen, 1972 2. Staatsexamen. 1964/66 Wehrdienst, Reserveoffizier. Seit 1969 Lehrer, seit 1970 an der Integrierten Gesamtschule Neukirchen/Hessen. Mitgl. GEW, DRK, AWO und Feuerwehr. Eintritt in die SPD 1968, jetzt Vors. im Unterbezirk Schwalm-Eder. Über 20 Jahre Mitgl. Kreistag, davon 10 Jahre als Fraktionsvors.; Vors. Ausschuß für Bildung und Kultur im Kreistag Schwalm-Eder. Stadtrat. – MdB seit 1994.

Wahlkreis 127 (Schwalm-Eder)
SPD 48,1 – CDU 40,1 – Grüne 5,1 – F.D.P. 3,2 – PDS 0,4

* **HÖFKEN**
BÜNDNIS 90/DIE GRÜNEN

Ulrike Höfken; Diplomlandwirtin; 54668 Prümzurlay – * 19.4.1955 Düsseldorf, kath., 3 Töchter – Abitur. Studium der Landwirtschaft, Volkswirtschaft und Romanistik in Bonn, Diplomlandwirtin. Mitgl. in der Verbraucherinitiative und in der Arbeitsgemeinschaft bäuerliche Landwirtschaft. Über Umwelt- und Dritte-Welt-Bewegung 1990 Eintritt in die Partei DIE GRÜNEN, 1991/94 Parteisprecherin. Seit 1989 Mitgl. Kreistag Bitburg-Prüm, Fraktionsvors. – MdB seit 1994.

Landesliste Rheinland-Pfalz

: Dr. HÖLL   PDS

Barbara Höll, geb. Eisenberger; Philosophin; 04329
Leipzig – * 26.12.1957 Coswig/Anh., Kr. Roßlau, Bezirk Halle, konfessionslos, verh., 2 Söhne – Abitur
1976. Studium der Philosophie an der staatlichen
Rostower Univ., Rostow am Don, UdSSR, Abschluß mit
Universitätsdiplom 1981. Wissenschaftliche Assistentin an der Handelshochschule Leipzig. 1988 Promotion
zum Doktor phil. Mitgl. Demokratischer Frauenbund
e. V., Mitgl. des Hauptvorstandes. Parteilos. – MdB seit
1990; Stellv. Parl. Geschäftsführerin der Gruppe der
PDS.

Landesliste Sachsen

: HÖRSKEN   CDU

Heinz-Adolf Hörsken; Schlosser; 64560 Riedstadt-
Wolfskehlen – * 6.8.1938 Oberhausen, röm.-kath.,
verh., 1 Tochter – Volksschule. 1953 Schlosserlehre,
Gesellenprüfung, Bergvorschule; 1961 Wärmestellen-
assistent. 1963/67 Betriebsrat im Hüttenwerk Oberhausen. 1967 Bezirkssozialsekretär der CDA Aachen,
1971 Studienleiter im Adam-Stegerwald-Haus Königswinter, Bundesgeschäftsführer der Jungen Arbeitneh-
merschaft, 1974 stellv. Hauptgeschäftsführer der CDA,
1985/91 Hauptgeschäftsführer. Seit 1953 Mitgl. IG
Bergbau und Energie bzw. seit 1961 der IG Metall,
1960 Mitgl. KAB, 1986/90 Mitgl. im Wirtschafts- und
Sozialausschuß der EG. Seit 1956 Mitgl. der CDU und
CDA; 1991/93 geschäftsführender Bundesvors., seit
1993 stellv. Bundesvors. der CDA; seit 1994 stellv.
CDU-Kreisvors. – MdB seit 1990; seit April 1994 Vors.
der Arbeitnehmer-Gruppe der CDU/CSU-Fraktion,
Mitgl. Fraktionsvorst.
Wahlkreis 141 (Groß-Gerau)
CDU 42,7 – SPD 42,2 – Grüne 8,1 – F.D.P. 3,1 – PDS 0,8
verstorben am 23.2.1996
Nachfolger > Abg. Heiderich (ABC ab S. 277)

:* HÖRSTER   CDU

Joachim Hörster; Rechtsanwalt; 56457 Westerburg –
* 26.3.1945 Lautzenbrücken, Westerwaldkreis, kath.,
verh., 2 Kinder – Abitur. Studium der Staats- und
Rechtswissenschaft. Seit 1993 Vors. CDU-Bezirksverb.
Koblenz-Montabaur und Mitgl. Landesvorst. CDU
Rheinland-Pfalz. 1972/83 Bürgermeister der Ver-
bandsgemeinde Westerburg. 1974/Juni 1994 Mitgl.
Kreistag und Kreisausschuß, 1983/91 Vors. der CDU-
Fraktion im Kreistag Westerwaldkreis. 1983/87 MdL
Rheinland-Pfalz. – MdB seit 1987; seit Mai 1992
Parl.Geschäftsführer, seit Nov. 1994 1. Parl. Geschäfts-
führer der CDU/CSU-Fraktion, Ä; Vors. der CDU-
Landesgruppe Rheinland-Pfalz/Saarland.

Wahlkreis 153 (Montabaur)
CDU 47,0 – SPD 42,9 – Grüne 6,5 – F.D.P. 3,7 – PDS -

* HOFFMANN (Chemnitz) SPD

Jelena Hoffmann, geb. Rubanowa; Dipl.-Ingenieurin;
09119 Chemnitz – * 22.3.1947 Moskau, Rußland, verh.,
3 Kinder – Abitur 1965. Studium der Halbleitertechno-
logie am Moskauer Energetischen Institut, 1971 Abschluß als Dipl.-Ingenieurin für Elektrotechnik. Ingenieurin und Oberingenieurin in der Elektrobranche.
1976 Entwicklungsingenieurin im Bereich Forschung
und Entwicklung von numerischen Steuerungen,
dann Produktmanager im Bereich elektronisches
Spielzeug. 1988 wissenschaftl. Mitarbeiterin im Werkzeugmaschinenbau. 1991 Leiterin Marketing in der
Metallbau- und Oberflächenbehandlungsbranche.
Angebotsbearbeiterin, Kalkulatorin, zuletzt Geschäftsführerin eines mittelständischen Unternehmens im techn. Großhandel. Mitgl. der SPD seit 1991.
– MdB seit 1994.

Landesliste Sachsen

* HOFMANN (Volkach) SPD

Frank Hofmann; Kriminaloberrat a. D.; 97332 Volkach
– * 21. 4. 1949 Schweinfurt, verh., 2 Töchter –
Großhandelskaufmann. Fachabitur. Wehrersatzdienst
beim Zivilen Bevölkerungsschutz. Studium der Be-
triebs- und Volkswirtschaftslehre, Dipl.-Volkswirt. Kriminaloberrat beim Bundeskriminalamt. Mitgl. Gewerkschaft der Polizei, Bund Naturschutz. Mitgl. der
SPD seit 1975. – MdB seit 1994, Schriftführer.

Landesliste Bayern

⁞ HOLLERITH CSU

Josef Hollerith; Geschäftsführer; 85646 Anzing – * 10.
3. 1955 München, kath., verh., 2 Kinder – 1975 Abitur
am Human. Gymnasium der Benediktiner in Schäft-
larn. Studium der Erwachsenenpädagogik, Abschluß
1983 und der Betriebswirtschaftslehre, München. Mitbegründer einer privaten Wirtschaftsakademie, geschäftsf. Ges. der Ges. für Unternehmensberatung
und Gewerbeförderung mbH in Anzing. 1982/90 Vors.
Sportverein Anzing. Seit 1986 Mitgl. Kreisgremium
der IHK. Seit 1990 Mitgl. Verwaltungsrat der Kreissparkasse. 1975 Eintritt in die CSU und JU; 1977/87
JU-Kreisvors., 1983/91 JU-Bezirksvors. Oberbayern;
1987/91 Leiter AK Medien der JU Bayern. 1989/93
Kreisvors. der KPV. Seit 1993 CSU-Kreisvors. 1978/91
Mitgl. Gemeinderat Anzing und seit 1978 des Kreistages Ebersberg. – MdB seit 1990.

Wahlkreis 199 (Altötting)
CSU 60,5 – SPD 24,3 – Grüne 5,7 – FDP 3,6 – PDS -

* HOLZHÜTER   SPD

Ingrid Holzhüter, geb. Krupke; Kauffrau; 12101 Berlin
– * 12.11.1936 Berlin-Kreuzberg, ev., verh., 1 Kind –
Grundschule, Gymnasium. Pestalozzi-Fröbel-Haus,
Staatsexamen; Hauswirtschaftsleiterin, zuletzt Spiel-
warenfachverkäuferin. Mitgl. HBV, AWO, Marie-
Schlei-Verein, Greenpeace. Mitgl. SPD seit 1975;
Kreisvors. und Landesvors. der AsF, bis 1994 Mitgl. im
AsF-Bundesvorst.; Mitgl. des SPD-Landesvorst. Ber-
lin. 1985/94 Mitgl. Berliner Abgeordnetenhaus. –
MdB seit 1994, Schriftführerin.

Landesliste Berlin

⁝ HOMBURGER   F.D.P./DVP

Birgit Homburger; Dipl.-Verwaltungswissenschaft-
lerin; 89143 Blaubeuren – * 11.4.1965 Singen/Ho-
hentwiel, Kreis Konstanz, röm.-kath., verh. – 1984 Abitur in Singen/Hohentwiel. 1984/89 Studium der
Verwaltungswissenschaften Univ. Konstanz, Dipl.-Ver-
waltungswissenschaftlerin. In der mittelständischen
Wirtschaft im Personalbereich Projektreferentin bei
der Geschäftsleitung. Mitgl. in mehreren Vereinen sowie gesellschaftlichen Organisationen u.a. Mitgl. der
Deutsch-Atlantischen Gesellschaft, Mitgl. WWF,
Mitgl. der Deutsch-Israelischen Gesellschaft. 1982
Eintritt in die F.D.P.; 1984 Eintritt Junge Liberale,
1988/91 Landesvors. der Jungen Liberalen Baden-
Württemberg, 1990/93 Bundesvors. des 1. gesamtdeutschen Verb. der Jungen Liberalen; versch Ämter
bei der F.D.P., u.a. Mitgl.im Landesvorst. Baden-Württemberg und im Bundesvorst. – MdB seit 1990.

Landesliste Baden-Württemberg

⁝⁝ HORN   SPD

Erwin Horn; Oberstudiendirektor a. D.; 53332 Born-
heim – * 2.5.1929 Annerod bei Gießen, ev. – Volksschule, Aufbauschule, 1948 Reifeprüfung. 1949/55
Studium: Geschichte, Deutsch, Englisch, Philosophie
und Politik, 1955 Staatsexamen. 1955/62 Ausbildung
und Tätigkeit als Studienrat; 1962/66 Fachleiter für
Sozial- und Gemeinschaftskunde am Studienseminar
Gießen, 1966/69 Oberstudiendirektor am Gymnasium
Nidda. 1981/85 Vors. Militärausschuß der Nordatlan-
tischen Versammlung, 1985/88 Vors. sozialdemokra-
tisch-sozialistische Fraktion in der Nordatlantischen
Versammlung. 1962/88 Unterbezirksvors. SPD
Gießen. 1960/76 Kreistagsabg. – MdB seit 1969;
1980/83 stellv. Vors. Verteidigungsausschuß, 1983/90
Obmann der SPD im Verteidigungsausschuß; 1977/88
Mitgl. SPD-Fraktionsvorst.

Wahlkreis 131 (Gießen)
SPD 42,3 – CDU 41,4 – Grüne 7,8 – F.D.P. 4,8 – PDS -

:::: **Dr. HORNHUES   CDU**

Karl-Heinz Hornhues; Prof., Dipl.-Volkswirt; 49134
Wallenhorst – * 10. 6. 1939 Stadtlohn (Westfalen), kath.,
verh., 2 Kinder – 1960 Abitur in Ahaus (Westfalen).
Studium der Volkswirtschaft, Soziologie und christli-
chen Sozialwissenschaften Univ. Münster. 1965 Diplomvolkswirt, 1968 Dr. rer. pol. 1966/71 Referent und
1970/71 stellv. Leiter der Kath. Erwachsenenbildungs-
stätte Ludwig-Windthorst-Haus in Holthausen, Kreis
Lingen (Ems). Ab 1972 Kurator der Kath. FH Nord-
deutschland, Osnabrück / Vechta, seit 1974 Hochschullehrer für Sozialökonomie und Sozialpolitik, seit 1977
Prof. an dieser FH, z. Z. beurlaubt. 1961 CDU; Landesvors. JU Niedersachsen 1972/74; Mitgl. Landesvorst.
CDU Niedersachsen 1972/90. – MdB seit 1972;
1983/89 Vors. Deutsch-Afrikanische Parlamentariergruppe; 1985/89 Vors. Unteraussch. Ausw. Kulturpoli-
tik. Okt. 1989/Nov. 1994 Stellv. Vors. CDU/CSU-Frak-
tion, Vors. Arbeitsbereich 5, seit Dez. 1994 Vors. Auswärtiger Ausschuß.

Wahlkreis 33 (Stadt Osnabrück)
CDU 46,8 – SPD 42,0 – Grüne 6,8 – FDP 3,3 – PDS -

:: **HORNUNG   CDU**

Siegfried Hornung; Landwirtschaftsmeister; 74747 Ra-
venstein-Ballenberg – * 8. 7. 1938 Ballenberg, Baden,
röm.-kath., verh., 3 Kinder – Volksschule. Landvolkhochschule (Bauernschule), Landwirtschaftsmeister,
selbständiger Landwirt. Ehrenamtl. Vors. Kreisbau-
ernverb. Neckar-Odenwaldkreis; Vorstandsmitgl. der
landwirtschaftl. Sozialversicherung Baden und Mitgl.
Bundesvorst., Mitgl. Vorst. Raiffeisen-Zentralgenos-
senschaft Baden. 1962 JU; seit 1964 CDU, Mitgl. Kreis-
und Bezirksvorst. sowie Landesvorst., Mitgl. Bundes-
parteiausschuß, seit 1965 Stadtverbandsvors.; Vors.
Agrarausschuß im Bezirksverb. Nordbaden. Ortsvorsteher. – MdB 1983/87 und seit Febr. 1990; 1990/94
Vors. Ausschuß Ernährung, Landwirtschaft und Forsten.

Wahlkreis 181 (Odenwald–Tauber)
CDU 54,8 – SPD 30,6 – Grüne 6,4 – F.D.P. 3,0 – PDS -

:* **Dr. HOYER   F.D.P.**

Werner Hoyer; Staatsminister beim BMin. des Auswärtigen; 53113 Bonn – * 17. 11. 1951 Wuppertal-Rons-
dorf, röm.-kath., verh. – 1970 Abitur in Hannover.
Kaufmännische und technische Praktika in Deutschland und in den USA. Studium der Wirtschaftswissenschaften Univ. Köln, 1974 Diplom-Volkswirt; 1974/84
Wissenschaftlicher Assistent Univ. Köln, 1977 Dr. rer.
pol. 1985/87 Leiter des Bereichs Wirtschaft und Information der Carl-Duisberg-Gesellschaft e. V., Köln.
Seit 1985 nebenberuflich Autor und Lehrbeauftragter
für Internationale Wirtschaftsbeziehungen Univ. Köln.
Hauptmann d. R. Seit 1972 Mitgl. der F.D.P., 1983/86
Mitgl. des Bundesvorst. der Jungen Liberalen,
1984/93 Vors. des Kreisverbandes Köln der F.D.P., seit
1984 Mitgl. Landesvorst., 1990/94 Stellv. Landesvors.
der F.D.P. NRW; 1993/94 Generalsekretär der F.D.P. –
MdB seit 1987; 1989/93 Parl. Geschäftsführer,
1990/94 Sicherheitspolitischer Sprecher der F.D.P.-
Fraktion; seit Nov. 1994 Staatsminister beim BMin. des
Auswärtigen.

Landesliste Nordrhein-Westfalen

⫶ HÜPPE CDU

Hubert Hüppe; Stadtoberinspektor a. D.; 59368 Werne – * 3. 11. 1956 Lünen, kath., verh., 2 Kinder – Mittlere Reife. Ausbildung bei der Stadtverwaltung Lünen für den gehobenen nichttechnischen Dienst, ab 1982 Sachbearbeiter beim Jugendamt. 1983 Stadtoberinspektor. 1974 / 80 Jugendleiter des Bundes Deutscher Kommunalbeamter und Arbeitnehmer im DBB. Aktiv in der Lebensrechtsbewegung, seit 1980 Mitgl. der Aktion Lebensrecht für Alle (ALfA) e. V., seit 1986 stellv. Bundesvors. der Christdemokraten für das Leben (CDL). Seit 1988 Mitgl. Diözesanvorst. des kath. Familienbundes der Erzdiözese Paderborn, seither auch Mitgl. der KAB. 1971 Eintritt in die Schüler-Union und JU, 1972/76 versch. Funktionen auf Kreis- und Landesebene in der Schüler-Union. 1974 CDU, 1982 CDA. Mitgl. Landesvorst. JU, 1983/87 Kreisvors. JU Unna. Seit 1988 Mitgl. CDU-Bezirksvorst. Ruhrgebiet, seit 1989 Kreisvors. der CDU Unna. – MdB seit Febr. 1991.

Landesliste Nordrhein-Westfalen

* HUSTEDT
BÜNDNIS 90 / DIE GRÜNEN

Michaele Hustedt; Lehrerin, Ökologin; 53111 Bonn – * 15. 10. 1958 Hamburg, eheähnl. Lebensgemeinschaft, 1 Kind – Chemisch-biologisch-techn. Assistentin. Lehrerin für Sekundarstufe I und II, Fächer Chemie und Biologie. Umweltschutzaufbaustudium. Wissenschaftl. Referentin für Ökologiepolitik und Privatdozentin in der Erwachsenenbildung zum Thema Umweltschutz Mitgl. BUND und Eurosolar. Mitgl. Landesvorst. NRW von BÜNDNIS 90 / DIE GRÜNEN. – MdB seit 1994.

Landesliste Nordrhein-Westfalen

⫶⫶ IBRÜGGER SPD

Lothar Ibrügger; Dipl.-Ingenieur, Stadt- und Regionalplaner; 32427 Minden – * 24. 12. 1944 Bad Elster, verh., 3 Kinder – Ratsgymnasium Minden, Abitur. 18monatiger Wehrdienst 1966/67, Fahnenjunker d. R. Studium an der TU Berlin; Dipl.-Ingenieur. Freiberuflicher Stadt- und Regionalplaner. Lehrauftrag für Städtebau FH Bielefeld 1975/76. Mitgl. EU, VdK, AWO, Gesellschaft für Christlich-Jüdische Zusammenarbeit, Reichsbund, IG Bau-Steine-Erden, Vereinigung der Stadt-, Regional- und Landesplaner e. V., Architektenkammer NRW. SPD 1969. – MdB seit 1976; stellv. Vors. Ausschuß für Verkehr. 1977/79 MdEP. Seit 1980 Mitgl. Nordatlantische Versammlung, dort u. a. 1989/93 Vors. des Ausschusses f. Wissenschaft und Technik.

Wahlkreis 104 (Minden-Lübbecke)
SPD 48,7 – CDU 39,5 – Grüne 5,9 – F.D.P. 4,3 – PDS -

* ILTE   SPD

Wolfgang Ilte; Dipl.-Ingenieur; 16540 Hohen Neuen-
dorf – * 16. 1. 1949 Dresden, verh., 1 Kind – 10klassige
POS, BMSR-Mechaniker im LEW (jetzt AEG) Hen-
nigsdorf, Ingenieurhochschule Mittweida, Fachrichtung Technologie der Elektronik. Seit 1991 Expan-
sionsleiter und Prokurist in der Branche Lebensmittel-
handel. Mitgl. der SDP/SPD seit 1989; seit 1991
Kreisvors., später Unterbezirksvors.; Mai 1990/Mai
1994 Mitgl. im Bundesparteirat. – MdB seit 1994.

Wahlkreis 273 (Oranienburg–Nauen)
SPD 48,8 – CDU 26,5 – PDS 18,8 – Grüne 4,0 – F.D.P. 1,9

* IMHOF   SPD

Barbara Imhof, geb. Schulze; Dipl.-Sozialpädagogin,
Kreisgeschäftsführerin; 36037 Fulda – * 15. 8. 1952 Of-
fenbach/Main, 1 erwachsene Tochter – Fachabitur.
Fachschule für Sozialpädagogik Frankfurt/Main, Examen als Erzieherin, mehrere Jahre Gruppenleiterin
in sozialpäd. Einrichtungen, Fachausbildung Steuerrecht, Studium Sozialpädagogik Fachhochschule
Fulda (Schwerpunkt Integration Behinderter), Dipl.-
Sozialpädagogin. Mitgl. AWO, ÖTV, im Verein Gemeinsam Leben – Gemeinsam Lernen und in der Kin-
derakademie Fulda. 1989 Eintritt in die SPD, Ortsvereinsvors. Künzell, Unterbezirksvorstandsmitgl. Fulda,
Bezirksausschußmitgl. der SPD Hessen-Nord. Mitgl.
im Widerspruchsausschuß und im Jugendhilfeaus-
schuß der Stadt Fulda. – MdB seit 1994; stellv. Sprecherin AG Petitionen der SPD-Fraktion, Mitgl. Kunstbeirat.

Landesliste Hessen

* IRBER   SPD

Brunhilde Irber, geb. Klessinger; Verwaltungsangestellte, Fremdsprachenkorrespondentin; 94486 Osterhofen – * 27. 7. 1948 Pleinting, Lkr. Passau, röm.-kath.,
verh., 1 Sohn – Realschule. Grundlehrgang für Sozial-
berufe, Verwaltungsschule, Fremdsprachenschule.
Seit 1970 Verwaltungsangestellte bei der Stadt Osterhofen, 1982/91 Leiterin des Kultur- und Verkehrsam-
tes. 1992/94 Ausbildung zur Fremdsprachenkorrespondentin. Mitgl. ÖTV, AWO, Bürgerforum, Landesbund für Vogelschutz, Bürgerinitiative „Rettet die
Donau" und „Gegen Müllverbrennung – unserer Hei-
mat zuliebe", BRK,Tierschutzverein, FFW Osterhofen
und Altenmarkt, Geschichtsverein Deggendorf, SWC
Osterhofen, TSV Altenmarkt u. v. a. Seit 1971 SPD-
Mitgl., SPD-Unterbezirksvors. Deggendorf, Mitgl. des
Bezirksvorst. der Niederbayern-SPD. Mitgl. AsF. Seit
1978 Kreisrätin, seit 1990 Stadträtin, stellv. Fraktionssprecherin im Stadtrat und im Kreistag. – MdB seit
1994, Schriftführerin.

Landesliste Bayern

:* IRMER F.D.P.

Ulrich Irmer; Rechtsanwalt; 80331 München –
* 19.1.1939 Bochum, gesch., 1 Tochter – Volksschule,
Gymnasium, High-School in Michigan, USA, mit Abschluß, Abitur. Studium der Philosophie, Theologie,
Literatur, Geschichte, Politologie in Tübingen, Hamburg und Bonn. Jurastudium und beide jur. Staatsexamen in München. Anschl. Assistent der Geschäftsleitung der Niederlassung für Deutschland einer schwei-
zerischen Versicherungsgesellschaft. Seit 1973 Mitgl.
einer Münchner Rechtsanwalts- und Wirtschaftsprü-
fersozietät. Mitgl. F.D.P. seit 1961, Mitgl. Landesvorst.
F.D.P. Bayern. 1979/84 MdEP und der Beratenden
Vers. sowie des Paritätischen Ausschusses des Lomé
Abkommens. Mitgl. Exekutivkomitee der Europäischen Liberalen und Demokraten (ELD). – MdB seit
1987; Außenpol. Sprecher der F.D.P.-Fraktion, Vors.
Arbeitskreis I, seit 1994 Stellv. Vors. F.D.P.-Fraktion.

Landesliste Bayern

: IWERSEN SPD

Gabriele Iwersen, geb. Grigoleit; Dipl.-Ing., Architektin; 26382 Wilhelmshaven – * 25.10.1939 Berlin, ev.,
verh., 2 Kinder – 1958 Abitur. 1958/64 Studium Architektur und Städtebau an der TU Berlin; Arbeit auf
dem Bau, später als Bauleiterin und als Architektin.
1964/65 Stipendium des DAAD in Stanford/USA.
Mitgl. IG Bau-Steine-Erden, AWO, Verein der Kunst-
freunde, Gesellschaft für Internationale Kontakte,
Vors. der Arbeitsplatzinitiative für Frauen. 1971 Eintritt in die SPD. Seit 1976 Mitgl. Rat der Stadt Wilhelmshaven, seit 1986 Bürgermeisterin. – MdB seit
1990.

Wahlkreis 21 (Friesland–Wilhelmshaven)
SPD 47,9 – CDU 41,0 – Grüne 5,9 – F.D.P. 2,6 – PDS 0,7

* Dr. JACOB PDS

Willibald Jacob; Pfarrer, Ingenieurökonom; 13088 Berlin – * 26. 1. 1932 Berlin, ev., verh., 4 Kinder – Oberschule. 1949 Seminar für kirchlichen Dienst Berlin, ab
1952 missionarische Dienste in Briesen/Mark, Wittenberg und Berlin Stalinallee. 1955/59 Theologiestudium an der kirchlichen Hochschule Berlin; ab 1959
Pfarrer in Treuenbrietzen und Cottbus. 1965 Wehr-
dienstverweigerung. 1968/82 bei VEB Straßenwesen
Cottbus und Berlin tätig, 1970 Industriekaufmann,
1974 Ingenieur für Straßeninstandhaltung. 1982/85
Pfarrer in Berlin, 1984 Dr. theol., 1985/88 Dozent für
ev. Sozialethik in Govindpur/Indien, 1989/92 Pfarrer
in Hohenbruch, 1992 Ruhestand. Mitgl. IG Bau-Holz;
1974/76 BGL-Vors. Seit 1992 Unterstützer der Initiative Ostdeutscher Betriebs- und Personalräte in Berlin
und Bischofferode. Mitgl. der IG Medien; Vorstandsmitgl. der Entwicklungspol. Ges. e. V., Mitgl. der Ges.
zur Förderung des marxistisch-christlichen Dialogs
e. V. und des Arbeitslosenverbandes e. V.; Förderer
der Ben-Gurion-Universität des Negev e. V. 1970/90
Mitgl. der CDU/DDR. – MdB seit 1994.
Landesliste Mecklenburg-Vorpommern

* **JACOBY CDU**

Peter Jacoby; Wirtschaftsassessor; 66123 Saarbrücken
– * 27.4.1951 Saarbrücken, röm.-kath. – 1977 Abschluß
eines rechts- und sozialwissenschaftl. Studiums als
Dipl.-Soziologe. Anschl. Referendarzeit. 1980 Staatsexamen als Wirtschaftsassessor. 1986/90 Landesvors.
der CDU Saar, seit 1991 stellv. Landesvors. CDU Saar,
seit 1994 Kreisvors. der CDU Saarbrücken-Stadt.
1980/94 MdL Saarland, 1990/94 Vors. der CDU-Fraktion. – MdB seit 1994, Schriftführer.

Landesliste Saarland

⁞ JÄGER SPD

Renate Jäger, geb. Naussed; Dipl.-Lehrerin; 01474
Weißig – * 17.6.1941 Schillwen, Kreis Heydekrug/Ost-
preußen, verh., 3 Kinder, 1 Pflegekind – Mittelschule,
Abitur an der Volkshochschule Dresden. Lehrerausbil-
dung als Grundschullehrer, Fachlehrer für Musik
(Oberstufe), Dipl.-Lehrer für Russisch. 1960/62 Unterstufenlehrerin in Bad Lauchstädt (Sachsen-Anhalt);
1963/74 Fachlehrerin für Musik in Cossebaude und
Gohlis (Sachsen); 1976/87 Musik- und Russischlehre-
rin in Dresden; 1987/90 Fachschullehrerin am Institut
für Lehrerbildung in Radebeul. Mitgl. GEW, im Vorst.
der AWO Sachsen-Ost, im Verein Aktion Humane
Schule und in örtl. Vereinen. Vorstandsmitgl. Herbert-
Wehner-Bildungswerk in Sachsen. Nov. 1989 Mitbegründung der SPD in Dresden; seit 1992 Mitgl. SPD-
Landesvorst. Sachsen. MdV März/Okt. 1990. – MdB
seit 1990.

Landesliste Sachsen

⁑ JAFFKE CDU

Susanne Jaffke, geb. Geist; Tierärztin; 17391 Wussen-
tin – * 12.7.1949 Halle/Saale, ev., gesch., 2 Kinder –
EOS bis 1968, Abitur. 1964/68 Lehre als Rinderzüch-
ter. 1968/73 Studium Humboldt-Univ. Berlin, Dipl.-Ve-
terinärmedizinerin. 1973/74 Assistentenzeit am Unter-
suchungsamt Halle, Schlachthof Halle sowie Praxis in
Allstedt (Helme)/Kreis Sangerhausen. 1974 Approba-
tion. 1974/79 Praxistätigkeit in Allstedt als staatl.
Großtierpraktiker, 1979/90 staatl. Großtierpraxis in
Liepen/Kreis Anklam. Seit 1973 Mitgl. in der Wiss.
Ges. für Veterinärmedizin, Mitgl. im Verband der
Tierärzte seit der Gründung 1990. Seit 1991 Mitgl.
Bundesvorst. der pommerschen Landsmannschaft.
Seit 1983 Mitgl. CDU, seit 1984 stellv. Vors. Orts-
gruppe Liepen und Nachfolgekandidat im Kreisparla-
ment Anklam. 1989 Vors. der zeitweiligen Kommission
„Amtsmißbrauch und Korruption" im Kreis Anklam;
März/Okt. 1990 MdV. – MdB seit Okt. 1990.

Wahlkreis 270 (Neustrelitz–Strasburg–Pasewalk–
Ueckermünde–Anklam)
CDU 45,9 – SPD 27,1 – PDS 22,4 – F.D.P. 2,8 – Grüne -

⁝ JANOVSKY CDU

Georg Janovsky; Dipl.-Ingenieur; 02827 Görlitz –
* 24. 11. 1944 Reichenberg (Sudetenland), kath., verh.,
1 Kind – 1945 Vertreibung. 1964 Abitur. 1964/65 Lehre
als Betonfacharbeiter. 1965/70 Studium Straßenbau
und Straßenverkehr an Hochschule für Verkehrswesen Dresden, Dipl.-Ing. Bauleiter und 1976/83 Prod.-
Bereichsleiter Tiefbau im Bau Weißwasser. 1983/90
stellv. Kreissekretär, 1990 Kreisgeschäftsführer der
CDU. Vors. Landesmuseum Schlesien e. V. und Mitgl.
des Sudetendeutschen Rates. Seit 1970 Mitgl. der
CDU, Vors. CDU-Kreisvorst. Görlitz. 1984/90 Stadtverordneter von Görlitz, 1989/90 Fraktionsvors.
März/Okt. 1990 MdV. – MdB seit 1990.

Wahlkreis 315 (Görlitz–Zittau–Niesky)
CDU 56,9 – SPD 23,0 – PDS 16,8 – F.D.P. 3,3 – Grüne -

* JANSSEN SPD

Jann-Peter Janssen; Schiffbauer; 26506 Norden –
* 12. 2. 1945 Norden (Kreis Aurich/Weser Ems), ev.-
luth., verh., 2 Kinder – Volksschule. Ausbildung zum
Schiffbauer. Einstellung bei Volkswagen als Bandar-
beiter, Fortbildung im Arbeitsrecht, Wahl in den
Betriebsrat, 1982 bis 1996 Betriebsratsvors. der VW
AG, Werk Emden. Grundwehrdienst in der Bundeswehr, Unteroffizier d. R. Mitgl. der IG Metall und der
AWO. Seit 1969 Mitgl. SPD; 1969 Schriftführer der Jusos; Beisitzer im Ortsvereinsvorstand, 2. Vors. 1972/86
Ratsherr der Stadt Norden. – MdB seit 1994.

Wahlkreis 19 (Aurich – Emden)
SPD 57,1 – CDU 31,9 – Grüne 7,2 – FDP 2,6 – PDS -

⁝ JANZ SPD

Ilse Janz; Reno-Gehilfin, Sachbearbeiterin; 27578 Bremerhaven – * 23. 4. 1945 Norden (Ostfriesland), verh., 1
Sohn – Hauptschule. Reno-Gehilfin; langjährige
Tätigkeit in Speditions- und Maklerfirmen, zuletzt
tätig als Sachbearbeiterin im Steuerwesen, Stadtwerke Bremerhaven. Mitgl. ÖTV, AWO, Deutsch-Pol-
nische Gesellschaft, Deutsch-Israelische Gesellschaft
und Deutsch-Isländische Gesellschaft, des Sportvereins Leher Turnerschaft (LTS) und des Arbeiter-Turn-
und Sportbundes. 1967 Eintritt in die SPD, 1988/91
Landesvors. der SPD-Landesorganisation Bremen, seit
1993 Mitgl. des Bundesvorst. der SPD. 1979/87 Stadtverordnete in Bremerhaven, 1983/87 stellv. Fraktionsvors.; 1987/90 Mitgl. Bremische Bürgerschaft. – MdB
seit 1990.

Wahlkreis 52 (Bremerhaven–Bremen-Nord)
SPD 50,2 – CDU 33,3 – Grüne 7,5 – FDP 4,2 – PDS 1,3

* JAWUREK CSU

Helmut Jawurek; 92318 Neumarkt i. d. OPf. – * 6. 7.
1963 Neumarkt i. d. OPf., kath. – 1984 Abitur. Anschl.
Grundwehrdienst. Studium der Politikwissenschaften
und der Betriebswirtschaftslehre an der Univ. Regensburg. Fremdenverkehrsreferent, Vors. Fremdenver-
kehrsverein Neumarkt. Aktive Mitarbeit in der
Schüler Union, u. a. stellv. Bezirksvors. der Oberpfalz.
Mitgl. RCDS. Mitgl. der CSU seit 1980; 1984/92 Ortsvors. der JU, 1987/89 stellv. Bezirksvors., seit 1991 Bezirksvors. der JU Oberpfalz, 1987/89 Mitarbeit in der
Grundsatzkommission der JU Deutschland, seit 1988
Mitgl. der internat. Kommission der JU Deutschland,
1989/91 JU-Deutschlandrat, seit 1989 Leiter Arbeitskreis Wirtschaft & Finanzen der JU Bayern; seit 1991
Mitgl. Bezirksvorst. der CSU Oberpfalz, seit 1993
Mitgl. CSU-Kreisvorst., seit 1992 Mitgl. im CSU-Fach-
ausschuß Außenpolitik. – MdB seit 1994.

Landesliste Bayern

⁑ JELPKE PDS

Ulla Jelpke; Dipl.-Soziologin, Volkswirtin; 22767
Hamburg – * 9. 6. 1951 Hamburg – Gelernte Friseurin,
Kontoristin und Buchhändlerin. Über den 2. Bildungsweg 1993 Abschluß als Diplom-Soziologin und Volkswirtin. Als Linke aktiv in den ,68ern, vor allem in der
autonomen Frauen- und später in der Umweltbewegung. Seit 1981 aktiv als Strafvollzugshelferin.
1981/89 zweimal zur Abgeordneten für die Grün-Al-
ternative Liste (GAL) in die Bürgerschaft Hamburg gewählt, dort schwerpunktmäßig im Innen-, Rechts-,
Frauen- und Sozialausschuß gearbeitet; zwischenzeitlich wegen Rotation 3 Jahre als Frauenreferentin bei
der GAL-Fraktion tätig. – MdB seit 1990; seither in-
nenpolitische Sprecherin der Gruppe PDS.

Landesliste Nordrhein-Westfalen

⁂ Dr. JENS SPD

Uwe Jens; Prof., Diplomvolkswirt, Großhandelskaufmann; 46562 Voerde – * 2. 10. 1935 Hamburg, verh., 3
Kinder – Volksschule. 1951 Kaufm. Lehre im Groß- und
Außenhandel, kaufm. Angestellter. Besuch des
Abendgymnasiums, 1960 Abitur. Studium der Volkswirtschaftslehre in Tübingen und Hamburg. 1970 Promotion in Wirtschafts- und Sozialwissenschaften (Dr.
rer. pol.) Univ. Hamburg. Während des Studiums Ha-
fenarbeiter und wissenschaftl. Hilfskraft. 1967/72 Referent Arbeitskreis Wirtschaftspolitik der SPD-Bun-
destagsfraktion. 1970/72 Vors. Personalrat SPD-Bun-
destagsfraktion. Seit 1976 Lehrbeauftragter für
Wirtschaftsordnungspolitik, heute Honorarprofessor
an der Ruhr-Univ. Bochum. Mitgl. ÖTV, AWO, ASB,
Vors. der Klaus-Dieter-Arndt-Stiftung e. V. Mitgl. der
SPD seit 1966, Mitgl. des SPD-Landesausschusses
NRW. – MdB seit 1972; Vors. Deutsch-Niederländische
Parlamentariergruppe.

Wahlkreis 82 (Wesel I)
SPD 52,5 – CDU 37,1 – Grüne 5,3 – F.D.P. 3,0 – PDS 0,5

:::: Dr. JOBST   CSU

Dionys Jobst; Rechtsanwalt, Bundesbahndirektor a. D.;
93158 Teublitz – * 5. 9. 1927 Teublitz, kath., verh., 3 Kinder – Oberrealschule. 1943/45 Kriegsdienst, Verwun-
dung, Gefangenschaft. 1947 Abitur. 1947/50 Studium
Univ. München; Werkstudent; 1951 1. jur. Staatsexamen, 1954 Promotion, 1955 2. jur. Staatsexamen. Seit
1956 bei der DB, zuletzt Dezernent bei der Bundes-
bahndirektion Regensburg. Mitgl. AR der Ersten Bayer.
Basaltstein AG Steinmühle. Mitgl. Verwaltungsrat der
Deutschen Siedlungs- und Landesrentenbank Bonn
und des Vorst. der Freunde der Univ. Tel Aviv. 1965/72
CSU-Kreisvors. 1960/72 Mitgl. Kreistag Burglengen-
feld, 1972/96 Mitgl. Kreistag Schwandorf. Mitgl. Stadtrat Teublitz 1960/91. – MdB seit 1969, 1982/90 stellv.
Vors. CSU-Landesgruppe. Präs. interfraktionelle parl.
Gruppe Bahn; Vors. Verkehrsausschuß seit 1988; seit
1978 Vors. deutsch-japanische Parlamentariergruppe.
Mitgl. Parl. Beirat des Verb. der Heimkehrer, Kriegsge-
fangenen und Vermißtenangehörigen Deutschlands
e.V. Mitgl. Nordatlantische Vers.
Wahlkreis 220 (Schwandorf)
CSU 54,5 – SPD 33,7 – Grüne 3,1 – F.D.P. 1,6 – PDS -

:: Dr.-Ing. JORK   CDU

Rainer Jork; Feinmechaniker, Dipl.-Ingenieur; 01445
Radebeul – * 16. 3. 1940 Dresden, ev., verh., 2 Kinder –
Mittlere Reife, Abitur an der Abendoberschule Dresden. Allgemeinbildende Berufsschule, Facharbeiterabschluß Feinmechaniker. Studium Maschinen-
bau/Regelungstechnik TH bzw. TU Dresden. Diplomabschluß 1965; außerplanmäßige Aspirantur TH
Ilmenau, Promotion Dr.-Ing. 1974. 20 Jahre in der Industrie, Projektierung von Automatisierungsanlagen.
1965/84 nebenamtl. Tätigkeit als Berufsschullehrer;
1976/90 Dozententätigkeit TU Dresden. Autor und
Mitautor von Fachbüchern und -artikeln; Inhaber einiger Patente. Langjährig Vors. eines Fachunteraussch.
der KDT. Fachschuldozent an der Ingenieurschule für
Kraft- und Arbeitsmaschinenbau „Rudolf Diesel" in
Meißen. Seit 1971 Mitgl. CDU, seit Febr. 1990 Vors. der
CDU Radebeul. März/Okt. 1990 MdV und Parl. Staatssekretär im Ministerium f. Bildung und Wissenschaft.
– MdB seit Okt. 1990.
Wahlkreis 320 (Dresden-Land–Freital–Dippoldis-
walde)
CDU 60,9 – SPD 19,5 – PDS 15,1 – F.D.P. 4,5 – Grüne -

* JÜTTEMANN   PDS

Gerhard Jüttemann; Zerspanungsfacharbeiter; 37345
Bischofferode – * 10. 10. 1951 Bischofferode/Kreis Wor-
bis, Bezirk Erfurt, kath., verh., 2 Kinder – 10klassige
POS. Lehre als Zerspanungsfacharbeiter. 1970/72
Grundwehrdienst. Seit 1974 Dreher unter Tage im Ka-
liwerk Bischofferode, seit Jan. 1991 freigestellt, stellv.
Betriebsratsvors., seit Febr. 1994 Betriebsratsvors. des
Bergwerks Bischofferode. Mitgl. der IG Bergbau und
Energie. – MdB seit 1994.

Landesliste Thüringen

⁝ Dr. JÜTTNER   CDU

Egon Jüttner; Universitätsprofessor; 68307 Mannheim
– * 20. 5. 1942 Gurschdorf, Kr. Freiwaldau, Sudetenland, röm.-kath., verh., 2 Kinder – 1961 Abitur.
1961/68 Studium Anglistik, Romanistik, Phonetik,
Erziehungswissenschaft Univ. Saarbrücken und FU
Berlin. 1965/68 Max-Planck-Institut für Bildungsforschung Berlin, 1969 Promotion zum Dr. phil. 1969/76
wiss. Assistent, Akad. Rat und Oberrat im Fach
Pädagogik, seit 1976 Prof. an der Univ. der Bundeswehr München. Seit 1975 Vors. der Gemeinnützigen
Bürgervereinigung Sandhofen, Mannheim, 1979/96
Präs. Deutsch-Japanische Gesellschaft Rhein-Neckar.
1972 CDU, Ortsvors., Mitgl. Kreisvorst., Vors. Sicher-
heitspol. Ausschuß, Mannheim. 1980/84 Bezirksbeirat
in Mannheim, 1984/91 und 1994/95 Stadtrat in Mannheim, seit 1995 Kreisvors. der CDU Mannheim. – MdB
seit 1990.

Wahlkreis 179 (Mannheim I)
CDU 42,5 – SPD 41,8 – Grüne 8,9 – FDP 2,1 – PDS 0,9

⁚⁚ JUNG (Düsseldorf)   SPD

Volker Jung; Beigeordneter; 40597 Düsseldorf –
* 24. 2. 1942 Berlin, verh. – 1954/57 Carl-Friedrich-
von-Siemens-Schule in Berlin, 1957/59 Oberrealschule, 1959/62 Wirtschaftsoberrealschule in Amberg,
Oberpfalz, 1962 Wirtschaftsabitur. 1962/69 Studium
der Pol. Wissenschaften und Volkswirtschaftslehre FU
Berlin, Diplom-Politologe 1969. 1970/72 Referent beim
Wirtschaftswiss. Institut der Gewerkschaften, 1972/75
Leiter der Abteilung Europäische Integration, 1975/83
der Abteilung Gesellschaftspolitik, 1983/94 Referatsleiter beim DGB-Bundesvorst.; 1978/93 Arbeitnehmervertreter im AR der Fried.-Flick IV, später der
Feldmühle Nobel AG, später Metallgesellschaft Industrie AG, Düsseldorf, und 1991/92 der Qualitäts- und
Edelstahl AG, Brandenburg. Mitgl. Beratender Ausschuß der Europ. Gemeinschaften für Kohle und Stahl
1975/83 und der HBV seit 1970. Seit 1995 stellv.
Hauptgeschäftsführer Verb. kommunaler Unternehmen. Mitgl. der SPD seit 1963, stellv. Vors. der Düssel-
dorfer SPD. – MdB seit 1983; seit 1987 Energiepol.
Sprecher der SPD-Fraktion.

Wahlkreis 75 (Düsseldorf II)
SPD 46,8 – CDU 38,0 – Grüne 8,2 – F.D.P. 3,3 – PDS 1,1

⁚* JUNG (Limburg)   CDU

Michael Jung; Rechtsanwalt; 65627 Elbtal-Hangen-
meilingen – * 13. 4. 1951 Würzburg, röm.-kath. – Abitur
am human. Gymnasium Fürst-Johann-Ludwig-Schule
in Hadamar. Wehrdienst. 1977 1. jur. Staatsexamen an
der Justus-Liebig-Univ. Gießen. 1980 2. jur. Staatsexamen. Während des Studiums Landesvors. RCDS in
Hessen und Mitgl. in versch. Gremien der student.
Selbstverwaltung und der Univ. Gießen. 1980/83 Mitarbeiter in einer Anwaltssozietät, seit 1983 Rechtsanwalt mit eigener Kanzlei in Limburg. Mitgl. Verwaltungsrat Nassauische Sparkasse in Wiesbaden. Ortsvors., Kreisvors. JU; seit 1969 Mitgl. CDU, lange Jahre
stellv. Kreisvors. CDU Limburg-Weilburg, derzeit Vors.
CDU-Bezirksverb. West-Hessen. 1972/95 Kreistagsabg., lange Jahre Vors. CDU-Fraktion Kreistag Limburg-Weilburg. – MdB seit 1987.

Wahlkreis 135 (Rheingau-Taunus–Limburg)
CDU 54,0 – SPD 34,7 – Grüne 7,1 – F.D.P. 3,2 – PDS 1,0

⁝ JUNGHANNS CDU

Ulrich Junghanns; Dipl.-Staatswissenschaftler; 15234 Frankfurt/Oder – * 25.5.1956 Gera/Thüringen, ev., verh., 2 Söhne – 1972 Abschluß der 10-Klassen-POS; 1974 Lehrabschluß als Facharbeiter für Pferdezucht und Leistungsprüfung im Hengstdepot Moritzburg. 1986 Dipl.-Staatswissenschaftler nach Fernstudium an der Akademie für Staat und Recht Potsdam-Babelsberg. 1974/76 Grundwehrdienst. Bis 1990 Angestellter. Freiberufl. tätig. Vors. Landakademie „Thomas Müntzer e. V."; Präs. SV Eintracht Frankfurt (Oder); Vorstandsmitgl. Förderverein Europa-Univ. „Viadrina" Frankfurt (Oder). Sept. 1990 Mitgl. der CDU seit Zusammenschluß mit der Demokratischen Bauernpartei Deutschlands (DBD), seit 1974 Mitgl. der DBD, seit 1982 in Funktionen der DBD, 1990 1. stellv. Vors. und amtierender Vors. der DBD. Okt. 1990/1992 Mitgl. Bundesvorst. der CDU, Nov. 1990/93 Mitgl. Landesvorst. CDU Brandenburg. Stadtverordneter und Fraktionsvors. in Frankfurt/Oder. – MdB seit 1990; stellv. Landesgruppenvors.

Landesliste Brandenburg

⁝ Dr. KAHL CDU

Harald Kahl; Dipl.-Chemiker; 07580 Braunichswald – * 21.1.1941 Sondershausen, Kr. Sondershausen, Thüringen, ev., verh., 1 Kind – Erweiterte Oberschule in Sondershausen, Abitur 1960, ein Jahr prakt. Arbeit. Danach Chemiestudium an der Friedrich-Schiller-Univ. Jena, 1972 Promotion auf dem Gebiet der Biochemie. Ein Jahr Laborleiter im Krankenhaus Hildburghausen. 1973/90 Laborleiter im Kreiskrankenhaus Ronneburg, seit 1980 Anerkennung als Fachchemiker der Medizin. Seit 1973 Mitgl. CDU, mehrjähriges ehrenamtl. Mitgl. des Bezirksvorst. der CDU, Jan./Aug. 1990 stellv. Landesvors. der CDU Thüringen. 1990/94 Präs. Stadtverordnetenvers. Ronneburg. – MdB seit 1990.

Wahlkreis 304 (Altenburg–Schmölln–Greiz–Gera-Land II)
CDU 45,4 – SPD 32,0 – PDS 14,9 – Grüne 4,8 – F.D.P. 2,8

⁝* KALB CSU

Bartholomäus Kalb; Industriekaufmann, Landwirt; 94550 Künzing – * 13. 8. 1949 Mamming/Lkr Dingolfing-Landau, röm.-kath., verh., 2 Kinder – Abgeschlossene Berufsausbildung als Landwirt und Industriekaufmann. 1973/78 kaufm. Angestellter in der Bauwirtschaft. Kreisvors. CSU. Seit 1972 Gemeinderat in Künzing, seit 1978 2. Bürgermeister und Mitgl. Kreistag Deggendorf. 1978/86 MdL Bayern. – MdB seit 1987; seit Mai 1997 stellv. Vors. des Haushaltsausschusses.

Wahlkreis 213 (Deggendorf)
CSU 61,1 – SPD 28,6 – Grüne 3,2 – FDP 1,9 – PDS -

: KAMPETER CDU

Steffen Kampeter; Dipl.-Volkswirt; 32427 Minden –
* 18.4.1963 Minden/Westfalen, ev., verh. – Bessel-
gymnasium Minden, Abitur 1982. Grundwehrdienst
1982/83 (W 15). Studium der Volkswirtschaftslehre
Westf. Wilhelms-Univ. Münster, Diplom 1988. Wiss.
Mitarbeiter am Institut für Verkehrswissenschaft Univ.
Münster. Mitgl. der JU und der CDU seit 1981, versch.
Funktionen, Mitgl. CDU-Kreisvorst., 1990/94 Bezirksvors. der JU Ostwestfalen-Lippe; Vors. Landesfachausschuß Umwelt der CDU NRW. – MdB seit 1990;
Vors. Kuratorium der Bundeszentrale f. pol. Bildung.

Landesliste Nordrhein-Westfalen

:·* Dr.-Ing. KANSY CDU

Dietmar Kansy; Bauingenieur; 30823 Garbsen –
* 18.7.1938 Breslau (Schlesien), kath., verh., 2 Kinder –
Oberschule in Potsdam und Berlin (West), Abitur 1958.
Studium des Bauingenieurwesens TU Berlin und TH
Hannover. 1964 Diplomprüfung Fachrichtung Bau-
ingenieurwesen. 1965/80 Planungs- und Entwurfs-
ingenieur beim Lippeverband Dortmund und bei der
Stadt Hannover. 1979 Promotion Univ. Hannover. Mitgl.
AR Gemeinnützige Deutsche Wohnungsbaugesellschaft mbH, Düsseldorf. 1966 CDU, Ortsverbandsvors.
Garbsen 1968/76, 1974/90 Mitgl. Kreisvors. Hannover-
Land, Mitgl. Bezirksvorst. Hannover, Mitgl. Bundesfachausschuß Städte- und Wohnungsbau der CDU.
Ratsherr in Garbsen 1967/74; Kreistagsmitgl. 1968/80,
stellv. Landrat im Landkr. Hannover 1974/80. – MdB
seit 1980; Vors. Arbeitsgruppe Raumordnung, Bauwesen und Städtebau der CDU/CSU-Fraktion, Ä.

Wahlkreis 38 (Hannover-Land I)
CDU 46,5 – SPD 43,6 – Grüne 4,4 – F.D.P. 2,7 – PDS 0,6

* KANTHER CDU

Manfred Kanther; BMin. des Innern; 53108 Bonn –
* 26.5.1939 Schweidnitz (Schlesien), verh., 6 Kinder –
Nach der Vertreibung aus Schlesien Schulbesuch bis
zum Abitur in Thüringen. 1958/62 Jurastudium in
Marburg und Bonn, anschl. Referendarzeit in Lüdenscheid (Westfalen), 1966 Assessorexamen. 1967/70
Stadtoberrechtsrat in Plettenberg. 1970/87 Landesgeschäftsführer und Generalsekretär der CDU Hessen.
1991 Landesvors. der CDU Hessen, 1992 Präsidiumsmitgl. der CDU Deutschlands. 1974/93 MdL Hessen,
bis 1987 Parl. Geschäftsführer und 1991 Vors. der
CDU-Fraktion; 1987/91 Hess. Minister der Finanzen.
– MdB seit 1994; seit 7. Juli 1993 BMin. des Innern.

Wahlkreis 137 (Hanau)
CDU 46,9 – SPD 39,6 – Grüne 6,9 – F.D.P. 2,7 – PDS 0,9

::: KARWATZKI CDU

Irmgard Karwatzki; Sozialarbeiterin (grad.), Parl. Staatssekretärin; 47057 Duisburg – * 15.12.1940 Duisburg, kath. – Volksschule. Kaufm. Lehre. Kaufm. Angestellte. Besuch der Höheren Fachschule für Sozialarbeit, staatl. Anerkennung als Sozialarbeiterin (grad.). Referentin beim Bund der Deutschen kath. Jugend, Diözese Essen. 1971/76 Referentin an der Kath. Fachhochschule NRW. Seit Jan. 1977 für die Abgeordnetentätigkeit vom Dienst beurlaubt. Mitgl. DAG, Kath. Frauengemeinschaft Deutschland, Kinderschutzbund. 1965 Mitgl. CDU, versch. Funktionen in der CDU Duisburg, 1975 Mitgl. Landesvorst. CDU des Rheinlandes. 1975/77 und 1979/90 Mitgl. Rat der Stadt Duisburg, Okt. 1979/Juni 1983 Bürgermeister der Stadt Duisburg. – MdB seit 1976; Okt. 1982 /März 1987 Parl. Staatssekretärin beim BMin. f. Jugend, Familie, Frauen und Gesundheit, März 1987/April 1989 beim BMin. f. Bildung und Wissenschaft, seit Nov. 1994 beim BMin. der Finanzen.

Landesliste Nordrhein-Westfalen

* KASPEREIT SPD

Sabine Kaspereit, geb. Schaefer; Zahnärztin; 06688 Wengelsdorf – * 4.8.1945 Merseburg, Sachsen-Anhalt, ev., verh., 2 Kinder – Ernst-Haeckel-Oberschule Merseburg, Zahnmedizinstudium Univ. Leipzig; Facharztausbildung, Fachzahnärztin für Kinderzahnheilkunde, Diplom. Schulzahnärztin im Landkr. Weißenfels, Landratsamt. 1990/94 Bürgermeisterin, zunächst hauptamtl., später ehrenamtlich. 1990/94 Vizepräs. des Städte- und Gemeindebundes Sachsen-Anhalt; Mitgl. im Hauptausschuß des Deutschen Städte- und Gemeindebundes. Mitgl. der SPD seit Jan. 1990, Ortsvereinsvors., Mitgl. des Kreisvorst., seit 1992 Mitgl. Landesvorst. und Bundesparteirat. – MdB seit 1994, Schriftführerin.

Landesliste Sachsen-Anhalt

:* KASTNER SPD

Susanne Kastner, geb. Baumgärtel; Religionspädagogin; 96126 Maroldsweisach – * 11.12.1946 Karlstadt/Main, ev.-luth., verh., 3 Kinder – Mittlere Reife. Fachakademie, Erzieherin; im 2. Bildungsweg auf der religionspäd. Hochschule in München zur Religionspädagogin in einer Grund- und Hauptschule ausgebildet. Mitgl. ÖTV, AWO und im Bayer. Roten Kreuz. 1972 Eintritt in die SPD, SPD-Unterbezirksvors., Mitgl. im SPD-Landesvorst. Bayern, stellv. Vors. SPD-Bezirk Unterfranken. SPD-Kreisrätin. – MdB seit Mai 1989.

Landesliste Bayern

:: KASTNING   SPD

Ernst Kastning; Dipl.-Politologe; 31675 Bückeburg –
* 1.8.1938 Bückeburg, Kr. Schaumburg, ev.-luth.,
verh., 3 Kinder – Volksschule. Abgeschlossene Lehre
als Bau- und Möbeltischler und Arbeit in Handwerk
und Industrie. Über den 2. Bildungsweg Studium der
Politischen Wissenschaft in Berlin; Dipl.-Politologe;
1963/78 Tätigkeit in der Erwachsenenbildung. Seit
1978 Ruhen des Arbeitsverhältnisses. Mitgl. GEW und
im Reichsbund, AWO und der Freiwilligen Feuerwehr.
Mitgl. der SPD seit 1958, seit 1964 Mitgl. Unterbezirksvorst., 1974/87 Vors. 1964/76 Ratsmitgl.; 1968/83
Kreistagsabg. und 2 Jahre stellv. Landrat. 1978/83
MdL Niedersachsen. – MdB seit 1983.

Wahlkreis 34 (Nienburg–Schaumburg)
SPD 47,1 – CDU 43,8 – Grüne 4,6 – F.D.P. 2,7 – PDS -

: KAUDER   CDU

Volker Kauder; Jurist; 78532 Tuttlingen – * 3.9.1949
Sinsheim, ev., verh. – Abitur 1969, Hegau-Gymnasium
Singen. 1969/71 Wehrdienst, Fähnrich d. R. 1971/75
Studium der Rechts- und Staatswissenschaft Univ.
Freiburg, 1975 1., 1977 2. jur. Staatsexamen. 1976/78
Univ. Freiburg, Beauftragter des Rektors für pol. Bil-
dung. 1979 Eintritt in die Innenverwaltung Baden-
Württemberg, seit 1980 stellv. Landrat im Landratsamt
Tuttlingen. Ehrenvors. Psychosozialer Förderkreis
Tuttlingen. Vorstandsmitgl. Lebenshilfe, Tuttlingen.
1966 JU-Mitgl., 1969/73 JU-Kreisvors., 1973/76 eh-
renamtl. Geschäftsführer und Bezirksvorstandsmitgl.
JU Südbaden; seit 1975 Pressesprecher und Vor-
standsmitgl. der CDU Südbaden. 1984/86 Vors. CDU-
Stadtverb. Tuttlingen, seit 1985 Vors. CDU-Kreisverb.
Tuttlingen; seit 1991 Generalsekretär der CDU Baden-
Württemberg. – MdB seit 1990.

Wahlkreis 189 (Rottweil–Tuttlingen)
CDU 53,7 – SPD 28,1 – Grüne 6,7 – F.D.P. 5,2 – PDS -

::* KELLER   CSU

Peter Keller; Dipl.-Ingenieur (FH); 97225 Zellingen –
* 11.10.1937 Würzburg, kath., verh., 3 Kinder – Mittlere Reife. 2 Jahre Industriepraktikum, Dipl.-Inge-
nieur (FH). 1962/68 Ingenieurtätigkeit (Fa. Siemens),
3 Jahre Betriebsrat. 1964 Abitur (Abendgymnasium).
1968/79 Diözesansekretär der KAB in Würzburg.
1970/82 Personalratsvors. beim Bischöfl. Ordinariat
Würzburg. 1971/76 Studium Geschichte, Soziologie
und Pädagogik in Würzburg, 1977 Magisterexamen
(M. A.). 1980 Leiter der diözesanen Arbeitnehmerbil-
dungsstätte Benediktushöhe Retzbach. Stellv. Diöze-
sanvors. der KAB Würzburg. 1975/83 Bundesvors. der
Arbeitsgemeinschaft der Mitarbeitervertretungen der
deutschen Diözesen. Mitgl. CGB. 1982 Vors. Bundesarbeitsgemeinschaft für Arbeitskammern e. V., Mitgl.
Kolping. 1958 Mitgl. CSU, 10 Jahre Ortsvors. CSU in
Zellingen; 1964/65 Kreisvors. der JU; 1970/71 Kreisvors. der CSU; 1989 Landesvors. der CSA in Bayern.
Gemeinderat 1966/81, Kreisrat 1966/84, Bezirksrat
1978/81. – MdB 1980/87 und seit Febr. 1990. Seit 1995
Mitgl. Parl. Vers. Europarat und Mitgl. der WEU.
Landesliste Bayern

: KEMPER SPD

Hans-Peter Kemper; Kriminalbeamter; 46359 Heiden
– * 12. 5. 1944 Heiden, Kreis Borken, röm.-kath., verh.,
2 Kinder – Volksschule, Gymnasium; Landeskriminal-
schule, Fachabitur, höhere Landespolizeischule.
Schutzpolizei, Kriminalpolizei, zum Schluß Leiter der
Kriminalpolizei des Kreises Borken; Kriminalbeamter.
Vors. des Unterbezirks Westmünsterland der AWO;
Mitgl. der Lebenshilfe e. V.; Mitgl. der Gewerkschaft
der Polizei. 1969 Eintritt in die SPD; seit 1975 Mitgl.
und seit 1991 Vors. des Unterbezirksvorst. der SPD im
Kreis Borken; seit 1990 Mitgl. im SPD-Bezirksvorst.
Westliches Westfalen. Seit 1975 Mitgl. im Rat der Ge-
meinde Heiden, 1975/93 Fraktionsvors. der SPD. –
MdB seit Mai 1993.

Landesliste Nordrhein-Westfalen

* Dr. KINKEL F.D.P./DVP

Klaus Kinkel; Bundesminister des Auswärtigen; 53757
St. Augustin – * 17. 12. 1936 Metzingen, Baden-Württemberg, kath., verh., 3 Kinder – Abitur am Staatl.
Gymnasium Hechingen. Studium der Rechtswissenschaften Univ. Tübingen, Bonn, Köln; Promotion zum
Dr. jur.; 2. jur. Staatsexamen. Eintritt in das Bundesministerium des Innern; Pers. Referent des Bundesmini-
sters und Leiter des Ministerbüros; 1974/79 Leiter Lei-
tungsstab und Leiter des Planungsstabes im AA.
1979/82 Präs. des Bundesnachrichtendienstes.
1982/91 Staatssekretär im Bundesministerium der Justiz; Jan. 1991/Mai 1992 Bundesminister der Justiz.
Seit 18. Mai 1992 Bundesminister des Auswärtigen.
Seit Jan. 1991 Mitgl. der F.D.P., Juni 1993 bis Juni 1995
Bundesvorsitzender. – MdB seit 1994.

Landesliste Baden-Württemberg

* Dr. KIPER
BÜNDNIS 90/DIE GRÜNEN

Manuel Kiper; Biologe; 30625 Hannover – * 24. 5. 1949
Berlin, verh., 2 Kinder – Gymnasium in München und
Hannover, 1968 Abitur. Studium von Chemie, Biologie,
Pädagogik und Philosophie Univ. Hannover, 1974 1.
Staatsexamen, 1977 Promotion zum Dr. rer. nat. Mole-
kularbiologe, Erwachsenenbildner, Technologiebera-
ter. Seit 1991 in der Beratungsstelle für Technologiefol-
gen und Qualifizierung (BTQ) im Bildungswerk der
DAG tätig. Mitgl. DAG, Verband Deutscher Schriftsteller, IG Medien, Bund Demokratischer Wissenschaft-
ler/innen (BDWi), im Wissenschaftlichen Beirat des
BUND, Landesverb. Niedersachsen, im Genetischen
Netzwerk (GEN) und bei Eurosolar. 1977 Eintritt Grüne
Liste Umweltschutz (GLU), 1978 Kreisvors. Hannover;
1980 Kreisvors. der GRÜNEN Hannover, 1984/87 Landesgeschäftsführer der GRÜNEN Niedersachsen,
1992/94 Beisitzer im Landesvorst. 1981/84 Ratsherr
und Beigeordneter in Hannover. – MdB seit 1994.

Landesliste Niedersachsen

::: KIRSCHNER SPD

Klaus Kirschner; Werkzeugmacher, Mechanikermeister; 78727 Oberndorf – * 4.11.1941 Aistaig/Neckar, ev., verh., 1 Tochter – Volksschule. Berufsschule, Werkzeugmacherlehre, Facharbeiter- und Meisterprüfung. 1965/66 Wehrdienst. 1957 IG Metall, mehrere Jahre Jugendvertreter, Leiter gewerkschaftl. Jugendgruppen; 1968/76 Betriebsrat; Delegierter der IG Metall-Vertreterversammlung Schramberg. Seit 1968 Versichertenvertreter bei der AOK des Kreises Rottweil. 1979/82 Bezirksvors. der AWO Südwürttemberg/Hohenzollern. 1962 Eintritt in die SPD, 1970/77 und seit 1987 Ortsvereinsvors., seit 1972 Vors. Kreisverb. Rottweil, Mitgl. SPD-Landesvorst. Seit 1971 Stadtrat in Oberndorf. – MdB seit 1976; in der 11. WP Vors. Enquete-Kommission „Strukturreform der gesetzl. Krankenversicherung"; ab 12. WP Sprecher der Arbeitsgruppe Gesundheit der SPD-Fraktion.

Landesliste Baden-Württemberg

* von KLAEDEN CDU

Eckart von Klaeden; Jurist; 31134 Hildesheim – * 18.11.1965 Hannover, ev.-luth., ledig – Kaiser-Wilhelms-Gymnasium, Hannover, 1985 Abitur. 1985/87 Wehrdienst, Oberleutnant d. R. 1987/93 Studium der Rechtswissenschaften in Würzburg und Göttingen, 1993 1. jur. Staatsexamen, 1996 2. jur. Staatsexamen. 1993/94 Pressesprecher der CDU Niedersachsen. 1994/96 Rechtsreferendar. Mitgl. DLRG, Gesellschaft für bedrohte Völker, amnesty international. 1979 Schüler-Union, 1979/85 versch. Tätigkeiten in der Schülervertretung, u.a. Schülersprecher, und in der Jugendarbeit; seit 1983 Mitgl. CDU/JU, 1987/92 Mitgl. des Bundesvorst. der JU, 1991/1994 stellv. Vors. CDU-Bundesfachausschuß Jugend, 1992/95 Landesvors. der JU Niedersachsen, 1992/96 Mitgl. des CDU-Landesvorst. Niedersachsen, seit 1995 Vors. CDU-Kreisverb. Hildesheim. – MdB seit 1994.

Landesliste Niedersachsen

: KLAPPERT SPD

Marianne Klappert; Industriekauffrau; 57258 Freudenberg – * 28.11.1943 Marburg/Lahn, kath., verh., 2 Töchter – Volksschule. Lehre mit Abschlußprüfung als Industriekauffrau, bis 1973 im Beruf tätig, dann Hausfrau. 1985/90 Zweigstellenleiterin der VHS Kreis Siegen-Wittgenstein. Mitgl. ÖTV, AWO und KAB; Mitgl. Kuratorium der Univ. Gesamthochschule Siegen. Mitgl. SPD seit 1972, seit 1973 Mitgl. Unterbezirksvorst., seit 1985 stellv. Vors.; 1973/88 Vors. AsF Freudenberg, 1977/85 AsF-Unterbezirksvors.; seit 1988 Vorstandsmitgl. SPD-Bezirk Westl. Westfalen. 1975/94 Mitgl. Rat der Stadt Freudenberg, davon 1979/84 stellv. Fraktionsvors., 1984/89 stellv. Bürgermeisterin. – MdB seit 1990; stellv. Vors. Ausschuß für Ernährung, Landwirtschaft und Forsten.

Landesliste Nordrhein-Westfalen

* Dr. KLAUSSNER CDU

Bernd Klaußner; Diplom-Betriebswirtschaftler; 09221 Adorf – * 11.7.1940 Adorf/Erzgebirge, ev.-luth., verh., 2 erwachsene Kinder – Grundschule in Adorf. Landwirtschaftliche Lehre, Hochschulreife Abendoberschule. Hochschulstudium, Staatsexamen 1965. Grundwehrdienst. Bis 1968 LPG-Vors. in Adorf. 1968/69 am Institut für Landwirtschaft, 1969 Aspirantur an der Akademie f. Staats- und Rechtswissenschaften der DDR in Potsdam, 1973 Promotion zum Dr. rer. pol. Wissenschaftlicher Oberassistent an der TU Chemnitz. Mitgl. der Gründungskommission der Fakultät für Wirtschafts- und Rechtswissenschaften der TU Chemnitz-Zwickau. Mitgl. der CDU seit 1962, 1964/65 Mitgl. des Kreisvorst. der CDU Meißen. 1976/90 Mitgl. des Bezirkstages; 1990/94 MdL Sachsen. – MdB seit 1994.

Wahlkreis 324 (Chemnitz II–Chemnitz-Land)
CDU 46,4 – SPD 29,5 – PDS 16,0 – Grüne 4,6 – F.D.P. 3,5

⠇⠇ KLEIN (München) CSU

Hans Klein; Journalist, BMin. a. D., Vizepräs. des BT; 53113 Bonn – * 11. 7. 1931 Mährisch-Schönberg, kath., verh., 3 Kinder – Mit 14 Jahren nach Bayern ausgesiedelt. Realgymnasium. 1950 Stipendium für Volkswirtschaft und Geschichte in England. Zeitungsvolontariat, Schriftsetzerlehre. Gasthörer bei Prof. Emil Dovifat (Publizistik) FU Berlin. 1953 Redakteur „Heidenheimer Zeitung". 1956 Bonner Korrespondent von DIMITAG, ab 1958 des „Hamburger Abendblatts". 1959 Auswärtiger Dienst; Presse-Attaché in Jordanien, Syrien, Irak und Indonesien. 1965 pressepol. Referent bei BK Prof. Dr. Erhard. 1968 Pressechef der Olympischen Spiele in München. Seit 1972 freier Journalist. Vors. Deutsche Ges. für Asienkunde. Mitgl. Sudetendeutscher Rat und Bundesvorst. Sudetendeutsche Landsmannschaft. Mitgl. KAB. Mitgl. Bezirksvorst. CSU München. – MdB seit 1976, 1982/87 Außenpol. Sprecher der CDU/CSU-Fraktion; März 1987/April 1989 BMin. f. wirtschaftl. Zusammenarbeit, 1989/90f. bes. Aufgaben und Chef BPA. Seit Dez. 1990 Vizepräs. des BT.
Landesliste Bayern
verstorben am 26. 11. 1996, Nachfolgerin > Abg. Seib (ABC ab S. 277)

⠇⠇⠇ KLEINERT (Hannover) F.D.P.

Detlef Kleinert; Rechtsanwalt und Notar; 30657 Hannover – * 26.7.1932 Essen, verh., 1 Kind – Abitur in Schöningen (Braunschweig). Studium in Erlangen und München. Rechtsanwalt und Notar in Hannover. Vorstandsmitgl. der Wert-Garantie, Technische Versicherung AG. 1952 Mitgl. des Liberalen Studentenbundes Deutschlands. 1957 Mitgl. der F.D.P., Kreisvors. Hannover-Stadt. – MdB seit 1969.

Landesliste Niedersachsen

⁝ KLEMMER SPD

Siegrun Klemmer, geb. Schulz; Diplom-Bibliothekarin; 14055 Berlin – * 13.6.1939 Danzig, verw., 2 Töchter – Oberschule, 1957 Abitur in Salzwedel. 1958/60
Studium Germanistik und Geschichte in Hamburg,
1960/63 in Köln, 1963 Examen als Dipl.-Bibliotheka-
rin. 1963/67 öffentliches Büchereiwesen Berlin,
1980/90 in der Wirtschaftswissenschaftlichen Doku-
mentation der TU Berlin. 1963/67 Mitgl. GEW, seit
1972 AWO, seit 1980 ÖTV, seit 1987 Deutsch-Israelische Gesellschaft. 1970 Mitgl. SPD, Kreis- und Lan-
desdelegierte, Mitgl. Landesvorst. und -ausschuß,
Landesparteitagspräsidium, seit 1986 stellv. Kreisvors.,
seit 1988 Kreisvors. Berlin-Charlottenburg. 1983/85
und Jan. 1989/Dez. 1990 Bezirksverordnete in Berlin-
Charlottenburg. – MdB seit 1990.

Landesliste Berlin

⁑ KLINKERT CDU

Ulrich Klinkert; Diplomingenieur, Parl. Staatssekretär;
53106 Bonn – * 23.5.1955 Wittichenau, kath., verh., 2
Kinder – 1973 Abitur. 1973/76 Wehrdienst. 1976/81
Studium an der Bergakademie Freiberg, 1981 Diplomingenieur. 1981/90 Tätigkeit im Braunkohlenbergbau
in Tagebauen der Lausitz. Seit 1985 Mitgl. CDU, seit
1990 Kreisvors. Hoyerswerda/Westlausitz; März/Okt.
1990 MdV. – MdB seit Okt. 1990; Jan. 1991 bis Febr.
1994 Mitgl. Vorst. CDU/CSU-Fraktion, Arbeitsgruppenvors.; seit Febr. 1994 Parl. Staatssekretär beim
BMin. f. Umwelt, Naturschutz und Reaktorsicherheit.

Wahlkreis 314 (Hoyerswerda–Kamenz–Weißwasser)
CDU 51,1 – SPD 22,8 – PDS 22,7 – F.D.P. 3,4 – Grüne -

⁚ KLOSE SPD

Hans-Ulrich Klose; Jurist, Vizepräs. des BT; 21107
Hamburg – * 14.6.1937 Breslau, verh., 4 Kinder –
Gymnasium in Bielefeld, High School Clinton, Iowa,
Abitur. Studium der Rechtswissenschaft in Freiburg
und Hamburg, 1. und 2. Staatsexamen. Staatsanwalt,
später Regierungsdirektor in Hamburg. Mitgl. ÖTV
seit 1968. 1964 Eintritt in die SPD, 1987/91 Schatzmeister, 1970 Mitgl. der Hamburger Bürgerschaft, 1972
Vors. der SPD-Fraktion; 1973 Innensenator, 1974/81
Erster Bürgermeister der Freien und Hansestadt Hamburg. – MdB seit 1983; 1991/94 Vors. SPD-Fraktion;
seit Nov. 1994 Vizepräs. des BT.

Wahlkreis 18 (Hamburg-Harburg)
SPD 48,8 – CDU 38,5 – Grüne 7,4 – F.D.P. 2,4 – PDS -

: Dr. KNAAPE SPD

Hans-Hinrich Knaape; Facharzt für Neurologie und
Psychiatrie; 14772 Brandenburg – * 16.12.1934
Güstrow/Mecklenburg, ev., verh., 2 Kinder – Grundschule 1950, Rohrschlosserlehre 1950/52, Abitur 1954
in Dresden. Studium der Humanmedizin in Rostock
1954/59, Ärztl. Prüfung und Dr. med. 1959, Approbation 1960, Facharzt f. Neurologie u. Psychiatrie 1964
Universitätsnervenklinik Rostock; Subspezialisierung
Kinderneuropsychiatrie 1975, Dr. sc. med. und Facul-
tas docendi 1977. Chefarzt der Klinik für Kinderneuropsychiatrie der Bezirksnervenklinik Brandenburg.
Mitgl. im Marburger Bund. Eintritt in die SPD 1990,
Mitgl. Landesparteirat und Landesausschuß Branden-
burg1990/93, 1994 Parteirat. 1990/93 Abg. der Stadtverordnetenvers. Brandenburg. – MdB seit 1990.

Wahlkreis 275 (Brandenburg–Rathenow–Belzig)
SPD 50,1 – CDU 26,8 – PDS 17,1 – Grüne 3,4 – F.D.P. 2,7

* Dr. KNAKE-WERNER PDS

Heidi Knake-Werner; Sozialwissenschaftlerin; 28203
Bremen – * 5.3.1943 Tomaschow (Lodz/Polen) – Besuch des Gymnasiums in Wilhelmshaven, Abitur 1964.
Studium an der Univ. Göttingen, 1969 Diplom-Sozialwirtin; wissenschaftliche Tätigkeit an den Univ. Oldenburg und Bremen, Promotion an der Univ. Oldenburg. Wissenschaftliche Mitarbeiterin im Bereich Fa-
milien-, Bildungs- und Industriesoziologie. Mitgl. in
der GEW und ÖTV seit 1969. Politisches Engagement
seit 1968, 1970/81 zahlreiche Funktionen in der SPD u.
a. im Stadtrat von Oldenburg; Parteiaustritt. Mitgliedschaft in der DKP bis zum Austritt 1989. Seit 1990 Engagement in der PDS, Mitgl. in Präsidium und Bundesvorst.; Mitarbeiterin der PDS-Gruppe im Bundestag. – MdB seit 1994; Stellv. Vors. der Gruppe der PDS.

Landesliste Sachsen-Anhalt

* KNOCHE BÜNDNIS 90/DIE GRÜNEN

Monika Knoche, geb. Runne; Verwaltungsangestellte;
76135 Karlsruhe – * 24.9.1954 Kirrlach, Baden-Württemberg – Realschule. Mittlerer Fernmeldedienst.
Versch. andere Tätigkeiten. Mitgl. der Deutschen
Postgewerkschaft, div. andere Mitgliedschaften, u.a.
auf frauenpol. und kulturellem Gebiet. Seit 1979
Mitgl. der GRÜNEN, seit 1991 Mitgl. im Länderrat.
Seit 1985 Stadträtin in Karlsruhe, seit 1991 Fraktionsvors. – MdB seit 1994.

Landesliste Baden-Württemberg

:* KÖHLER (Hainspitz)   CDU

Hans-Ulrich Köhler; Maschinenbaumeister; 07607 Hainspitz – * 3. 9. 1944 Jena, ev., verh., 2 Kinder – Allgemeinbild. POS, Mittlere Reife. 1961/63 Maschinenbaulehre, 1974 Handwerksmeister; 1978/96 selbständig. Seit 1972 Mitgl. der CDU, seit 1992 Landesvors. der Mittelstandsvereinigung Thüringen, Mitgl. im Bundesvorst. Mittelstandsvereinigung der CDU/CSU-Fraktion. 1979/89 Abgeordneter der Gemeindevertretung Hainspitz, Mitgl. des Gemeinderates. MdV März/Okt. 1990. – MdB seit 1990; stellv. Vors. Parlamentskreis Mittelstand der CDU/CSU-Fraktion, stellv. Vors. der Deutsch-Ukrainischen Parlamentariergruppe.

Wahlkreis 303 (Gera-Stadt–Eisenberg–Gera-Land I)
CDU 39,8 – SPD 26,6 – PDS 24,6 – Grüne 5,4 – FDP -

* KÖHNE   PDS

Rolf Köhne; Elektroingenieur; 30419 Hannover – * 21. 11. 1951 Hannover, verh., 3 Kinder – Abitur. Studium der Elektrotechnik Univ. Hannover. Geschäftsführer der Firma KRW-Steuerungstechnik GmbH, Ingenieurbüro für technische Software. Mitgl. IG Metall. 1990 Parteieintritt und Gründungsmitgl. der PDS Niedersachsen, seit 1991 Landesschatzmeister. – MdB seit 1994.

Landesliste Niedersachsen

* KÖNIGSHOFEN   CDU

Norbert Königshofen; Studiendirektor; 45359 Essen – * 25. 1. 1943 Essen, röm.-kath., verh., 1 Sohn – Realschule Borbeck, Alfred-Krupp-Schule, Abitur. Studium von Betiebswirtschaft, Volkswirtschaft, Wirtschaftsrecht, Wirtschaftspädagogik, Wirtschaftsgeschichte und Politische Wissenschaften an der Univ. Köln, Diplomprüfung. Kein Wehrdienst, da Vater im Krieg gefallen. Kaufmännisches Praktikum, Referendariat; Studiendirektor am Seminar Gelsenkirchen für das Lehramt Sekundarstufe II, berufsbildende Schulen. Mitgl. im Beamtenbund, KAB und im Sportverein Grün-Weiß Schönebeck. Seit 1961 Mitgl. der CDU; Kassierer im Ortsverband, Ortsvors., Bezirksvors. und seit 1983 Kreisvors. 1975/94 Ratsherr und Vors. der CDU-Fraktion im Rat der Stadt Essen. – MdB seit 1994.

Landesliste Nordrhein-Westfalen

⁝ KÖRPER SPD

Fritz Rudolf Körper; Theologe; 55592 Rehborn –
* 14.11.1954 Rehborn, ev., verh., 1 Kind – Gymnasium,
1974 Abitur. Studium Joh.-Gutenberg-Univ. Mainz,
Fachbereich ev. Theologie, 1982 Theolog. Prüfung bei
der Ev. Landeskirche der Pfalz. Seit 1983 Vors. Fuß-
ballsportverein Rehborn. Mitgl. AWO und der Gewerkschaft Bau-Steine-Erden. 1973 Mitgl. SPD, seit
1990 Vors. SPD-Unterbezirk Bad Kreuznach und stellv.
Vors. SPD-Bezirk Rheinland-Hessen-Nassau. 1979/94
Mitgl. Gemeinderat Rehborn, 1984/94 1. Beigeordneter (ehrenamtl.) der Verbandsgemeinde Meisenheim.
Seit 1994 Vors. SPD-Kreistagsfraktion Bad Kreuznach.
1979/90 MdL Rheinland-Pfalz. – MdB seit 1990; seit
1994 innenpolitischer Sprecher der SPD-Fraktion.

Wahlkreis 150 (Kreuznach)
SPD 44,8 – CDU 43,6 – Grüne 6,3 – F.D.P. 3,3 – PDS -

* Dr. KÖSTER-LOSSACK
BÜNDNIS 90/DIE GRÜNEN

Angelika Köster-Loßack; Dozentin für Soziologie;
69115 Heidelberg – * 17.3.1947 Emmerich, Kreis Rees,
verh., 1 Kind – Elly-Heuss-Knapp-Gymnasium in Duisburg. Studium der Indologie, Ethnologie und Soziologie am Südasien-Institut der Univ. Heidelberg, danach
einjähriger Studienaufenthalt in Israel. Als Lehrbeauftragte seit 1974 tätig an der Univ. Heidelberg, der University of Maryland-European Division und ab 1986 an
der FH für Sozialwesen in Mannheim. Mitgl. im Verband baden-württembergischer Wissenschaftlerinnen, Gründungsmitgl. von WISE (Women's International Studies Europe), Vorstandsmitgl. der Deutsch-Indi-
schen Gesellschaft, Mitgl. Gesellschaft für bedrohte
Völker, des Freundeskreises Heidelberg-Rehovot,
Gründungsmitgl. des HIFI (Heidelberger Institut für
Interdisziplinäre Frauenforschung), Gründungsmitgl.
und Vorstandsfrau des Internationalen Frauenzen-
trums Heidelberg. Mitgl. der Grün-Alternativen Liste/
Heidelberg (GAL) seit 1984, Eintritt bei den Grünen
1990, Mitgl. im Kreisvorst. Heidelberg. Gemeinderätin
der GAL in Heidelberg 1986/89. – MdB seit 1994.
Landesliste Baden-Württemberg

⁝⁝ Dr. KOHL CDU

Helmut Kohl; Bundeskanzler; 67071 Ludwigshafen –
* 3.4.1930 Ludwigshafen, kath., verh., 2 Kinder – 1950
Abitur. Studium der Rechts-, Sozial- und Staatswissenschaften und Geschichte in Frankfurt und Heidelberg, Werkstudent, wissenschaftl. Mitarbeiter Univ.
Heidelberg. 1958 Dr. phil. Kaufm. Angestellter in einem Wirtschaftsverband. 1947 CDU, 1953 Mitgl. geschäftsf. Vorst. CDU Pfalz, 1954 stellv. Landesvors. JU
Rheinland-Pfalz, 1955 Mitgl. Landesvorst. CDU Rheinland-Pfalz, 1959 Vors. CDU-Kreisverb. Ludwigshafen,
1966/73 Landesvors. CDU Rheinland-Pfalz, 1966
Mitgl. Bundesvorst., 1969 stellv. Bundesvors., 1973
Bundesvors. der CDU. 1960/66 Mitgl. und Vors. CDU-
Stadtratsfraktion Ludwigshafen. 1959 MdL Rheinland-Pfalz, 1961 stellv. Vors., 1963/69 Vors. CDU-
Landtagsfraktion, 1969/76 Ministerpräsident des Landes Rheinland-Pfalz. – MdB seit 1976; Dez. 1976/Okt.
1982 Vors. CDU/CSU-Fraktion; seit 1. Oktober 1982
Bundeskanzler.

Wahlkreis 157 (Ludwigshafen)
CDU 46,0 – SPD 43,2 – Grüne 4,9 – F.D.P. 2,0 – PDS -

:: KOHN F.D.P./DVP

Roland Kohn; Publizist; 53113 Bonn – * 25. 3. 1950 Ludwigshafen (Rhein), verh. – Abitur 1969. Studium der Philosophie und der Politikwissenschaft Univ. Mannheim, Magisterexamen (M. A.). Tätigkeit als Publizist. 1980/83 Pressesprecher des F.D.P.-Landesverbandes Baden-Württemberg. Mitgl. Kuratorium der Stiftung Reichspräsident Friedrich-Ebert-Gedenkstätte; Mitgl. Verwaltungsrat der Reinhold-Maier-Stiftung; Mitgl. Kuratorium der Wolf-Erich-Kellner-Stiftung. 1969 Mitgl. der F.D.P., 1980/91 Bezirksvors. Unterer Neckar, seit 1987 Mitgl. im Landesvorst. der baden-württembergischen F.D.P., 1991/95 Landesvors. der F.D.P./DVP Baden-Württemberg, Mitgl. im Bundesvorst. der F.D.P.. – MdB seit 1983; Sprecher der F.D.P.-Fraktion für wirtschaftliche Zusammenarbeit und Entwicklung, Vors. der Landesgruppe Baden-Württemberg der F.D.P.-Fraktion.

Landesliste Baden-Württemberg

: Dr. KOLB F.D.P.

Heinrich Leonhard Kolb; Dipl.-Wirtschaftsingenieur, Parl. Staatssekretär; 64832 Babenhausen – * 8. 1. 1956 Babenhausen/Hessen, ev., verh., 1 Kind – Grundschule, Förderstufe Babenhausen, Bachgaugymnasium Babenhausen. TH Darmstadt, Diplom-Wirtschaftsingenieur; Univ. Göttingen, Dr. rer. pol. Mittelständischer Unternehmer, Zuliefererbranche, ruht seit Sept. 1992. Mitgl. in versch. Sport- und Kulturvereinen. Eintritt in die FDP 1983, Kreisvors. Darmstadt-Dieburg. 1989/92 Vors. des Haupt- und Finanzausschusses und Fraktionsvors. in der Stadtverordnetenversammlung Babenhausen. – MdB seit 1990; seit Sept. 1992 Parl. Staatssekretär beim BMin. für Wirtschaft.

Landesliste Hessen

: KOLBE CDU

Manfred Kolbe; Notar; 04668 Grimma – * 17. 8. 1953 Naunhof, Kr. Grimma, Sachsen, ev., verh., 3 Kinder – Volksschule in Bonn, Gymnasium in Rom, 1973 Abitur. Studium der Rechtswissenschaften in Berlin und München; 1979 1., 1982 2. jur. Staatsprüfung in Bayern. Stipendiat der Konrad-Adenauer-Stiftung. Mitgliedschaft im RCDS. 1983 Staatsanwalt in München, 1983/88 ORR im Bayerischen Staatsministerium der Finanzen, 1989/90 Richter am Finanzgericht München, 1990 ORR in der Bayerischen Staatskanzlei, Leiter des Informationsbüros des Freistaates Bayern in Dresden; 1990 Landesstrukturbeauftragter Finanzen im Koordinierungsausschuß für die Bildung des Landes Sachsen. 1990 Notar in Grimma. Mitgl. der CSU 1978/90, der CDU seit 1990, 1991 Kreisvors., 1993 Mitgl. Landesvorst. Sachsen. – MdB seit 1990.

Wahlkreis 312 (Döbeln – Grimma – Oschatz)
CDU 55,8 – SPD 25,7 – PDS 15,2 – FDP 3,3 – Grüne -

⁝⁚ KOLBOW SPD

Walter Kolbow; Verwaltungsjurist; 97082 Würzburg –
* 27.4.1944 Spittal/Drau (Österreich), ev., 2 Kinder –
1964 Abitur in Würzburg. 1964/66 Wehrdienst bei der
Luftwaffe, Hauptmann d. R. Anschließend Jurastudium Univ. Würzburg und Verwaltungshochschule
Speyer. 1970 1., 1974 2. jur. Staatsexamen. Ab 1975 Ma-
gistratsrat bei der Stadtverwaltung Frankfurt am
Main, Pers. Referent des Stadtkämmerers bis 1978.
Nov. 1978 bis Dez. 1980 Forschungsauftrag der Friedrich-Ebert-Stiftung, in dieser Zeit von der Stadt
Frankfurt am Main beurlaubt. Mitgl. ÖTV, AWO, Naturfreunde, Alpenverein und EU. 1967 Eintritt in die
SPD, Vors. Bezirk Unterfranken. Stadtrat in Ochsen-
furt 1972/76, Stadtrat in Würzburg 1978/81. – MdB seit
1980; Vorstandsmitgl. SPD-Fraktion, Verteidigungspol. Sprecher.

Landesliste Bayern

⁝ KOPPELIN F.D.P.

Jürgen Koppelin; Rundfunk-Redakteur; 24576 Bad
Bramstedt – * 14.9.1945 Wesselburen (Dithmarschen),
ev., verh., 2 Kinder – Mittlere Reife. 1962/65 Banklehre bei einer Raiffeisenbank. 1965/69 Wehrdienst
als Zeitsoldat bei der Luftwaffe. 1969/72 Mitarbeiter
bei F.D.P.-MdB Peters (Poppenbüll), 1972/81 Ver-
triebs- und Promotionsmanager bei PHILIPS/POLY-
GRAM in Zürich/Schweiz und Hamburg, seit 1981
beim NDR in Kiel als Redakteur und Leiter der Musik-
redaktion, z. Z. beurlaubt. Landesvors. der „Lebenshilfe für Behinderte" in Schleswig-Holstein 1990/94.
1962 Eintritt in die F.D.P. und Deutsche Jungdemokraten; 1969/83 Mitgl. des F.D.P.-Landesvorst., u. a. Landesschatzmeister, 1989 stellv. Landesvors., seit 1993
Landesvors. F.D.P. Schleswig-Holstein; 1979/82 und
seit 1993 Mitgl. des F.D.P.-Bundesvorst. 1970/91 Mitgl.
der Stadtverordnetenversammlung Bad Bramstedt,
Fraktionsvors. und stellv. Bürgermeister. – MdB seit
1990.

Landesliste Schleswig-Holstein

⁝ KORS CDU

Eva-Maria Kors, geb. Fuchs; Redakteurin; 49377
Vechta – * 22.5.1942 Würzburg, kath., verh., 1 Kind –
Mitarbeiterin in versch. Fachzeitschriftenredaktionen
f. d. Textilmaschinen- und Konsumgüterindustrie, seit
1977 Redakteurin der Kirchenzeitung für das Bistum
Münster/Offizialatsbezirk Oldenburg. Mitgl. Kath.
Deutscher Frauenbund, KAB sowie Kolpingmitgl.; seit
1977 ehrenamtl. Tätigkeit in der Suchtberatung. 1969
Eintritt in die CDU, 1979/84 Vors. CDU-Ortsverb.
Vechta; Landesvors. der Frauen-Union Land Olden-
burg und stellv. FU-Vors. Niedersachsen; Mitgl. Lan-
desvorst. der CDU im Oldenburger Land. 1981/90
Ratsfrau, Vors. Ausschuß Bauen, Planen, Umwelt und
Stadtsanierunng, 1986/90 Kreistagsabg. – MdB seit
1990.

Landesliste Niedersachsen

⁝ KOSCHYK CSU

Hartmut Koschyk; Geschäftsführer; 95463 Bindlach –
* 16.4.1959 Forchheim/Oberfranken, röm.-kath.,
verh., 3 Kinder; die Eltern wurden aus Oberschlesien
vert. – 1978 Abitur. Eintritt in die Bundeswehr, Offi-
ziersanwärter, 1983 ausgeschieden, Hauptmann d. R.
1983/87 wissenschaftl. Mitarbeiter des CDU-MdB
Sauer (Salzgitter), daneben Aufnahme des Studiums
der Geschichte und der Pol. Wissenschaft. 1987/91
Generalsekretär des Bundes der Vertriebenen. Seit
1994 Bundesvors. des Vereins der Auslandsdeutschen
(VDA). Mitgl. deutsch-polnisches Forum. Seit 1978
Mitgl. der CSU, seit 1979 JU. 1982/88 Bundesvors. der
Schlesischen Jugend, seit 1989 Mitgl. Bundesvorst.
der Paneuropa-Union Deutschland, seit 1993 Landesvors. der Union der Vertriebenen in der CSU. – MdB
seit 1990, Vors. Gruppe der Vertriebenen- und Flücht-
lingsabgeordneten der CDU/CSU-Fraktion und deren Sprecher in der Enquete-Kommission „Überwindung der Folgen der SED-Diktatur im Prozeß der
deutschen Einheit" des 13. BT.
Wahlkreis 223 (Bayreuth)
CSU 46,0 – SPD 36,3 – Grüne 5,1 – FDP 3,1

⁝ KOSLOWSKI CDU

Manfred Koslowski; Dipl.-Ingenieur; 14612 Falkensee
– * 18.1.1942 Falkensee, Kreis Osthavelland, röm.-
kath., verh., 2 erwachsene Töchter – 1948/58 allgemeinbildende Schule in Falkensee, Mittlere Reife;
1961 Berufsausbildung als Kfz-Schlosser beendet;
1963 Abitur. 1963/69 Studium an der TU Dresden,
Dipl.-Ingenieur. Kein aktiver Wehrdienst. 1969/90
mittl. techn. Leitungstätigkeit im Maschinenbau. Seit
1991 Sekretär der CDU-Landesgruppe Brandenburg
im Bundestag. Seit 1968 Mitgl. der CDU, 1990/93
CDU-Kreisvors. in Nauen und Mitgl. im CDU-Landesvorst. Brandenburg, seit 1994 Mitgl. im CDU-Kreisverb. Uckermark. MdV März/Okt. 1990, Mitgl. des
Haushaltsausschusses. – MdB Okt./Dez. 1990 und seit
1994, Schriftführer.

Landesliste Brandenburg

⁑ KOSSENDEY CDU

Thomas Kossendey; Jurist, RegDir. a. D.; 26188 Ede-
wecht-Kleefeld – * 4.3.1948 Berlin, röm.-kath., verh., 1
Sohn – Nach dem Abitur 1967 18 Monate Wehrdienst.
Anschl. Studium der Rechts- und Staatswissenschaften in Köln und Münster, Referendarzeit in Oldenburg, 2. jur. Staatsexamen 1979. Seit Jan. 1980 Tätigkeit im allgemeinen Verwaltungsdienst des Landes
Niedersachsen, zuletzt Leiter des Ministerbüros im
Kultusministerium. 1971 Eintritt in die CDU und die
JU, 1974/80 Landesvors. der JU, Landesverb. Oldenburg. – MdB seit 1987.

Landesliste Niedersachsen

⋮⋮ KRAUS CSU

Rudolf Kraus; Baukaufmann, Parl. Staatssekretär; 53123 Bonn – * 27. 2. 1941 Amberg / Oberpfalz, kath., verh., 2 Kinder – Kaufm. Lehre, Kaufmannsgehilfenprüfung 1959. Verwaltungs- und Wirtschaftsakademie München, Abschluß als Betriebswirt (VWA). 1974/87 Prokurist in der Firma Hans Brochier GmbH & Co., Feldkirchen. 1962 Mitgl. CSU und JU, 1963/67 Kreisvors. JU, 1969 Kreisvors. CSU München IV–Bogenhausen. 1969 Mitgl. Bezirksvorst. CSU München. 1970/74 Mitgl. Bezirkstag von Oberbayern. – MdB seit 1976. 1989/92 Parl. Geschäftsführer der CDU / CSU-Fraktion; seit Mai 1992 Parl. Staatssekretär beim BMin. für Arbeit und Sozialordnung.

Wahlkreis 218 (Amberg)
CSU 56,6 – SPD 31,4 – Grüne 5,4 – F.D.P. 2,4 – PDS 0,4

⋮* KRAUSE (Dessau) CDU

Wolfgang Krause; Maschinenschlosser, Ingenieur für chemischen Apparatebau, Dipl.-Ingenieur f. Verfahrenstechnik; 06849 Dessau-Törten – * 4. 2. 1936 Breslau, ev., verh. – Volksschule, Oberschule, Abitur 1954. Lehre als Maschinenschlosser, 1956 Gesellenprüfung. Studium an der Ingenieur-Schule Bernburg und an der Hochschule Leuna-Merseburg. Kein Wehrdienst. Tätigkeiten als Konstrukteur in Coswig, später als Betriebsingenieur in der Gärungschemie Dessau, 1972/90 als Chefkonstrukteur. Mitgl. im Gemeindekirchenrat. Mitgl. der CDU seit 1954; Nov. 1989/Febr. 1990 Kreisvors. CDU Dessau, Dez. 1989/Sept. 1990 Mitgl. im Parteivorstand. MdV März/Okt. 1990. – MdB seit Okt. 1990.

Wahlkreis 289 (Dessau – Bitterfeld)
CDU 39,4 – SPD 33,2 – PDS 16,0 – FDP 5,4 – Grüne 4,7

* KRAUTSCHEID CDU

Andreas Krautscheid; Rechtsanwalt; 53783 Eitorf – * 11. 2. 1961 Wissen/Sieg, röm.-kath., ledig – Neusprachliches Gymnasium, Abitur. Studium der Rechtswissenschaften und politischen Wissenschaften, 1987 1. jur. Staatsexamen, 1988 tätig im Bundesamt für Zivildienst, 1989/91 Referendarausbildung u. a. in Köln, Dresden und London, 2. jur. Staatsexamen. Eintritt in eine Bonner Anwaltskanzlei. 1992/94 stellv. Sprecher der CDU Deutschlands. Wehrdienst bei der Panzerbrigade 15 in Koblenz. Altstipendiat der Konrad-Adenauer-Stiftung; Mitgl. in der Deutsch-Israelischen Gesellschaft, in der Deutsch-Atlantischen-Gesellschaft und bei ai. 1976 Mitgl. JU, 1980 CDU und 1988 CDA; Orts- und Kreisverbandsvors. der JU Rhein-Sieg-Kreis, seit 1992 stellv. Kreisverbandsvors. der CDU Rhein-Sieg-Kreis; Leiter der Parteireformkommission. – MdB seit 1994; Obmann der CDU/CSU-Fraktion im Unterausschuß Menschenrechte und Humanitäre Hilfe.

Wahlkreis 64 (Rhein-Sieg-Kreis I)
CDU 45,8 – SPD 40,8 – Grüne 7,3 – F.D.P. 4,0 – PDS 0,5

* KRESSL SPD

Nicolette Kressl; Gewerbeschullehrerin; 76530 Baden-Baden – * 29.10.1958 Heilbronn, ledig – Abitur. Besuch der Berufspädagogischen Hochschule Stuttgart; 2. Staatsexamen nach Referendariat in Mannheim. Unterricht an einer gewerbl. Berufsschule: Technologie für BäckerInnen und KonditorInnen. Mitgl. BUND, Verbraucherzentrale Baden-Württemberg, GEW und Gustav-Heinemann-Initiative. SPD-Eintritt 1984; Mitgl. im Landesvorst. SPD Baden-Württemberg und im Landesvorst. der AsF Baden-Württemberg, Vors. des Ausländerbeirats der SPD Baden-Württemberg. – MdB seit 1994.

Landesliste Baden-Württemberg

⁝ KRIEDNER CDU

Arnulf Kriedner; Unternehmensberater, Bezirksbürgermeister a. D.; 98617 Meiningen – * 16.5.1938 Mühlbach/Pirna, ev., gesch. – 1959 Abitur. Studium der Volks- und Betriebswirtschaft in Köln und FU Berlin. 1959/60 Wehrdienst, Reserveoffizier. Selbst. Kaufmann. Seit 1989 selbst. Unternehmensberater. U.a. Vors. der Arbeitsgem. Main-Werra, Mitgl. im Förderverein Theater Meiningen, der Arbeitsgem. Heimische Orchideen (AHO), im Unionhilfswerk, im Förderkreis Böhmisches Dorf und in der Deutschen Multiple Sklerose Gesellschaft. 1960 Mitgl. im RCDS, 1961 in der JU, 1963 in der CDU; stellv. Landesvors. der JU Berlin, Mitgl. Kreisvorst. CDU Wedding und Neukölln; 1993/95 Vors. CDU-Kreisverb. Schmalkalden-Meiningen, jetzt Mitgl. Kreisvorst.; Landesvors. der KPV der CDU Berlin, Mitgl. des Bundesvorst. der KPV von CDU/CSU. 1969/89 Bezirksverordneter, 1971 Bezirksstadtrat für Gesundheit/Umwelt, 1980 stellv. Bezirksbürgermeister, 1981/89 Bezirksbürgermeister von Berlin-Neukölln. – MdB seit 1990, Ä.
Wahlkreis 306 (Meiningen – Bad Salzungen – Hildburghausen – Sonneberg)
CDU 41,5 – SPD 33,7 – PDS 15,1 – Grüne 3,9 – FDP 3,7

* KRÖNING SPD

Volker Kröning; Rechtsanwalt; 28325 Bremen – * 15.3.1945 Zwickau, ev., verh., 3 Kinder – Altsprachliches Gymnasium in Osnabrück und Wuppertal. Studium der Rechtswissenschaften in Tübingen, Berlin und Frankfurt, Assessor in Hamburg. 1964/66 Wehrdienst, Leutnant d. R. 1970/72 Planer an der Univ. Bremen, 1974/79 Referent in der Bremischen Verwaltung, Regierungsdirektor. Mitgl. der ÖTV und AWO; Bundesschatzmeister des DRK. 1979/83 Mitgl. der Bremischen Bürgerschaft; 1983/94 Mitgl. des Senats der Freien Hansestadt Bremen – Inneres, Sport, Justiz und Verfassung, Datenschutz, Personalwesen, Finanzen –. 1984/94 Mitgl. der Nordatlantischen Versammlung. – MdB seit 1994.

Wahlkreis 50 (Bremen-Ost)
SPD 43,1 – CDU 35,5 – Grüne 12,3 – F.D.P. 3,9 – PDS 2,1

149

⁖ KRONBERG CDU

Heinz-Jürgen Kronberg; Geschäftsführer; 99423 Weimar – * 15. 6. 1959 Erfurt, ev., 3 Kinder – Abitur, Elektromonteur. Ausbildung als Prediger an der Ev. Akademie Magdeburg, Sozialarbeiter, Leiter des Sozialamtes der Kreisverwaltung Erfurt, Geschäftsführer. Ab Okt. 1989 Demokratischer Aufbruch (DA), Nov. 1989 stellv. Kreisvors. DA Erfurt-Land; Jan. 1990 DA-Kreisgeschäftsführer; DA-Vertreter am Runden Tisch Kreis Erfurt. Seit August 1990 Mitgl. der CDU. – MdB seit 1990; Vorstandsmitgl. der CDU/CSU-Fraktion, stellv. Vors. der Landesgruppe Thüringen.

Wahlkreis 301 (Weimar – Apolda – Erfurt-Land)
CDU 45,9 – SPD 30,8 – PDS 13,2 – Grüne 6,4 – FDP 3,7

⁝* Dr.-Ing. KRÜGER CDU

Paul Krüger; Dreher, Dipl.-Ingenieur, Bundesminister a. D.; 53113 Bonn – * 7.3. 1950 Güstrow/Mecklenburg, röm.-kath., verh., 2 Kinder – 1956/66 Besuch der POS; 1966/68 Dreherlehre in Neubrandenburg. 1969/73 Studium an der TH Wismar, Fachrichtung Maschinenbau, 1975 Dipl.-Ingenieur, 1986 Dr.-Ing. 1968/69 Dreher in Teterow und Warnemünde, 1973/90 Ingenieur, seit 1980 als Gruppenleiter für Organisation und Software-Entwicklung in einem Maschinenbaubetrieb in Neubrandenburg. 1966/90 Mitgl. im FDGB (IG Metall), 1977 Mitgl. KDT e. V. 1989 Mitgl. der CDU, 1990 Mitgl. Kreisvorst. Neubrandenburg und Landesvorst. Mecklenburg-Vorpommern; MdV März/Okt. 1990, Mitgl. Präsidium Volkskammer, 1. Parl. Geschäftsführer der CDU/DA-Fraktion. – MdB seit Okt. 1990, Stellv. Vors.der CDU/CSU-Fraktion, Vors. der CDU-Landesgruppe Mecklenburg-Vorpommern; März/Mai 1993 Vors. der Arbeitsgruppe Treuhandanstalt und treuhandpol. Sprecher der CDU/CSU-Fraktion. Mai 1993/Nov. 1994 BMin. für Forschung und Technologie.
Wahlkreis 269 (Neubrandenburg–Altentreptow–Waren–Röbel)
CDU 43,1 – SPD 26,8 – PDS 26,2 – F.D.P. 2,1 – Grüne -

* KRÜGER SPD

Thomas Krüger; Plast- und Elastfacharbeiter, Theologe; 10435 Berlin – * 20.6.1959 Buttstädt/Thüringen, ev., ledig – 10klassige POS bis 1976. Berufsausbildung mit Abitur im Reifenwerk „Pneumant"/Fürstenwalde. 1981/87 Studium der Theologie in Berlin. 1979/81 Wehrdienst. 1987/89 Vikariat in Berlin und Eisenach. Praktikum beim Kunstdienst des Bundes der Ev. Kirchen in der DDR. Mitgl. des FDGB 1977/79; Mitgl. im Förderverein des Berliner Tierparks, im Förderverein der Berliner Archenhold Sternwarte und in Kiezspinne e. V., Mitgl. in diversen Kuratorien, Präs. Deutsches Kinderhilfswerk. 1989 Gründungsmitgl. der SDP, Geschäftsführer der SDP Berlin, stellv. Bezirksvors. der SDP Berlin-Ost; 1990/92 stellv. Landesvors. der SPD, seit 1992 Kreisvors. in Berlin-Lichtenberg. März/Okt. 1990 MdV. 1990/91 Stadtrat für Inneres und 1. Stellv. des OB im Magistrat Berlin (Ost), 1992 Mitgl. Abghs., 1991/94 Senator für Jugend und Familie im Senat von Berlin. – MdB seit 1994.

Landesliste Berlin

⁛ KRZISKEWITZ   CDU

Reiner Krziskewitz; Buchhändler; 06406 Bernburg –
* 19.9.1942 Oschersleben, kath., verh., 4 Kinder – Ab-
itur 1961 in Köthen/Anhalt. Forstfacharbeiter 1963.
Fernstudium der Wirtschaftswissenschaften an der
Martin-Luther-Univ. Halle 1971; Buchhändlerausbil-
dung; theolog. Fernstudium. 1964 Kreissekretär der
CDU in Bernburg; 1969 Programmierer; 1982 selbst.
Buchhändler in Güsten/Anhalt. Vorstandsrat des Insti-
tuts für Wirtschaftsforschung, Halle. 1958/75 Mitgl.
der CDU; Herbst 1989 pol. Aktivitäten als Parteiloser,
Dez. 1989 Wiedereintritt in die CDU, stellv. Kreisvors.
MdV März/Okt. 1990. Mitgl. der Unabhängigen Kom-
mission Parteivermögen. – MdB seit 1990; Mitgl. des
Kuratoriums der „Stiftung Archiv der Parteien und
Massenorganisationen der DDR".

Wahlkreis 290 (Bernburg–Aschersleben–Quedlinburg)
CDU 39,7 – SPD 37,2 – PDS 16,2 – Grüne 3,5 – F.D.P. 3,4

⁛ KUBATSCHKA   SPD

Horst Kubatschka; Chemie-Ingenieur; 84032 Landshut – * 10.6.1941 Bielitz, ev., verh., 3 Kinder – Realschule. Industriepraktikum. Studium der Chemie an
der FH Nürnberg. Oberstleutnant d. R. 1964 Beschäfti-
gung bei der Regierung von Niederbayern; seit 1978
Laborleiter am Wasserwirtschaftsamt Landshut. Mitgl.
ÖTV, Bund Naturschutz, Deutscher Alpenverein,
AWO, Diakonisches Werk und Kinderschutzbund.
1959 Mitgl. der SPD, versch. Funktionen bei den
Jungsozialisten; stellv. Vors. SPD-Unterbezirk Lands-
hut/Kelheim, 1994/96 Vors. SPD-Bezirksverb. Niederbayern. 1972/96 Stadtrat in Landshut. – MdB seit
1990.

Landesliste Bayern

* Dr. KUES   CDU

Hermann Kues; Dipl.-Volkswirt; 49808 Lingen/Ems –
* 21.11.1949 Holthausen, Landkr. Emsland, röm.-
kath., verh., 3 Kinder – Abitur am Gymnasium Georgi-
anum in Lingen. Studium der Wirtschafts- und Sozialwissenschaften in Münster, Dipl.-Volkswirt, Promotion
zum Dr. rer. pol. 1976/79 Dozent in der kirchl. Erwachsenenbildung; 1984/86 Staatskanzlei Hannover;
1986/90 Büroleiter des Umweltministers; 1990/94
Landesgeschäftsführer der CDU Niedersachsen.
Mitgl. in der CDA. Seit 1968 Mitgl. in der CDU,
1980/84 stellv. CDU-Kreisvors. in Lingen. 1981/84
CDU-Kreistagsabg. Emsland. – MdB seit 1994.

Wahlkreis 26 (Mittelems)
CDU 57,0 – SPD 35,0 – Grüne 4,5 – F.D.P. 2,8 – PDS -

151

⁝ Dr. KÜSTER SPD

Uwe Küster; Biochemiker, Immunologe; 39104 Magdeburg – * 14.7.1945 Magdeburg, verh., 2 Kinder – 1964 Abitur. 1964/69 Physikstudium TU Magdeburg, Diplomphysiker. 1976 Promotion, 1982 Habilitation. Seit 1969 an der medizin. Akademie Magdeburg, bis 1983 Fachbereich Biochemie, Experimentelle Immunologie. 1989/91 Dozent für Immunologie in der Forschungsabteilung der Klinik für Innere Medizin an der Medizinischen Akademie Magdeburg. Mitgl. ÖTV, AWO, im Deutschen Bundeswehrverband, der BAJ Berufliche Ausbildung und Qualifizierung Jugendlicher und juger Erwachsener e.V. und des Vereins „Gegen Vergessen – für Demokratie" e.V. Mitgl. SPD seit Jan. 1990. Mai/Dez. 1990 Stadtverordneter der Stadt Magdeburg, Vors. SPD-Fraktion. – MdB seit 1990; Parl. Geschäftsführer SPD-Fraktion, Ä.

Wahlkreis 286 (Magdeburg)
SPD 36,2 – CDU 32,6 – PDS 22,8 – Grüne 4,6 – F.D.P. 1,6

⁝⁝ KUHLWEIN SPD

Eckart Kuhlwein; Journalist, Dipl.-Volkswirt; 22949 Ammersbek – * 11.4.1938 Schleswig, verh., 4 erwachsene Kinder – Abitur 1956 in Nürnberg. Studium in München, Würzburg und Erlangen, 1960 Dipl.-Volkswirt in Würzburg. 1961/62 Korrespondent in Kiel. 1962/64 pol. Redakteur „Lübecker Nachrichten"; 1964/69 Chefredakteur für Publikationen der pol. Öffentlichkeitsarbeit im Ausland (Hamburg), 1969/71 Chefredakteur. Seitdem freiberufl. tätig. Mitgl. IG Medien, AWO, „Falken", ASB und ai. Mitgl. A. Paul Weber Ges., Barlach-Ges. und „Verein Jordsand". 1965 SPD, versch. Vorstandsfunktionen auf Orts-, Kreis- und Landesebene; 1969/71 Landesvors. Juso, 1973/75 stellv. Landesvors. SPD Schleswig-Holstein, seit 1975 Mitgl. Landesvorst. 1971/76 MdL Schleswig-Holstein, 1975/76 stellv. Fraktionsvors. – MdB seit 1976; u. a. 1981/82 Parl. Staatssekretär beim BMin. für Bildung und Wissenschaft, 1988/90 Vors. Enquete-Kommission „Zukünftige Bildungspolitik – Bildung 2000". 1991/94 Vors. Ausschuß für Bildung und Wissenschaft.

Landesliste Schleswig-Holstein

* KUHN CDU

Werner Kuhn; Dipl.-Ing. für Schiffstechnik; 18374 Zingst – * 19.5.1955 Zingst/Ostseebad, kath., verh., 3 Kinder – Abitur 1973 in Barth. 18 Monate Grundwehrdienst bei der NVA. Studium Univ. Rostock, Abschluß Diplomingenieur für Schiffstechnik. Ab 1979 Technologe für Schiffsreparaturen an der Bootswerft Barth. Seit Mai 1990 hauptamtlicher Bürgermeister im Ostseebad Zingst. Vors. DRK-Kreisverb. Nordvorpommern. Bis 1989 Parteilos. Okt. 1989 Mitbegründer des Neuen Forums und der Bürgerinitiative Zingst. Seit Nov. 1992 Mitgl. der CDU, Mitgl. der CDA. Mai 1992/Juni 1994 Landrat Kreis Ribnitz-Damgarten, seit Juli 1994 Kreistagspräs. Kreis Nordvorpommern. – MdB seit 1994.

Wahlkreis 266 (Rostock-Land–Ribnitz-Damgarten–Teterow–Malchin)
CDU 46,2 – SPD 29,2 – PDS 20,6 – F.D.P. 3,2 – Grüne -

* KUNICK SPD

Konrad Kunick; Betriebswirt; 28259 Bremen –
* 15.5.1940 Leipzig, kath., verh., 3 Kinder – Realschule, mittlere Reife, Betriebswirt (DAV). Lehre im
Groß- und Außenhandel, Tätigkeit in Spedition und
Wirtschaftsprüfung und als Referent der Arbeiterkam-
mer Bremen. Bundesmarine, anschl. Wehrdienst verweigert. Mitgl. HBV und Deutsch-Lettische Gesellschaft Bremen. Mitgl. SPD seit 1963, 1978/86 Vors. der
SPD-Landesorganisation. Mitgl. der Bremischen Bürgerschaft 1971/87 und 1991/94, Sept. 1985/Okt. 1987
Vors. der SPD-Bürgerschaftsfraktion; in der Wahlperiode 1987/91 Mitgl. des Senats der Freien Hansestadt
Bremen, Senator für Häfen, Schiffahrt und Verkehr,
Senator für Arbeit, Senator für das Bauwesen. – MdB
seit 1994.

Wahlkreis 51 (Bremen-West)
SPD 51,4 – CDU 28,3 – Grüne 10,7 – F.D.P. 3,2 – PDS 2,6

* KURZHALS SPD

Christine Kurzhals, geb. Mierl; Ingenieurin; 04564
Böhlen – * 31.5.1950 Böhlen, verh., 2 Kinder – 10Klas-
senabschluß. Lehre als Maschinenbauzeichnerin,
Fachschule mit Abschluß als Ingenieurin für Chemie-
anlagenbau; Weiterqualifikation in Vermessungstechnik. 3 Jahre als Maschinenbauzeichnerin tätig, dann
Sachbearbeiterin für Vermessungstechnik; nach dem
Fachschulabschluß 5 Jahre als Vermessungstechnike-
rin und 3 Jahre als Chemieanlageningenieurin tätig,
zuletzt Dozentin für Umschüler in der Vermessungstechnik. Seit 1990 Schöffin am Amtsgericht Borna. Vor
1989 parteilos; Dez. 1989 Mitbegründerin des SPD-
Ortsvereins, Ortsvereinsvors., Mitgl. des Unterbezirksvorst. Stadträtin. – MdB seit 1994.

Landesliste Sachsen

* KUTZMUTZ PDS

Rolf Kutzmutz; Maschinenbauer, Dipl.-Wirtschaftler,
Dipl.-Gesellschaftswissenschaftler; 14480 Potsdam –
* 1.9.1947 Lützen, Sachsen-Anhalt, ohne Konfession,
verh., 2 Söhne, 1 Tochter – POS, Abitur mit Berufsausbildung. Lehre als Maschinenbauer bis 1966. 1972/77
Hochschule für Ökonomie Berlin, Dipl.-Wirtschaftler,
1982/86 Parteihochschule Berlin, Dipl.-Gesellschafts-
wissenschaftler. 1966/69 Soldat auf Zeit NVA. 1966
Maschinenbauer, Facharbeiter; 1969/74 Arbeitsöko-
nom Wasserversorgung; 1974/79 Sekretär für Landwirtschaft FDJ Potsdam; 1979/94 hauptamtl. Funktionen bei der SED, PDS. Seit 1962 Mitgl. der Gewerkschaft, des DTSB, der Ges. f. Deutsch-Sowjetische
Freundschaft. 1982/88 Mitgl. IG Metall.
1967 Mitgl. der SED, seit 1990 PDS. 1979/89 Abt. Lei-
ter/Sekretär für Wirtschaft, SED Potsdam; 1990 Vors.
Stadtfraktion der PDS Potsdam. – MdB seit 1994.

Landesliste Brandenburg

153

* LABSCH SPD

Werner Labsch; Bauingenieur; 03042 Cottbus –
* 15.4.1937 Kausche, Spree-Neiße-Kreis, verh., 2 Kin-
der – Grundschule. Berufsausbildung als Bergknappe,
Besuch der Arbeiter-und-Bauern-Fakultät Freiberg,
Abitur; Bergakademie Freiberg. Hochschule für Bau-
wesen Cottbus, Bauingenieur. Versch. bergmännische
Tätigkeiten in den Braunkohlewerken des Reviers
Senftenberg; bauleitende Tätigkeit: Bau- und Mon-
tage-Kombinat „Kohle und Energie". 1990/94 Bürger-
meister in Cottbus. Mitgl. IG Bergbau und Energie.
Div. Auszeichnungen der DDR. Mitgl. der SPD seit
Okt. 1989, Unterbezirksvors., Mitgl. Vorst. bis 1994.
Stadtverordneter von Cottbus bis 1994. – MdB seit
1994.

Wahlkreis 280 (Cottbus–Guben–Forst)
SPD 41,5 – CDU 30,7 – PDS 19,5 – F.D.P. 4,0 – Grüne 3,3

::::* Dr.-Ing. LAERMANN   F.D.P.

Karl-Hans Laermann; Bauingenieur, o. Universitätsprofessor, BMin. a.D.; 41189 Mönchengladbach –
* 26.12.1929 Kaulhausen, Kr. Erkelenz – Studium des
Bauingenieurwesens an der TH Aachen; 1955 Dipl.-
Ingenieur. Tätigkeit in versch. Baufirmen. 1963 Promotion, 1966 Habilitation, Dozent f. experimentelle Statik
an der Rheinisch-Westfälischen TH Aachen, 1971 Wissenschaftl. Rat und Professor in Aachen. 1974 als o.
Prof. für Baustatik an die Bergische Univ. – GH Wuppertal – berufen, Leiter des Labors für Experimentelle Spannungsanalyse und Meßtechnik. Kurator der Deutsch-Britischen Stiftung für das Studium
der Industrie-Gesellschaft, Kurator der Friedrich-Naumann-Stiftung. – MdB seit Juni 1974; Febr./Nov. 1994
BMin. für Bildung und Wissenschaft.

Landesliste Nordrhein-Westfalen

* LAFONTAINE SPD

Oskar Lafontaine; Ministerpräsident; 66117 Saarbrücken – * 16.9.1943 Saarlouis – 1962 Abitur in
Prüm/Eifel. 1962/69 Studium der Physik Univ. Bonn
und Saarbrücken, Diplom-Physiker. 1969/74 bei der
Versorgungs- und Verkehrsgesellschaft Saarbrücken
tätig, ab 1971 als Vorstandsmitglied. 1966 Eintritt in die
SPD; 1977 Landesvors. der SPD Saar, 1979 Mitgl. SPD-
Bundesvorst., 1987 stellv. Bundesvors. und geschäftsführender Vors. SPD-Programmkommission, 1988
Vors. der Kommission „Fortschritt 90", 1990 Spitzen-
kandidat der SPD bei der Bundestagswahl. 1974/76
Bürgermeister und 1976/85 Oberbürgermeister Saarbrücken; seit 1985 MinPräs. Saarland. 1991/94 Bevollmächtigter der BRep. Deutschland für kulturelle Angelegenheiten im Rahmen des Vertrags über die
deutsch-französische Zusammenarbeit. 1992/93 Präs.
des Bundesrates. – MdB seit 1994.

Wahlkreis 244 (Saarbrücken I)
SPD 53,9 – CDU 34,9 – Grüne 6,7 – F.D.P. 2,6 – PDS 0,8
ausgeschieden am 17.11.1994
Nachfolgerin > Abg. Ferner (ABC ab S.277)

:::* Dr. Graf LAMBSDORFF   F.D.P.

Otto Graf Lambsdorff; Rechtsanwalt, Bundesminister
a. D.; 53113 Bonn – * 20.12.1926 Aachen, ev., verh., 3
Kinder – Schulausbildung 1932/44 in Berlin und Bran-
denburg/Havel. 1944/46 Wehrdienst und Gefangenschaft, schwerkriegsbeschädigt. 1946 Abitur in Unna
(Westfalen). 1947/50 Studium der Rechts- und Staatswissenschaften Univ. Bonn und Köln, 1952 Dr. jur.,
1955 Assessorexamen. Seit 1960 zugelassen als
Rechtsanwalt am Amts- und Landgericht Düsseldorf.
1955/71 Tätigkeit im Kreditgewerbe, zuletzt General-
bevollm. einer Privatbank. 1971/77 Vorstandsmitgl.
der Victoria-Rückversicherungs-AG, Berlin/Düssel-
dorf. 2. Vors. TATEN statt WORTE e. V., Initiative zur
Frauenförderung in Unternehmen. Ehrendomherr bei
dem Domstift Brandenburg. Seit 1951 Mitgl. F.D.P.,
1972 Mitgl. Bundesvorst. F.D.P., 1968/78 Mitgl. Geschäftsf. Landesvorst. NRW, 1982 Mitgl. Präsidium der
F.D.P., 1988/93 Bundesvors. jetzt Ehrenvors.; 1991/94
Präs. der Liberalen Internationale; stellv. Vors. Kuratorium, seit 1995 Vorstandsvors. der Friedrich-Naumann-Stiftung, Bonn. – MdB seit 1972; Okt. 1977/Juni
1984 BMin. für Wirtschaft.

Landesliste Nordrhein-Westfalen

::* LAMERS   CDU

Karl Lamers; Angestellter; 53639 Königswinter –
* 11.11.1935 Königswinter, kath., verh., 1 Sohn – Aloi-
siuskolleg Bad Godesberg, Abitur 1956. Studium Jura,
Politologie Univ. Bonn und Köln; 1. jur. Staatsexamen
1964. Nov. 1966/Okt. 1980 Leiter einer pol. Akademie.
1955 Eintritt in die CDU, 1968/71 Landesvors. JU
Rheinland, seit 1971 Mitgl. Landesvorst. CDU Rheinland, 1975/81 stellv. Landesvors., 1986 Vors. Bezirksverb. Mittelrhein der CDU, Mitgl. Landesvorst. NRW. –
MdB seit 1980; Vors. Arbeitsgruppe Außenpolitik und
außenpol. Sprecher der CDU/CSU-Fraktion, Mitgl.
Fraktionsvorst.

Landesliste Nordrhein-Westfalen

*** Dr. LAMERS (Heidelberg)   CDU**

Karl A. Lamers; Jurist; 69117 Heidelberg – * 12.2.1951
Duisburg-Hamborn, kath. – Abitur 1969. Studium der
Rechts- und Staatswissenschaften an der Westfäli-
schen Wilhelms-Univ. Münster, 1. jur. Staatsexamen in
Münster, Dr. jur., 2. jur. Staatsprüfung in Stuttgart.
Wissenschaftl. Referent am Max-Planck-Institut für
ausländisches öffentliches Recht und Völkerrecht in
Heidelberg; MinRat im Landtag von Baden-Württemberg, Leiter des Persönliches Büros des Landtagspräsi-
denten und zuständig für die Pflege der internationalen Beziehungen. Mitgl. Internationales Institut für
Strategische Studien/London (IISS); Mitgl. im Lions-
Club Heidelberg-Palatina. Mitgl. der JU und CDU seit
1975, stellv. Landesvors. der JU Baden-Württemberg
1981/86, Kreisvors. der CDU Heidelberg seit 1985;
Vors. des Landesfachausschusses für Außen-, Europa-
und Entwicklungspolitik der CDU Baden-Württemberg. Stadtrat im Gemeinderat der Stadt Heidelberg
seit 1987. – MdB seit 1994.

Wahlkreis 178 (Heidelberg)
CDU 43,2 – SPD 40,3 – Grüne 8,9 – F.D.P. 4,0 – PDS 0,7

::** Dr. LAMMERT   CDU

Norbert Lammert; Dipl.-Sozialwissenschaftler, Parl. Staatssekretär; 44791 Bochum – * 16. 11. 1948 Bochum, kath., verh., 4 Kinder – Abitur 1967. Wehrdienst 1967/69. Studium der Politikwissenschaft, Soziologie, Neueren Geschichte und Sozialökonomie Univ. Bochum und Oxford (England) 1969/75; Diplom 1972, Promotion zum Doktor der Sozialwissenschaften 1975. Freiberufl. Dozent in der Erwachsenenbildung; Lehrbeauftragter für Politikwissenschaft an den FH Bochum und Hagen. Versch. Veröffentlichungen. Mitgl. CDU seit 1966, stellv. Kreisvors. der CDU Bochum 1977/85, stellv. Landesvors. JU Westfalen-Lippe 1978/84, seit 1986 Mitgl. Landesvorst. CDU NRW und Vors. des CDU-Bezirksverb. Ruhrgebiet. Mitgl. Rat der Stadt Bochum 1975/80. – MdB seit 1980; 1983/89 stellv. Ausschußvors.; seit 1996 Vors. CDU-Landesgruppe Nordrhein-Westfalen; April 1989/Nov. 1994 Parl. Staatssekretär beim BMin. für Bildung und Wissenschaft, Nov. 1994/Mai 1997 beim BMin. für Wirtschaft, seit Mai 1997 beim BMin. für Verkehr.

Landesliste Nordrhein-Westfalen

: LAMP   CDU

Helmut Lamp; Bauer; 24217 Schönberg – * 3.7.1946 Schönberg, Kr. Plön, ev., verh., 3 Kinder – Mittlere Reife. Landwirtschaftl. Ausbildung an Fachschulen, landwirtschaftl. Praxis auf versch. Höfen, u. a. in Dänemark. Vorstandsmitgl. der Vereinigung Eurosolar, Sektion Deutschland. Seit 1982 Vors. des CDU-Ortsverbandes Schönberg. – MdB seit 1990.

Wahlkreis 6 (Plön–Neumünster)
CDU 45,1 – SPD 44,1 – Grüne 6,8 – F.D.P. 2,9 – PDS -

* LANFERMANN   F.D.P.

Heinz Lanfermann; Richter am Landgericht a.D.; 46049 Oberhausen – * 27.5.1950 Oberhausen, verh. – Abitur 1970. Jurastudium in Bonn, 1977 1., 1980 2. jur. Staatsexamen. 1980/88 Richter in Duisburg, 1983/88 am Landgericht. 1985/86 abgeordnet an das BMin. der Justiz. Mitgl. der F.D.P. seit 1975, 1981/83 Vors. Ortsverb. Alt-Oberhausen, seit 1984 stellv. Kreisvors. Oberhausen, seit 1982 Mitgl. und seit 1992 stellv. Vors. Bezirksverb. Ruhr, seit 1990 Mitgl. Landesvorst. NRW. 1989/94 Stadtverordneter im Rat der Stadt Oberhausen. 1988/94 MdL NRW. – MdB seit 1994; Sprecher der F.D.P.-Fraktion für Familien-, Senioren-, Frauen- und Jugendpolitik.

Landesliste Nordrhein-Westfalen
ausgeschieden am 7.2.1996,
Nachfolger > Abg. Dr. Westerwelle (ABC ab S. 277)

: LANGE SPD

Brigitte Lange; Hausfrau; 35037 Marburg –
* 6.11.1939 Mauersberg/Erzgebirge, verh., 3 Kinder –
Abitur. Studium der Pädagogik und Germanistik.
Mitgl. AWO, TTM Marburg, Verein „Gegen Vergessen
– Für Demokratie e. V." und im Förderverein „Darm-
städter Signal e. V." Seit 1972 Mitgl. der SPD, versch.
Vorstandsfunktionen im Ortsverein, Unterbezirk und
Bezirk. Seit 1977 Abg. des Kreistages Marburg-Bie-
denkopf, Mitgl. Fraktionsvorst. – MdB seit 1990.

Wahlkreis 129 (Marburg)
SPD 43,1 – CDU 42,4 – Grüne 7,5 – F.D.P. 2,7 – PDS 1,5

:: von LARCHER SPD

Detlev von Larcher; Dipl.-Sozialwirt; 28844 Weyhe –
* 30.3.1937 Hermannstadt/Rumänien, verh., 3 Kinder
– Hauptschule in Hermannstadt, Realgymnasium in
Neubeuern/Inn. Studium der ev. Theologie in Neuendettelsau, Hamburg und Göttingen, 1. theolog. Examen; Studium der Sozialwissenschaften in Göttingen, Dipl.-Sozialwirt. Sozialwissenschaftler an der
Zentralen Wissenschaftl. Einrichtung „Arbeit und Betrieb" Univ. Bremen. Mitgl. ÖTV, AWO, Bremer Verein
für Luftfahrt-Segelfluggruppe, stellv. Vors. Verein
Heimvolkshochschule Springe e. V. Mitgl. SPD seit
1969; Vors. Unterbezirk Diepholz, Mitgl. Parteirat,
Vors. Arbeitsgruppe innerparteiliche Bildungsarbeit
beim Parteivorst. – MdB seit 1990.

Landesliste Niedersachsen

* LASCHET CDU

Armin Laschet; Journalist, Verlagsleiter; 52066 Aachen – * 18.2.1961 Aachen, kath., verh., 3 Kinder –
Abitur 1981. Studium der Rechts- und Staatswissenschaften in München und Bonn, 1987 1. jur. Staatsexamen. Ausbildung zum Journalisten. Freie journalisti-
sche Korrespondententätigkeit für bayerische Rundfunksender, Mitarbeit beim Bayerischen Fernsehen.
Wiss. Referent bei der Präsidentin des BT, 1991/94
Chefredakteur der Kirchenzeitung für das Bistum Aachen. Seit 1995 Verlagsleiter und Geschäftsführer Ein-
hard-Verlag GmbH. Vorstandsmitgl. der Deutschen
Ges. für d. Vereinten Nationen, Beiratsmitgl. Ges. für
christlich-jüdische Zusammenarbeit Aachen, Vorstandsmitgl. Deutsch-Israelische Ges. Aachen, stellv.
Mitgl. der Rundfunkkommission NRW. Mitgl. CDU
seit 1979, seit 1991 stellv. Vors. des CDU-Bezirksverb.
Aachen, seit 1995 stellv. Vors. Bundesfachausschuß
Entwicklungspolitik der CDU Deutschlands. Seit 1989
Ratsherr, seit 1994 Vors. Bürger- und Beschwerdeaus-
schuß der Stadt Aachen. – MdB seit 1994.

Wahlkreis 53 (Aachen)
CDU 46,2 – SPD 42,4 – Grüne 6,6 – F.D.P. 3,0 – PDS -

⠿ LATTMANN   CDU

Herbert Lattmann; Betriebswirt; 30890 Barsinghausen
– * 29.11.1944 Kirchdorf/Landkr. Hannover, ev., verh.,
2 Kinder – Volks- und Realschule, 1962 Mittlere Reife.
1962/65 Lehre als Industriekaufmann, 1965 Kaufmannsgehilfenprüfung. 1965/67 Wehrdienst. 1967/72
Sachbearbeiter im Rechnungswesen in der Industrie.
1973/75 Besuch einer Wirtschaftsfachschule, 1975 Examen als staatl. geprüfter Betriebswirt. Seit 1975 Prü-
fer der WIBERA Wirtschaftsberatung AG. Mitgl. der
CDU seit 1967. 1972/82 Ratsherr in Barsinghausen. –
MdB seit April 1982.

Wahlkreis 42 (Hannover-Land II)
CDU 44,8 – SPD 44,1 – Grüne 5,3 – F.D.P. 3,0 – PDS 0,6

⠿ Dr. LAUFS   CDU

Paul Laufs; Dipl.-Ingenieur, Parl. Staatssekretär; 71332
Waiblingen – * 22.6.1938 Tuttlingen, kath., verh., 5
Kinder – 1957 Abitur in Rottweil. Studium des Maschi-
nenbaus und der Luftfahrttechnik in München und
Stuttgart, 1963 Dipl.-Ingenieur. 1963/67 wissenschaftl.
Assistent am Institut für Aerodynamik und Gasdyna-
mik und 1967/73 Lehrbeauftragter für Hyperschall-
strömungen Univ. Stuttgart, jetzt Lehrbeauftragter für
Umweltpolitik. 1967 Dr.-Ing. 1967 Angestellter bei
IBM Deutschland, Stuttgart. 3 Jahre in den USA
berufstätig. 1963 CDU, seit 1971 Vors. CDU-Landesfachausschuß für Umweltschutz Baden-Württemberg.
Mitgl. CDU-Mittelstandsvereinigung. 1979/84 Mitgl.
Kreistag Rems-Murr-Kreis. – MdB seit 1976; Dez.
1991/Jan. 1993 Parl. Staatssekretär beim BMin. f. Umwelt, Naturschutz und Reaktorsicherheit, seitdem
beim BMin. f. Post und Telekommunikation.

Wahlkreis 168 (Waiblingen)
CDU 44,2 – SPD 30,2 – Grüne 6,2 – F.D.P. 5,3 – PDS 0,4

⠿ LAUMANN   CDU

Karl-Josef Laumann; Maschinenschlosser; 48477 Riesenbeck – * 11.7.1957 Riesenbeck, kath., verh., 3 Kinder – Hauptschule. Ausbildung als Maschinenschlosser. Grundwehrdienst 1977/78. Maschinenschlosser,
beschäftigt bei der Firma Niemeyer in Riesenbeck.
Mitgl. IG Metall, Betriebsratsmitgl. bis 1991. Mitgl. der
Kolpingfamilie und im Bezirksvorst. der KAB. Mitgl.
der CDU seit 1974, Mitgl. der CDA seit 1977; Vors. JU
Kreis Steinfurt 1980/86, Vors. CDU-Ortsunion Riesenbeck 1986/93, Vors. CDU Kreis Steinfurt seit 1986.
Mitgl. im Rat der Stadt Hörstel seit 1979, seit Okt. 1989
Vors. CDU-Fraktion. – MdB seit 1990; Obmann der
CDU/CSU-Fraktion im Ausschuß für Arbeit und So-
zialordnung.

Landesliste Nordrhein-Westfalen

⁚ GYSI   PDS

Andrea Gysi, geb. Lederer; Rechtsanwältin; 10405
Berlin – * 4. 10. 1957 Bad Reichenhall, verh., 1 Kind –
Hochschulabschluß, Rechtsanwältin. Mitgl. der PDS. –
MdB seit 1990.

Landesliste Mecklenburg-Vorpommern

* LEHN   SPD

Waltraud Lehn; Beigeordnete a. D.; 45772 Marl –
* 12. 8. 1947 Remscheid, ev., nicht verh., 1 Kind – 1966
Abitur. Nach Heirat und Geburt des Sohnes Prüfung
an der Gemeindeverwaltungs- und Sparkassenschule
in Köln, nebenberufliches Studium der Sozialwissenschaften. Bis 1988 tätig beim Landschaftsverband
Rheinland und bei der Stadt Wuppertal, 1984/88
Lehrauftrag an der Bergischen Univ. Wuppertal; seit
1988 Beigeordnete für Schule, Bildung, Sport, Jugend
und Soziales in Marl, stellv. Stadtdirektorin. Mitgl.
ÖTV, AWO, im Kuratorium Seniorenzentrum, bei
Frauen helfen Frauen e. V., im Vorst. des internationalen Begegnungszentrums und in versch. Partner-
schaftsvereinen; Vors. des Landesverbandes der
Volkshochschulen NRW. 1974 Eintritt in die SPD,
Mitgl. Unterbezirksvorst. Recklinghausen, tätig in
Landesarbeitsgruppen der SGK. 1979/88 Mitgl. im Rat
der Stadt Sprockhövel. – MdB seit 1994.

Wahlkreis 92 (Recklinghausen II – Borken I)
SPD 48,8 – CDU 40,4 – Grüne 5,7 – FDP 2,2 – PDS 0,6

⁑ LEIDINGER   SPD

Robert Leidinger; Oberstleutnant a. D.; 94351 Feldkirchen – * 3. 7. 1941 Passau – Nach den Schulzeiten Ausbildung zum Industriekaufmann. Ab 1962 Wehrdienst.
Ausbildung zum Berufsoffizier, Beförderung zum
Oberstleutnant 1981. SPD-Mitgl. seit 1968, zahlreiche
Funktionen auf allen Ebenen. Kommunale Mandate
auf Gemeinde-, Kreis- und Bezirksebene seit 1975 bis
heute. – MdB seit 1987.

Landesliste Bayern

* LEMKE BÜNDNIS 90 / DIE GRÜNEN

Steffi Lemke; Dipl.-Agraringenieurin; 06844 Dessau –
* 19. 1. 1968 Dessau, Sachsen-Anhalt, ledig – 1974 / 84
Erste POS Dessau. 1984 / 86 Ausbildung zum Zootech-
niker, 1986 / 88 Tätigkeit als Zustellerin bei der Deutschen Post. 1986 / 88 Abiturlehrgang am Philanthropi-
num Dessau. 1988 / 93 Landwirtschaftsstudium an der
Humboldt-Univ. Berlin, Diplomlandwirtin. 1993 / 94
Fraktionsgeschäftsführerin der Fraktion Bürger / Forum / GRÜNE im Stadtrat Dessau. Seit Jan. 1990 Mitgl.
von Bündnis 90 / DIE GRÜNEN, 1993 / 94 Mitgl. im
Landesvorst. Sachsen-Anhalt und im Länderrat von
Bündnis 90 / DIE GRÜNEN, Juli / Okt. 1994 Landes-
sprecherin. – MdB seit 1994, Schriftführerin.

Landesliste Sachsen-Anhalt

:* LENGSFELD CDU

Vera Lengsfeld; Diplomphilosophin; 99706 Sondershausen – * 4. 5. 1952 Sondershausen (Thüringen), ev.,
gesch., 3 Kinder – Abitur. Universitätsdiplom der
Humboldt-Univ. Berlin. Wissenschaftl. Mitarbeiterin
der AdW der DDR, Lektorin. Seit 1983 Berufsverbot.
Mitgl. der SED 1975 / 83; 1983 Ausschluß aus der Partei
wegen öffentl. Stellungnahme gegen die Atomrake-
tenstationierung in der DDR, Jan. 1988 Verhaftung,
Verurteilung wegen versuchter „Zusammenrottung",
Febr. 1988 Abschiebung nach England, Rückkehr in
die DDR 9. Nov. 1989. Eintritt in die Grüne Partei. MdV
März / Okt. 1990. Dez. 1996 Übertritt zur CDU. 1990
Aachener Friedenspreis. – MdB seit Okt. 1990; seit
Dez. 1996 Mitgl. der CDU-Fraktion.

Landesliste Thüringen

:* LENNARTZ SPD

Klaus Lennartz; Versicherungskaufmann; 50354
Hürth – * 3. 3. 1944 Efferen (jetzt Hürth), Rheinland,
verh., 2 Kinder – Volksschule. 1961 Kaufmannsgehilfenprüfung. Verwaltungs- und Wirtschaftsakademie
Köln. 1970 Prüfung für den gehobenen Dienst bei der
Bundesknappschaft. Abteilungsleiter bei der Innungs-
krankenkasse Köln. Dozent für Versicherungswesen
an der Tagesfachschule der Handwerkskammer Köln
(berufl. Tätigkeit ruht seit der Annahme des Mandats).
Mitgl. ÖTV seit 1961, der AWO seit 1963. Vors. Rugby-
Club Hürth seit 1977. Mitgl. SPD seit 1963, Vors. SPD
Hürth 1973 / 76, seit 1974 Mitgl. SPD-Bezirksvorst. Mit-
telrhein und Vors. SPD-Unterbezirk Erftkreis. Mitgl.
Rat der Stadt Hürth seit 1974; 1976 / 81 Vors. der SPD-
Kreistagsfraktion. 1984 / 95 Landrat des Erftkreises. –
MdB seit 1980.

Wahlkreis 57 (Erftkreis I)
SPD 51,2 – CDU 38,7 – Grüne 5,4 – FDP 3,0 – PDS 0,5

160

* LENSING CDU

Werner Lensing; Oberstudiendirektor a.D.; 48653
Coesfeld – * 30.10.1938 Bocholt, röm.-kath., verh., 4
Söhne – Gymnasium, Abitur in Bocholt. Studium der
Philologie (Latein, Geschichte, Sozialwissenschaften)
in Freiburg, Marburg und Münster. Referendariat in
Menden und Recklinghausen. Gymnasialleher in
Coesfeld und Fachleiter für Geschichte am Staatl. Stu-
dienseminar in Bocholt; seit 1977 Oberstudiendirektor
am Städt. Gymnasium Nepomucenum in Coesfeld.
Langjähriger Bezirksvors. im Philologen-Verband
NRW. Bundesverdienstkreuz am Bande. 1973/78 und
seit 1989 CDU-Kreisvors. Kreis Coesfeld, 1974/78 und
seit 1989 Mitgl. Bezirksvorst. CDU Münsterland;
1976/90 Landesvors. Fachausschuß „Schule" der KPV
der CDU NRW. 1969/79 Mitgl. und seit 1970 Vors.
CDU-Fraktion im Rat der Stadt Coesfeld; 1979/94
Mitgl. Kreistag Coesfeld; 1990/94 Mitgl. Landschaftsversammlung Westfalen-Lippe. – MdB seit 1994.

Wahlkreis 97 (Coesfeld–Steinfurt I)
CDU 52,8 – SPD 35,2 – Grüne 7,3 – F.D.P. 3,4 – PDS -

:::: LENZER CDU

Christian Lenzer; Oberstudienrat a. D.; 35745 Her-
born-Burg – * 19.2.1933 Herborn-Burg, ev., verh., 3
Kinder – Gymnasium, 1954 Reifeprüfung. Studium der
Anglistik, Romanistik und Pol. Wissenschaft Univ.
Marburg. 1956/57 deutscher Assistent am Lycée
Emile Loubet in Valence/Drôme (Frankreich). 1959
Staatsexamen, 1960 Studienreferendar, 1962 Studien-
assessor im Schuldienst des Landes Hessen, zuletzt
Oberstudienrat am Gymnasium Dillenburg. Großes
Bundesverdienstkreuz. Seit 1963 Mitgl. CDU und JU;
1964 Kreisvors. JU Dillkreis, 1966 Bezirksvors. JU Mit-
telhessen, Mitgl. Landesvorst., Bezirksvors. CDU Mit-
telhessen; Vors. CDU-Kreisverb. Lahn-Dill. 1968/90
Kreistagsabg. – MdB seit 1969; Mitgl. Parl. Versamm-
lung Europarat und WEU; Mitgl. Vorst. CDU/CSU-
Fraktion, Arbeitsgruppenvors.

Landesliste Hessen

: Dr. LEONHARD SPD

Elke Leonhard; Publizistin, Bioenergetische Analytikerin; 54531 Manderscheid – * 17.5.1949 Fritzlar,
röm.-kath., verh. – Studium der Pädagogik, Psychologie und Rechtswissenschaften Univ. Frankfurt/Main.
Ab 1976 Aufenthalt in den Vereinigten Staaten.
1981/86 wiss. Beratung und Autorin von Fernsehdo-
kumentationen. 1982/86 Ausbildung zur Bioenergeti-
schen Analytikerin. Seit 1986 Herausgeberin der
Buchreihe „Europäische Zeitzeugen", Autorin zeitge-
schichtlicher Dokumentationen. Mitgl. Internationales
Institut für Bioenergetische Analyse, New York, der
Vereinigung Europäischer Journalisten, der IG Medien. 1968 SPD, Mitgl. im Bundesvorst. der Arbeitsgemeinschaft der Selbständigen in der SPD (AGS) seit
1993. – MdB seit 1990; 1991/94 Außenwirtschaftliche
Sprecherin der SPD-Fraktion.

Landesliste Rheinland-Pfalz

* LETZGUS CDU

Peter Letzgus; Lehrer; 39288 Burg – * 1.12.1941 Königswalde, Kr. Oststernberg, ev., verh., 1 Sohn – Grundschule, EOS, Abitur. Lehrerstudium, Staatsexamen. 1961 Reservistenlehrgang. 1965/91 Lehrertätigkeit an POS und Medizinischer Fachschule, seit 1992 Leiter einer Kreisvolkshochschule. 1991 Eintritt in die CDU, Vors. des Stadtverb. Burg, Beisitzer im Kreisvorst. Jerichower Land. – MdB seit 1994.

Wahlkreis 284 (Elbe-Havel-Gebiet und Haldensleben–Wolmirstedt)
CDU 40,9 – SPD 36,4 – PDS 15,6 – Grüne 3,8 – F.D.P. 2,2

: LEUTHEUSSER-SCHNARRENBERGER F.D.P.

Sabine Leutheusser-Schnarrenberger, geb. Leutheusser; Juristin, Ltd. Reg. Dir. a. D., BMin. a. D.; 53113 Bonn – * 26.7.1951 Minden/Westfalen, verh. – 1970 Abitur. Studium der Rechtswissenschaften in Göttingen und Bielefeld, 1975 1., 1978 2. Staatsexamen. 1979/90 beim Deutschen Patentamt in München, gewerbl. Rechtsschutz, Presse- und Öffentlichkeitsarbeit, Personal- und Haushaltswesen, seit 1989 als Ltd. Reg. Dir. Abteilungsleiterin Verwaltung. Ehrenamtl. Richterin Arbeitsgericht München, Beisitzer am Bundesdisziplinargericht; Mitgl. Deutscher Juristinnenbund, Kinderschutzbund, Ges. f. Gewerbl. Rechtsschutz, Mitgl. Tierschutzverein Starnberg. Seit 1978 Mitgl. F.D.P., Kreisvors. Kreisverb. Starnberg, Mitgl. Bezirksvorst. Oberbayern, stellv. Vors. Landesfachausschuß Innen und Recht F.D.P. Bayern, Mitgl. Bundesfachausschuß Innen und Recht und andere Mitgliedschaften; seit 1991 Mitgl. Bundesvorst. – MdB seit 1990; Mai 1992/Jan. 1996 BMin. der Justiz.

Landesliste Bayern

:' LIMBACH CDU

Editha Limbach, geb. Nassen; Historikerin, Journalistin, Hausfrau; 53127 Bonn – * 1.2.1933 Berlin, kath., verh., 4 Söhne – Abitur. Studium der Geschichte und Sozialwissenschaften in Bonn und New York. Zunächst Journalistin/Redakteurin, dann Hausfrau. Seit 1960 Mitgl. der CDU, 1970/88 stellv. CDU-Kreisvors., ab 1989 stellv. Bezirksvors. 1975/90 Ratsmitgl. in Bonn, stellv. Fraktionsvors. – MdB seit 1987, Ä.

Wahlkreis 63 (Bonn)
CDU 44,8 – SPD 37,2 – Grüne 8,5 – F.D.P. 4,7 – PDS 0,9

:: LINK (Diepholz) CDU

Walter Link; MdB; 27259 Wehrbleck – * 21.7.1937 Siegen, ev., verh. – Volksschule, Bildungsreife. Ausbildung zum Facharbeiter. 4 Jahre Bundeswehr. Seit
1962 Mitgl. der Westfäl. Diakonenanstalt Nazareth in
Bethel/Bielefeld; dort Diakonenausbildung. Ausbildung zum staatl. anerkannten Sportlehrer, Deutsche
Sporthochschule Köln. Seit 1968 Diakon und Sportlehrer in der von Bodelschwinghschen Teilanstalt Frei-
statt. Berufsbegleitende Ausbildung zum staatl. anerkannten Erzieher. 1972/82 stellv., danach Vors. Kreissportbund Diepholz. 1956 Eintritt in die CDU, seit 1973
Vors. Kreisverb. Diepholz, seit 1990 stellv. Vors. CDU
Niedersachsen; stellv. Bundesvors. CDA in Deutsch-
land. Seit 1981 Ratsherr in Kirchdorf; seit 1976 Kreistagsabg. Diepholz; 1978/83 MdL Niedersachsen. –
MdB seit 1983, 1987/92 Obmann der CDU/CSU-
Fraktion im Ausschuß für Jugend, Familie, Frauen und
Gesundheit, 1992/94 Vors. Ausschuß für Familie und
Senioren.

Wahlkreis 28 (Diepholz)
CDU 44,3 – SPD 40,3 – Grüne 7,8 – F.D.P. 5,8 – PDS -

::: LINTNER CSU

Eduard Lintner; Parl. Staatssekretär, Rechtsanwalt;
53113 Bonn – * 4.11.1944 Marktlangendorf, Kr. Sternberg, Sudetenland, kath., verh., 4 Kinder – Oberrealschule. Studium der Rechtswissenschaft Univ. Würzburg, 1973 2. jur. Staatsprüfung. Mai 1974/Okt. 1976
RR bei der Inneren Verwaltung des Freistaates Bayern, zuletzt Landratsamt Kitzingen. Seit April 1981
Rechtsanwalt in Bad Neustadt/Saale. 1967/69 Mitgl.
AStA Univ. Würzburg, u. a. stellv. Vors. Mitgl. Sudetendeutsche Landsmannschaft und des CGB. Seit
1962 Mitgl. CSU, 1969/71 Kreisvors. JU Würzburg-
Land, 1971/79 Bezirksvors. JU Unterfranken; 1972/79
Mitgl. Landesvorst. CSU, seit 1978 Mitgl. Kreisvors.
CSU Bad Kissingen, stellv. Vors. CSU-Bezirksverb.
Unterfranken. – MdB seit 1976; 1982/91 Vors. Arbeits-
gruppe Deutschlandpolitik und Berlinfragen der
CDU/CSU-Fraktion; seit 1991 Parl. Staatssekretär
beim BMin. des Innern.

Wahlkreis 234 (Bad Kissingen)
CSU 61,6 – SPD 27,8 – Grüne 4,6 – F.D.P. 2,4 – PDS -

: Dr. LIPPELT
BÜNDNIS 90/DIE GRÜNEN

Helmut Lippelt; Lehrer; 30173 Hannover – * 24.3.1932
Celle, verh. – 1950 Abitur. Studium der Geschichte,
Philosophie und Germanistik in München, Erlangen
und Göttingen. 1955/65 Geschäftsführung der väterlichen Landhandelsfirma. 1965/70 wiss. Mitarbeiter am
Institut für europäische Geschichte Mainz. 1966 Promotion in Göttingen (Mediävistik). 1970/72 Archivstu-
dien in London. Seit 1972 Historiker in Hannover, seit
1974 Gemeinschaftskundelehrer. Veröffentlichungen
zur Außenpolitik der Weimarer Republik. 1964/77
Mitgl. SPD. Teilnahme an Anti-AKW-Demonstratio-
nen in Brokdorf/Gorleben/Hannover und Bonn. 1978
Mitgründer der GLU, zuletzt bis zu deren Verschmel-
zung mit DIE GRÜNEN deren Vors. Mitarbeit in den
die Gründung der Bundespartei vorbereitenden Sat-
zungs- und Programmkommissionen. 1980/81 und
1991/92 im Bundesvorst. DIE GRÜNEN, 1993/94 im
Bundesvorst. BÜNDNIS 90/DIE GRÜNEN. 1982/85
MdL Niedersachsen. – MdB 1987/90 und seit 1994;
1988/89 einer der drei Fraktionssprecher.
Landesliste Niedersachsen

:: Dr. LIPPOLD (Offenbach) CDU

Klaus W. Lippold; Geschäftsführer; 63128 Dietzenbach – * 14.2.1943 Bochum, röm.-kath., verh., 2 Kinder – Gymnasium in Plettenberg, Abitur 1962. Studium der Volks- und Betriebswirtschaft in Köln, Dipl.-Volkswirt 1967. Tätigkeit im Institut für Einkommenspolitik und soziale Sicherung in Köln bis 1972, Referent im Verein deutscher Maschinen- und Anlagenbau, seit 1972 Geschäftsführer in der Vereinigung der hessischen Unternehmerverbände und der Landesvertretung Hessen des BDI, Geschäftsführer des Industrieverb. Kunststoffbahnen (IVK). Mitgl. CDU und JU seit 1969, 1974/77 Kreisvors. JU Offenbach-Land; seit 1978 Mitgl. Landesvorst. CDU Hessen, seit 1982 Vors. CDU-Kreisverb. Offenbach-Land. Seit 1972 Stadtverordneter in Dietzenbach. – MdB seit 1983, seit 1990 Vors. Landesgruppe Hessen; 1987/93 Obmann im Umweltausschuß; seit 1994 Vors. Arbeitsgruppe Umwelt; 1990/94 Vors. Enquete-Kommission „Schutz der Erdatmosphäre".

Wahlkreis 142 (Offenbach)
CDU 47,4 – SPD 36,5 – Grüne 7,5 – F.D.P. 3,5 – PDS 0,9

: Dr. LISCHEWSKI CDU

Manfred Lischewski; Dipl.-Chemiker; 06124 Halle – * 2.9.1940 Königsberg, ev., verh., 1 Kind – 1957/60 Chemielaborantlehre in Buna, 1961 Abitur. 1961/66 Chemiestudium an der Martin-Luther-Univ. Halle, 1966 Dipl.-Chemiker. 1966/72 wissenschaftl. Mitarbeiter an der Martin-Luther-Univ. Halle, 1970 Promotion. 1972/90 wissenschaftl. Mitarbeiter am Institut für Biochemie der Pflanzen, Halle; 1981 Habilitation. Mitgl. CDU seit Aug. 1990. – MdB seit 1990; Vors. Ausschuß für wirtschaftliche Zusammenarbeit.

Wahlkreis 292 (Halle-Neustadt–Saalkreis–Köthen)
CDU 40,4 – SPD 29,3 – PDS 21,6 – F.D.P. 4,0 – Grüne 3,7

: LÖRCHER SPD

Christa Lörcher, geb. Treumann; Unterrichtsschwester; 78050 Villingen-Schwenningen – * 24.6.1941 Mewe, Kreis Dirschau, verh. – Abitur 1959. Univ. Tübingen, PH Esslingen mit Abschluß als Grund- und Hauptschullehrerin, danach Reallehrerin für Mathematik und Physik. Stipendium der Stiftung Volkswagenwerk für Mathematikprojekte in England, USA und Schweden. Prakt. Berufsausbildung zur Altenpflegerin, Unterrichtsschwester für Alten- und Krankenpflege. Als Mathematik- und Physiklehrerin tätig in versch. Schularten. Mitarbeit am Mathematikwerk Kahle/Lörcher für Realschulen. Als Altenpflegerin tätig in Alten- und Pflegeheimen und der Gerontopsychiatrie. Seit 1988 Unterrichtsschwester für Alten- und Krankenpflege. Mitgl. zunächst GEW, dann ÖTV; Mitarbeit im Kinderschutzbund, in der AWO und bei den Naturfreunden. Seit 1970 Mitgl. SPD, stellv. Kreisvors. Seit 1989 Mitgl. Kreistag, stellv. Fraktionsvors. – MdB seit Sept. 1993.

Landesliste Baden-Württemberg

⁘ LÖWISCH CDU

Sigrun Löwisch, geb. Majer; Hausfrau; 79110 Freiburg
– * 8.11.1942 Swinemünde/Ostsee, aufgewachsen in
Ruchsen (Baden), Heidelberg, Wernfeld (Unterfran-
ken) und Eßlingen, ev., verh., 4 Kinder – Nach der
Mittleren Reife Ausbildung und Berufstätigkeit als
Arzthelferin. Seit der Geburt des 1. Kindes Hausfrau.
1971/76 Kreisvors. und 1976/91 Vorstandsmitgl. Deut-
scher Familienverband Freiburg; 1984/91 Mitgl.
Staatsgerichtshof Baden-Württemberg. Mitgl. der
CDU seit 1968, aktiv tätig u. a. als Ortsvors. und stellv.
Kreisvors. Seit 1971 Ortschaftsrätin und 1988 Ortsvor-
steherin in Freiburg-Lehen; 1975/91 Stadträtin in
Freiburg. – MdB seit Okt. 1991.

Wahlkreis 185 (Freiburg)
CDU 42,0 – SPD 35,6 – Grüne 15,6 – F.D.P. 2,5 – PDS 1,0

⁘ LOHMANN (Lüdenscheid) CDU

Wolfgang Lohmann; Dipl.-Kaufmann; 58515 Lüdenscheid – * 29.5.1935 Castrop-Rauxel, ev., verh., 4 Kinder – 1957 Abitur. Studium der Wirtschafts- und Sozialwissenschaften, 1961 Staatsexamen. Bis 1964
Tätigkeit in der Industrie, danach bis 1969 Geschäftsführer einer IHK; anschließend bis 1987 Geschäftsführer eines mittelständischen Industriebetriebes. Geschäftsführer der BEKA-GmbH. Geschäftsführer im
Bildungswerk der NRW-Wirtschaft e. V. Vorstandsmitgl. des Arbeitgeberverbandes Lüdenscheid, des
Fachverbandes VBT, des Wirtschaftsverbandes Eisen,
Blech und Metall; Mitgl. des Ausschusses für Bildungspolitik und Bildungsarbeit des BDA. Seit 1967
Mitgl. der CDU, seit 1983 Vors. des CDU-Kreisverbandes Mark. Vorstandsmitgl. des CDU-Bezirks Sauer-
/Siegerland. 1969/75 Mitgl. Rat der Stadt Lüdenscheid und des Kreistages. 1975/84 Kreistagsabg. des
Märkischen Kreises. – MdB 1983/87 und seit Nov.
1990; Vors. AG Gesundheit der CDU/CSU-Fraktion.

Landesliste Nordrhein-Westfalen

⁘ LOHMANN (Witten) SPD

Klaus Lohmann; Bergingenieur; 58454 Witten –
* 17.3.1936 Witten, verh., 2 Kinder – Volksschule, fünf
Jahre Gymnasium. Bergschule mit Abschlußprüfung
Bergingenieur. 13 Jahre Untertagetätigkeit im Ruhr-
Bergbau. 1966/75 SPD-Geschäftsführer in Witten und
Bochum, 1975/83 Unterbezirksgeschäftsführer der
SPD für den Ennepe-Ruhr-Kreis. Mitgl. IG Bergbau
und Energie seit 1955. Vors. Kreissportbund Ennepe-
Ruhr seit 1976, Präs. KSV Witten 07. SPD seit 1954.
Stadtverbandsvors. Jungsozialisten 1966/69. Ortsver-
einsvors. in Annen-Hüllberg seit 1969. Seit 1970 Mitgl.
Rat der Stadt Witten. 1975/84 Mitgl. Kreistag Ennepe-
Ruhr-Kreis. Oberbürgermeister der Stadt Witten
1978/83, seit 1989 Bürgermeister. – MdB seit 1983.

Wahlkreis 111 (Bochum II–Ennepe-Ruhr-Kreis II)
SPD 56,6 – CDU 30,1 – Grüne 8,8 – F.D.P. 2,1 – PDS -

* LOTZ SPD

Erika Lotz; Gewerkschaftssekretärin; 35638 Leun –
* 9. 9. 1943 Leun, Lahn-Dill-Kreis, ledig – Hauptschulabschluß. Lehre als Einzelhandelskauffrau. Akkord-
arbeiterin; Betriebsratsvorsitzende. Gewerkschaftssekretärin, stellv. Vors. des DGB Hessen. Mitgl. der IG
Metall, alternierende Vors. des Landesarbeitsamts
Hessen, Vorstandsvors. der LVA Hessen, Vorstandsmitgl. der AOK Hessen. Seit 1972 Mitgl. der SPD, Vorstandsmitgl. im Ortsbezirk Leun, AsF-Unterbezirk, im
Bezirk Hessen-Süd, AfA Hessen-Süd. Mitgl. Verein
zur Förderung gewerkschaftlicher Jugendarbeit in
Hessen e. V., Mitgl. AWO in Solms-Oberbiel. – MdB
seit 1994.

Wahlkreis 130 (Lahn-Dill)
SPD 44,8 – CDU 43,2 – Grüne 5,3 – FDP 2,9 – PDS 0,5

∷* LOUVEN CDU

Julius Louven; Konditormeister; 47906 Kempen-St.
Hubert – * 18. 2. 1933 St. Hubert, kath., verh., 3 Söhne
– Volksschule. Bäckerlehre 1947/50, Konditorlehre
1950/52, Bäckermeisterprüfung 1955, Konditormei-
sterprüfung 1957. Mitgl. Konditoreninnung Krefeld
und des Verwaltungsrates der Sparkasse Krefeld.
Mitgl. CDU seit 1958, 1962/70 CDU-Ortsvors. St. Hubert, 1970/81 CDU-Stadtverbandsvors. Kempen,
1981/91 CDU-Kreisvors. Viersen. 1962/69 im Gemeinderat St. Hubert, Kreistagsabg. Kreis Viersen
1964/94. MdL Nordrhein-Westfalen 1975/80. – MdB
seit 1980; Mitgl. Vorst. und Sozialpolitischer Sprecher
der CDU/CSU-Fraktion.

Wahlkreis 80 (Viersen)
CDU 49,6 – SPD 38,0 – Grüne 6,2 – F.D.P. 4,0 – PDS 0,5

∷* Dr. LUCYGA SPD

Christine Lucyga; Fremdsprachenlehrerin, Literatur-
wissenschaftlerin; 18055 Rostock – * 6. 4. 1944 Kolberg
(Pommern), verh., 1 Tochter – 1963 Abitur. Studium der
Slawistik-Hispanistik in Rostock, 1969 Diplom, 1980
Promotion (Lateinamerikan. Literatur). 1969/89
Fremdsprachenlehrerin an der Hochschule für See-
fahrt, Warnemünde, und Univ. Rostock. 1986 Univer-
sitätspreis der Univ. Rostock. Seit Sept. 1989 Mitgl. im
Neuen Forum Rostock, Okt./Dez. 1989 Mitgl. Spre-
cherrat. Ende 1989 Eintritt in die SPD, seit Dez. 1989
Mitarbeit im „Gerechtigkeitsausschuß der Stadt Ro-
stock". MdV März/Okt. 1990. – MdB seit Okt. 1990.

Wahlkreis 265 (Rostock)
SPD 33,2 – PDS 32,6 – CDU 26,7 – Grüne 4,4 – F.D.P. 2,5

⁚ LÜHR F.D.P.

Uwe-Bernd Lühr; Dipl.-Ökonom; 06120 Halle-Dölau –
* 17.3.1949 Halle/Saale, ev., verh., 2 Kinder – 1967
Abitur an der EOS Adolf Reichwein in Halle. Diesel-
lokschlosser. 1967/71 Studium der Wirtschaftswissenschaften an der Martin-Luther-Univ. in Halle, Diplomökonom, Fachrichtung Volkswirtschaft. 1971 Ar-
beitsaufnahme bei Starkstromanlagenbau Halle.
Wehrdienst. 1973/84 Wiederaufnahme der Tätigkeit
als EDV-Organisator bei Starkstromanlagenbau Halle,
anschließend Gruppenleiter eines Rechenzentrums.
Mitgl. des Kuratoriums der Erhard-H^{b}ener-Stiftung
Sachsen-Anhalt, Halle. Seit 1984 Mitarbeit im Bezirksvorst. Halle der LDPD; Vors. F.D.P.-Kreisverband
Halle, stellv. Vors. F.D.P.-Landesverband Sachsen-Anhalt, Nov. 1991 bis Juni 1993 Generalsekretär der
F.D.P. Juni/Dez. 1990 Dezernent und Bürgermeister
der Stadt Halle. – MdB 1990; 1990/91 und 1993/95
Parl. Geschäftsführer, seit Nov. 1995 stellv. Vors. der
F.D.P.-Fraktion.

Landesliste Sachsen-Anhalt

* LÜTH PDS

Heidemarie Lüth; Diplomlehrerin; 04442 Zwenkau –
* 24. 9. 1946 Stralsund, verh., 3 Kinder – 1965 Abitur.
1965/69 Studium Karl-Marx-Univ. Leipzig. 1969/84
Lehrerin Geschichte, Staatsbürgerkunde, 1984/89 Direktorin. Nov. 1989/Jan. 1990 1. Sekretärin der Kreis-
leitung der SED Leipzig-West. Jan. 1990/Jan. 1991
Mitarbeiterin der PDS, 1991/94 Mitarbeiterin bei MdB
Dr. Barbara Höll. Seit 1969 Mitgl. in Gewerkschaften.
1975 Mitgl. der SED, seit 1990 Mitgl. der PDS. 1990/94
Stadtverordnete der Stadtverordnetenvers. Leipzig. –
MdB seit 1994.

Landesliste Sachsen

* Dr. LUFT PDS

Christa Luft; Dipl.-Wirtschaftlerin; 12437 Berlin –
* 22.2.1938 Krakow a./S., Kreis Güstrow, verh., 2
Söhne – Abitur 1956. Studium des Außenhandels und
der internat. Wirtschaftsbeziehungen, Diplom 1960,
1961/91 Lehr- und Forschungstätigkeit an der Hochschule für Ökonomie Berlin, Dr. rer. oec. 1964, Dr. rer.
oec. habil. 1968, Professur 1971. Stellv. Direktorin am
Internat. Forschungsinstitut beim Rat für Gegenseitige
Wirtschaftshilfe in Moskau, 1982/87 Dekan der Fakultät Außenwirtschaft, 1988/89 Rektorin der Hochschule
für Ökonomie. Seit 1991 Dozentin und Vorstandsmitgl.
im Institut für Internat. Bildung Berlin e. V. Mitgl. Deutsche Ges. für Osteuropakunde. Mitgl. der SED seit
1958. Nov. 1989/März 1990 Stellv. Vors. des Minister-
rats der DDR für Wirtschaft; März/Okt. 1990 MdV. –
MdB seit 1994; Stellv. Vors. der Gruppe der PDS.

Wahlkreis 258 (Berlin-Friedrichshain–Lichtenberg)
PDS 44,4 – SPD 30,7 – CDU 16,2 – Grüne 4,3 – F.D.P. 1,1

∴ LUMMER   CDU

Heinrich Lummer; Elektromechaniker, Diplompolitologe; 14163 Berlin – * 21. 11. 1932 Essen, röm.-kath. – Volksschule. Lehre der Elektromechanik. Abendgymnasium der Stadt Dortmund, Abitur. Studium der Pol. Wissenschaft FU Berlin, Diplompolitologe. 1962/64 Assistent am Institut für Pol. Wissenschaft der FU. 1964/65 Leiter des Besucherdienstes des Bundeshauses Berlin. 1965/69 Fraktionsgeschäftsführer der CDU. Mitgl. CDU seit 1953, Vors. eines Ortsverb.; 1967/86 Mitgl. AbgHs. von Berlin, 1969/80 Fraktionsvors., 1980/81 Parlamentspräs. 1981/86 Bürgermeister von Berlin und Senator für Inneres. – MdB seit 1987.

Wahlkreis 252 (Berlin-Spandau)
CDU 43,3 – SPD 42,9 – Grüne 4,9 – F.D.P. 3,2 – PDS 1,6

∶ Dr. LUTHER   CDU

Michael Luther; Dipl.-Ingenieur; 08056 Zwickau – * 27. 9. 1956 Zwickau, kath., verh., 3 Kinder – 1974 Abitur in Zwickau. Nach Armeedienst in NVA Studium an der TH Karl-Marx-Stadt. Diplom für Angewandte Mechanik 1982, bis 1986 befristeter Assistent. Promotion 1987 zum Dr.-Ing. Ab 1986 3 Jahre an der TH Zwickau am Lehrstuhl Mathematik, anschl. am Lehrstuhl Techn. Mechanik, wissenschaftl. Mitarbeiter. Seit Nov. 1989 Mitgl. CDU. März/Okt. 1990 MdV. – MdB seit 1990.

Wahlkreis 327 (Zwickau–Werdau)
CDU 49,5 – SPD 25,8 – PDS 15,1 – Grüne 5,1 – F.D.P. 3,6

∶ MAASS (Herne)   SPD

Dieter Maaß; Schlosser; 44649 Herne – * 7. 3. 1939 Gelsenkirchen, verh., 1 Sohn – Volksschule. Metallberufsschule 1954/57, Schlosser/Bohrwerksdreher. 1961/94 Betriebsratsvors., seit 1994 Mitgl. des Betriebsrates in der Firma Schwing GmbH, Herne. Mitgl. in der IG Metall seit 1954, Mitgl. der Ortsverwaltungen der IG Metall Gelsenkirchen und Herne 1975/90. Mitgl. in der Sozialistischen Jugend Deutschlands „Die Falken"; Mitgl. der SPD seit 1957, Mitgl. Unterbezirksvorst. der SPD Herne seit 1988, Vors. des SPD-Unterbezirks Herne seit 1990. Mitgl. Rat der Stadt Herne 1984/90. – MdB seit 1990.

Wahlkreis 112 (Herne)
SPD 62,2 – CDU 28,3 – Grüne 5,7 – F.D.P. 1,4 – PDS -

⁝* MAASS (Wilhelmshaven) CDU

Erich Maaß; Diplomkaufmann; 26386 Wilhelmshaven – * 1. 3. 1944 Wien (Österreich), ev., gesch., 1 Kind – Abitur 1964. Studium der Betriebswirtschaft Univ. Göttingen, Diplomkaufmann 1969. 1970/71 Assistent des Personaldirektors, 1971/73 Abteilungsleiter Personalplanung, 1974/80 Hauptabteilungsleiter für betriebliche Sozialpolitik, Betriebsverfassung, Personalplanung der Olympia Werke AG. Seit 1974 Mitgl. im Verband der Führungskräfte der Metall- und Elektroindustrie e. V. Seit 1970 Mitgl. CDU, 1978 Kreisvors. Wilhelmshaven, 1983 stellv. Landesvors. CDU-Landesverb. Oldenburg. 1972/73 Mitgl. Rat der Stadt Wilhelmshaven, 1976/81 stellv. Fraktionsvors. (Beigeordneter). – MdB seit 1980; 1986/94 Stellv. forschungspol. Sprecher CDU/CSU-Fraktion; seit 1994 Vors. CDU-Landesgruppe Niedersachsen.

Landesliste Niedersachsen

⁝* Dr. MAHLO CDU

Dietrich Mahlo; Rechtsanwalt und Notar; 10719 Berlin – * 8. 1. 1935 Berlin, ev., verh., 1 Sohn, 1 Tochter – 1955 Abitur am Johanneum Lüneburg. Studium der Rechte; 1961/64 Attachéausbildung im Auswärtigen Amt und an der Botschaft Rabat (Marokko); Promotion (Völkerrecht); diplomatische und konsularische Staatsprüfung. 1964/68 Kulturattaché an der Botschaft Rangun (Birma); Sprachprüfung des Auswärtigen Amts in Chinesisch. 1969 Legationsrat im Auswärtigen Amt. Seit 1972 Rechtsanwalt. Kreisvors. der CDU Berlin-Wilmersdorf. 1979/88 Mitgl. Abghs. von Berlin. – MdB seit Dez. 1987, Schriftführer.

Wahlkreis 254 (Berlin-Charlottenburg–Wilmersdorf) CDU 42,2 – SPD 35,9 – Grüne 13,1 – F.D.P. 3,8 – PDS 1,7

* Dr. MALEUDA PDS

Günther Maleuda; Diplomwirtschaftler, Dr. agr.; 12679 Berlin – * 20. 1. 1931 Altbeelitz, Kr. Friedeberg, Hinterpommern, keine Religionszugehörigkeit, verh., 3 Kinder – 1947 Umsiedlung nach Thüringen. Volksschule, Berufsschule. Landwirtschaftslehre 1947/50. Fachschule, staatlich geprüfter Landwirt; Diplomwirtschaftler; Humboldt-Univ. Berlin 1967, Dr. agr. Kein Wehrdienst. Stellv. des Vors. des Rates des Kreises und Stellv. des Vors. des Rates für landwirtschaftliche Produktion und Nahrungsgüterwirtschaft Königs Wusterhausen 1957/67 und 1967/76 in Potsdam. Seit April 1994 Frührentner. Mitgl. des FDGB 1947/90, Mitgl. der VdgB und der Ges. für DSF. Mitgl. der DBD Jan. 1950/Juni 1990, 1976/82 Bezirksvors. DBD Halle, 1977 Mitgl. des Parteivorst. und des Präsidiums der DBD, 1982 Sekretär; 1987/90 Vors. der DBD; seit Juni 1990 parteilos. Abg. des Kreistages Königs Wusterhausen, der Bezirkstage Potsdam und Halle, MdV 1981/Okt. 1990. Ab Juni 1987 Stellv. des Vors. des Staatsrates und Mitgl. des Nationalrats der Nationalen Front der DDR; Nov. 1989/März 1990 Präsident der Volkskammer der DDR. – MdB seit 1994.
Landesliste Mecklenburg-Vorpommern

* MANTE SPD

Winfried Mante; Dipl.-Ingenieur (FH); 15890 Eisenhüttenstadt – * 11.2.1948 Storkow, Kreis Pasewalk,
gesch. – 1964 Abschluß der Oberschule, Lehre als
Elektriker. FH-Studium zum Elektroingenieur, Abschluß 1973. Wehrdienst 1967/69. Leiter eines Pla-
nungsbüros für haustechn. Anlagen. Mitgl. der SPD
seit 1990. Stadtverordneter in Eisenhüttenstadt; Kreistagsabg. im Landkr. Oder-Spree. – MdB seit 1994.

Wahlkreis 279
(Frankfurt/Oder–Eisenhüttenstadt–Beeskow)
SPD 42,4 – CDU 26,6 – PDS 24,4 – Grüne 3,5 – F.D.P. 1,7

: MARIENFELD CDU

Claire Marienfeld; Abgeordnete; 32758 Detmold –
* 21.4.1940 Bingen am Rhein, kath., verw., 2 Söhne –
Volksschule, Gymnasium. Ausbildung zur pharmazeutisch-technischen Assistentin; Ausübung des Berufes über 3 Jahre, 1963 mit der Geburt des ersten Kindes Aufgabe der Berufstätigkeit. U. a. Mitgl. im
„Weißen Ring". 1972 Eintritt in CSU mit damaligem
Wohnsitz in Bayern, 1973 Vors. der CSU-Frauen-Union
Gröbenzell, 1974 stellv. Kreisvors. der CSU Fürstenfeldbruck. 1976 Eintritt in CDU; 1977 Vors. der Frauen-
Union Detmold; seit 1990 Mitgl. des CDU-Landesvorst. NRW. Seit 1979 Mitgl. Rat der Stadt Detmold,
1984 Vors. des Schulausschusses, 1989 stellv. Bürgermeisterin in Detmold. – MdB seit 1990, Schriftführerin;
Mitgl. der Parlamentarierversammlung der KSZE.

Landesliste Nordrhein-Westfalen
ausgeschieden am 28.4.1995,
Nachfolger > Abg. Meckelburg (ABC ab S. 277)

:: MARSCHEWSKI CDU

Erwin Marschewski; Städt. Oberrechtsrat a. D.; 45657
Recklinghausen – * 31.3.1940 Herten (Westfalen),
röm.-kath., verh., 2 Töchter – Volksschule; 1954/65 Eisenbahner, Abendgymnasium, 1965 Abitur. Studium
der Rechts- und Staatswissenschaften, Referendar-
und Assessorexamen. Städt. Oberrechtsrat a. D. Mitgl.
ÖTV. 1965 Mitgl. der CDU und der JU; 1972 Präsidi-
umsvors. der JU und Mitgl. CDU-Präsidium NRW;
Mitgl. Kreisvorst., stellv. Bezirksvors. CDU Ruhrgebiet.
Seit 1969 Mitgl. Rat der Stadt Recklinghausen; 1975
Mitgl. Kreistag Recklinghausen und 1975/83 Mitgl.
Landschaftsversammlung Westfalen-Lippe. – MdB seit
1983; innenpol. Sprecher der CDU/CSU-Fraktion,
Mitgl. Fraktionsvorst.

Landesliste Nordrhein-Westfalen

⁑ MARTEN CDU

Günter Marten; Fregattenkapitän a. D.; 18276 Lohmen
– * 10.3.1939 Diepholz, ev., verh., 2 Kinder – Mittlere
Reife. Ausbildung zum Technischen Zeichner und
Schlosser. 1960 Eintritt in die Marine als Offizieran-
wärter, Studium an der Wehrakademie Hilden und an
der Stabsakademie der Bundeswehr, nach der Offi-
zierausbildung diverse Spezialausbildungen im In-
und Ausland; Bordzeit, Kommandant und Tätigkeit in
Marinestäben. Honorarkonsul der Republik Ungarn.
Gastdozent Univ. Rostock, Agrarfakultät. Mitgl. des
Bauernverbandes Mecklenburg-Vorpommern; Mitgl.
DAG, Deutscher Bundeswehr-Verband und im Reser-
vistenverband. 1974 Eintritt in die CDU und CDA; verschiedene kommunal- und landespolitische Funktionen; 1991/92 Schatzmeister des CDU-Landesverban-
des Mecklenburg-Vorpommern; Mitgl. MIT Schwerin,
Ludwigslust, Parchim, Güstrow. – MdB seit 1990,
Schriftführer; Mitgl. Parl. Versammlung Europarat
und WEU.
Wahlkreis 264
(Güstrow–Sternberg–Lübz–Parchim–Ludwigslust)
CDU 39,2- SPD 31,7 – PDS 21,9 – Grüne 3,7 – F.D.P. 2,6

⁑ MARX SPD

Dorle Marx; Rechtsanwältin; 61118 Bad Vilbel –
* 22.12.1957 München, verh., 1 Tochter – Nach
mathematisch-naturwissenschaftl. orientiertem Abitur Studium der Rechtswissenschaften in Frankfurt
am Main, 1981/84 wissenschaftl. Mitarbeiterin am
dortigen Institut für Arbeits-, Wirtschafts- und Zivilrecht. Rechtsanwältin. Gründungsmitgl. Studiengruppe Alternative Sicherheitspolitik (SAS) e. V.
Mitgl. der SPD seit 1973, in versch. Funktionen tätig.
1981/91 Stadtverordnete in Bad Vilbel. – MdB seit
1990.

Landesliste Hessen

⁑ MASCHER SPD

Ulrike Mascher; Versicherungsangestellte; 80331
München – * 24.10.1938 München – Schulbesuch in
München und Stuttgart. 1957/63 Studium der Rechts-
wissenschaften in Heidelberg, Berlin und München.
Seit 1961 Arbeit als freiberufliche Regieassistentin bei
Film- und Fernsehproduktionen. Seit 1974 Mitarbeit
bei der Allianz Versicherungs AG. 1974 Wahl in den
Betriebsrat, 1980 Wahl zur Betriebsratsvors., mit der
Wahl in den BT Rücktritt als Betriebsrätin, unbezahlt
beurlaubt. Mitgl. HBV, AWO, des Münchner Mieter-
vereins, der Deutsch-Polnischen Gesellschaft, der
Weiße-Rose-Stiftung sowie in versch. Frauenprojekte
in München. Arbeitnehmervertreterin im AR der Alli-
anz AG und der Allianz Versicherungs AG. Mitgl. der
SPD seit 1963, seit 1978 Mitgl. im Parteirat, seit 1993
Mitgl. im Präsidium der Bayern-SPD. 1984/90 ehren-
amtl. Stadträtin der Landeshauptstadt München. –
MdB seit 1990, Mitgl. Vorst. der SPD-Fraktion, seit
1994 Vors. des Ausschusses für Arbeit und Sozialordnung.
Wahlkreis 203 (München-Mitte)
SPD 40,8 – CSU 37,4 – Grüne 12,1 – FDP 4,7 – PDS 1,2

⁝ MATSCHIE   SPD

Christoph Matschie; Mechaniker, Theologe; 07743
Jena – * 15.7.1961 Mühlhausen, Thüringen, ev., ledig,
1 Kind – 10 Klassen POS, Berufsausbildung mit Abitur
als Mechaniker. Arbeit als Krankenpfleger in der Medizinischen Akademie Erfurt. Theologiestudium in
Rostock und Jena, Abschluß als Dipl.-Theologe.
Grundwehrdienst in der NVA. Leiter des Bereichs Pol.
Planung beim Vorst. der SPD-Ost. Mitgl. BUND, Eurosolar, Germanwatch, INKOTA und SID. Okt. 1989 Eintritt in die SDP, später SPD; Jan./Sept. 1990 Mitgl.
Vorst. der SPD-Ost, Febr./Sept. 1990 Mitgl. Präsidium
der SPD-Ost. – MdB seit 1990.

Landesliste Thüringen

⁙ MATTHÄUS-MAIER   SPD

Ingrid Matthäus-Maier; Richterin a. D.; 53757 Sankt
Augustin – * 9.9.1945 Werlte, Kr. Aschendorf, verh., 2
Kinder – 1965 Abitur in Duisburg, Studium der Rechtswissenschaft in Gießen und Münster. Bis 1976 Verwal-
tungsrichterin in Münster. 1966/69 Hochschulpolitik
im Studentenparlament. Mitgl. der Humanistischen
Union und Mitgl. Humanistische Studenten-Union.
1969 Eintritt in F.D.P. und Jungdemokraten, 1972 Bundesvors. der Jungdemokraten. Nach dem Koalitions-
wechsel Austritt aus der F.D.P.. Dez. 1982 Eintritt in
die SPD. – MdB 1976/Dez. 1982 und seit 1983; Nov.
1979 Vors. des Finanzausschusses, nach dem Koali-
tionswechsel der F.D.P. im Okt. 1982 Niederlegung
des Finanzausschuß-Vors. und des Bundestagsman-
dats. Seit 1988 Stellv. Vors. SPD-Fraktion.

Landesliste Nordrhein-Westfalen

⁝ MATTISCHECK   SPD

Heide Mattischeck; Industriekauffrau; 91054 Erlangen – * 26.5.1939 Berlin, ev., gesch., 1 Sohn – Grundschule, Gymnasium, Abitur. Ausbildung zur Industriekauffrau, als solche bis 1966 bei Siemens tätig.
1972/85 Geschäftsführerin SPD-Kreisverb. Erlangen-
Stadt, 1986/90 des SPD-Unterbezirks Erlangen. Mitgl.
ÖTV, AWO, Kinderschutzbund, Marie-Schlei-Verein,
Verein zur Förderung des Genossenschaftsgedankens,
im Bund Naturschutz und im ADFC. 1969 SPD, seit
1970 Mitgl. Kreisvorst. in versch. Funktionen, 1974/89
stellv. Kreisvors. 1972/91 Stadträtin, 1988/90 Fraktionsvors. – MdB seit 1990.

Landesliste Bayern

⁑ Dr. MAYER (Siegertsbrunn) CSU

Martin Mayer; Dipl.-Agraringenieur; 85635 Höhenkirchen-Siegertsbrunn – * 13.10.1941 Siegertsbrunn, Lkr. München, röm.-kath., verh., 4 Kinder – Volksschule, Landwirtschaftslehre, Höhere Ackerbauschule in Landsberg a. Lech. Landwirtschaftsstudium in Weihenstephan, Bonn und Paris, 1969 Promotion, 1971/72 Referendarzeit, 1972 2. Staatsexamen für den höheren landwirtschaftl. Dienst einschl. des landwirtschaftl. Lehramtes. 1966/71 wiss. Assistent TU München, in dieser Zeit 5 Monate Gutachter für den Europ. Entwicklungsfonds an der Elfenbeinküste. 1972/73 Landwirtschaftsrat Landesanstalt für Betriebswirtschaft und Agrarstruktur, 1973/78 Landtagsreferent des Bayer. Landwirtschaftsministers. Seit 1967 Mitgl. CSU und JU, 1968/89 CSU-Ortsvors. in Siegertsbrunn, 1985/89 Kreisvors. CSU Lkr. München, 1984/89 Bezirksvors. AK Umwelt der CSU Oberbayern. 1972/93 Mitgl. Kreistag Landkr. München. 1978/90 MdL Bayern. – MdB seit 1990, Sprecher der CSU-Landesgruppe für Bildung, Forschung und Telekommunikation.
Wahlkreis 208 (München-Land)
CSU 52,8 – SPD 32,7 – Grüne 5,4 – F.D.P. 5,1 – PDS -

⁑ MECKEL SPD

Markus Meckel; Pfarrer, Außenminister der DDR a. D.; 13125 Berlin – * 18.8.1952 Müncheberg, Brandenburg, ev., verh., 5 Kinder – 1959/67 Oberschule, 1967/69 EOS, mußte die Schule aus politischen Gründen verlassen. 1969/71 Kirchliches Oberseminar Potsdam Hermannswerder, Hochschulreife. 1971/78 Theologiestudium in Naumburg und Berlin. 1980/88 Vikariat u. ev. Pfarramt in Vipperow/Müritz. 1988/90 Leiter der ökumenischen Begegnungs- u. Bildungsstätte in Niederdodeleben bei Magdeburg. 1988/89 Delegierter der Ökumenischen Versammlung in der DDR und der Europ. Ökum. Versammlung. Oppositionelle politische Arbeit seit den 70er Jahren. Mit Martin Gutzeit Initiator der Gründung der SDP Okt. 1989, 2. Sprecher; Febr./Sept. 1990 stellv. Vors., April/Juni 1990 amtierender Vors. SPD-Ost. MdV März/Okt. 1990, April/Aug. 1990 Außenminister der DDR. Mitgl. IG Chemie, Vors. Dtsch.-Poln. Ges. und EU in Brandenburg. – MdB seit 1990; 1994 Vors. Dtsch.-Poln. Parlamentariergruppe.
Wahlkreis 272
(Prenzlau–Angermünde–Schwedt–Templin–Gransee)
SPD 48,8 – CDU 27,7 – PDS 18,5 – Grüne 3,0 – F.D.P. 2,0

⁑ MEHL SPD

Ulrike Mehl, geb. Lehnhausen; Dipl.-Ingenieurin für Landespflege; 24589 Nortorf – * 6.8.1956 Leibolz, Hessen, verh., 2 Töchter – 1972 Mittlere Reife, 1972/74 Lehre im Garten- und Landschaftsbau. 1974/78 Studium FH Geisenheim. 1978/80 Landwirtschaftsministerium Schleswig-Holstein, 1980/81 Landesamt für Naturschutz Schleswig-Holstein, 1983/84 Projektleiterin der Landeskampagne Bund für Umwelt- und Naturschutz Deutschland (BUND). 6 Jahre Kreisvors., 1985/88 Landesvors., 1986/90 stellv. Bundesvors. des BUND; 1985/87 stellv. Vors. des Landesnaturschutzverb. Schleswig-Holstein. Außerordentl. Mitgl. im Bund deutscher Landschaftsarchitekten. Ehrenamtl. Richterin am Verwaltungsgericht Schleswig. Mitgl. SPD seit 1983, stellv. Landesvors. der SPD Schleswig-Holstein. – MdB seit 1990.

Landesliste Schleswig-Holstein

⁑ MEINL CDU

Rudolf Meinl; Dipl.-Ingenieur; 09112 Chemnitz –
* 2.5.1934 Liebenau/Böhmen, kath., verh., 4 Kinder –
Grund- und Oberschule, Abitur. TH Dresden, Dipl.-Ingenieur. Forschungs- und Entwicklungsarbeit im
Werkzeugmaschinenbau; Entwicklung und Konstruktionen für Handhabetechnik an Werkzeugmaschinen.
Mitgl. der Sudetendeutschen Landsmannschaft.
Mitgl. der CDU seit 1952; Mitgl. der Wirtschaftsvereinigung Chemnitz der CDU; Stadtbezirksvors. von
Karl-Marx-Stadt 1987/90, stellv. Stadtvors. von Chemnitz 1990/92. Mitgl. im Stadtparlament Chemnitz Mai
1990 bis 1994. – MdB seit 1990.

Wahlkreis 323 (Chemnitz I)
CDU 43,1 – SPD 27,3 – PDS 20,0 – Grüne 5,8 – F.D.P. 2,5

⁑ MEISSNER SPD

Herbert Meißner; Dipl.-Ing. (FH) für Luftfahrtbetriebstechnik; 15711 Königs Wusterhausen – * 15.10.1936
Prieros, Kreis Beeskow/Storkow, Brandenburg, verh.,
2 Kinder – Grundschule. Ausbildung zum Maschinenschlosser. Ingenieurschule Berlin, Techniker. Ingenieurschule für Verkehrstechnik Dresden, Dipl.-Ing.
(FH), Humboldt-Univ. Berlin. Wehrdienst 1959/61.
Landrat a. D. Eintritt in die SPD Nov. 1989. – MdB seit
1990.

Wahlkreis 278 (Luckenwalde–Zossen–Jüterbog–Königs Wusterhausen)
SPD 50,8 – CDU 24,8 – PDS 18,7 – Grüne 3,4 – F.D.P. 1,7

* Dr. MEISTER CDU

Michael Meister; Diplommathematiker; 64625 Bensheim – * 9.6.1961 Lorsch, Kreis Bergstraße, ev., ledig –
Abitur 1980 in Bensheim. 1980/85 Studium der Mathematik und Informatik an der TH Darmstadt, Diplom. 1986/88 Wissenschaftl. Mitarbeiter TH Darmstadt, 1988 Promotion Dr. rer. nat. 1989/90 Grundwehrdienst. Seit April 1990 im Operationszentrum der
Europ. Raumfahrtbehörde in Darmstadt. Mitgl. der
Deutschen Mathematiker Vereinigung, Mitgl. der Europa Union. 1991 Eintritt in die CDU, 1991/94 Vors.
CDU Bensheim, seit 1994 Kreisvors. der CDU Bergstraße. Ortsbeirat in Bensheim-Zell 1983/94, Ortsvorsteher Bensheim-Zell 1985/94, seit 1989 Stadtverordneter in Bensheim, seit 1993 Fraktionsvors. der CDU. –
MdB seit 1994.

Wahlkreis 145 (Bergstraße)
CDU 46,7 – SPD 40,5 – Grüne 6,5 – F.D.P. 2,7 – PDS -

⁑ Dr. MERKEL   CDU

Angela Merkel, geb. Kasner; Diplomphysikerin,
BMin. für Umwelt, Naturschutz und Reaktorsicherheit; 53175 Bonn – * 17.7.1954 Hamburg, ev., gesch. –
1973 Abitur in Templin. Physikstudium Univ. Leipzig
1973/78. Wissenschaftl. Mitarbeiterin am Zentralinstitut für physikalische Chemie der Akademie der Wissenschaften 1978/90; Promotion 1986. Stellv. Regie-
rungssprecherin der Regierung de Maizière 1990; Referentin   im   BPA   1990.   1989   Mitgl.   des
„Demokratischen Aufbruchs". 1990 Mitgl. der CDU,
seit Dez. 1991 stellv. Vors. der CDU Deutschlands, seit
Juni 1993 Vors. der CDU Mecklenburg-Vorpommern. –
MdB seit 1990; Jan. 1991/Nov. 1994 BMin. für Frauen
und Jugend, seit Nov. 1994 BMin. für Umwelt, Naturschutz und Reaktorsicherheit.

Wahlkreis 267 (Stralsund–Rügen–Grimmen)
CDU 48,6 – SPD 24,4 – PDS 23,7- F.D.P. 2,0 – Grüne -

⁎ MERTENS   SPD

Angelika Mertens; Verwaltungsangestellte; 20357
Hamburg – * 11.10.1952 Harsefeld, verh. – Mittlere
Reife. Buchhändlerin, Bibliotheksangestellte. Zweiter
Bildungsweg, Studium an der Hochschule für Wirtschaft und Politik in Hambug, Volkswirtin (grad.). Projektleiterin und Geschäftsführung einer deutsch-aus-
ländischen Begegnungsstätte im Hamburger Schan-
zenviertel, Referentin für Jugend und Wohnen im Amt
für Jugend Hamburg. Mitgl. ÖTV und AWO. Seit 1969
Mitgl. der SPD, verschiedene Funktionen bei den Jusos und auf Ortsvereins- und Distriktebene. Abgeordnete der Bezirksversammlung Eimsbüttel 1987/91,
von 1991 bis zur Wahl in den BT Kreisvors. in Eimsbüttel, Mitgl. des Landesvorst. – MdB seit 1994.

Wahlkreis 14 (Hamburg-Eimsbüttel)
SPD 40,9 – CDU 36,4 – Grüne 14,6 – F.D.P. 3,6 – PDS 1,6

⁎ MERZ   CDU

Friedrich Merz; Rechtsanwalt; 53113 Bonn –
* 11.11.1955 Brilon, röm.-kath., verh., 3 Kinder – 1975
Abitur. Wehrdienst. 1982 1., 1985 2. jur. Staatsexamen.
1985/86 Richter am Amtsgericht Saarbrücken. Seit
1986 Rechtsanwalt, bis 1989 bei einem Industriever-
band beschäftigt. Mitgl. des Europäischen Parlaments
1989/94. – MdB seit 1994.

Wahlkreis 119 (Hochsauerlandkreis)
CDU 54,3 – SPD 36,8 – Grüne 4,5 – F.D.P. 2,6 – PDS -

* METZGER
BÜNDNIS 90 / DIE GRÜNEN

Oswald Metzger; Landesgeschäftsführer; 88427 Bad Schussenried – * 19.12.1954 , kath., verh. – Hum. Gymnasium in Leutkirch, Ehingen und Ravensburg, Abitur 1975. Zivildienst im Psychiatrischen Landeskrankenhaus Bad Schussenried. 1976/82 Studium der Rechtswissenschaften in Tübingen, ohne Abschluß. 1980/86 Inhaber eines Schreibbüros in Bad Schussenried. 1986/94 Landesgeschäftsführer der KPV „Grüne/Alternative in den Räten von Baden-Württemberg" mit Sitz in Stuttgart. 1974/79 Mitgl. der SPD, seit 1987 Mitgl. der Grünen. Seit 1980 Mitgl. im Gemeinderat der Stadt Bad Schussenried, 1984/86 und seit 1989 Mitgl. im Kreistag Biberach. 1994/95 stellv. Bürgermeister in Bad Schussenried. Seit 1994 Mitgl. im Verwaltungsrat der Kreissparkasse Biberach. – MdB seit 1994.

Landesliste Baden-Württemberg

⁝ Dr. MEYER (Ulm)   SPD

Jürgen Meyer; Universitätsprofessor, Rechtsanwalt; 89073 Ulm – * 26.3.1936 Düsseldorf, verh., 3 Kinder – Abitur 1955. Studium der Rechtswissenschaften in Münster und FU Berlin, 1959 1. jur. Staatsexamen; 1963 Dr. jur. Univ. Tübingen, 1964 2. jur. Staatsexamen. Nach kurzer Anwaltstätigkeit 1965/66 USA-Studium in Princeton/New Jersey und Ann Arbor/Michigan. Seit 1967 Wissenschaftler Max-Planck-Institut für ausländ. und internat. Strafrecht in Freiburg, seit 1971 außerdem Rechtsanwalt. 1969/75 Betriebsrat und Gesamtbetriebsrat Max-Planck-Gesellschaft. 1975 Habilitation und seit 1981 Prof. für deutsches und ausländ. Straf- und Strafprozeßrecht sowie Kriminologie Univ. Freiburg. Mitgl. ÖTV, AWO. Mitgl. SPD seit 1970, 1975/86 Kreisvors. Breisgau/Hochschwarzwald, 1979/83 Mitgl. Landesvorst. Baden-Württemberg. 2 Jahre Ortschaftsrat, 7 Jahre Gemeinderat in Kirchzarten, 11 Jahre bis Jan. 1991 Kreisrat Breisgau-Hochschwarzwald. 1976/80 MdL Baden-Württemberg. – MdB seit 1990.

Landesliste Baden-Württemberg

* MEYER (Winsen)   CDU

Rudolf Meyer; Landwirtschaftsmeister; 21423 Winsen/Luhe – * 8.3.1953 Winsen/Luhe, ev.-luth., verh., 4 Kinder – Mittlere Reife 1969. Landwirtschaftl. Gehilfe 1971. Staatl. geprüfter Wirtschafter 1972, Landwirtschaftsmeister 1975. Praktizierender Landwirt mit Schwerpunkt Acker- und Gemüsebau sowie Forstwirtschaft. Präsident Ländliche Erwachsenenbildung in Niedersachsen e. V., Mitgl. im Niedersächsischen Landvolk, Mitgl. im engeren Vorst. des Landvolk Kreisverbandes Harburg e. V., Vorsteher der Realgemeinde Luhdorf. 1988 Eintritt in die CDU, 1992/94 stellv. Vors. Ortsverband Winsen, seit 1993 stellv. Vors. CDU-Kreisverb. Harburg/Land. – MdB seit 1994.

Wahlkreis 35 (Harburg)
CDU 48,2 – SPD 36,7 – Grüne 8,4 – F.D.P. 4,5 – PDS -

* MICHELBACH   CSU

Hans Michelbach; Selbst. Unternehmer, Bürgermeister a. D.; 97737 Gemünden am Main – * 3.5.1949 Gemünden am Main, röm.-kath., verh., 3 Töchter – Gymnasium in Lohr am Main. Ausbildung zum Groß- und Einzelhandelskaufmann, Wirtschaftsfachschule für Management und Betriebswirtschaft. Assistent der Geschäftsleitung der BREDL-Gruppe. Wehrdienst mit Offizierslehrgang. 1979 Eintritt in die elterlichen Betriebe. Gründung der Main-Spessart-Kaufhaus Michelbach KG, Groß- und Einzelhandel, Übernahme des Handwerk-Betriebs W. Schäffer. Mitgl. IHK Würzburg-Schweinfurt, im Einzelhandelsverband sowie in versch. Vereinen und Organisationen. 1977 Eintritt in die CSU, 1990 Kreisvors. CSU Main-Spessart; 1992 stellv. Landesvors. Arbeitsgruppe Mittelstand der CSU, 1993 Mitgl. Bundesvorst. der Mittelstandsvereinigung der CDU/CSU. 1978 stellv. Bürgermeister, 1982/94 1. Bürgermeister der Stadt Gemünden am Main; 1984 Fraktionsvors. im Kreistag Main-Spessart. – MdB seit 1994.

Landesliste Bayern

::* MICHELS   CDU

Meinolf Michels; Landwirt; 34434 Borgentreich – * 2.11.1935 Großeneder, Kreis Höxter, kath., verh., 5 Kinder – Volksschule, Landwirtschaftliche Fachschule; nach der Ausbildung selbständiger Landwirt. Kreislandwirt seit 1972. Vors. Kuratorium der Landvolkhochschule Hardehausen seit Okt.1972. Mitgl. Gemeinderat Großeneder 1964/74, Mitgl. Amtsvertretung Borgentreich 1969/74, Mitgl. Rat der Stadt Borgentreich seit 1975; ehrenamtl. Bürgermeister der Gemeinde Großeneder 1969/74 und der Stadt Borgentreich seit 1976. Mitgl. Kreistag seit 1969; stellv. Landrat Kreis Warburg 1969/74 und Kreis Höxter seit 1975. – MdB seit 1980; Obmann der Arbeitsgruppe Ernährung, Landwirtschaft und Forsten der CDU/CSU-Fraktion; seit 1991 Mitgl. in der Parl. Versammlung des Europarates und in der Versammlung der WEU.

Wahlkreis 106 (Höxter–Lippe II)
CDU 50,3 – SPD 38,8 – Grüne 6,5 – F.D.P. 3,1 – PDS 0,6

:::* MÖLLEMANN   F.D.P.

Jürgen W. Möllemann; Lehrer, BMin. a. D.; 53113 Bonn – * 15.7.1945 Augsburg, verh., 3 Kinder – 1965 Abitur in Rheinberg (Rheinland). Danach 18 Monate Wehrdienst bei den Fallschirmjägern der Bundeswehr (5./262). 1966/69 Studium an der PH Münster, Dez. 1969 1. Staatsprüfung für das Lehramt an Grund- und Hauptschulen, Febr. 1971 2. Staatsprüfung. Jan. 1981/Okt. 1982 Mitinhaber der Firma PR und Text Presse- und Public Relations-Agentur, München. Eintritt in die CDU 1962, Austritt 1969. Eintritt in die F.D.P. 1970, Vors. F.D.P.-Bezirksverb. Westfalen-Nord, 1983/94 Landesvors. F.D.P. Nordrhein-Westfalen; Mitgl. Bundesvorst. F.D.P.. – MdB seit 1972; Okt. 1982/März 1987 Staatsminister im AA, März 1987 BMin. für Bildung und Wissenschaft, Jan. 1991/Jan. 1993 BMin. für Wirtschaft, Mai 1992/Jan. 1993 auch Stellvertreter des BK.

Landesliste Nordrhein-Westfalen

* MOGG SPD

Ursula Mogg; Angestellte; 56072 Koblenz –
* 12.11.1953 Koblenz – Hochschulreife auf dem 2. Bildungsweg. Studium Politische Wissenschaften, Anglistik und Völkerrecht. Referentin in einem Landesministerium in Rheinland-Pfalz. Mitgl. der ÖTV und der AWO. Mitgl. der SPD seit 1974, stellv. Vors. SPD auf Unterbezirks- und Bezirksebene, Mitgl. Landesvorst. Rheinland-Pfalz. Mitgl. SPD-Ratsfraktion seit 1979, Fraktionsvors. 1988/91. – MdB seit 1994.

Landesliste Rheinland-Pfalz

⦂ MOSDORF SPD

Siegmar Mosdorf; Geschäftsführer; 73269 Hochdorf/Esslingen – * 29.1.1952 Erfurt, kath., verh., 1 Sohn – Hauptschule, Handelsschule, Wirtschaftsgymnasium und Abitur in Hamburg. Univ. Konstanz, während des Studiums verwaltungswissenschaftliches Praktikum beim 1. Bürgermeister in Stuttgart, Studienaufenthalte in USA und Großbritannien. Bis Ende 1981 Angestellter bei der IG Metall, zuständig für Angestellten- und Ingenieurarbeit und für die Betreuung der Betriebe Bosch, IBM, Daimler-Benz, Hewlett & Packard und SEL. Mitgl. der Vertreterversammlung der Bosch-Betriebskrankenkasse. 1982/90 Landesgeschäftsführer der SPD BW. Gründungsmitgl. bei der Vereinigung für das solare Energie-Zeitalter e. V. Eurosolar, Greenpeace, Vors. Carlo-Schmid-Stiftung. Seit 1971 Mitgl. SPD. – MdB seit 1990.

Landesliste Baden-Württemberg

* Dr. MÜLLER CSU

Gerd Müller; Dipl.-Wirtschaftspädagoge; 87435 Kempten – * 25.8.1955 Krumbach, Schwaben, röm.-kath., verh., 2 Kinder – Kaufm. Ausbildung, 2. Bildungsweg, Abitur. Studium der Pädagogik, Politik- und Wirtschaftswissenschaften, Diplomwirtschaftspädagoge. Wehrdienst. 1980/89 berufstätig als Verbandsgeschäftsführer, wissenschaftlicher Angestellter, ORR im Grundsatzreferat des bayerischen Wirtschaftsministeriums, stellv. Pressesprecher des bayerischen Wirtschafts- und Verkehrsministers. 1978/91 Kreis-, Bezirks- und Landesvors. der JU Bayern, Vorstandsmitgl. der CSU, Mitgl. der Grundsatzkommission, seit 1993 stellv. Bezirksvors. der CSU Schwaben. 1978/88 Zweiter Bürgermeister und Kreisrat. 1989/94 Mitgl. des EP, Parl. Geschäftsführer der EVP-Fraktion, zugleich verkehrs- und fremdenverkehrspolitischer Sprecher. – MdB seit 1994, stellv. Vors. des Ausschusses für Fremdenverkehr und Tourismus.

Wahlkreis 242 (Oberallgäu)
CSU 57,7 – SPD 24,1 – Grüne 7,7 – FDP 4,0 – PDS -

* MÜLLER (Berlin) PDS

Manfred Müller; Gewerkschaftssekretär; 12359 Berlin
(Britz) – * 27.2.1943 Berlin-Weißensee, konfessionslos,
verh., 2 Töchter – Mittlere Reife, Handelsschule.
Fremdsprachenkorrespondent, Programmiererausbil-
dung. Wehrdienst. Programmierer, EDV-Tätigkeit im
Handelsbetrieb, Betriebsratsvorsitzender. 1973 Gewerkschaftssekretär, 1984 bis zur Wahl in den BT Landesvors. der HBV Berlin. Parteilos, Mitgl. der HBV im
DGB. Ehrenamtlicher Richter am Landesarbeitsge-
richt und Landessozialgericht Berlin. – MdB seit 1994.

Wahlkreis 261 (Berlin-Hohenschönhausen–Pankow–Weißensee)
PDS 36,8 – SPD 32,0 – CDU 19,7 – Grüne 6,4 – F.D.P. 1,6

:: MÜLLER (Düsseldorf) SPD

Michael Müller; Dipl.-Betriebswirt; 40489 Düsseldorf
– * 10.7.1948 Bernburg/Saale, verh. – Stahlbeton-
bauer, externes Abitur. Studium des Bauwesens, der
Betriebswirtschaft und der Sozialwissenschaften,
Dipl.-Betriebswirt. Mitgl. AWO, GEW und ai. Mitgl.
Verein zur Förderung des Genossenschaftswesens,
der Arbeitsgemeinschaft Allergiekranke und des Allgemeinen Deutschen Fahrrad-Clubs. 1966 Eintritt in
die SPD, 1972/78 stellv. Bundesvors. der Jungsozialisten in der SPD. 1975/83 Ratsmitgl. der Stadt Düsseldorf. – MdB seit 1983.

Landesliste Nordrhein-Westfalen

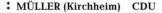

: MÜLLER (Kirchheim) CDU

Elmar Müller; Landesgeschäftsführer a. D.; 73230
Kirchheim/Teck – * 21.5.1942 Esslingen/Neckar,
röm.-kath., verh., 1 Tochter – Volksschule, Kaufmännische Handelsschule, Kaufmännische Berufsschule,
Berufsschulabschluß   Einzelhandelskaufmann.
1960/61 Wehrdienst. 17 Jahre Tätigkeit in Industrie
und Handel, anschl. Verbandstätigkeit, zuletzt
1984/91 Landesgeschäftsführer des Wirtschaftsrates
der CDU e. V. in Baden-Württemberg. Vors. der
Deutsch-Olympischen Gesellschaft in Altkreis Nürtingen. 1967 Eintritt in die CDU und JU. 1975/91 Stadtrat
und Fraktionsvors. der CDU in Kirchheim/Teck. –
MdB seit 1990.

Wahlkreis 166 (Nürtingen)
CDU 48,0 – SPD 30,5 – Grüne 11,0 – F.D.P. 4,9 – PDS 0,4

* MÜLLER (Köln)
BÜNDNIS 90/DIE GRÜNEN

Kerstin Müller; Juristin; 53113 Bonn – * 13. 11. 1963
Siegen, ledig – Abitur 1983. Okt. 1983/Jan. 1990 Studium der Rechtswissenschaften in Köln, Wintersemester 1986/87 Studium an der Université de Clermont-Ferrand, Frankreich, 1991/94 Referendariat am Oberlandesgericht Köln, 1994 2. Staatsexamen. Seit 1986 Mitgl. von BÜNDNIS 90/DIE GRÜNEN, politisiert durch die Frauenbewegung, 1990/94 Vors. des nordrhein-westfälischen Landesvorst. von BÜNDNIS 90/DIE GRÜNEN. – MdB seit 1994; Sprecherin der Fraktion BÜNDNIS 90/DIE GRÜNEN.

Landesliste Nordrhein-Westfalen

⦂ MÜLLER (Völklingen)   SPD

Jutta Müller; Sparkassenfachwirtin; 66333 Völklingen – * 14.8.1957 Völklingen, ledig – Realschule. Lehre als Bankkauffrau, Ausbildung zur Sparkassenfachwirtin. Kundenberaterin im Bereich Anlageberatung. Mitgl. der AWO, bei Pro Familia, der Naturfreunde, der Gewerkschaft HBV. 1974 Eintritt in die SPD, bis 1984 stellv. Vors. der Jungsozialisten im Unterbez. Saarbrücken-Land. Seit 1988 Ortsvereinsvors. im Ortsverein Völklingen-Fürstenhausen. Seit 1984 Mitgl. im Völklinger Stadtrat, seit 1989 im Stadtverbandstag Saarbrücken. – MdB seit 1990; stellv. Vors. Petitionsausschuß.

Wahlkreis 245 (Saarbrücken II)
SPD 50,8 – CDU 39,9 – Grüne 4,5 – F.D.P. 1,6 – PDS 0,5

⦂ MÜLLER (Zittau)   SPD

Christian Müller; Dipl.-Ingenieur; 02779 Großschönau – * 24.12.1947 Görlitz, Kreis Görlitz, verh., 1 Sohn, 1 Tochter – POS, 10. Klasse 1964; Berufsausbildung mit Abitur im Maschinenbau (GMB) Görlitz als Maschinenbauer, Abschluß 1967. Studium Kraft- und Arbeitsmaschinen an der TU Dresden, Diplom auf dem Gebiet der Verdichtersteuerung 1971. Assistent an der Ingenieurhochschule Zittau bis 1975, Patentprüfer am Patentamt Berlin (AfEP) bis 1977. 1977/90 Fachschullehrer, zwischenzeitlich Fachgruppenleiter, zuletzt Dozent für Automatisierungstechnik an der Ingenieurschule für Elektronik und Informatik Görlitz. Mitgl. ÖTV, AWO, Reichsbund. Mitgl. der SPD seit Jan. 1990, Mitgl. des Kreisvorst. Zittau und des Bezirksvorst. Sachsen/Ost bis Ende 1990, Vors. SPD-Unterbezirk Oberlausitz-Niederschlesien seit 1991. Mitgl. des Runden Tisches in der Stadt Zittau bis zur Kommunalwahl 1990, Stadtverordneter, Fraktionsvors. und Vizepräs. Zittauer Stadtparlament bis 1990. – MdB seit 1990; stellv. Vors. Ausschuß für Wirtschaft.

Landesliste Sachsen

* NACHTWEI
BÜNDNIS 90 / DIE GRÜNEN

Winfried Nachtwei; Lehrer; 48161 Münster –
* 15. 4. 1946 Wulfen / NRW, verh. – Max-Planck-Gymnasium Düsseldorf. 1965 / 67 Wehrdienst. Studium Geschichte, Sozialwissenschaften Univ. München und Münster, Staatsexamen für das höhere Lehramt. 1977 / 94 Studienrat am Clemens-Brentano-Gymnasium in Dülmen. Mitgl. der GEW, der Gesellschaft für christl.-jüdische Zusammenarbeit, der Society of Survivers of the Riga Ghetto / New York (Ehrenmitgl.), Mitgl. Deutsch-Palästinens. Gesellschaft, im Bund für Sozial-Verteidigung, Mitgl. Forschungsinstitut für Friedenspolitik / Weilheim, im Verein zur Förderung der Städtepartnerschaft Münster-Rjasa, Mitgl. Initiative Ost-West-Dialog Münster. Gründungsmitgl. der Grünen und der GAL Münster, mehrfach Kreisvorst., friedenspolitischer Sprecher Landesverb. NRW bis 1990. – MdB seit 1994.

Landesliste Nordrhein-Westfalen

:::* NELLE   CDU

Engelbert Nelle; Dipl.-Handelslehrer; 31139 Hildesheim – * 9. 6. 1933 Essen, kath., verh., 3 Kinder – Abitur 1954 in Arnsberg. Berufsschule in Neheim-Hüsten. Lehre als Industriekaufmann, Kaufmannsgehilfenprüfung 1956 in Arnsberg. Studium Univ. Köln, 1961 Staatsprüfung als Diplomhandelslehrer. 1961 / 62 Präs. der Kath. Deutschen Studenten-Einigung (KDSE). 1962 / 64 Angestellter des Bischöflichen Generalvikariats in Köln. 1964 / 80 Angestellter der Firma Bosch in Hildesheim als Ausbildungsleiter. Kuratoriumsmitgl. Hochschule für Berufstätige (AKAD). Präs. des Niedersächsischen und des Norddeutschen Fußballverb., Mitgl. Präs. DFB. Eintritt in die CDU 1969. Ratsherr der Stadt Hildesheim 1972 / 81, Fraktionsvors. 1975 / 81; Ortsratsmitgl. von Hildesheim-Neuhof 1972 / 81, Ortsbürgermeister bzw. Stellvertreter 1972 / 81. – MdB seit 1980; 1983 / 94 stellv. Vors. Ausschuß f. Bildung und Wissenschaft, Vors. Sportausschuß, 1985 / 94 Sportpol. Sprecher der CDU / CSU-Fraktion.

Wahlkreis 40 (Gifhorn – Peine)
CDU 45,7 – SPD 44,3 – Grüne 4,9 – F.D.P. 2,7 – PDS -

* NEUHÄUSER   PDS

Rosel Neuhäuser; Ingenieur; 99846 Seebach –
* 6. 4. 1949 Bad Tennstedt, Krs. Bad Langensalza, verh., 2 Kinder – 10klassige POS. Berufsausbildung als Uhrmacher. Studium an Ingenieurschule Unterwellenborn, Jena zum Ingenieur für Feinwerktechnik. Uhrenwerke Ruhla, Schichtleiter, wissenschaftlicher Mitarbeiter, Produktionsdisponent, 1990 arbeitslos. 1992 Mitarbeiterin der Interessenvereinigung Jugendweihe e. V., Mitgl. des Landesvorst. der Interessenvereinigung Jugendweihe e. V. Thüringen. 1969 SED, 1990 PDS, 1991 / 93 Kreisvors. PDS Eisenach. 1970 / 87 Kreistagsabgeordnete. – MdB seit 1994, Schriftführerin.

Landesliste Thüringen

* NEUMANN (Berlin)   fraktionslos

Kurt Neumann; Rechtsanwalt; 12209 Berlin –
* 10. 6. 1945 Bischofswerda / Sachsen, verh., 1 Tochter –
Aufgewachsen in Nordfriesland. Jurastudium in Berlin, 1965/68 Mitarbeit in der Studentenvertretung.
Wissenschaftl. Assistent, 1970/71 als Assistentenver-
treter Mitgl. des Konzils der FU. 1969/70 Bundesvors.
des SHB. Seit 1977 Rechtsanwalt. Seit 1966 Mitgl. der
SPD; 1969/71 Vors. der Steglitzer Jungsozialisten,
1974/76 Landesvors. der Berliner Jungsozialisten;
1976/82 Abteilungsvors. in Steglitz, 1987/89 Mitgl.
der Programmkommission auf Bundesebene der SPD
(Berliner Programm), seit 1988 Beisitzer im Landesvorst. der Berliner SPD. Mitgl. des AbgHs. von Berlin
1981/85 und 1986/89. – MdB seit 1994, seit Okt. 1996
fraktionslos.

Wahlkreis 255 (Berlin-Kreuzberg–Schöneberg)
SPD 32,2 – CDU 29,3 – Grüne 28,0 – FDP 3,2 – PDS 3,0

::* NEUMANN (Bramsche)   SPD

Volker Neumann; Rechtsanwalt und Notar; 49565
Bramsche – * 10. 9. 1942 Forst / Lausitz – 1962 Abitur
am Gymnasium Carolinum Osnabrück. Studium der
Rechts- und Staatswissenschaften sowie Volkswirtschaft in Bonn und Münster. Seit 1970 Rechtsanwalt
und seit 1974 Notar. Vors. Verwaltungsrat Kreissparkasse Bersenbrück. 1967 Eintritt in die SPD, seit 1983
Kreisvors. der SPD Osnabrück. Seit 1968 Ratsherr und
Kreistagsabgeordneter 1972/78 und 1980/83 Fraktionsvors. im Kreistag Osnabrück. – MdB Juni
1978/83, Nov. 1983/87 und seit 1990.

Landesliste Niedersachsen

:* NEUMANN (Bremen)   CDU

Bernd Neumann; Pädagoge, Parl. Staatssekretär;
28195 Bremen – * 6. 1. 1942 Elbing / Westpreußen, ev.,
verh., 2 Kinder – 1961 Abitur. 1961/63 Wehrdienst.
1963/66 Studium der Pädagogik in Bremen. 1966/71
Lehrer im bremischen Schuldienst, seit 1971 wegen
Mitgliedschaft in der Bremischen Bürgerschaft vom
Dienst beurlaubt. Mitgl. Rundfunkrat von Radio Bremen seit 1975. 1962 Mitgl. CDU; 1967/73 Landesvors.
der JU Bremen, 1969/73 Mitgl. Bundesvorst. der JU,
1971/73 stellv. Bundesvors. Seit 1967 Mitgl. des CDU-
Landesvorst. Bremen, seit 1979 Landesvors., seit 1975
Mitgl. Bundesvorst. der CDU. 1971/87 Mitgl. der Bre-
mischen Bürgerschaft, 1971/73 stellv. Vors., 1973/87
Vors. der CDU-Bürgerschaftsfraktion Bremen. Spit-
zenkandidat der CDU bei den Bürgerschaftswahlen
1975, 1979 und 1983. 1989/95 Vors., seit 1995 stellv.
Vors. Bundesfachausschuß Medienpolitik der CDU. –
MdB seit 1987; seit 1991 Parl. Staatssekretär beim
BMin. für Forschung und Technologie, jetzt Bildung,
Wissenschaft, Forschung und Technologie.

Landesliste Bremen

⁚ NEUMANN (Gotha)   SPD

Gerhard Neumann; Logopäde; 53113 Bonn –
* 25. 6. 1939 Berlin, verh., 2 Kinder – Schulbesuch in
Thüringen. Lehre als Chemiefacharbeiter, danach
Pädagogik-Studium und Ausbildung zum Logopäden
Humboldt-Univ. Berlin. 1965 / 89 Tätigkeit in der Bera-
tungsstelle für Sprach-, Stimm- und Hörgestörte in
Gotha. Mitgl. ÖTV, AWO. Mitgl. Bürgerkomitee;
Gründungsmitgl. SDP-Basisgruppe Gotha Nov. 1989.
MdV März / Okt. 1990. Seit 1992 stellv. Landesvors. der
SPD Thüringen. – MdB seit 1990; stellv. verteidigungs-
pol. Sprecher der SPD-Fraktion; Mitgl. Parl. Versamm-
lung des Europarates und der WEU.

Landesliste Thüringen

⁚* NICKELS
BÜNDNIS 90 / DIE GRÜNEN

Christa Nickels; Fachkrankenschwester; 52511 Geilenkirchen – * 29. 7. 1952 Setterich, röm.-kath., verh., 2
Kinder – Abitur 1971. 1974 Krankenschwester, Fach-
krankenpflege für Innere Intensivpflege 1992. Mitgl.
Pax Christi. Mitgl. der ÖTV. 1979 Gründungsmitgl. der
Grünen NRW. – MdB 1983 / 90, davon 1 Jahr parl. Geschäftsführerin, 2 Jahre „Wegrückerin", erneut MdB
seit 1994; Vors. Petitionsausschuß.

Landesliste Nordrhein-Westfalen

⁚* Dr. NIEHUIS   SPD

Edith Niehuis, geb. Janßen; Dipl.-Pädagogin; 37176
Nörten-Hardenberg – * 2. 8. 1950 Gölriehenfeld, ev.-
luth., verh., 2 Kinder – 1969 Abitur. Studium in Oldenburg und Göttingen, 1972 1. Staatsprüfung für das
Lehramt an Volksschulen, 1977 Diplom in Erziehungswissenschaften an der PH Niedersachsen, 1983 Dr.
phil. Univ. Göttingen. 1973 pädagogische Mitarbeiterin in der ländl. Erwachsenenbildung (LEB), 1973 / 76
wissenschaftl. Mitarbeiterin beim Paritätischen Bildungswerk, 1976 / 79 pädagogische Mitarbeiterin an
der Heimvolkshochschule (HVHS) Jägerei Hustedt.
1980 / 87 an der ländl. Heimvolkshochschule Maria-
spring. Zahlr. Veröffentlichungen. Mitgl. GEW, AWO,
DRK, Marie-Schlei-Verein. 1972 Mitgl. der SPD, seit
1987 Mitgl. Bezirksvorst. Hannover. – MdB seit 1987;
Vors. Ausschuß für Familie, Senioren, Frauen und Jugend.

Wahlkreis 48 (Northeim – Osterode)
SPD 49,3 – CDU 41,0 – Grüne 4,4 – FDP 3,3 – PDS 0,6

:* Dr. NIESE   SPD

Rolf Niese; Wissenschaftlicher Angestellter (beurlaubt); 21029 Hamburg – * 21.8.1943 Wentorf – 1964 Abitur. 1964/70 Studium der Mathematik, Physik, Pädagogik und Philosophie, 1970 Staatsexamen. 1971/74 Assistent am Mathematischen Seminar der Univ. Hamburg, 1973 Promotion zum Dr. rer. nat. 1974/Jan. 1987 im Schuldienst der Freien und Hansestadt Hamburg als wissenschaftl. Angestellter in der Tätigkeit eines Studienrats an Gymnasien. Mitgl. ÖTV, der AWO, im DRK, im Deutschen Siedlerbund, im ASB und im Weißen Ring. 1962 Eintritt in die SPD, 1968/72 Vorstandsmitgl., 1972/78 stellv. Vors., 1978/89 Vors. und seit 1991 Kassierer des SPD-Unterbezirks Bergedorf sowie 1978/89 Mitgl. des Landesvorst. der SPD Hamburg. 1970/78 Mitgl. der Bezirksversammlung Bergedorf und dort 1974/78 Vors. der SPD-Fraktion; 1978/86 Mitgl. der Hamburgischen Bürgerschaft. – MdB seit 1987; seit 1990 Schriftführer.

Wahlkreis 17 (Hamburg-Bergedorf)
SPD 45,5 – CDU 38,3 – Grüne 8,3 – F.D.P. 2,7 – PDS 1,2

:* NITSCH   CDU

Johannes Nitsch; Dipl.-Ingenieur, Parl. Staatssekretär; 01139 Dresden – * 24.3.1937 Freudenberg, Kreis Rößel/Ostpreußen, kath., verh., 3 Töchter – Abitur 1956 in Köthen/Anhalt. Studium Starkstrom- und Energietechnik TH Ilmenau, 1962 Diplomingenieur. 1962/90 im VEB Energiebau Dresden, jetzt ABB Energiebau GmbH, seit 1965 Abteilungsleiter Produktionslenkung (Hochspannungsfreileitungen, Umspannwerke und Umformerwerke ab 110 KV). Hobbyimker. Stellv. Vors. Gesellschaft zum Studium Strukturpolitischer Fragen e. V. 1989 Eintritt in die CDU, 1989/90 Mitgl. Parteivorst. CDU (Ost), seit 1990 Mitgl. Kreisvorst. Dresden/Nord bzw. Dresden der CDU. MdV März/Okt. 1990, wirtschaftspol. Sprecher und stellv. Fraktionsvors. der CDU/DA-Fraktion. – MdB seit Okt. 1990; seit Febr. 1991 stellv. Vors. der CDU/CSU-Fraktion, Vors. Kommission Wiederaufbau Neue Bundesländer der CDU/CSU-Fraktion; seit Nov. 1994 Parl.Staatssekretär beim BMin. für Verkehr.

Wahlkreis 319 (Dresden II)
CDU 46,9 – PDS 22,1 – SPD 18,1 – Grüne 7,1 – F.D.P. 2,4

:* NOLTE   CDU

Claudia Nolte, geb. Wiesemüller; BMin. für Familie, Senioren, Frauen und Jugend; 98693 Ilmenau – * 7.2.1966 Rostock, kath., verh., 1 Sohn – 1972/82 POS Rostock, anschließend Lehre als Elektronikfacharbeiter, 1985 Abitur. 1985/90 Ingenieurstudium für Automatisierungstechnik und Kybernetik an der TH Ilmenau, 1990 Diplom. 1990 wissenschaftl. Mitarbeiterin der TH Ilmenau. Mitgl. der Gesellschaft zur Förderung der deutsch-amerikanischen Freundschaft. Okt. 1989 Mitarbeit im Neuen Forum. März/Okt. 1990 MdV, Obmann für Jugend und Sport der CDU/DA-Fraktion. Febr. 1990 Eintritt in die CDU; 1992/94 Mitgl. Thüringer CDU-Landesvorst., Vors. Landesfachausschuß Familienpolitik. – MdB seit Okt. 1990; 1991/94 frauen- und jugendpol. Sprecherin der CDU/CSU-Fraktion, Mitgl. Fraktionsvorst.; seit Nov. 1994 BMin. für Familie, Senioren, Frauen und Jugend.

Wahlkreis 307 (Suhl–Schmalkalden–Ilmenau–Neuhaus)
CDU 44,9 – SPD 28,9 – PDS 18,7 – Grüne 4,4 – F.D.P. 3,1

** NOLTING   F.D.P.

Günther Friedrich Nolting; Lehrer; 32427 Minden –
* 7.4.1950 Minden, ledig – 1969 Abitur am Herder-
gymnasium Minden. 1969/71 Wehrdienst. 1971/74
Studium an der PH Bielefeld, Lehrer für Grund- und
Hauptschule. 1974/87 Lehrer, 1976/87 an der Grundschule In den Bärenkämpen in Minden. Mitgl. in zahlr.
Vereinen und Verbänden, u. a. EU, Handballverein
Grün-Weiß Dankersen, Deutscher Bundeswehr-Verband e. V., Gesellschaft für Wehr- und Sicherheitspolitik e. V., Deutsche Atlantische Gesellschaft e. V., Akti-
onskomitee „Rettet die Weißstörche", „Altentages-
stätte Minden". 1972 F.D.P., 1976/87 Vors. Stadtverb.
Minden, seit 1987 Vors. F.D.P.-Kreisverb. Minden-Lübbecke, Mitgl. Bezirksvorst. Ostwestfalen-Lippe, Landesvorst. NRW. 1976/87 Stadtverordneter und
1987/89 Sachkundiger Bürger im Rat der Stadt Minden. – MdB seit 1987; sicherheitspolitischer Sprecher
der F.D.P.-Fraktion.

Landesliste Nordrhein-Westfalen

:: ODENDAHL   SPD

Doris Odendahl, geb. Robeller; Kaufmännische Angestellte; 71034 Böblingen – * 30. 6. 1933 Stuttgart,
verw., 1 Tochter – Gymnasium. Ausbildung als Kauffrau. Sachbearbeiterin mit Schwerpunkt Verkauf, Per-
sonal- und Rechnungswesen, Auslandsaufenthalte.
1967/81 selbständig im Textileinzelhandel, ab 1981
Sachbearbeiterin für Organisation in einem Wirt-
schaftsberatungsinstitut. Mitgl. ÖTV, AWO. Mitgl. der
SPD seit 1969, 1981/89 Vors. SPD-Kreisverb. Böblingen, Mitgl. Landesvorst. Baden-Württemberg. 1971/83
Stadträtin in Böblingen bzw. Sindelfingen. – MdB seit
1983; seit Okt. 1996 Vors. des Ausschusses für Bildung,
Wissenschaft, Forschung, Technologie und Technikfolgenabschätzung.

Landesliste Baden-Württemberg

** OESINGHAUS   SPD

Günter Oesinghaus; Hauptschullehrer a. D.; 53113
Bonn – * 4.8.1943 Wahlscheid/NRW, verh. – Real-
schule in Köln, mittlere Reife. Abgeschlossene Ausbil-
dung als Versicherungskaufmann und mehrjährige
Berufstätigkeit. Begabtensonderprüfung; 1967/70
Studium an der PH Köln. Dez. 1970 1. Staatsprüfung
für das Lehramt an Grund- und Hauptschulen, Fe-
bruar 1972 2. Staatsprüfung, Hauptschullehrer in Köln.
Nach halbjähriger Wehrpflicht Anerkennung als
Kriegsdienstverweigerer. Mitgl. GEW und AWO. 1969
Eintritt in die SPD, 1975/86 Ortsvereinsvors., 1977/91
Mitgl. im SPD-Unterbezirksvorst. Köln. – MdB seit
1987.

Wahlkreis 62 (Köln IV)
SPD 50,6 – CDU 35,1 – Grüne 7,6 – F.D.P. 3,1 – PDS 1,0

* ÖZDEMIR
BÜNDNIS 90/DIE GRÜNEN

Cem Özdemir; Dipl.-Sozialpädagoge (FH); 72070 Tübingen – * 21.12.1965 Bad Urach, Baden-Württemberg, ledig – Realschule, Mittlere Reife. Ausbildung zum Erzieher bis 1987, Fachhochschulreife zweiter Bildungsweg, Studium an der Ev. Fachhochschule für Sozialwesen in Reutlingen, seit Juli 1994 Diplomsozialpädagoge (FH). Seit 1987 tätig als Erzieher und freier Journalist, seit 1994 freiberuflich als Diplomsozialpädagoge (FH). Mitgl. BUND, Verkehrsclub Deutschland, bei ai und bei „ImmiGrün" – Bündnis der neuen InländerInnen e. V. Mitgl. der GRÜNEN seit 1981, 1989/94 Mitgl. Landesvorst. von Bündnis 90/Die Grünen Baden-Württemberg. – MdB seit 1994.

Landesliste Baden-Württemberg

:::* Dr. OLDEROG CDU

Rolf Olderog; Jurist; 23758 Oldenburg in Holstein – * 29.12.1937 Hamburg, aufgewachsen auf der Insel Fehmarn, ev., verh., 4 Kinder – Studium der Rechts- und Staatswissenschaften, Promotion, 2. Staatsexamen. 1968 Wiss. Assistent Univ. Kiel und bei der schleswig-holst. CDU-Landtagsfraktion. Eintritt in den schleswig-holst. Landesdienst, Innenministerium, Kreisverwaltung Bad Segeberg, 1969 Pers. Referent des Wirtschaftsministers. Vors. im RCDS. Kreisvors. und stellv. Landesvors. JU; seit 1970 Vors. CDU Ostholstein und der schleswig-holst. CDU-Grundsatzkommission. 1970/80 MdL Schleswig-Holstein, u. a. 1971/79 Vors. Innenausschuß, Vors. versch. Untersuchungsausschüsse, 1975/80 stellv. Vors. CDU-Fraktion, 1975/80 Parl. Vertreter des Innenministers. – MdB seit 1980; Vors. der schleswig-holsteinischen CDU-Landesgruppe 1983/94, Vors. der Fraktionsarbeitsgruppe Fremdenverkehr und Tourismus seit 1991.

Wahlkreis 9 (Ostholstein)
CDU 49,1 – SPD 41,3 – Grüne 5,7 – F.D.P. 2,5 – PDS -

* ONUR SPD

Leyla Onur, geb. Akdag; Berufsschullehrerin; 38104 Braunschweig – * 8.1.1945 Braunschweig, verh., 2 Kinder – 1965 Abitur in Braunschweig. Schneiderlehre. Studium der Germanistik und Sozialkunde. 1971/80 Lehrtätigkeit an Gymnasien, 1980/89 Lehrerin an den Berufsbildenden Schulen II in Braunschweig. Mitgl. GEW, AWO. Mitgl. der SPD seit 1973, versch. Funktionen, ab 1991 Vors. des SPD-Unterbezirks Braunschweig. 1976/89 Mitgl. des Rates der Stadt Braunschweig, 1986/89 2. Bürgermeisterin. 1989/94 Mitgl. des EP. – MdB seit 1994.

Wahlkreis 45 (Braunschweig)
SPD 44,6 – CDU 43,0 – Grüne 6,1 – F.D.P. 2,9 – PDS 1,0

:* OPEL   SPD

Manfred Opel; Diplomingenieur, M.A., Soldat a.D.;
25813 Husum – * 27. 7. 1938 Bayreuth, verh., 3 Kinder –
1958 Abitur in Bayreuth. Nov. 1958 Luftwaffe, Ausbildung zum Techn. Offizier (Dipl.-Ing. FH); Dipl.-Ing. TU
München; M.A., Boston Univ. 1969/70 Stipendium Stu-
dienstiftung des Deutschen Volkes für Auslandsstu-
dium bei der NASA in Huntsville/Alabama. 1971/73
Generalstabsausbildung in Hamburg, 1973 Heusinger-
preis für den besten Jahresabschluß; 1974/78 Pers. Referent beim Staatssekretär Dr. Mann/BMVg. 1978
NATO-Verteidigungsakademie in Rom. 1978/81 Referatsleiter im Internat. Militärstab NATO-Hauptquartier
in Brüssel. 1981/83 Kommandeur des Luftwaffen-Ver-
sorgungs-Regiments 7 in Husum. 1985/87 Stabsabtei-
lungsleiter Logistik im Führungsstab der Luftwaffe,
BMVg. 1987/88 General für Luftwaffenangelegenhei-
ten der Rüstung im Luftwaffenamt, Köln/Wahn, Bri-
gadegeneral a.D. Inh. Ingenieurbüro und eines Kunst-
handels, Husum, Teilh. und Geschäftsf. der HOMLOG
GmbH Internat. Spedition, Angermünde. Mitgl. ÖTV
und AWO. Seit 1993 Kreisvors. der SPD Nordfriesland.
– MdB seit Juni 1988.
Landesliste Schleswig-Holstein

:* Dr. ORTLEB   F.D.P.

Rainer Ortleb; Universitätsprofessor a. D., Bundesminister a. D.; 18055 Rostock – * 5.6.1944 Gera, verh., 2
Kinder – 1964 Beginn des Studiums der Mathematik
an der TU Dresden, 1971 Promotion zum Dr. rer. nat.
und 1983 zum Dr.-Ing. habil. an der Univ. Rostock. Seit
1984 Dozent für Informationsverarbeitungssysteme an
der Univ. Rostock, Sektion Informatik, seit 1986 Sektion Schiffstechnik. Sept. 1989 Berufung zum außerordentl. Prof. an der Univ. Rostock, derzeit Universitätsprofessor im Fachbereich Elektrotechnik. Mitgl. der
LDPD seit 1968, u. a. 1987 LDPD-Kreisvors. von Rostock, letzter Parteivors. des Bundes Freier Demokraten. MdV März/Okt. 1990, Fraktionsvors. F.D.P. Seit
August 1990 stellv. Bundesvors. F.D.P. – MdB seit Okt.
1990; Okt. 1990/Jan. 1991 BMin. für besondere Aufgaben, Jan. 1991/Febr. 1994 BMin. für Bildung und
Wissenschaft.

Landesliste Mecklenburg-Vorpommern

: OST   CDU

Friedhelm Ost; Dipl. rer. pol., Journalist und Publizist;
53113 Bonn – * 15. 6. 1942 Castrop-Rauxel, kath., verh.,
5 Kinder – Abitur. 1961/65 Studium der Volkswirtschaft Univ. Freiburg und Köln, Abschluß Dipl. rer. pol.
1966/69 Wissenschaftl. Mitarbeiter in einer Groß-
bank; 1969/72 Referent im Bundesverb. Deutscher
Banken; 1973/85 Wirtschaftsredakteur, Moderator
und Kommentator beim ZDF. 1985/89 Staatssekretär,
Chef des BPA. 1989/90 wirtschaftspol. Berater des
Bundeskanzlers, freier Journalist und Publizist.
Hauptgeschäftsf. Wirtschaftsvereinigung Bergbau bis
Ende 1993. U.a. seit 1990 Präs. der „Luftbrücke für
atemwegserkrankte Kinder in Deutschland", Mitgl.
Bund Kath. Unternehmer. Orden versch. europäischer,
afrikanischer und lateinamerikanischer Staaten, Gol-
denes Handwerkszeichen (1994). Mitgl. der CDU seit
1980, Mitgl. der CDU-Mittelstandsvereinigung. – MdB
seit 1990; Vors. Ausschuß für Wirtschaft.

Wahlkreis 107 (Paderborn)
CDU 56,9 – SPD 30,1 – Grüne 7,4 – FDP 3,2 – PDS -

⁞ OSTERTAG SPD

Adolf Ostertag; Werkzeugmacher, Dipl.-Sozialwirt, Gewerkschaftssekretär; 45549 Sprockhövel – * 22.7.1939 Penzendorf (Mittelfranken), verh. – Volksschule. 1953 Lehre als Werkzeugmacher, Facharbeiterprüfung 1957. Tätigkeit als Werkzeugmacher und Maschinenschlosser. 1964 Hochschule für Wirtschaft und Politik in Hamburg. Kriegsdienstverweigerer. Seit 1967 Gewerkschaftssekretär bei der IG Metall als Assistent in einer Bildungsstätte, als Bezirkssekretär und seit 1971 als pädagogogischer Leiter des IG Metall-Bildungszentrums Sprockhövel. Seit 1953 Mitgl. der IG Metall; Jugendvertreter, Betriebsratsmitgl., Betriebsratsvors. Mitgl. AWO. Seit 1968 Mitgl. der SPD; 1970/71 Vorstandsmitgl. der Jungsozialisten Hessen-Süd. 1972/78 Vors. der Arbeitsgemeinschaft für Arbeitnehmerfragen in Sprockhövel. Seit 1978 versch. Parteifunktionen. 1979 Mitbegründer der „Aktion für mehr Demokratie". – MdB seit 1990.

Wahlkreis 109 (Ennepe-Ruhr-Kreis I)
SPD 52,1 – CDU 35,7 – Grüne 6,7 – F.D.P. 3,4 – PDS -

⁑ OSWALD CSU

Eduard Oswald; Dipl.-Betriebswirt (FH); 86424 Dinkelscherben – * 6.9.1947 Augsburg, kath., verh., 2 Kinder – Wirtschaftsschule, kaufmännische Lehre, Einzelhandelskaufmann. Studium zum Diplombetriebswirt (FH) in München, Studium für das Lehramt Univ. Augsburg. Hauptschullehrer a. D. Mitgl. Verwaltungsrat Kreissparkasse Augsburg. Seit 1966 Mitgl. der CSU, seit 1972 Mitgl. der CSU-Bezirksvorstandschaft von Schwaben, seit 1989 stellv. Bezirksvors., seit 1973 CSU-Kreisvors. im Landkreis Augsburg. Seit 1972 Mitgl. Kreistag von Augsburg. 1978/86 MdL Bayern. – MdB seit 1987; Mitgl. Vorst. der CDU/CSU-Fraktion, Parl. Geschäftsführer und Stellv. des 1. Parl. Geschäftsführers, Ä.

Wahlkreis 239 (Augsburg-Land)
CSU 58,3 – SPD 26,9 – Grüne 6,2 – F.D.P. 3,0 – PDS -

⁞ OTTO (Erfurt) CDU

Norbert Otto; Straßenbauer, Bauingenieur; 99094 Erfurt-Möbisburg – * 6.1.1943 Erfurt, röm.-kath., verh., 2 Töchter – Besuch der Mittelschule, 3 Jahre Lehrzeit, Abschluß als Straßenbauer. 18 Monate Grundwehrdienst in Erfurt. Besuch der Ingenieurschule für Bauwesen, Ingenieur. Bis März 1990 Abteilungsleiter Technik/Straßenbau beim Magistrat der Stadt Erfurt, Tiefbauamt, vormals Stadtdirektion Straßenwesen, Tätigkeitsgebiet: kommunaler Straßenbau und Instandhaltung/Verkehrsbau. Mitgl. AR der Erfurter Verkehrsbetriebe AG; Beiratsmitgl. der „Initiative für Thüringen e. V.". Vors. AR Güterverkehrszentrum Erfurt. Mitbegründer des Bürgerkomitees in Erfurt Dezember 1989. Mitgl. der CDU seit 1964, 1984/90 Ortsverbandsvors. Erfurt-Nord, 1990/94 Kreisvors. CDU Erfurt. MdV März/Okt. 1990; verkehrspolitischer Sprecher der CDU/DA-Fraktion. – MdB seit 1990.

Wahlkreis 300 (Erfurt)
CDU 36,7 – SPD 34,2 – PDS 22,1 – Grüne 6,9 – F.D.P. -

⁞ Dr. PÄSELT CDU

Gerhard Päselt; Diplomphysiker; 99869 Wandersleben
– * 16. 2. 1937 Urbanstreben, Kr. Bunzlau, Niederschle-
sien, ev.-luth., 2 Kinder – 1943/44 Volksschule Urbanstreben, 1947/52 in Gotha/Thür., 8. Klassenabschluß,
1952/56 Oberschule, Abitur. 1956/62 Friedrich-Schiller-Univ. Jena, Diplomphysiker. 1962/67 Wissenschaftlicher Assistent an der Hochschule für Architektur und Bauwesen Weimar, Promotion Dr. rer. nat. Seit
1967 Fachlehrer für Physik, Baustoffkunde und Bau-
chemie an der Ingenieurschule für Bauwesen Gotha,
Leiter der Baustoffprüfstelle Gotha, Gutachter für
Bauschäden und Holzschutzfachmann. 1984 CDU,
1990 stellv. Kreisvors. Gotha, 1993 Beisitzer im CDU-
Kreisvorst. Gotha. 1984 Abg. der Gemeindevertretung
Wandersleben und Ratsmitgl., 1990 Abg. Kreistag Gotha und der Gemeindevertretung Wandersleben, Vors.
Kreistag Gotha. – MdB seit 1990.

Wahlkreis 299 (Gotha – Arnstadt)
CDU 43,1 – SPD 35,8 – PDS 12,8 – Grüne 5,4 – F.D.P. 2,9

⁞ PALIS SPD

Kurt Palis; Versicherungsangestellter; 29614 Soltau –
* 16. 10. 1937 Engelshöhe, Kreis Wehlau/Ostpreußen,
verh., 2 Töchter – Volksschule, Gymnasium, Abitur
1957. Universität Hamburg, Studium von Pädagogik
und Rechtswissenschaft. 1969/77 Schulungsreferent
Privatversicherung, fachliches und verkäuferisches
Training von Außendienstmitarbeitern, 1977/80 Versi-
cherungsaußendienst, 1981/93 Schulungsreferent,
Angesteller der IDUNA/NOVA Versicherungen.
Mitgl. HBV; Betriebsratsvors. Seit 1965 Mitgl. der SPD,
zeitweilig Vors. des Distriktvorst. Hamburg-Jenfeld
und des SPD-Ortsvereinsvorst. Soltau, z. Z. Vors. SPD-
Unterbezirksvorst. Soltau-Fallingbostel. 1991/93 Ratsmitgl. der Stadt Soltau, bis April 1993 Fraktionsvors.;
seit 1991 Kreistagsabg. des Landkreises Soltau-Fallingbostel. – MdB seit Juli 1993.

Landesliste Niedersachsen

* PAPENROTH SPD

Albrecht Papenroth; Diplomingenieur-Ökonom des
Bauwesens; 03130 Spremberg – * 30. 12. 1939 Spremberg, ev., verh., 2 Kinder – Grundschule, Facharbeiter;
Mittlere Reife. Fachschulstudium, Ökonom für Rech-
nungsführung und Statistik, Studium an der TU
Dresden, Diplomingenieur-Ökonom des Bauwesens. Grundwehrdienst. Tätigkeiten: Betriebselek-
triker/Energetiker, Ökonom für Forschung und Entwicklung, Ökonomischer Leiter eines Landbaubetrie-
bes, Direktor für Wohnungswirtschaft, zuletzt bis 1990
Betriebsdirektor/Geschäftsführer in einem Sprember-
ger Wohnungswirtschaftsunternehmen, Außenstellenleiter der Arbeitsförderungsgesellschaft. Drebkau in
Spremberg. Seit 1954 Gewerkschaftsmitgl. 1990 Gründung Niederlausitzer Mieterbund e. V. und Wahl zum
ehrenamtl. Vors.; seit 1991 ehrenamtl. Jugendrichter.
Seit Dez. 1990 Mitgl. der SPD, Ortsverein Spremberg,
Mitgl. des SPD-Unterbezirksvorst. Spree-Neiße-Kreis.
Stadtverordneter in Spremberg, Mitgl. Hauptausschuß
und Ausschuß für Bau- und Wirtschaftsförderung. –
MdB seit 1994.
Wahlkreis 281 (Senftenberg – Calau – Spremberg)
SPD 39,4 – CDU 38,0 – PDS 17,0 – Grüne 3,2 – F.D.P. 2,4

⁝ Dr. PAZIOREK CDU

Peter Paziorek; Stadtdirektor a. D.; 59269 Beckum –
* 29. 5. 1948 Gelsenkirchen-Buer, röm.-kath., verh., 2
Kinder – Realschule, Abitur. Jura-Studium Ruhr-Univ.
Bochum, Dr. jur. 1983. 1977 Stadtrechtsrat z. A., 1979
Referent der Kommunalpol. Vereinigung der CDU
NRW. 1980 Stadtdirektor der Stadt Breckerfeld
(Westf.), 1983 Stadtdirektor der Stadt Beckum (Westf.).
1968 Eintritt in die CDU, stellv. Bezirksvors. der CDU
Münsterland; Landesvors. der Ost- und Mitteldeutschen Vereinigng der CDU NRW. – MdB seit 1990,
stellv. Sprecher (Obmann) der AG Umwelt, Natur-
schutz und Reaktorsicherheit der CDU/CSU-Frak-
tion.

Wahlkreis 100 (Warendorf)
CDU 50,0 – SPD 37,1 – Grüne 5,9 – F.D.P. 5,0 – PDS 0,5

⁞⁞⁞ Dr. PENNER SPD

Willfried Penner; Rechtsanwalt; 42287 Wuppertal –
* 25. 5. 1936 Wuppertal, verh., 3 Kinder – Abitur 1956
am Wilhelm-Dörpfeld-Gymnasium in Wuppertal.
Nach rechtswissenschaftlicher Ausbildung und Promotion seit 1965 im staatsanwaltlichen Dienst, zuletzt
als Erster Staatsanwalt in Wuppertal. Seit 1983 Vors.
des Stadtsportbundes Wuppertal. 1966 Eintritt in die
SPD, seitdem versch. Funktionen in der Partei in Wuppertal. Bis einschl. 1979 sieben Jahre Tätigkeit im Rat
der Stadt Wuppertal. – MdB seit 1972; 1980/82 Parl.
Staatssekretär beim BMin. der Verteidigung; 1985/91
Stellv. Vors. der SPD-Fraktion und Vors. des AK Inneres, Bildung und Sport, 1992 Justitiar der SPD-
Fraktion; Vors. Innenausschuß.

Wahlkreis 70 (Wuppertal II)
SPD 48,7 – CDU 37,2 – Grüne 6,4 – F.D.P. 3,6 – PDS 0,8

⁝ PESCH CDU

Hans-Wilhelm Pesch; Geschäftsführer; 41239 Mönchengladbach – * 19. 6. 1937 Rheydt, kath., ledig –
Gymnasium. Studium der Volkswirtschaft und Betriebswirtschaft. Geschäftsführer in der Firma Pesch &
Co., Mönchengladbach. 1964 Eintritt in die CDU, seit
1986 Kreisparteivors. der CDU Mönchengladbach.
Seit 1969 Ratsherr in Mönchengladbach; 1969/75
Mitgl. der Landschaftsversammlung Rheinland;
1975/84 Bürgermeister und 1975/83 Fraktionsvors.
der CDU-Ratsfraktion in Mönchengladbach. – MdB
seit 1983.

Wahlkreis 78 (Mönchengladbach)
CDU 45,1 – SPD 40,7 – Grüne 6,6 – F.D.P. 5,5 – PDS 0,7

: PETERS F.D.P.

Lisa Peters; Meisterin der ländlichen Hauswirtschaft;
21614 Buxtehude – * 17.12.1933 Pippensen (heute
Buxtehude), 2 Töchter – Meisterin der ländlichen
Hauswirtschaft, mithelfende Familienangehörige im
landwirtschaftlichen Betrieb, Bäuerin. Langjährige El-
ternratsvorsitzende. Über 25 Jahre Vors. der Meiste-
rinnenarbeitsgemeinschaft im Landkreis Harburg, 12
Jahre tätig im Kreisvorst. der Landfrauen. 25 Jahre
Mitgl. der Prüfungskommission (Meisterin ländlicher
Hauswirtschaft), langjähriges Mitgl. im Landfrauen-
ausschuß an der Landwirtschaftskammer. Bis 1991 eh-
renamtl. Richterin am OVG Lüneburg. Ortsvors. der
F.D.P. Buxtehude, Delegierte zu Bezirks-, Landes- und
Bundesparteitag. Seit 1972 Ratsfrau in Buxtehude,
stellv. Fraktionsvors., 1972/86 Ausschußvors., 1978/91
1. stellv. Bürgermeisterin der Stadt Buxtehude. Seit
1981 Mitgl. Kreistag Stade, stellv. Fraktionsvors. –
MdB seit 1990; stellv. verkehrspol. Sprecherin der
F.D.P.-Fraktion; Schriftführerin.

Landesliste Niedersachsen

: PETZOLD CDU

Ulrich Petzold; Dipl.-Ingenieur; 06773 Selbitz –
* 23.9.1951 Wittenberg, ev., verh., 2 Kinder – 1958/70
POS und EOS, 1970 Abitur.1967/70 Schlosserlehre mit
Facharbeiterabschluß. 1970/74 TH „Otto von Guericke" Magdeburg mit Diplomabschluß. Mitgl. IG
Bergbau und Energie. Seit Okt. 1989 Mitgl. der CDU,
seit Febr. 1990 Kreisvorstandsmitgl. der CDU Gräfenhainichen. – MdB seit 1990.

Wahlkreis 288 (Wittenberg–Gräfenhainichen–Jes-
sen–Roßlau–Zerbst)
CDU 42,7 – SPD 32,3 – PDS 16,1 – F.D.P. 3,8 – Grüne 3,7

: Dr. PFAFF SPD

Martin Pfaff; Universitätsprofessor; 86391 Stadtbergen
– * 31.3.1939 Tevel, röm.-kath., verh., 3 Kinder – Gym-
nasium. Bachelor of Commerce 1961, Indien, MBA 1963
und Ph.D. 1965 USA. (Mit-)Begründer, ehrenamtl.
Schatzmeister, Mitarbeiter zweier Blindenschulen in
Indien 1958/62, 1965/74 Hochschullehrer an versch.
Univ. in USA; Ordinarius für Volkswirtschaftslehre
Univ. Augsburg seit 1971. Gründer und wiss. Direktor
Internat. Institut für Empirische Sozialökonomie (INI-
FES) seit 1974. Gutachter, Mitgl. Sachverständigenrat
für die Konzertierte Aktion im Gesundheitswesen
1985/90. Mitgl. Verein für Socialpolitik, bei der Deutschen Ges. für Gerontologie, bei der Association for the
Study of the Grants Economy, ÖTV, AWO. Bezirksvors.
für Schwaben des Deutschen Paritätischen Wohlfahrts-
verbandes. Auszeichnungen. Mitgl. Ortsverein SPD
Hochfeld 1976, Beisitzer im Ortsvereinsvorst. und Unterbezirksvorst., Vors. des SPD-Unterbezirks Augsburg
seit 1991 und des SPD-Bezirksvorst. Schwaben seit
1991. Mitgl. „Kocheler-Kreis" und in der Arbeitgem.
der Sozialdemokraten im Gesundheitswesen (ASG),
Bundesvors. der ASG seit 1994. – MdB seit 1990.
Landesliste Bayern

* PFANNENSTEIN SPD

Georg Pfannenstein; Elektromeister; 92536 Pfreimd –
* 4.3.1943 Weiden, Bezirk Oberpfalz, röm.-kath.,
verh., 2 Kinder – Volksschule, Berufsschule, Elektri-
kerlehre, Meisterprüfung. Freigestellter Betriebsratsvors. BHS-Corrugated-Maschinen- und Anlagenbau
GmbH in Weiherhammer. Mitgl. IG Metall, Ortsver-
waltungsmitgl., Mitgl. der Vertreterversammlung, De-
legieter Bezirkskonferenz, Vors. AWO, ehrenamtlicher
Arbeitsrichter. 1972 Mitgl. SPD, seit 1975 Vors. Ortsverein, seit 1990 Kreisvors., Unterbezirks- und Bezirksvorstandsmitgl., Delegierter Landes- und Bundesparteitag. Stadtrat in Pfreimd und Kreistagsmitgl.
in Schwandorf. – MdB seit 1994.

Landesliste Bayern

:::: PFEIFER CDU

Anton Pfeifer; Oberregierungsrat a. D., Staatsminister
beim Bundeskanzler; 72760 Reutlingen – * 21.3.1937
Villingen (Schwarzwald), kath., verh., 2 Kinder –
Gymnasium in Freiburg und Stuttgart, 1956 Abitur.
Studium in Tübingen und Bonn, 1959 1. jur. Staatsprü-
fung in Tübingen, 1963 2. jur. Staatsprüfung in Stutt-
gart. 1964 Gerichtsassessor beim Amtsgericht Reutlin-
gen, anschl. abgeordnet in den parl. Beratungsdienst
Landtag Baden-Wüttemberg. 1965/69 Persönlicher
Referent des Kultusministers von Baden-Württemberg,
Prof. D. Dr. Hahn. 1957 Vors. RCDS Univ. Tübingen.
1959 Mitgl. CDU, 1967/72 Landesvors. der JU von BW.
Seit 1989 stellv. Vors. der Konrad-Adenauer-Stiftung. –
MdB seit 1969; 1972/82 Vors. der Arbeitsgruppe für
Bildung und Forschung sowie Mitgl. Vorst. der
CDU/CSU-Fraktion; 1982/87 Parl. Staatssekretär
beim BMin. für Bildung und Wissenschaft, März
1987/91 Parl. Staatssekretär beim BMin. für Jugend,
Familie, Frauen und Gesundheit, seit Jan. 1991 Staats-
minister beim Bundeskanzler.

Wahlkreis 193 (Reutlingen)
CDU 47,9 – SPD 29,8 – Grüne 8,3 – F.D.P. 8,0 – PDS -

:* PFEIFFER CDU

Angelika Sabine Pfeiffer, geb. Schnürer; Sozialfürsor-
gerin; 04509 Delitzsch – * 27. 7. 1952 Lutherstadt-Eisleben, kath., verh., 2 Töchter – Besuch einer POS, 10-
Klassen-Abschluß; Lehre als Fernschreibtechniker bei
der Deutschen Post, Facharbeiter für Fernschreibtech-
nik in Lutherstadt-Eisleben. 1979/82 Studium in Potsdam, Hochschule für Gesundheitswesen, staatl. Anerkennung Sozialarbeiter. 1982/90 Leiterin eines
Seniorenheims in Leipzig. Stellv. Vors. des Bundes
der Vertriebenen Sachsen. 1982 Eintritt in CDU.
März/Okt. 1990 MdV, dort Ausländerbeauftragte der
CDU. – MdB seit Okt. 1990; stellv. Vors. Ausschuß für
Gesundheit.

Wahlkreis 308 (Delitzsch – Eilenburg – Torgau – Wur-
zen)
CDU 49,3 – SPD 29,0 – PDS 18,2 – FDP 3,5 – Grüne -

⁝* Dr. PFENNIG CDU

Gero Pfennig; Rechtsanwalt und Notar; 53113 Bonn –
* 11.2.1945 Jüterbog, ev., verh., 1 Kind – Gymnasium,
1964 Abitur. Jurastudium in Berlin und Freiburg.
1968/73 Assistent an der FU Berlin, 1970 Promotion
zum Dr. jur., 1973 Assistenzprofessor. Herausgeber des
Kommentars „Verfassung von Berlin". Seit 1964 Mitgl.
der CDU. 1971/75 Mitgl. der Bezirksverordnetenversammlung Zehlendorf, 1975 des Abghs. 1979/85
Mitgl. des EP, dort u. a. Mitgl. im Haushaltsausschuß
und im Institutionellen Ausschuß; Haushaltssprecher
der EVP-Fraktion. Mitverfasser des Vertragsentwurfs
des EP zur Gründung der Europäischen Union. – MdB
Febr. 1977/80 und seit Dez. 1985; in der 11. und 12. WP
Vors. des Petitionsausschusses, Vors. der Arbeitsgruppe Europäische Union und europapolitischer
Sprecher der CDU/CSU-Fraktion.

Wahlkreis 253 (Berlin-Zehlendorf–Steglitz)
CDU 47,5 – SPD 32,6 – Grüne 11,5 – F.D.P. 3,7 – PDS 1,3

⁝ Dr. PFLÜGER CDU

Friedbert Pflüger; Geschäftsführer; 30177 Hannover –
* 6.3.1955 Hannover, ev.-luth., verh. – 1973 Abitur an
der Schillerschule Hannover. Studium Politikwissenschaft, Staatsrecht und Volkswirtschaft in Göttingen,
Bonn, Harvard (USA). 1974/75 wissenschaftl. Mitarbeiter im Fachbereich Volkswirtschaft Univ. Göttingen, 1980 Examen (M. A.), 1982 Dr. phil. 1981/84 Mitarbeiter des Reg. Bürgermeisters von Berlin, zuletzt als
Leiter des Persönlichen Büros, 1984/89 Pressesprecher des BPräs. Zahlr. Veröffentlichungen, vor allem
zu außenpol. Fragen. Mitgl. Kuratorium der Theodor-
Heuss-Stiftung und der Tropenwaldstiftung Oro
Verde. Vors. der Deutsch-Polnischen Gesellschaft,
Bonn. 1971 Eintritt in die CDU, 1977/78 Bundesvors.
des RCDS, 1977/85 im Bundesvorst. der JU, seit 1991
stellv. Vors. im Bundesfachausschuß Außenpolitik der
CDU Deutschlands; 1976/78 stellv. Vors. von European Democrat Students (EDS). – MdB seit 1990.

Landesliste Niedersachsen

* PHILIPP CDU

Beatrix Philipp, geb. Hellweg; Lehrerin; 40470 Düsseldorf – * 7.7.1945 Mönchengladbach, kath., 2 Kinder –
Gymnasium, Abitur 1965. Studium in Freiburg, Frankfurt und Neuss, 1. Staatsprüfung für das Lehramt 1970,
2. Staatsprüfung 1972. Seit 1972 Lehrerin für Grund-
und Hauptschulen, seit 1982 Schulleiterin an der Kath.
Grundschule am Paulusplatz in Düsseldorf, Schulleiterin a. D. Mitgl. der CDU seit 1972, Mitgl. Kreisvorst.
CDU Düsseldorf; Vors. der Frauen-Union der CDU
Düsseldorf, Mitgl. Landesvorst. der Frauen-Union
NRW. 1975/85 Mitgl. im Rat der Stadt Düsseldorf,
1985/94 MdL Nordrhein-Westfalen. – MdB seit 1994.

Landesliste Nordrhein-Westfalen

:* Dr. PICK   SPD

Eckhart Pick; Universitätsprofessor a. D.; 55127 Mainz
– * 8. 2. 1941 Mainz, freireligiös, verh., 2 Kinder – 1960
Abitur. 1960/65 Studium der Philosophie und Rechtswissenschaft Univ. Mainz. 1965 1., 1968 2. jur. Staatsexamen. 1966 Assistent Univ. Mainz, 1967 Promotion
zum Dr. jur., 1972 Assistenzprofessor. 1976 Habilitation
für die Fächer Bürgerliches Recht, Handels- und Ge-
sellschaftsrecht, Deutsche Rechtsgeschichte und Ver-
fassungsgeschichte. 1978 Prof. und Wissenschaftl. Rat
am Fachbereich Rechtswissenschaften I Univ. Hamburg. Seit 1980 Prof. für Bürgerliches Recht, Handels-
recht und Rechtsgeschichte Johannes-Gutenberg-
Univ. Mainz. Mitgl. Verwaltungsrat Sparkasse Mainz.
Mitgl. ÖTV, AWO und in mehreren Vereinen. Träger
der Freiherr-vom-Stein-Plakette des Landes Rheinland-Pfalz. Seit 1963 Mitgl. SPD, Mitgl. Unterbezirksvorst. Mainz, seit 1987 Vors. Seit 1969 Mitgl. Mainzer
Stadtrat, 1983/86 Fraktionsvors. MdL Rheinland-Pfalz
1985/87. – MdB seit 1987.

Landesliste Rheinland-Pfalz

:::* Dr. PINGER   CDU

Winfried Pinger; Rechtsanwalt, Universitätsprofessor;
51107 Köln – * 15. 5. 1932 Lindlar, kath., verh., 6 Kinder
– 1952 Abitur am Staatl. Dreikönigs-Gymnasium Köln.
Studium der Rechtswissenschaft, Volks- und Betriebswirtschaft in Köln; 1955 Referendarexamen, 1958 Promotion über ein verfassungsrechtliches Thema an der
Univ. Köln, 1960 Assessorexamen. 1960/74 und ab
1980 Rechtsanwalt beim Landgericht in Köln. 1972 Habilitation; 1974 Ruf an die Univ. Bielefeld auf einen
Lehrstuhl für Zivilrecht und Zivilprozeßrecht. Mitgl.
AR der Deutschen Vermögensberatungs AG, Frankfurt am Main, der ASTRO Strobel GmbH & Co. KG,
Bergisch Gladbach, und der Gottfried Lindner AG,
Halle. Seit 1957 Mitgl. CDU; seit 1974 stellv. Landesvors. der Mittelstandsvereinigung der CDU/CSU in
NRW, seit 1969 Mitgl. Bundesvorst. der Mittelstandsvereinigung. – MdB 1969/72 und seit 1976; 1981 Wahl
zum Obmann der Arbeitsgruppe „Wirtschaftliche Zusammenarbeit", seit 1982 entwicklungspol. Sprecher
der CDU/CSU-Fraktion.

Landesliste Nordrhein-Westfalen

: POFALLA   CDU

Ronald Pofalla; Rechtsanwalt, Dipl.-Sozialpädagoge;
47652 Weeze – * 15. 5. 1959 Weeze, Kreis Kleve, ev.,
verh. – Volks- und Hauptschule Weeze, 1975 Mittlere
Reife, Fachoberschule für Sozialpädagogik Kleve,
1977 Fachhochschulreife. 1977/81 Studium der Sozialpädagogik an der FH Düsseldorf, 1981 Dipl.-Sozial-
pädagoge. 1981/87 Studium der Rechtswissenschaft
Univ. Köln, 1987 1. jur. Staatsexamen. 1988/91 Rechtsreferendar am Landgericht Kleve, 1991 2. jur. Staatsexamen. Seit 1991 Rechtsanwalt. Mitgl. THW Geldern
und DLRG Weeze; seit Okt. 1992 Vors. der Karl-Ar-
nold-Stiftung. Seit 1975 Mitgl. der CDU; 1986/92 Landesvors. der JU Nordrhein-Westfalen, seit 1991 CDU-
Kreisvors. im Kreis Kleve. Seit Mai 1995 Mitgl. im
Vorst. der Konrad-Adenauer-Stiftung. 1979/92 Fraktionsvors. der CDU-Mehrheitsfraktion der Gemeinde
Weeze. – MdB seit 1990; Obmann der Arbeitsgruppe
der CDU/CSU-Fraktion in der Enquete-Kommission
„Sogenannte Sekten und Psychogruppen".

Wahlkreis 81 (Kleve)
CDU 50,9 – SPD 38,4 – Grüne 5,3 – FDP 4,1 – PDS -

⁑ Dr. POHLER CDU

Hermann Pohler; Dipl.-Landwirt; 04448 Wideritzsch – * 22. 1. 1935 Frankenstein/Schlesien, röm.-kath., verh., 1 Sohn – 1955 Abitur in Magdeburg. 1960 Abschluß des Landwirtschaftsstudiums an der Martin-Luther-Univ. Halle-Wittenberg. Dipl.-Landwirt. 1967 Promotion zum Dr. agr. an der Univ. in Leipzig. 1990 Berufung zum Honorardozenten an der landwirtschaftl. Fakultät der Univ. Halle. Abteilungsleiter Saatgutlagerwirtschaft (Forschung/Entwicklung) in der Quedlinburger FORTECH GmbH i. A. bis 1991. Mitgl. Wirtschaftsvereinigung der CDU Sachsen. 1954 Mitgl. der CDU. 1970 Abgeordneter in einem Stadtbezirk in Leipzig. Mai/Dez. 1990 Stadtverordneter in Leipzig. – MdB seit 1990; stellv. Vors. Ausschuß für Post und Telekommunikation, Mitgl. Wirtschaftsausschuß, Mitgl. Regulierungsrat.

Wahlkreis 309 (Leipzig I)
CDU 43,4 – PDS 29,8 – Grüne 21,3 – FDP 5,6 – SPD -

* POLENZ CDU

Ruprecht Polenz; Geschäftsführer; 48151 Münster – * 26.5.1946 Denkwitz/Bautzen, kath., verh., 4 Kinder – 1966 Abitur. 1966/68 Wehrdienst, Leutnant d. R. 1968/73 Jurastudium Univ. Münster, Stipendiat der Konrad-Adenauer-Stiftung, 1. jur. Staatsexamen 1973, 2. jur. Staatsexamen beim Justizprüfungsamt Hannover 1976; 1976 Wiss. Hilfskraft am Lehrstuhl für Raumplanung und öffentl. Recht, 1977/80 Wiss. Assistent im Institut für Steuerrecht der Univ. Münster. 1980 Leiter der Abteilung Presse- und Öffentlichkeitsarbeit der IHK Münster, 1981 stellv. Geschäftsführer, 1984 Geschäftsführer, für die Dauer der Zugehörigkeit zum BT beurlaubt. Beirat des USC Münster, stellv. Mitgl. in der Rundfunkkommission der Landesanstalt für Rundfunk, NRW. 1968 Mitgl. RCDS, 1969 AStA Univ. Münster, 1969/72 stud. Vertreter in der Jur. Fakultät, im kleinen Senat im Konvent der Univ. Münster, 1970 Vors. der Arbeitsgem. Deutscher Studentenschaften (ADS), 1973 Landesvors. RCDS NRW. 1974/80 Mitgl. Landesvorst. der JU Westfalen-Lippe. 1975/94 Mitgl. Rat der Stadt Münster, 1984/94 Fraktionsvors. – MdB seit 1994.
Wahlkreis 99 (Münster)
CDU 44,0 – SPD 38,5 – Grüne 11,7 – F.D.P. 3,6 – PDS 0,7

⁑ POPPE BÜNDNIS 90/DIE GRÜNEN

Gerd Poppe; Dipl.-Physiker; 10435 Berlin – * 25.3.1941 Rostock, verh., 2 Kinder – 1959/64 Studium der Phyik Univ. Rostock. Seit 1968 in versch. Gruppierungen der DDR-Opposition. 1985/86 Gründungsmitgl. der „Initiative Frieden und Menschenrechte" (IFM); Autor und Mitherausgeber unabhängiger Publikationen. Als Sprecher der IFM Dez. 1989/März 1990 am Zentralen Runden Tisch. Febr./März 1990 Minister o. G. März/Okt. 1990 MdV. Mitbegründer des „Kuratoriums für einen demokratisch verfaßten Bund deutscher Länder" 1990 sowie des „Forums zur Aufklärung und Erneuerung" 1992; 1992/93 im Geschäftsführenden Ausschuß des Bündnis 90. – MdB seit 1990; außenpol. Sprecher der Gruppe Bündnis 90/Die Grünen; Obmann in der Enquete-Kommission „Geschichte und Folgen der SED-Diktatur in Deutschland".

Landesliste Berlin

::: POSS SPD

Joachim Poß; Verwaltungsleiter; 45894 Gelsenkirchen – * 27.12.1948 Westerholt (Westfalen), verh., 3 Kinder – Realschule, Mittlere Reife 1965. Gehobene Beamtenlaufbahn, Stadtinspektor 1970/73. Kriegsdienstverweigerer, 1972/73 Zivildienst. 1973/76 Geschäftsführer des Falkenbildungs- und Freizeitwerkes NRW e. V. 1976/80 Verwaltungsleiter beim Sozialistischen Bildungszentrum Haard e. V. Mitgl. ÖTV, AWO, Naturfreunde und der Soz. Jugend Deutschlands „Die Falken". Vors. des AR der Emscher-Lippe-Agentur. Seit Nov. 1967 Mitgl. der SPD, z. Z. stellv. Vors. des SPD-Unterbezirks Gelsenkirchen, des SPD-Bezirks Westl. Westfalen und des SPD-Parteirates. – MdB seit 1980; Mitgl. im Fraktionsvorst., Sprecher im Finanzausschuß für die SPD-Fraktion.

Wahlkreis 93 (Gelsenkirchen I)
SPD 59,3 – CDU 28,6 – Grüne 6,2 – F.D.P. 1,6 – PDS 0,9

* PRETZLAFF CDU

Marlies Pretzlaff; Hausfrau; 37154 Northeim – * 4.8.1943 Bernburg/Saale, ev.-luth., verw., 2 Kinder – Abitur. Pädagogikstudium, 1. und 2. Lehrerprüfung. Schuldienst, anschl. Familienphase mit ehrenamtl. Tätigkeiten. Seit 1986 ehrenamtl. Richterin beim Verwaltungsgericht und Beisitzerin im Musterungsausschuß beim Kreiswehrersatzamt. 1975 Eintritt in die CDU, Mitgl. CDU-Kreisvorst. Northeim seit 1978 und des CDU-Bezirksvorst. Hildesheim seit 1979; Kreis- und Bezirksvors. der Frauen-Union; Mitgl. im CDU-Landesfachausschuß Außen-, Sicherheits-, Deutschland- und Europapolitik. – MdB seit 1994, Schriftführerin.

Landesliste Niedersachsen

:::: Dr. PROBST CSU

Albert Probst; Diplomagraringenieur, Parl. Staatssekretär a. D.; 85748 Garching – * 29.12.1931 Garching bei München, kath., verh., 4 Kinder – 1951 Abitur. Landwirtschaftslehre, Gehilfenprüfung; landwirtschaftl. Studium TU München; Studienaufenthalt in Jugoslawien; Diplomagraringenieur; 1958 Staatsexamen. Ab 1958 wissenschaftl. Tätigkeit TU München, Promotion 1961. 2 Jahre Spezialberatertätigkeit in Oberfranken. 1963/69 selbst. Forschungstätigkeit an der TU München auf dem Gebiet der Populationsgenetik. Stellv. Vors. kulturpol. Arbeitskreis der CSU. 1960/73 Mitgl. Kreistag München-Land; 1966/90 Mitgl. Gemeinderat von Garching. – MdB seit 1969; 1972/76 Vors. Ausschuß für Bildung und Wissenschaft, 1977/82 Vors. Ausschuß für Forschung und Technologie. Bis Okt. 1982 Vors. Arbeitsgruppe Bildung, Wissenschaft und Publizistik der CSU-Landesgruppe. 1982/91 Parl. Staatssekretär beim BMin. für Forschung und Technologie. Seit 1991 Mitgl. Parl. Vers. Europarat und der WEU.

Wahlkreis 200 (Freising)
CSU 58,4 – SPD 23,7 – Grüne 7,6 – F.D.P. 3,1 – PDS -

* PROBST
BÜNDNIS 90/DIE GRÜNEN

Simone Probst; Diplomphysikerin; 33102 Paderborn –
* 3. 12. 1967 Hannover, verh. – Abitur. Studium an der
Univ.-Gesamthochschule Paderborn, Diplomphysikerin, Schwerpunkt Angewandte Physik. Parteieintritt
1989. 1989/94 Fraktionsvors. der Grünen-Kreistags-
fraktion im Kreistag Paderborn. – MdB seit 1994;
Stellv. Parl. Geschäftsführerin der Fraktion BÜNDNIS
90/DIE GRÜNEN, Ä.

Landesliste Nordrhein-Westfalen

⁞ Dr. PROTZNER   CSU

Bernd Protzner; Generalsekretär der CSU, Studienrat
im Hochschuldienst a. D.; 95326 Kulmbach –
* 23. 8. 1952 Kulmbach, kath., verh., 2 Kinder – 1971
Abitur. Studium Politikwissenschaft und Pädagogik, 1.
und 2. Staatsprüfung für Lehrer, Diplom, Promotion.
Studienrat im Hochschuldienst der Univ. Bayreuth.
1968 Eintritt JU, 1977/83 Kreisvors. JU Kulmbach,
1983/87 Bezirksvors. JU Oberfranken. Seit 1995
Generalsekretär der CSU. 1987/90 stellv. Landrat
Kulmbach. – MdB seit 1990.

Wahlkreis 226 (Kulmbach)
CSU 53,3 – SPD 37,2 – Grüne 4,6 – FDP 2,1 – PDS -

⁞ PÜTZHOFEN   CDU

Dieter Pützhofen; Schulamtsdirektor; 47803 Krefeld –
* 14. 5. 1942 Krefeld, röm.-kath., verh., 2 Kinder – Realschule. Betriebsschlosserlehre. Berufsaufbauschule,
Abendgymnasium, Pädagogische Hochschule. Lehrer,
Konrektor, Rektor, Schulrat, Schulamtsdirektor beim
Regierungspräsidenten Düsseldorf. Bundesverdienstkreuz. 1962 Mitgl. der JU, 1969 der CDU, 1985 Landesvors. der CDU Rheinland, 1986 1. stellv. Landesvors. der CDU Nordrhein-Westfalen. 1975 Stadtrat,
Fraktionsvors.; 1981/89 und seit Nov. 1994 Oberbürgermeister. – MdB seit 1990.

Wahlkreis 79 (Krefeld)
CDU 48,7 – SPD 38,7 – Grüne 7,2 – F.D.P. 2,4 – PDS 0,6

❖ PURPS SPD

Rudolf Purps; Realschullehrer a. D.; 57368 Lennestadt
– * 26. 12. 1942 Hamm / Westfalen, verh., 3 Kinder –
Gymnasium, Abitur 1962. Wehrdienst 1962/63. Studium an den Univ. Münster und Bochum, Fächer
Deutsch, Geschichte, Wirtschaftskunde, Politik. 1967
Fachprüfung für das Lehramt an Realschulen.
1969/80 Realschullehrer an der Realschule Lennestadt-Meggen. Seit 1969 Mitgl. der IG Bergbau und
Energie, Mitgl. der AWO und bei ai. Eintritt in die SPD
1968, Kreisvors. der SPD Kreis Olpe 1971/75, Unterbezirksvors. Olpe 1977/87, Ortsvereinsvors. SPD Halber-
bracht seit 1977. Kreistagsabg. Kreis Olpe 1969/89,
1975/80 Fraktionsvors. Mitgl. Rat der Stadt Lennestadt 1992/94. – MdB seit 1980; stellv. Vors. des Rech-
nungsprüfungsausschusses; Ä.

Landesliste Nordrhein-Westfalen

* RACHEL CDU

Thomas Rachel; Politikwissenschaftler, Angestellter;
52349 Düren – * 17. 5. 1962 Düren, ev. – 1982 Abitur in
Düren. 1992 Magister Artium (M.A.) in den Fächern
Politische Wissenschaften, Geschichte und Staatsrecht
Univ. Bonn; 1985 Stipendiat der Konrad-Adenauer-
Stiftung. 1986/87 Assistent von Matthias Wissmann,
MdB; 1992 Leiter des Büros Bonn der Wirtschaftsver-
einigung Stahl, seit 1994 stellv. Abteilungsleiter der
Außenhandelsabteilung der Wirtschaftsvereinigung
Stahl, Düsseldorf. 1984/85 Gewähltes Mitgl. der En-
geren Fakultät und des Großen Senats der Univ. Bonn.
1985/95 Kreisvors. der JU, seit 1988 stellv. Landesvors.
der JU NRW, seit 1989 stellv. CDU-Kreisvors. Düren,
seit 1991 Landesvorstandsmitgl. der CDU NRW und
stellv. Landesvors. des Ev. Arbeitskreises der CDU
NRW. – MdB seit 1994.

Wahlkreis 56 (Düren)
CDU 46,2 – SPD 43,7 – Grüne 5,8 – F.D.P. 3,5 – PDS -

❖ RAIDEL CSU

Hans Raidel; Dipl.-Verwaltungswirt (FH); 86732 Oet-
tingen – * 11. 7. 1941 Lechnitz (Siebenbürgen), ev.,
verh., 1 Kind – Dipl.-Verwaltungswirt (FH). Bürgermeister a. D. – MdB seit 1990, Schriftführer.

Wahlkreis 240 (Donau-Ries)
CSU 60,6 – SPD 26,0 – Grüne 5,3 – F.D.P. 2,4 – PDS -

⁚ Dr. RAMSAUER   CSU

Peter Ramsauer; Diplomkaufmann, Müllermeister;
83374 Traunwalchen – * 10. 2. 1954 München, kath.,
verh., 3 Kinder – Abitur am Staatl. Landschulheim
Marquartstein. Studium der Wirtschaftswissenschaf-
ten Univ. München, 1979 Diplomkaufmann und 1985
Promotion zum Doktor der Staatswissenschaften. Aus-
bildung im Müllerhandwerk, 1977 Gesellen-, 1980
Meisterprüfung. Persönlich haftender Gesellschafter
der Fa. Ramsauer Talmühle KG in Traunwalchen.
Vors. der „Vereinigung Wasserkraftwerke in Bayern".
Mitgl. der Vollversammlung der IHK für München und
Oberbayern. Mitgl. in zahlr. Vereinen. 1972 Eintritt in
JU, 1973 in CSU, Orts-, Kreis-, stellv. Bezirks- und
stellv. Landesvors. JU Bayern; CSU-Ortsvors. in
Traunreut. Stadtrat in Traunreut 1978/91. Derzeitige
Ämter: stellv. Landesvors. der Mittelstandsunion der
CSU, Mitgl. Kreistag Traunstein seit 1984. – MdB seit
1990.

Wahlkreis 211 (Traunstein)
CSU 61,1 – SPD 22,8 – Grüne 6,7 – FDP 2,5 – PDS 0,3

⁝⁝* RAPPE (Hildesheim)   SPD

Hermann Rappe; Gewerkschaftssekretär; 31157 Sar-
stedt – * 20.9.1929 Hannoversch Münden, verh., 1
Kind – Volksschule, Realschule, Mittlere Reife. Kaufm.
Berufsschule, Kaufmannsgehilfenprüfung. 1950/52
kaufm. Angestellter bei der Konsumgenossenschaft.
Seit 1953 Sekretär bei der IG Chemie-Papier-Keramik,
seit 1966 Mitgl. des geschäftsf. Hauptvorst. in Hannover und 1982/95 1. Vors. der IG Chemie-Papier-Keramik. 1. Vors. des europäischen Koordinierungsaus-
schusses der europäischen Chemie-Gewerkschaften;
1988/95 Präs. der internat. Förderation von Chemie-
Energie- und Fabrikarbeiterverbänden (ICEF). Mitgl.
der SPD seit 1947, Vorstandsmitgl. des SPD-Unterbez.
Hildesheim. – MdB seit 1972.

Wahlkreis 43 (Hildesheim)
SPD 50,0 – CDU 39,6 – Grüne 5,1 – F.D.P. 2,5 – PDS 0,6

⁝* RAU   CDU

Rolf Rau; Oberingenieur, Hochbauingenieur; 04451
Borsdorf – * 20.9.1944 Zweenfurth bei Leipzig, ev.,
verh., 1 Tochter – 1951/61 Mittlere Reife, Allgemeinbild. Polytechn. Schule in Borsdorf. 1961/64 Lehrausbildung in der Bauunion Leipzig zum Facharbeiter
Hochbaumonteur mit Abschluß des Abiturs. 1964/67
Ingenieurschule für Bauwesen in Leipzig, Abschluß
als Bauingenieur. 1967/70 Bauleiter im Wohnungs-
baukombinat Leipzig, Investitionsbauleiter im Kreis
Grimma für landwirtschaftl. Bauten. Ab 1970 Leitung
einer zwischengenossenschaftl. Bauorganisation Bau-
Holz Otterwisch. 1976 Eintritt in die CDU, seit April
1989 Bezirksvors. der CDU Leipzig. MdV März/Okt.
1990. – MdB seit Okt. 1990.

Wahlkreis 311 (Leipzig-Land–Borna–Geithain)
CDU 49,6 – SPD 28,3 – PDS 14,3 – Grüne 5,5 – F.D.P. 2,3

* RAUBER CDU

Helmut Rauber; Diplomkaufmann, Wirtschaftsingenieur, Hauptmann a. D.; 66636 Bergweiler –
* 24. 2. 1945 Bergweiler, röm.-kath., verh., 1 Tochter –
Mittlere Reife, Abitur auf dem 2. Bildungsweg. Studium der Betriebswirtschaftslehre und Politik in München und Mannheim. Diplomkaufmann, gelernter
Elektriker und Wirtschaftsingenieur. Hauptmann a. D.
Mitgl. in vielen kulturellen, sozialen und sporttreibenden Vereinen. 1962 Mitgl. JU, einige Jahre Mitgl. Landesvorst.; 1972 Mitgl. der CDU. Seit 1974 Mitgl. Gemeinderat Tholey, 1. Beigeordneter. 1980/94 MdL
Saarland, seit 1990 stellv. Fraktionsvors. – MdB seit
1994.

Landesliste Saarland

:* RAUEN CDU

Peter Harald Rauen; Dipl.-Ingenieur (FH); 54528
Salmtal – * 26. 1. 1945 Salmrohr, Kreis Bernkastel-Wittlich, röm.-kath., verh., 2 Kinder – Gymnasium. Maurerlehre. Berufsaufbauschule, Fachhochschule. Seit
1967 selbst. Bauunternehmer, Geschäftsführer der Bau
GmbH Peter Rauen und Komplementär der Peter
Rauen KG. Mitgl. der Vollversammlung der Handwerkskammer Trier. Seit 1971 Vors. des FSV Salmrohr.
Eintritt in die CDU 1966; 3 Jahre Kreis- und 4 Jahre
Bezirksvors. der JU; 1985/91 Kreisvors. CDU Bernkastel-Wittlich, seit 1991 Bezirksvors. CDU Bezirk Trier;
1981/91 Bezirksvors. der Mittelstandsvereinigung Bezirk Trier. 1974/83 Mitgl. Gemeinderat Salmtal und im
Verbandsgemeinderat Wittlich-Land; seit 1979 Mitgl.
des Kreistages, 1984/88 Fraktionsvors. 1983/87 MdL
Rheinland-Pfalz. – MdB seit 1987; stellv. Vors. Finanzausschuß.

Wahlkreis 151 (Bitburg)
CDU 57,1 – SPD 33,6 – Grüne 5,4 – F.D.P. 3,0 – PDS -

::: REGENSPURGER CSU

Otto Regenspurger; Beauftragter der BReg. für die
Belange der Behinderten, Diplomverwaltungswirt,
Postoberinspektor a. D.; 96253 Untersiemau –
* 24. 12. 1939 Untersiemau, Landkreis Coburg, ev.,
verh., 2 Kinder – Realschule. Verwaltungsprüfung.
1972/76 geh. Postdienst, 1969/76 Personalratsvors.
Seit 1966 im Deutschen Postverband im Deutschen Beamtenbund (DBB) tätig, u.a. seit 1983 stellv. Bundesvors. DBB, stellv. Verwaltungsratsvors. der Deutschen
Beamtenversicherung, Vors. Automobilclub des DBB.
Seit 1966 Mitgl. CSU und JU, u. a. 1973/75 Landesvorstandsmitgl. JU Bayern, 1973/87 Kreisvors. der CSU,
seit 1975 Landesvorstandsmitgl. der CSA Bayern, Landesvors. Arbeitskreis Öffentlicher Dienst der CSU.
1972/78 Kreisrat, seit 1972 Gemeinderat in Untersiemau. – MdB seit 1976; Berichterstatter für den
öffentlichen Dienst der CDU/CSU-Fraktion, stellv.
Vors. der CSU-Landesgruppe. Seit 1982 Beauftragter
der BReg. für die Belange der Behinderten.

Wahlkreis 224 (Coburg)
CSU 49,4 – SPD 38,4 – Grüne 7,5 – FDP 2,8 – PDS -

* REHBOCK-ZUREICH   SPD

Karin Rehbock-Zureich, geb. Zureich; Lehrerin; 79798
Jestetten – * 29.11.1946 Donaueschingen, verw., 2
Kinder – 1966 Abitur. Studium an der PH Freiburg. Seit
1969 Lehrerin an Grund- und Hauptschulen. Mitgl. in
GEW, BUND, Verkehrs-Club Deutschland, Eurosolar.
1978 Eintritt in die SPD, Ortsvereinsvors. in Jestetten
seit 1988, Kreisvors. der AsF, Mitgl. des Landesvorst.
Baden-Württemberg der SGK, stellv. Kreisvors. Kreisverb. Waldshut, Mitgl. im Landesvorst. der SPD Baden-Württemberg. – MdB seit 1994.

Landesliste Baden-Württemberg

* REICHARD (Dresden)   CDU

Christa Reichard, geb. Baltzer; Dipl.-Ingenieur; 01097
Dresden – * 20.5.1955 Dresden, kath., verh., 3 Kinder
– 10. Klasse. Facharbeiterausbildung. Studium Ingenieurhochschule Dresden, Diplomingenieurin für Infor-
mationsverarbeitung. Entwicklungsingenieurin Starkstromanlagenbau. Referentin im Sächs. Staatsministerium für Umwelt und Landesentwicklung. 1990
Demokratischer Aufbruch. 1990 CDU, stellv. Kreisvors. seit 1991; 1991/93 Mitgl. Bundesvorst. Frauen-
Union, seit 1992 Mitgl. CDU-Bundesvorst. – MdB seit
1994, seit Nov. 1994 Mitgl. CDU-Fraktionsvorst.

Wahlkreis 318 (Dresden I)
CDU 47,7 – PDS 20,2 – SPD 18,2 – Grüne 8,5 – F.D.P. 2,7

* REICHARDT (Mannheim)   CDU

Klaus Dieter Reichardt; Angestellter; 68535 Edingen-
Neckarhausen – * 14.7.1954 , ev., verh., 3 Kinder – Studium Theologie und Geschichte, 1979 Examen. Tätigkeit an der Univ. Heidelberg und in der Ernährungswirtschaft. 1987 Pressesprecher des Ministeriums für
ländlichen Raum, Ernährung, Landwirtschaft und Forsten Baden-Württemberg, 1993 Leiter der Zentral-
stelle, 1994 Vertreter des Ministeriums an der Landesvertretung von Baden-Württemberg beim Bund in
Bonn. 1972 Mitgl. CDU und JU, 1984/87 Bezirksvors.
der JU Nordbaden; 1991 Pressesprecher und Mitgl.
des geschäftsführenden Bezirksvorst. der CDU Nordbaden, 1994 Vors. der CDU Edingen-Neckarhausen. –
MdB seit 1994.

Wahlkreis 180 (Mannheim II)
CDU 45,5 – SPD 39,2 – Grüne 8,0 – F.D.P. 3,7 – PDS 0,5

⁑ Dr. REINARTZ   CDU

Bertold Mathias Reinartz; Notar; 41464 Neuss –
* 7. 2. 1946 Neuss, röm.-kath., verh., 4 Kinder – Notar
in Neuss. Vors. des Stadtrates und Bürgermeister der
Stadt Neuss. – MdB seit 1990.

Wahlkreis 76 (Neuss I)
CDU 49,5 – SPD 39,2 – Grüne 5,0 – F.D.P. 2,9 – PDS 0,6

⁑ REINHARDT   CDU

Erika Reinhardt, geb. Deim; Hausfrau, Säuglings-
und Kinderkrankenschwester; 70327 Stuttgart –
* 30. 1. 1932 Freistadt, Oberösterreich, kath., verh., 2
Kinder – Volksschule und Gymnasium. Dreijährige
Fachausbildung zur Dipl.-Säuglings- und Kinderkrankenschwester in Wien. Hausfrau. Vorstandsmitgl. der
Verkehrswacht, Mitgl. Kuratorium des DRK Baden-
Württemberg, Vors. Förderkreis Kinder mit Spei-
seröhrenmißbildungen (KEKS), Mitgl. in versch. So-
zial- und Kulturvereinen; 1970/78 Elternbeiratsvors.
an einem Gymnasium. Ehrennadel des Landes Baden-
Württemberg, Ehrenmedaille in Silber der Stadt Stuttgart. Mitgl. der CDU seit 1978; 1985/90 Vors. KPV
Kreisverband Stuttgart, Mitgl. Mittelstandsvereinigung. 1975/84 Mitgl. im Bezirksbeirat Wangen, seit
1980 Fraktionssprecherin; 1984/90 Stadträtin, stellv.
Fraktionsvors., Sprecherin im Sozialausschuß. – MdB
seit 1990.

Wahlkreis 163 (Stuttgart II)
CDU 42,8 – SPD 37,5 – Grüne 8,2 – F.D.P. 3,9 – PDS 0,7

⁑ von RENESSE   SPD

Margot von Renesse, geb. Gericke; Familienrichterin
a. D.; 44866 Bochum – * 5. 2. 1940 Berlin, verh., 4 Kinder – Abitur 1958. Stipendiatin des Ev. Studienwerks
Villigst, Jurastudium in Münster/Westf. Richterin in
Bochum seit 1972 (Land- und Amtsgericht). Vizepräs.
der Ev. Aktionsgemeinschaft für Familienfragen, Vors.
Kuratorium der Elly-Heuss-Knapp Stiftung (Müttergen-
esungswerk). Mitgl. Verwaltungsrat des WDR. Seit
1969 Mitgl. der SPD, Mitarbeit in Bürgerinitiativen
(Kindergarten, Friedensbewegung), seit 1976 Mitgl.
der Rechts- und Innenpol. Kommission der SPD, Mitgl.
Bezirksvorst. Westliches Westfalen der SPD. – MdB
seit 1990.

Landesliste Nordrhein-Westfalen

⁝ RENNEBACH   SPD

Renate Rennebach, geb. Hartwig; Kaufm. Angestellte;
14167 Berlin – * 29.11.1947 Berlin, ev., gesch., 1 Kind –
Realschule.   Friseurausbildung.   Sekretärin,   dann
Sachbearbeiterin bei der IKON AG Berlin, 1978/90
Betriebsrätin und seit 1982 Betriebsratsvors. der IKON
AG Berlin, 1985/94 Arbeitnehmervertreterin im AR
der IKON AG Berlin. Mitgl. IG Metall seit 1973,
1981/90 mehrere ehrenamtl. Funktionen in der IG
Metall. Ehrenamtl. Sozial- und Arbeitsrichterin. Mitgl.
der Synode der Ev. Kirche in Berlin-Zehlendorf. Mitgl.
AWO, Kuratorium der AGPF e. V. Bonn, der Deutsch-
Polnischen Ges. Berlin sowie im Verein „Gegen Ver-
gessen – Für Demokratie". Mitgl. der SPD seit 1975;
Mitgl. Landesausschuß der SPD Berlin; AfA-Landes-
vors. Berlin, Mitgl. im AfA-Bundesvorst. – MdB seit
1990; 1993/94 stellv. Sprecherin der Arbeitsgruppe
Treuhandanstalt der SPD-Fraktion, sektenpol. Sprecherin der SPD-Fraktion.

Landesliste Berlin

⁝* REPNIK   CDU

Hans-Peter Repnik; Jurist, Stellv. Vors. CDU/CSU-
Fraktion; 78315 Radolfzell – * 27.5.1947 Konstanz,
kath., verh., 2 Töchter – Abitur 1966 an der Wirt-
schaftsoberschule Konstanz. 1967/69 Wehrdienst,
Hauptmann d. R. 1969/73 Studium der Rechts- und
Staatswissenschaften Univ. Freiburg, 1973 1. jur., 1976
2. jur. Staatsexamen. 1976/78 Finanzministerium Baden-Württemberg, Pers. Referent des Finanzministers.
1978/80 Parl. Berater im Landtag von Baden-Württemberg, ORR. 1973/76 Bezirksvors. der JU Südbaden,
seit 1991 Vors. des Bezirksverbands der CDU Südbaden und Mitgl. im Präsidium der CDU Baden-Württemberg, Mitgl. Bundesvorst. der CDU seit 1992. –
MdB seit 1980; Vors. der CDU-Landesgruppe Baden-
Württemberg 1985/89. Parl. Staatssekretär beim
BMin. für wirtschaftliche Zusammenarbeit und Entwicklung 1989/94; seit Nov. 1994 Stellv. Vors. der
CDU/CSU-Fraktion.

Wahlkreis 191 (Konstanz)
CDU 52,1 – SPD 30,9 – Grüne 10,0 – F.D.P. 3,9 – PDS -

⁝* RESCHKE   SPD

Otto Reschke; Bergingenieur; 45144 Essen –
* 9.9.1941 Gladbeck (Westfalen) – Volksschule. Berglehrling 1956, Knappe 1959, Hauer und Schießmeister
1961/63; Aufbauklasse, Bergschule mit Abschluß
Fachrichtung Grubensteiger 1965; Grubensteiger bis
1966. Umschulung und anschl. Tätigkeit beim Land-
schaftsverb. Rheinland als Ingenieur im Straßenbau
1966/70. Geschäftsführer der Essener SPD 1970/80.
1956 Mitgl. IG Bergbau und Energie, später der ÖTV,
jetzt der HBV. Mitgl. AWO seit 1967; Mitgl. der Vereinigung der Helfer und Förderer des THW in Nordrhein-Westfalen e. V. Mitgl. SPD seit 1967. Mitgl. Kreistag Mettmann 1969/73; Mitgl. Rat der Stadt Essen
1975/80. – MdB seit 1980; stellv. Vors. Ausschuß für
Raumordnung, Bauwesen und Städtebau.

Wahlkreis 88 (Essen I)
SPD 56,1 – CDU 32,0 – Grüne 6,5 – F.D.P. 2,1 – PDS 0,9

⁂ REUTER   SPD

Bernd Reuter; Bauingenieur (grad.), 1. Stadtrat a. D.;
61130 Nidderau – * 9.11.1940 Heldenbergen, Kr.
Friedberg, kath., verh. – 1958 Gesellenprüfung als Be-
tonbauer. 1959/62 Staatsbauschule Frankfurt am
Main; 1962 Examen als Bauingenieur/Tiefbau.
1962/66 als Bauingenieur tätig. 1967/69 Bürgermeister der Gemeinde Heldenbergen; 1970/80 1. Stadtrat
der Stadt Nidderau. Mitgl. IG Bau-Steine-Erden seit
1955 sowie der AWO. 1965 Eintritt in die SPD, 1980/94
Vors. des SPD-Unterbezirks Main-Kinzig, Mitgl. SPD-
Bezirksvorst. Hessen-Süd und des Landesvorst. der
SPD Hessen. – MdB seit 1980; Vors. der SPD-Landes-
gruppe Hessen im Bundestag; Schriftführer.

Landesliste Hessen

* Dr. REXRODT   F.D.P.

Günter Rexrodt; Dipl.-Kaufmann, BMin. für Wirt-
schaft; 10719 Berlin – * 12.9.1941 Berlin, verh., 1 Kind
– Abitur in Arnstadt mit Ergänzungsjahr Berlin-West.
Studium der Betriebswirtschaft an der FU Berlin,
Dipl.-Kaufmann, Promotion. 1968/79 IHK Berlin,
1979/85 beim Senator für Wirtschaft, 1982/85 dort
Staatssekretär, 1985/89 Senator für Finanzen;
April/Dez. 1989 Citibank, New York, Jan. 1990/Aug.
1991 Vorstandsvors. Citibank Frankfurt, Sept.
1991/Jan. 1993 Vorstandsmitgl. THA Berlin. Jan. 1993
BMin. für Wirtschaft. Seit 1980 Mitgl. der F.D.P.,
1983/87 sowie 1989/94 stellv. Landesvors. LV Berlin,
seit 1990 Mitgl. des Bundesvorst. der F.D.P., Bundesfachausschuß Finanzen und Steuern, 1994/95 Landesvors. Berlin; kooptiertes Mitgl. des F.D.P.-Präsidiums. –
MdB seit 1994.

Landesliste Berlin

⁑ Dr. RICHTER   SPD

Edelbert Richter; Theologe; 99423 Weimar –
* 25.2.1943 Chemnitz, verh., 2 Töchter – 1961 „wegen
ungenügender politischer Reife" vom Philosophiestudium zur „Bewährung" in die Produktion geschickt;
1963/68 Theologiestudium in Halle, anschließend Assistent am Kirchlichen Oberseminar in Naumburg und
Vikar in Sachsen. Ab 1974 Pfarrer in Naumburg und
Stößen. 1976 Abschluß der Dissertation. Ab 1977 Stu-
dentenpfarrer in Naumburg; 1987/90 Dozent für Sys-
tematische Theologie und Philosophie in Erfurt.
Mitgl. Vereinigung Deutscher Wissenschaftler. 1989
Mitbegründer des „Demokratischen Aufbruch". 1990
Eintritt in die SPD, Mitgl. der Grundwertekommission
beim Parteivorst. MdV März/Okt. 1990. 1991/94 Beobachter im EP. – MdB Okt./Dez. 1990 und seit 1994.

Landesliste Thüringen

* **RICHTER   CDU**

Roland Richter; Akademieleiter a. D.; 75228 Ispringen
– * 16.11.1957 Sigmaringen, röm.-kath., verh. – Abitur.
Wehrdienst. Studium, Diplomwirtschaftsingenieur in
Karlsruhe. 1988/90 persönl. Referent von Minister Dr.
h.c. Gerhard Weiser; 1990/92 stellv. Leiter der Zentral-
stelle im Ministerium Ländlicher Raum Baden-Württemberg. 1992/94 Leiter der Akademie Ländlicher
Raum Baden-Württemberg. 1979 Eintritt in die CDU;
Bezirksvors. der JU Nordbaden 1987/92; seit 1989
Mitgl. im Landesvorst. der CDU Baden-Württemberg,
seit 1988 Mitgl. Bezirksvorst. CDU Nordbaden. – MdB
seit 1994.

Wahlkreis 183 (Pforzheim)
CDU 44,7 – SPD 35,4 – Grüne 9,0 – F.D.P. 5,0 – PDS 0,5

* **RICHWIEN   CDU**

Roland Richwien; Dipl.-Ing. (FH); 07751 Zöllnitz –
* 8.2.1955 Mühlhausen, Kreis Erfurt/Thüringen,
kath., verh., 2 Töchter – Volksschule. 1971/73 prakt.
Berufsausbildung zum Feinoptiker. 1973/76 Wehr-
dienst als Funkmeßoberdispatcher. 1976/79 FH für
Feinwerktechnik Jena, Dipl.-Ing. für Feinwerktechnik,
1990 Ausbildung zum Berufspädagogen am Inst. zur
Ausbildung von Ing.-Päd. Chemnitz. 1979/90 Berufs-
schullehrer an der Berufsschule des VEB Carl Zeiss
Jena; 1990/94 Bürgermeister der Gemeinde Zöllnitz.
Mitgl. der FFW Zöllnitz, Vors. der Jagdgenossenschaft
Zöllnitz, Vors. der Schiedskommission, Mitgl. des För-
dervereins des C.-Schlegel-Gymn. in Jena, Mitgl. des
Fördervereins der Kinderklinik Rudolstadt. Seit 1990
Mitgl. der CDU, 1992/94 Kreisvors. der CDU Jena-
Land, seit 1994 stellv. Kreisvors. der CDU im Saale-
Holzlandkreis. 1994 1. Beigeordneter der Gemeinde
Zöllnitz. – MdB seit 1994.

Wahlkreis 302 (Jena–Rudolstadt–Stadtroda)
CDU 36,1 – SPD 31,4 – PDS 17,8 – F.D.P. 6,6 – Grüne 6,3

: **Dr. RIEDER   CDU**

Norbert Rieder; Universitätsprofessor; 76228 Karlsruhe – * 8.5.1942 Berlin-Tempelhof, röm.-kath., verh.,
3 Kinder – Abitur 1961. Studium der Biologie, Chemie
und Geographie in Karlsruhe und Tübingen, 1969 Promotion zum Dr. rer. nat., 1969 wissenschaftl. Assistent,
dann Akademischer Rat am Zoolog. Institut der Univ.
Karlsruhe; 1974 Habilitation in Zoologie. 1980 Universitätsprofessor für Zoologie. 1982/91 Naturschutzbe-
auftragter im Stadtkreis Karlsruhe. Mitgl. der CDU
seit 1972, 1980/90 Ortsvors. – MdB seit 1990.

Wahlkreis 175 (Karlsruhe-Stadt)
CDU 41,5 – SPD 36,9 – Grüne 9,1 – F.D.P. 8,1 – PDS 0,9

:::: Dr. RIEDL (München)   CSU

Erich Riedl; Oberpostdirektor a. D., Dipl.-Kaufmann,
Parl. Staatssekretär a. D.; 81375 München –
* 23.6.1933 Eger, kath., verh., 3 Kinder – 1945 Vertreibung, Übersiedlung nach Münchberg (Oberfranken).
1952 Abitur. 1952/55 Postinspektoranwärter, bis 1959
Postinspektor der Oberpostdirektion Nürnberg. Neben dieser Tätigkeit Studium der Betriebswirtschaft
Hochschule Nürnberg. 1959 höherer Postdienst. Dr.
rer. pol. Univ. Erlangen-Nürnberg. 1965/66 pol. Referent des BMin. Richard Stücklen, 1966/69 Pers. Referent des BMin. a. D. Richard Stücklen. Stellv. Vors.
Volksbund Deutsche Kriegsgräberfürsorge Bezirksverb. Groß-München. Mitgl. Hauptvorst. des Deutschen Postverbandes im Deutschen Beamtenbund.
Mitgl. u. a. VdK, Werkvolk, Kolping u. Sudetendeutsche Landsmannschaft und in der Ackermann-Ge-
meinde. Seit 1971 stellv. Vors. Münchner CSU. – MdB
seit 1969; März 1987/Jan. 1993 Parl. Staatssekretär
beim BMin. f. Wirtschaft.

Wahlkreis 206 (München-Süd)
CSU 45,0 – SPD 35,5 – Grüne 7,9 – FDP 5,4 – PDS 0,8

: RIEGERT   CDU

Klaus Riegert; Kriminaloberkommissar; 73079 Süssen
– * 26.2.1959 Süssen, Kreis Göppingen, Baden-Württemberg, röm.-kath., verh., 2 Kinder – Fachhochschulreife. Diplom an der FH für Polizei in Villingen-
Schwenningen/Baden-Württemberg. Stellv. Dezer-
natsleiter der Kriminaltechnik. Mitgl. beim Bund
Deutscher Kriminalbeamter, im Kreisverein Körperbe-
hinderter Kinder und Jugendlicher Göppingen e. V.,
Lebenshilfe, Kreisvereinigung Göppingen e. V., Vors.
der Abendrealschule Göppingen. Mitgl. der CDU seit
1984, stellv. Kreisvors. der CDU Göppingen, Vorstandsmitgl. CDU-Bezirksverband Nord-Württemberg; Vorstandsmitgl. CDA-Bezirksverband Nord-
Württemberg. Gemeinderat in Süssen bis 1992. – MdB
seit Juni 1992; sportpol. Sprecher der CDU/CSU-Frak-
tion.

Wahlkreis 167 (Göppingen)
CDU 46,1 – SPD 37,7 – Grüne 5,2 – F.D.P. 5,1 – PDS -

::: Dr. RIESENHUBER   CDU

Heinz Riesenhuber; Diplomchemiker, Professor;
65929 Frankfurt-Höchst – * 1.12.1935 Frankfurt/
Main, kath., verh., 4 Kinder – 1955 Abitur. Studium
Naturwissenschaften und Volkswirtschaft, 1961 Dipl.-
Chemiker, 1965 Dr. rer. nat. 1962/65 wiss. Assistent
Univ. Frankfurt; Patentanmeldungen. Ab 1966 bei
Erzgesellschaft mbH im Haus Metallges. AG, Frank-
furt, seit 1968 als Geschäftsf. 1971/82 Geschäftsf. bei
Synthomer Chemie GmbH Frankfurt. Honorarprof.
Univ. Frankfurt. BMin. für Forschung und Technologie
1982/93. Dr. h.c. des Weizmann-Instituts in Rehovot,
Israel, der Berg- und Hüttenakademie Krakau, der
Univ. Surrey, England und der Univ. Göttingen. Mitgl.
in Aufsichtsräten und Beiräten von Unternehmen in
Deutschland und im Ausland. U. a. Vors. des Deutsch-
Amerikanischen-Akademischen Konzils. 1961 JU und
CDU; 1965/69 Landesvors. JU Hessen, 1968 stellv.
Vors. JU; 1965 Mitgl. Landesvorst., seit 1968 Mitgl.
Präsidium der CDU Hessen. 1973/78 Kreisvors. CDU
Frankfurt. – MdB seit 1976.

Wahlkreis 138 (Frankfurt am Main I – Main-Taunus)
CDU 50,1 – SPD 34,1 – Grüne 7,0 – FDP 3,7 – PDS 1,1

∴ RIXE SPD

Günter Rixe; Installateurmeister; 33729 Bielefeld –
* 15. 6. 1939 Brake, Kreis Bielefeld, verh., 2 Kinder –
Volksschule. Lehre und Meisterprüfung als Installateur. Selbst. Handwerksmeister für Gas- und Wasser-
installationen und Heizungsbau seit 1967. Mitgl. IG
Metall, AWO und der Sozialistischen Jugend Deutschlands „Die Falken". Mitgl. des Verbandes der Kriegsdienstverweigerer. Vors. des Vereins BAJ Bielefeld,
Verein für Berufl. Ausbildung und Qualifizierung Jugendlicher und junger Erwachsener e. V. Vors. der Gemeinnützigen GmbH Bildungsstätte Ottersleben in
Magdeburg. Vorstandsmitgl. in der Heimvolkshochschule „Haus Neuland", Bielefeld. 1960 Eintritt in die
SPD. 1973/87 Mitgl. im Rat der Stadt Bielefeld und
Vors. des Jugendwohlfahrtsausschusses. – MdB seit
1986.

Wahlkreis 102 (Bielefeld)
SPD 46,8 – CDU 40,5 – Grüne 8,6 – F.D.P. 3,1 – PDS -

* ROBBE SPD

Reinhold Robbe; Verlagskaufmann; 26831 Bunde/Ost-
friesland – * 9. 10. 1954 Bunde/Ostfriesland, ev.-re-
form., ledig – Volksschule. 1970/73 Berufsbildende
Schule, Kaufmannsgehilfenprüfung IHK Hannover.
1975 Zivildienst. 1974/75 Verlagskaufmann Ztg. „Rhei-
derland", 1976/86 Betriebsratsvors. Lebenshilfe Leer,
1986/94 Geschäftsführer und Pressesprecher beim
SPD-Bezirk Weser/Ems. Mitgl. IG Medien, Gesellschaft für christlich-jüdische Zusammenarbeit, ai,
AWO, Partij van de Arbeid, Lebenshilfe für geistig Behinderte e. V., ADFC. 1970 Eintritt in die SPD, seit 1972
Mitgl. im Ortsvereinsvorst., 1979/87 stellv. Unterbezirksvors., seit 1986 Beauftragter für Kirchenfragen und
Deutsch-niederländische Zusammenarbeit beim SPD-
Bezirk, Pressesprecher des SPD-Bezirks Weser/Ems,
Vors. SPD-Ortsverein Bunde. 1976/91 Mitgl. des Ge-
meinderats Bunde. – MdB seit 1994, Schriftführer.

Landesliste Niedersachsen

* Dr. ROCHLITZ
BÜNDNIS 90/DIE GRÜNEN

Jürgen Rochlitz; Hochschullehrer, Chemiker; 35099
Burgwald – * 24. 7. 1937 Wiesbaden, verh., 2 Töchter –
Realgymnasium mit Abitur 1957 in Wiesbaden. Stu-
dium der Chemie in Frankfurt a. M. und Zürich, 1961
Dipl.-Chemiker, 1965 Promotion zum Dr. phil. nat. in
Frankfurt. Wissenschaftl. Mitarbeiter Univ. Frankfurt,-
krebserregende aromatische Kohlenwasserstoffe-,
1967/75 in Forschung und Direktionsabteilung der
Kalle AG, Wiesbaden-Biebrich. Sodann Prof. an der
FH für Technik in Mannheim, Lehrfach: Organ. Che-
mie. Mitgl. Bund für Umwelt und Naturschutz, Green-
peace, Gesellschaft Deutscher Chemiker Aktion
Alternativer BASF-Aktionäre. Mitbegründung von
Grünen-Kreisverbänden 1980, 1992/94 Mitgl. von
Kreis- und Landesvorst. im Grünen-Kreisverb. Mann-
heim bzw. im Landesverb. Baden-Württemberg von
Bündnis 90/Die Grünen. 1984/88 im Gemeinderat der
Stadt Mannheim, dann bis 1992 MdL Baden-Württem-
berg. – MdB seit 1994; stellv. Vors. Ausschuß für Um-
welt, Naturschutz und Reaktorsicherheit.
Landesliste Baden-Württemberg

: Dr. RÖHL   F.D.P.

Klaus Röhl; Dipl.-Chemiker; 12587 Berlin –
* 12.11.1933 Berlin, ev., verh., 2 Kinder – Mittelschule
und Oberschule, Abitur. Studium an der Humboldt-
Univ. Berlin, Dipl.-Chemiker. Promotion zum Dr. rer.
nat. an der Bergakademie Freiberg; Chemiewerker.
Wissenschaftl. Mitarbeiter an der Bergakademie Freiberg und an der AdW Berlin, Strahlen- und Radioche-
mie, Werkstofforschung. Bis 1989 parteilos; seit 1989
Aufbau der F.D.P. in Ost-Berlin, Gründungsmitgl. der
F.D.P. in der DDR, Mitgl. des Landesvorst. Berlin der
F.D.P. in der DDR, seit Sept. 1990 Landesvorstandsmitgl. der F.D.P. Berlin, ab Mai 1991 stellv. Landesvors.
der F.D.P. Berlin. Mai 1990/Jan. 1991 Stadtverordneter
von Berlin, Fraktionsvors. der F.D.P.-Fraktion der
Stadtverordnetenversammlung von Berlin. – MdB seit
1990.

Landesliste Berlin

:: RÖNSCH (Wiesbaden)   CDU

Hannelore Rönsch, geb. Heinz; Angestellte, BMin. a.
D.; 53113 Bonn – * 12.12.1942 Wiesbaden-Schierstein,
ev., verh., 1 Tochter – Volksschule, Mittlere Reife,
Höhere Handelsschule. Danach 2 Jahre beim Bundeskriminalamt in Wiesbaden angestellt; 1962/83 Angestellte beim Gemeinnützigen Wohnungsunternehmen
Nassauische Heimstätte. Seit 1963 Mitgl. der CDU,
seit 1966 Vorstandsmitgl. im Stadtbezirksverb. Wiesbaden, 1969/72 Kreisvorstandsmitgl. der JU Wiesbaden, stellv. Kreisvors. CDU Wiesbaden, seit 1988
Mitgl. des Präsidiums der hessischen CDU; stellv. Landesvors. 1974/80 Stadtverordnete, 1980/März 1983
Stadträtin in Wiesbaden. Seit 1993 Vors. des Kuratoriums der Stiftung „Daheim im Heim“. – MdB seit 1983.
1991/Nov. 1994 BMin. für Familie und Senioren; seit
Nov. 1994 stellv. Vors. CDU/CSU-Fraktion.

Wahlkreis 136 (Wiesbaden)
CDU 45,0 – SPD 38,6 – Grüne 8,5 – F.D.P. 3,5 – PDS -

* Dr. RÖSSEL   PDS

Uwe-Jens Rössel; Diplomwirtschaftler, Industriekaufmann; 12621 Berlin – * 2.7.1950 Freiberg/Sachsen,
verh., 1 Sohn – POS, EOS, Industriekaufmann, Abitur.
1969/73 Studium Hochschule für Ökonomie in Berlin.
Wehrdienstuntauglich. 1969 Industriekaufmann; 1973
Hochschulabschluß als Diplomwirtschaftler; 1973/78
Wiss. Assistent an der Hochschule für Ökonomie; 1978
Dr. oec. Schwerpunkt der Berufstätigkeit: Kommunal-
und Finanzpolitik. 1965 Mitgl. der FDJ, 1965 des
FDGB, 1969 der DSF; 1990 Mitbegründer und seit
1992 ehrenamtliches Vorstandsmitgl. „kommunalpoli-
tisches forum e. V.“. Aktivist, Verdienter Aktivist, Ver-
dienstmedaille der DDR. Ehrenamtliche Funktionen in
der FDJ, 1973 Kandidat und 1974 Mitgl. der SED,
1978/86 wissenschaftlicher Mitarbeiter im Ministerrat
der DDR, 1986/87 Einjahrlehrgang an der Parteihochschule Berlin, Juli 1987/1989 Mitarbeiter im Zentral-
komitee der SED; 1990/91 Arbeitsgruppenleiter im
Parteivorst. der PDS, Mai 1991/1994 Referent in der
Bundestagsgruppe der PDS/Linke Liste. – MdB seit
1994, Schriftführer.
Landesliste Sachsen-Anhalt

* RÖTTGEN CDU

Norbert Röttgen; Rechtsanwalt; 53359 Rheinbach –
* 2.7.1965 Meckenheim, röm.-kath., verh. – 1984 Ab-
itur. 1984/89 Studium der Rechtswissenschaften an
der Univ. Bonn. 1989 1. jur. Staatsprüfung, 1993 2. jur.
Staatsprüfung. 1993 Zulassung als Rechtsanwalt am
Landgericht Köln. 1982 Eintritt in die CDU, seit 1984
Mitgl. im Kreisvorst. der CDU Rhein-Sieg, seit 1992
Landesvors. der JU NRW. – MdB seit 1994.

Wahlkreis 65 (Rhein-Sieg-Kreis II)
CDU 49,8 – SPD 37,7 – Grüne 6,1 – F.D.P. 4,2 – PDS -

* RONSÖHR CDU

Heinrich-Wilhelm Ronsöhr; Landwirt; 38368 Rennau –
* 8.1.1945 Rennau – Hauptschule und Landwirtschaftsschule. Landwirtschaftl. Ausbildung. Seit 1976
selbständiger Landwirt auf einem mittelbäuerlichen
Betrieb in Rennau. Mitgl. Bauernverband. Seit 1972
Mitgl. der CDU und der JU; 1974/80 stellv. Landesvors. der JU Braunschweig, seit 1974 stellv. Kreisvors.
der CDU Helmstedt. 1986/94 MdL Niedersachsen.
Seit 1994 Landesvors. des CDU-Landesverb. Braunschweig. – MdB seit 1994.

Wahlkreis 46 (Helmstedt–Wolfsburg)
CDU 47,7 – SPD 42,8 – Grüne 4,6 – F.D.P. 2,9 – PDS -

⠿ Dr. ROSE CSU

Klaus Rose; Studienrat, Parl. Staatssekretär beim
BMin. Verteidigung; 94474 Vilshofen – * 7. 12. 1941
Augsburg, kath., verh., 1 Sohn – 1961 Abitur in Passau.
Sechsmonatiger Wehrdienst. Studium der Geschichte,
Anglistik, Politik- und Wirtschaftswissenschaften in
München, Promotion zum Dr. phil.; Ausbildung für
das Höhere Lehramt, Studienrat bis 1974. Mitgl. im
Kolpingwerk, im CGB, im Siedler- und Steuerzahler-
bund. Mitgl. in der Vertreterversammlung der
SIGNAL-Unfallversicherung. Mitgl. der CSU seit 1961,
Bezirksvors. der JU in Niederbayern 1971/77, seit 1981
CSU-Kreisvors. im Kreis Passau-Land, CSU-Bezirks-
vorstandsmitgl. seit 1971. Kreisrat seit 1972; 1974/77
MdL Bayern. – MdB seit März 1977; 1994/Jan. 1997
Vors. Verteidigungsausschuß, seit Jan. 1997 Parl.
Staatssekretär BMin. Verteidigung.

Wahlkreis 215 (Passau)
CSU 59,1 – SPD 26,7 – Grüne 6,0 – FDP 3,0 – PDS -

∷* ROSSMANITH CSU

Kurt J. Rossmanith; Dipl.-Verwaltungswirt, Industriekaufmann; 87616 Marktoberdorf – * 22. 11. 1944
Raase, Landkr. Freudenthal (Sudetenschlesien), kath.,
verh., 4 Kinder – Volksschule Ruderatshofen, Staatl.
Realschule Kaufbeuren. Industriekaufmann. 1963/65
Wehrdienst, Oberst d. R. 1965/71 Exportabteilungslei-
ter. 1967/68 Betriebswirtschafts- und Sprachstudium
in Paris. 1971/74 Ausbildung zum Berufsberater,
1974/80 Berufsberater. Mitgl. im Deutschen Kinderschutzbund, seit 1962 Mitgl. der Kolpingfamilie. Seit
1967 Mitgl. der CSU und der JU, Mitgl. der Bezirks-
vorstandschaft der CSU Schwaben, stellv. Bundesvors.
der Ost- und Mitteldeutschen Vereinigung/Union der
Vertriebenen der CDU/CSU. Seit 1978 Mitgl. Kreistag
Ostallgäu. – MdB seit 1980; stellv. Vors. der CSU-Landesgruppe; seit Febr. 1997 Vors. Verteidigungsausschuß.

Wahlkreis 243 (Ostallgäu)
CSU 60,2 – SPD 24,8 – Grüne 6,0 – FDP 3,2 – PDS -

∷ ROTH (Gießen) CDU

Adolf Roth; Dipl.-Volkswirt, Kaufmann; 35394 Gießen
– * 15. 9. 1937 Gießen, kath., verh., 3 Kinder – Oberschule, Abitur. 1957/58 Wehrdienst. 1958/62 Studium
der Wirtschaftswissenschaften in Frankfurt/Main und
Freiburg/Breisgau, Diplomprüfung für Volkswirte
1962 in Freiburg. Anschl. kaufm. Tätigkeit. 1965/68
Assistent an der Justus-Liebig-Univ. Gießen. Seit 1969
selbst. Kaufmann, Mitinhaber der Adolf Roth OHG,
Mineralöl-Groß- und Einzelhandel, Gießen. Seit 1970
Mitgl. der Vollversammlung der IHK Gießen. Mitgl.
der CDU seit 1957: 1968/72 Mitgl. Landesvorst. der JU
Hessen, stellv. CDU-Kreisvors. in Gießen, seit 1975
Vors. CDU-Kreisverband Vogelsberg. 1968/75 Stadtverordneter in Gießen, 1970/83 MdL Hessen, wirtschaftspol. Sprecher der CDU-Fraktion, Ausschußvors., stellv. Fraktionsvors. – MdB seit 1983, seit
1993 Vorstandsmitgl. CDU/CSU-Fraktion; Vors. Arbeitsgruppe Haushalt, Ä.

Landesliste Hessen

∷ Dr. RUCK CSU

Christian Ruck; Dipl.-Ökonom; 86153 Augsburg –
* 24. 12. 1954 Augsburg, röm.-kath., verh. – Human.
Gymnasium bei St. Stephan. Studium der Forstwirtschaft in München, der Wirtschaftswissenschaften
und des Rechts in Augsburg, der Wirtschaftspolitik in
Paris (Sorbonne); Abschlüsse als Dipl.-Ökonom, Dr.
rer. pol. in Augsburg und mit dem Diplme Supérieur
d'Université de la Planification in Paris. Wehrdienst in
Sonthofen. Regierungsrat im Grundsatzreferat „Ver-
kehrspolitik" im Bayer. Staatsministerium für Wirtschaft und Verkehr. Mitgl. der CSU und JU seit 1974;
Orts- und Bezirksvors. der JU, Mitgl. Landesausschuß
der JU, Leiter des Arbeitskreises „Entwicklungspolitik" der JU Bayern; stellv. CSU-Bezirksvors. – MdB
seit 1990.

Wahlkreis 238 (Augsburg-Stadt)
CSU 49,5 – SPD 34,3 – Grüne 6,5 – F.D.P. 2,5 – PDS 0,7

* RÜBENKÖNIG   SPD

Gerhard Rübenkönig; Betriebsleiter; 34292 Ahnatal –
* 24.9.1942 Heckershausen, verh., 2 Kinder – Volksschule. Maschinenschlosserlehre AEG Kassel, über 2.
Bildungsweg Fachschulreife. Studium zum Ferti-
gungstechniker und REFA-Ausbildung. Qualifikation
zum Betriebsingenieur Mercedes-Benz Kassel. Ferti-
gungsplaner AEG Kassel 1964/69, seit 1969 bei Mercedes-Benz Kassel, 1969/72 Netzplantechniker und
1973/77 Organisator, 1977 als Betriebsingenieur Assistent der Produktionsleitung, seit 1978 Betriebslei-
ter/Teamleiter Produktion. Mitgl. der IG Metall seit
1958; Jugendvertreter und Betriebsratsmitgl. bei AEG
Kassel 1960/66. Eintritt in die SPD 1969, seit 1984 1.
Vors. des SPD-Ortsvereins Heckershausen und Mitgl.
des Unterbezirksvorst. Kassel-Land. Seit 1972 kommu-
nalpolit. Arbeit für die SPD in der Gemeinde Ahnatal in
versch. Funktionen, Gemeindevorstand, Gemeindevertretung und Ausschüsse, 1984/88 Vors. des Bau-
und Planungsausschusses, seit 1988 Vors. der SPD-
Fraktion Ahnatal und stellv. Vors. des Haupt- und Finanzausschusses. – MdB seit 1994.
Wahlkreis 125 (Kassel)
SPD 41,5 – CDU 38,9 – Grüne 13,5 – F.D.P. 2,8 – PDS 0,9

::* RÜHE   CDU

Volker Rühe; Oberstudienrat a. D., BMin. der Verteidigung; 53003 Bonn – * 25.9.1942 Hamburg, ev., verh., 3
Kinder – 1962 Abitur. 1962/68 Univ. Hamburg (Germanistik, Anglistik), 1968 1. Staatsexamen für das
höhere Lehramt, 1970 2. Staatsexamen. 1968/76 im
Hamburger Schulwesen tätig. Mitgl. Deutscher Leh-
rerverband und Deutscher Beamtenbund; Vorstandsmitgl. Atlantik-Brücke e. V.; Mitgl. Präsidium der
Deutschen Ges. für Auswärtige Politik; Mitgl. Konrad-
Adenauer-Stiftung. Seit 1963 Mitgl. CDU; 1972/74
Vors. Arbeitsgemeinschaft Christlich-demokratischer
und   konservativer   Jugendverbände   (DEMYC);
1973/75 Mitgl. JU; 1983/89 Vors. Bundesfachausschuß Außen- und Deutschlandpolitik der
CDU, 1989/92 Generalsekretär der CDU, seit 1990 der
vereinten CDU Deutschlands, Mitgl. Präsidium der
CDU. 1970/76 Mitgl. Hamburger Bürgerschaft, 1973
stellv. Fraktionsvors. – MdB seit 1976; 1982/89 stellv.
Vors. CDU/CSU-Fraktion. Seit April 1992 BMin. der
Verteidigung.

Landesliste Hamburg

:* Dr. RÜTTGERS   CDU

Jürgen Rüttgers; BMin. für Bildung, Wissenschaft,
Forschung und Technologie; 50259 Pulheim –
* 26.6.1951 Köln, röm.-kath., verh., 2 Kinder – Abitur
am Apostelgymnasium in Köln. Studium der Rechtswissenschaften und Geschichte Univ. Köln. – MdB seit
1987; 1987/89 Vors. Enquete-Kommission Technikfolgenabschätzung und -bewertung; 1989/90 Parl. Geschäftsführer, 1990/94 1. Parl. Geschäftsführer der
CDU/CSU-Fraktion; seit Nov. 1994 BMin. für Bildung,
Wissenschaft, Forschung und Technologie.

Landesliste Nordrhein-Westfalen

211

⁞ SAIBOLD
BÜNDNIS 90 / DIE GRÜNEN

Halo Saibold, geb. Kulessa; Gesundheitsberaterin; 94501 Aldersbach – * 1. 10. 1943 Bankau / Oberschlesien, verw., 2 erwachsene Kinder – Mittlere Reife 1960 in Passau an einer Handelsschule. Sekretärin. Hausfrau und Mutter. Gesundheitsberaterin. Gründungsmitgl. der GRÜNEN in Bayern und im Bund, 1979/82 Mitgl. im Landesvorst. Bayern, 1980/81 Mitgl. im Bundesvorst. 1983/87 politische Mitarbeiterin der Bundestagsfraktion. Seit 1990 Kreisrätin in Passau. – MdB 1987/90 und seit 1994; Vors. Ausschuß für Fremdenverkehr und Tourismus.

Landesliste Bayern

⁞* SAUER (Stuttgart)   CDU

Roland Sauer; Selbständiger Grafiker; 70619 Stuttgart – * 27. 7. 1939 Stuttgart, kath., verh., 3 Kinder – Mittlere Reife am Stuttgarter Karlsgymnasium. Schriftsetzerlehre. Acht Semester Studium an der Kunstakademie Stuttgart. Seit 1962 als selbständiger Grafiker tätig. 1972/75 im Diözesanrat der Diözese Rottenburg. Aufsichtsratsvors. der Siedlungsgenossenschaft „Mein Heim". Seit 1955 Mitgl. der CDU. 1968/80 Mitgl. des Stuttgarter Gemeinderates, stellv. Fraktionsvors. – MdB seit 1980; Drogenpolitischer Sprecher der CDU/CSU-Fraktion.

Wahlkreis 162 (Stuttgart I)
CDU 42,7 – SPD 34,9 – Grüne 10,7 – F.D.P. 6,2 – PDS 0,7

* Dr. SCHÄFER   SPD

Hansjörg Schäfer; Frauenarzt; 67655 Kaiserslautern – * 17. 2. 1944 Kaiserslautern, verh., 1 Sohn – Abitur 1964. Studium der Medizin an den Univ. Mainz und Homburg, Staatsexamen 1970. Seit 1976 niedergelassener Frauenarzt in Kaiserslautern. Zivildienst beim Technischen Hilfswerk. Mitgl. ÖTV seit 1969, Vors. des Ortsverbandes „pro familia", Mitgliedschaft bei ai, „Frauenzuflucht Kaiserslautern" und in Sportvereinen. Eintritt in die SPD 1969, Mitgl. des Parteirates, des Landesausschusses Rheinland-Pfalz, des Bezirksvorst. Pfalz, Vors. Unterbezirk Kaiserslautern seit 1985. – MdB seit 1994.

Wahlkreis 159 (Kaiserslautern)
SPD 47,9 – CDU 40,6 – Grüne 5,1 – F.D.P. 2,5 – PDS -

::: SCHÄFER (Mainz)   F.D.P.

Helmut Schäfer; Staatsminister beim BMin. des Auswärtigen; 53113 Bonn – * 9.1.1933 Mainz, ledig – Abitur 1951. Studium Deutsch, Englisch Univ. Mainz,
Innsbruck, Dayton/Ohio (USA), Staatsexamen 1958.
1958/67 Unterrichtstätigkeit an Gymnasien in Rheinland-Pfalz. 1967/77 Referent im Kultusministerium
Rheinland-Pfalz, zuletzt MinRat. Seit 1978 Vorstandsmitgl. der Friedrich-Naumann-Stiftung, seit 1986 der
Atlantik-Brücke e. V., seit 1989 Kuratoriumsmitgl. der
Stiftung Lesen, seit 1991 Mitgl. Rundfunkrat der Deutschen Welle. 1964 F.D.P., seit 1964 Mitgl. Landesvorst.
F.D.P. Rheinland-Pfalz; 1966/68 stellv. Bundesvors.
Deutsche Jungdemokraten; 1972 – mit Unterbrechun-
gen – Mitgl. Bundesvorst. der F.D.P., 1979/83 Vors.
F.D.P.-Medienkommission und der Medienkommissio-
nen der Europäischen Liberalen Parteien. Seit 1985
Vors. des Bundesfachausschusses I der F.D.P. (Außen-,
Europa- und Entwicklungspolitik). Seit 1990 Vize-
präs. der Liberalen Internationale. – MdB seit Nov.
1977, u.a. 1979/87 Obmann im Auswärtigen Aus-
schuß, außenpol. Sprecher der F.D.P.. Seit März 1987
Staatsminister beim BMin. des Auswärtigen.
Landesliste Rheinland-Pfalz

:* SCHÄTZLE   CDU

Ortrun Schätzle, geb. Klenert; Hausfrau, Studienrätin
a. D.; 79650 Schopfheim – * 20.4.1934 Hornberg/
Schwarzwald, kath., verh., 3 Kinder – 1953 Abitur
am Neusprachlichen Gymnasium Villingen/Schwarz-
wald, 2 Jahre Praktikum, z. T. im Ausland. 1955/58
Studium am Berufspädagogischen Institut Frankfurt
am Main zur Ausbildung als Gewerbelehrerin.
1958/63 Lehrerin an der Bergins-Schule Frankfurt am
Main, 1976/79 an der Fachschule für Sozialpädagogik
Villingen/Schwarzwald. Referentin in der kath. Erwachsenenbildung, langjährige Elternbeirätin und
Pfarrgemeinderätin. Mitgl. der kath. Frauengemeinschaft Deutschlands (kfd), des Deutschen Frauenrin-
ges (DFR) und des Kinderschutzbundes. Mitgl. des
Caritasvorst. Kreis Lörrach. 1975 Eintritt in die CDU.
1982/90 Kreisvors. der Frauen-Union Lörrach,
1983/93 Bezirksvors. der FU Südbaden, Mitgl. des
CDU-Bezirksvorst. Südbaden und des Landesvorst.
Baden-Württemberg. Seit 1989 Vors. des CDU-Stadt-
verbands Schopfheim. 1976/81 Stadträtin in St. Geor-
gen/Schwarzwald. – MdB seit Aug. 1989.
Wahlkreis 186 (Lörrach–Müllheim)
CDU 45,5 – SPD 38,4 – Grüne 8,2 – FDP 4,0 – PDS -

:::* Dr. SCHÄUBLE   CDU

Wolfgang Schäuble; Rechtsanwalt, Bundesminister a.
D.; 53113 Bonn – * 18.9.1942 Freiburg, ev., verh., 4
Kinder – 1961 Abitur. 1961/66 Studium der Rechts-
und Wirtschaftswissenschaften Univ. Freiburg und
Hamburg. 1966 1. jur. Staatsexamen, Assistent für pol.
Bildung. 1970 2. jur. Staatsexamen. 1971 Promotion.
Eintritt in die Steuerverwaltung Baden-Württemberg,
zuletzt RR beim Finanzamt Freiburg I. 1978/84 als
Rechtsanwalt beim Landgericht Offenburg zugelas-
sen. Mitgl. JU seit 1961 und CDU seit 1965. 1969/72
Bezirksvors. JU Südbaden, seit 1970 Mitgl., seit 1982
stellv. Vors. Bezirksvorst. CDU Südbaden; 1976/84
Vors. Bundesfachausschuß Sport der CDU. 1979/82
Vors. Arbeitsgem. Europäischer Grenzregionen. –
MdB seit 1972; 1981/84 Parl. Geschäftsführer der
CDU/CSU-Fraktion; Nov. 1984/April 1989 BMin. f.
bes. Aufgaben u. Chef des Bundeskanzleramtes. April
1989/Nov. 1991 BMin. d. Innern. Seit Nov. 1991 Vors.
der CDU/CSU-Fraktion.

Wahlkreis 188 (Offenburg)
CDU 58,3 – SPD 27,7 – Grüne 7,1 – F.D.P. 2,7 – PDS 0,6

⁝ SCHAICH-WALCH SPD

Gudrun Schaich-Walch, geb. Huppke; Physikalisch-
technische Assistentin; 60596 Frankfurt am Main –
* 20.8.1946 Kopenhagen, verh., 1 Kind – Mittlere
Reife. Studium an der Fachschule am Max-Planck-Institut. 1969 physikal.-techn. Assistentin; techn. Leitung des Zellabors bei der Gesellschaft für Strahlen-
und Umweltforschung. Mitgl. ÖTV, 1989 stellv. Vors.
der Heilig-Geist-Stiftung; seit 1992 Präsidentin der
Deutschen Rheuma-Liga. 1972 Mitgl. der SPD, Mitgl.
im Unterbezirksvorst. Frankfurt/M., Mitgl. im Unterbezirksvorst. der Arbeitsgemeinschaft der Sozialdemokraten im Bildungsbereich, stellv. Bezirksvors. der
Arbeitsgemeinschaft der Sozialdemokraten im Gesundheitswesen. 1985 Stadtverordnete in Frankfurt,
Gesundheitspol. Sprecherin der SPD-Fraktion; 1989
ehrenamtl. Stadträtin. – MdB seit 1990.

Landesliste Hessen

⁘ SCHANZ SPD

Dieter Schanz; Sozialarbeiter grad., Städtischer Sozialoberrat a. D.; 46045 Oberhausen – * 9.12.1937
Danzig, ev., 2 Kinder – Grundschule, Lehre als Bäcker
und Konditor. 2. Bildungsweg, Sozialarbeiter grad.;
Städtischer Sozialoberrat a. D. Mitgl. ÖTV, der AWO,
des ASB, der Aktion Friedensdorf e. V. Oberhausen
und des Marie-Schlei-Fördervereins. Eintritt SPD Juni
1961, Ortsvereinsvors. 1973/77, Mitgl. im Unterbezirksvorst. 1976/78. Seit 1978 Vors. des Unterbez.
Oberhausen. – MdB seit 1983.

Wahlkreis 86 (Oberhausen)
SPD 59,3 – CDU 29,2 – Grüne 5,7 – F.D.P. 2,5 – PDS 0,8

* SCHARPING SPD

Rudolf Scharping; Ministerpräsident a. D.; 53113 Bonn
– * 2.12.1947 Niederelbert, verh., 3 Kinder – Abitur.
Studium der Politikwissenschaften, Soziologie und
Jura. 1975/94 MdL Rheinland-Pfalz. Mai 1991/Okt.
1994 Ministerpräsident von Rheinland-Pfalz. SPD-
Mitgl. seit 1966, 1993/Nov. 1995 Vors. der SPD. – MdB
seit 1994; Vors. der SPD-Fraktion.

Landesliste Rheinland-Pfalz

* SCHAUERTE   CDU

Hartmut Schauerte; Rechtsanwalt und Notar a.D.;
57399 Kirchhundem-Flape – * 13.9.1944 Kirchhundem-Flape, Kreis Olpe, röm.-kath., verh., 4 Kinder –
Gymnasium, Abitur 1966. Studium der Rechtswissenschaften Univ. München und Bonn, 1.jur. Staatsexamen 1972, 2. jur. Staatsexamen 1975. Rechtsanwalt
seit 1975, Notar seit 1978. Vors. der Dufhues-Stiftung
NRW. 1967 Eintritt in die CDU; 1967/68 stellv. Bundesvors. des RCDS; seit 1973 Kreisvors. der CDU Olpe,
seit 1994 Vors. der Mittelstandsvereinigung der CDU
NRW, seit 1993 Mitgl. im Bundesvorst. 1975/88 Mitgl.
Kreistag Olpe. 1980/94 MdL Nordrhein-Westfalen,
1985/94 haushalts- und finanzpolitischer Sprecher der
CDU-Fraktion, 1987 /94 Mitgl. im Geschäftsführenden Fraktionsvorst., 1990/94 stellv. Fraktionsvors. –
MdB seit 1994.

Wahlkreis 121 (Olpe–Siegen-Wittgenstein II)
CDU 52,1 – SPD 38,5 – Grüne 4,8 – F.D.P. 2,7 – PDS -

* SCHEEL
BÜNDNIS 90/DIE GRÜNEN

Christine Scheel, geb. Schäfer; Pädagogin MA; 63768
Hösbach-Rottenberg – * 31.12.1956 Aschaffenburg,
ev., verh., 2 Kinder – 1977 Abitur. 1977/78 Studium an
der Univ. Freiburg im Fachbereich Archäologie, Ethnologie, Soziologie; ab 1978/79 Philosophische Fakultät in Erlangen im Fachbereich Pädagogik, Soziologie,
Psychologie; Akademische Abschlußprüfung 1983 als
Pädagogin MA. Vorstand des Bund Naturschutz,
Kreisgruppe Aschaffenburg; Vors. des Aktionsbünd-
nisses „Besseres Müllkonzept am Untermain e. V.";
Fördermitgl. in versch. sozialen und ökolog. Vereinen.
Seit 1983 Mitgl. bei Bündnis 90/DIE GRÜNEN,
1983/85 Kreisvors. in Aschaffenburg, seit 1991 Mitgl.
im Länderrat Bündnis 90/DIE GRÜNEN. 1984/90
Kreisrätin im Lkrs. Aschaffenburg; 1986/94 MdL Bay-
ern. – MdB seit 1994.

Landesliste Bayern

* SCHEELEN   SPD

Bernd Scheelen; Pharmabereichsleiter; 47807 Krefeld
– * 7.1.1948 Hamburg, ev., verh., 3 Kinder – Abitur am
Gymnasium am Moltkeplatz, Krefeld. Zeitsoldat, Luftwaffe, letzter Dienstgrad Hauptmann. Studium der
Anglistik und Philosophie an der Univ. Düsseldorf.
Fortbildung zum geprüften Pharmareferenten. Pharmabereichsleiter mit Zuständigkeitsbereich Westfalen
bei der Promonta-Lundbeck Arzneimittel GmbH &
Co., Hamburg. Mitgl. der IG Chemie. Gründer und
Vors. der „Freunde und Förderer des Stadtparks Krefeld-Fischeln e. V." Mitgl. der SPD seit 1972, Ortsvereinsvors., Mitgl. des Unterbezirksvorst., Bezirksvorsteher Krefeld-Fischeln 1984/94. Ratsmitgl. seit 1979,
Bürgermeister der Stadt Krefeld seit 1994. – MdB seit
1994.

Landesliste Nordrhein-Westfalen

::: Dr. SCHEER SPD

Hermann Scheer; Wirtschafts- und Sozialwissenschaftler; 73630 Remshalden – * 29.4.1944 Wertheim,
verh., 1 Kind – 1964 Abitur in Berlin. 1964/67 Offi-
ziersausbildung, Leutnant bei der Bundeswehr.
1967/72 Studium Univ. Heidelberg und FU Berlin;
Doktor der Wirtschafts- und Sozialwissenschaften.
1972/76 wissenschaftl. Assistent Univ. Stuttgart,
1976/80 Wissenschaftl. Mitarbeiter am Kernfor-
schungszentrum Karlsruhe. Seit 1988 Präs. der europ.
Sonnenenergie-Vereinigung EUROSOLAR (ehrenamtl.). Kuratoriumsvors. der Agentur des Europ. Solar-
forschungszentrums. Herausgeber der Zeitschrift
„Das Solarzeitalter" und des „Yearbook of Renewable
Energies". – MdB seit 1980; seit 1987 Mitgl. der Parl.
Vers. des Europarats, seit 1994 Vors. Ausschuß für
Landwirtschaft und Regionalentwicklung.

Landesliste Baden-Württemberg

: SCHEFFLER SPD

Siegfried Scheffler; Straßenbauer, Dipl.-Ingenieur;
12555 Berlin – * 5.11.1944 Schillen, Kreis Birnbaum
(jetzt Polen), ev., verh., 2 Kinder – 1958 Abschluß der
achtklassigen Grundschule und 1960 der 10. Klasse
der VHS. 1958/61 Straßenbauerlehrling, Straßen-
baufacharbeiter; 1968 Abschluß als Handwerksmeister für das Straßenbauhandwerk; 1971 Bauingenieur,
1978 Dipl.-Ingenieur Bauwesen. Mai 1965/Okt. 1966
Wehrdienst. Stadtrat für Bauen und Wohnen im Stadtbezirk Köpenick, Gruppen- bzw. Abteilungsleiter in
der techn.-technolog. Vorbereitung der Produktion im
Bau- und Verkehrswesen. Mitgl. u. a. Netzwerk in Köpenick e. V., Fußballclub 1. FC Union Berlin, Verein
„Gegen Vergessen für Demokratie e. V.", AWO, Initiative Berlin – USA e. V., Vors. der Gesellschaft zur
Pflege Techn. Denkmale der Luftfahrtforschung in
Berlin-Adlershof e. V. Seit 1989 Mitgl. der SPD, seit
1990 Mitgl. im Parteirat im Kreisverb. Köpenick. Mai
1990 Abg. in der Bezirksverordnetenversammlung Köpenick, Juni 1990 Bezirksstadtrat für Bau- und Wohnungswesen in Berlin-Köpenick. – MdB seit 1990.
Wahlkreis 259 (Berlin-Köpenick–Treptow)
SPD 36,0 – PDS 33,2 – CDU 20,5 – Grüne 5,6 – F.D.P. 1,4

:: SCHEMKEN CDU

Heinz Schemken; Schlossermeister; 42551 Velbert –
* 11.3.1935 Velbert, kath., verh., 3 Kinder – 1949/52
Lehre in einem Handwerksbetrieb. 1958 Meisterprüfung als Kunst- und Bauschlosser. 1963 Ausbilder in
der Gemeinschaftslehrwerkstatt in Velbert, ge-
meinnütziger Verein für die Berufsaus- und -weiterbil-
dung; 1969 Geschäftsführer. Seit 1986 Vors. des Kol-
pingwerks Deutschland, Mitgl. ZDK, der CDA, Verband der Reservisten der Bundeswehr e. V., DAG. 1961
Eintritt in die CDU, 1964/69 Vors. JU Kreis Mettmann,
1977/90 Vors. CDU Kreis Mettmann, 1982/85 Mitgl.
Landesvorst. CDU Rheinland. 1986 Vorstand des
CDU-Bezirksverb. Bergisch-Land. Seit 1961 im Rat der
Stadt Velbert, 1963/64 und 1984/89 stellv. Bürgermeister, 1969/84 und seit Okt. 1989 Bürgermeister der
Stadt Velbert. 1964/83 Mitgl. Kreistag Mettmann,
1969/84 Landschaftsversammlung Rheinland,
1978/83 im Bezirksplanungsrat RegBez. Düsseldorf,
seit 1975 Präsidiumsmitgl. im NRW-Städte- und Ge-
meindebund. – MdB seit 1983, Schriftführer; stellv.
Vors. Ausschuß für Arbeit und Sozialordnung.
Wahlkreis 73 (Mettmann II)
CDU 47,9 – SPD 41,3 – Grüne 5,7 – F.D.P. 3,0 – PDS –

⁖ SCHENK PDS

Christina Schenk; Dipl.-Physikerin; 10247 Berlin –
* 8.7.1952 Ilmenau/Thüringen, Atheistin, in lesbi-
scher Partnerinnenschaft lebend – 1971 Abitur. Physik-
Studium an der Humboldt-Univ. Berlin, 1976 Diplom.
1976/89 wiss. Mitarbeiterin an der AdW der DDR;
1989/90 postgraduales Studium der Soziologie, seit
1994 Fernstudium Politologie/Soziale Verhaltenswiss.
Mitgl. im Unabhängigen Frauenverband (UFV), im
Kuratorium der Volksuniv. e. V., in der Frauenredak-
tion des Argument-Verlages und in der Gesellschaft
für Sexualwissenschaft e. V. 1974 Mitgl. in der SED,
Austritt 1981; 1984/89 in der Oppositionsbewegung
unter dem Dach der ev. Kirche der DDR aktiv (Lesben-
gruppe Berlin); Herbst 1989 Mitbegründerin des UFV
und dessen Vertreterin am Zentralen Runden Tisch
der DDR, Vorsitz in der Arbeitsgruppe des Runden Tisches „Gleichstellung von Frau und Mann". – MdB
seit 1990, 1990/94 Bündnis 90/GRÜNE als Vertreterin
des UFV, seit 1994 PDS auf der offenen Liste; frauenpol. Sprecherin der Gruppe der PDS.

Landesliste Sachsen

* SCHERHAG CDU

Karl-Heinz Scherhag; Selbst. Kfz.-Mechanikermeister;
56072 Koblenz – * 5.5.1936 Koblenz, röm.-kath., verh.,
2 Kinder – Allgemeinbildende Schule. Berufsausbildung zum Kfz-Mechaniker mit Abschluß, Kfz-Mecha-
nikermeister. 1960 Unternehmen gegründet, seit 1962
VW/Audi-Händler. Mitgl. Kfz-Innung Mittelrhein,
Landes- u. Berufsverband, Mitgl. im Weltverband für
das Kfz-Gewerbe (IOMTR), Vorstandsmitgl. im Interre-
gionalen Rat der Handwerkskammern Saar-Lor-Lux,
Mitgl. Arbeitsgemeinschaft der Rheinland-Pfälzischen
Handwerkskammern, Handwerkskammer Koblenz,
Mitgl. des Zentralverbandes des Deutschen Hand-
werks (Präsidium ZDH). Silberne Nadel des Kfz-Bun-
desverbandes, Ehrenobermeister, Bundesverdienst-
kreuz I. Klasse. 1960 CDU Koblenz. Mitgl. Kreisvorst.;
Mitgl. des Landesvorst. der Mittelstandsvereinigung
Rheinland-Pfalz, 16 Jahre Mitgl. Stadtrat der Stadt
Koblenz, 12 Jahre stellv. Fraktionsvors., Schatzmeister
der Fraktion und in vielen Ausschüssen tätig. – MdB
seit 1994.
Wahlkreis 148 (Koblenz)
CDU 50,1 – SPD 40,0 – Grüne 6,1 – FDP 3,1 – PDS -

⠃ SCHEU CSU

Gerhard Scheu; Verwaltungsjurist; 91365 Weilersbach
– * 27.3.1943 Brandenburg/Havel, kath., verh., 1 Tochter – Abitur in Forchheim. Studium der Rechts- und
Staatswissenschaften in Würzburg, München und Erlangen, 1. und 2. jur. Staatsexamen. 1974/80 jur.
Staatsbeamter am Landratsamt Coburg; 1981/83 Referent bei der Regierung von Oberfranken (Kommu-
nalwesen), Oberregierungsrat a. D. Seit 1963 Mitgl.
der JU und der CSU; Mitgl. im RCDS. 1971/73 Kreisvors., 1971/75 stellv. Bezirksvors. der JU; stellv. Kreis-
und Bezirksvors. der CSU. 1972/81 stellv. Fraktionsvors. im Kreistag Forchheim. – MdB seit 1983; Justitiar
der CDU/CSU-Fraktion, Ä.

Wahlkreis 222 (Bamberg)
CSU 56,8 – SPD 28,0 – Grüne 6,4 – F.D.P. 3,0 – PDS 0,5

* SCHEWE-GERIGK
BÜNDNIS 90 / DIE GRÜNEN

Irmingard Schewe-Gerigk; Regierungsangestellte, Redakteurin; 58313 Herdecke – * 15.5.1948 Rendsburg, verh., 2 Kinder – Mädchengymnasium, Mittlere Reife. 1965 kaufm. Ausbildung im Stahlhandel, Kaufm. Berufsschule. 1969 Aufbau eines mittelständischen Großhandelsunternehmens; 1980 Redaktionsassistentin, 1986 Volontariat beim Deutschen Institut für publizistische Bildungsarbeit im Journalisten-Zentrum, bis 1993 Redakteurin, 1989/92 freigestellt für das Amt der Hochschulfrauenbeauftragten, 1993 Abordnung als Regierungsangestellte an das Ministerium für die Gleichstellung von Frau und Mann NRW. Seit 1988 Mitgl. ÖTV, seit 1991 Stiftungsmitgl. der Ökologiestiftung, 1991/94 im Stiftungsvorst. 1976 Eintritt in die F.D.P., 1979 bis zum Austritt 1982 im Kreisvorst.; seit 1986 Mitgl. der GRÜNEN, seit 1992 Sprecherin der Landesarbeitsgem. Frauenpolitik von BÜNDNIS 90/DIE GRÜNEN. 1984/94 Kreistagsabg., 1989/94 Fraktionssprecherin. – MdB seit 1994; Sprecherin der NRW-Landesgruppe von BÜNDNIS 90/DIE GRÜNEN. Landesliste Nordrhein-Westfalen

* SCHILD   SPD

Horst Schild; Akademischer Rat a. D.; 30890 Barsinghausen – * 4.4.1942 Hannover, verh., 4 Kinder – Volksschule. Lehre als Technischer Zeichner, Technikerschule, Abschluß als Maschinenbautechniker; Abendgymnasium, Studium Maschinenbau und Politische Wissenschaften. Bis 1994 Akadem. Rat an der Univ. Hannover. Mitgl. AWO, Reichsbund, GEW. Mitgl. der SPD seit 1961, Vors. SPD-Ortsverein Barsinghausen, Mitgl. SPD-Unterbezirksvorst. Hannover-Land. 1972/86 Mitgl. Stadtrat Laatzen, seit 1991 des Stadtrates Barsinghausen, 1991/94 Fraktionsvors. – MdB seit 1994.

Landesliste Niedersachsen

:: SCHILY   SPD

Otto Schily; Rechtsanwalt; 80331 München – * 20.7.1932 Bochum – Rechtsanwalt. – MdB 1983 bis März 1986, 1987 bis Nov. 1989 und seit 1990; Stellv. Vors. SPD-Fraktion seit 1994.

Landesliste Bayern

* SCHINDLER CDU

Norbert Schindler; Landwirtschaftsmeister und Winzer; 67273 Bobenheim – * 15. 10. 1949 Grünstadt, röm.-kath., verw., 2 Kinder – Volksschule. Berufsbildende Schule, Meisterprüfung. Eigene Landwirtschaft und Weinbaubetrieb, 2 Mitarbeiter. Vizepräs. des Deutschen Bauernverbandes, Präs. des Bauern- und Winzerverbandes Rheinland-Pfalz Süd, Vizepräs. der Landwirtschaftskammer Rheinland-Pfalz. Mitgl. Turnverein Bobenheim. Mitgl. der CDU seit 1966, CDU-Kreisvors. Bad Dürkheim. Mitgl. Gemeinderat seit 1979. – MdB seit 1994.

Wahlkreis 158 (Neustadt–Speyer)
CDU 49,8 – SPD 36,1 – Grüne 6,5 – F.D.P. 3,1 – PDS -

* SCHLAUCH
BÜNDNIS 90/DIE GRÜNEN

Rezzo Schlauch; Rechtsanwalt; 70178 Stuttgart – * 4. 10. 1947 Gerabronn, ev. – Gymnasium in Künzelsau, Abitur 1966. Jurastudium Univ. Freiburg und Heidelberg, 1972 1. jur. Staatsexamen; Referendariat in Baden-Württemberg und Berlin, 2. jur. Staatsexamen Berlin 1975. Seit 1975 selbständiger Rechtsanwalt. Mitgl. im Republikanischen Anwältinnen- und Anwälteverein, Mitgl. des Wirtschaftsverbandes UNTERNEHMENSGRÜN. 1980 Eintritt in Die Grünen. 1984/94 MdL Baden-Württemberg, 1990/92 Vors. Fraktion GRÜNE. – MdB seit 1994.

Landesliste Baden-Württemberg

* SCHLEE CDU

Dietmar Schlee; Rechtsanwalt, Unternehmensberater; 72488 Sigmaringen-Laiz – * 31. 3. 1938 Mengen, Kreis Sigmaringen, röm.-kath., verh., 2 Kinder – Abitur. Studium der Rechtswissenschaften in München und Tübingen, 1968 2. jur. Staatsprüfung, anschl. Rechtsanwalt in Sigmaringen. 1973/75 Generalsekretär der CDU BW. 1975/80 Landrat Landkreis Sigmaringen. Rechtsanwalt, Unternehmensberater. Vors. des Kuratoriums der Denkmalstiftung BW, des Fördervereins der FH Albstadt-Sigmaringen e. V. und des Fördervereins der Freunde der Erzabtei St. Martin zu Beuron. 1965/68 Kreisvors. JU Hechingen, 1968/72 der CDU Kreis Hechingen, 1970/73 Vors. JU Württemberg-Hohenzollern, 1973/77 stellv. Vors. der CDU Württemberg-Hohenzollern, seit 1977 Vors. CDU Württemberg-Hohenzollern. 1972/94 MdL BW; 1980/84 Minister für Arbeit, Gesundheit und Sozialordnung, 1984/92 Innenminister des Landes Baden-Württemberg. – MdB seit 1994.

Wahlkreis 198 (Zollernalb–Sigmaringen)
CDU 56,5 – SPD 27,5 – Grüne 6,4 – FDP 3,8 – PDS -

⁝ SCHLOTEN SPD

Dieter Schloten; Leitender Gesamtschuldirektor a. D.; 45481 Mülheim an der Ruhr – * 26.8.1939 Mülheim an der Ruhr, verh., 4 Kinder – Studium der Geschichte und ev. Theologie in Göttingen, Bonn und Bochum. Seit 1968 im Schuldienst, Studienrat; 1978 Oberstudienrat, Leiter der Gesamtschule Bockmühle in Essen bis 1990. Mitgl. der AWO und mehrerer Fördervereine. Mitgl. der SPD seit 1969. 1975/90 Mitgl. Rat der Stadt Mülheim an der Ruhr, Vors. Denkmalpflegeausschuß und Schulausschuß, zuletzt stellv. Fraktionsvors. – MdB seit 1990; stellv. Vors. des EG-Ausschusses bis 1994, stellv. Delegationsleiter IPU, Mitgl. Parl. Vers. Europarat und der WEU.

Wahlkreis 87 (Mülheim)
SPD 49,8 – CDU 36,8 – Grüne 8,8 – F.D.P. 3,3 – PDS -

⁝⁝⁝⁝ SCHLUCKEBIER SPD

Günter Schluckebier; Maschinenschlosser, Rentner; 47119 Duisburg – * 15.2.1933 Duisburg, verh. – Realschule, Mittlere Reife. Internatslehrgänge beim DGB. 1950/53 Maschinenschlosserlehre, bis 1957 Tätigkeit im erlernten Beruf. 1957/64 Sekretär beim DGB, Kreis Duisburg; 1964/93 Vors. und Geschäftsführer des DGB-Kreises Duisburg. Seit 1950 Mitgl. der Gewerkschaft der Eisenbahner Deutschlands. Seit 1951 Mitgl. der SPD, 2. Vors. Unterbezirk Duisburg, Mitgl. SPD-Bezirksvorst. Niederrhein. 1964/70 Mitgl. Rat der Stadt Duisburg, zuletzt stellv. Fraktionsvors. 1970 MdL NRW. – MdB seit 1972.

Wahlkreis 85 (Duisburg II)
SPD 62,6 – CDU 27,2 – Grüne 5,0 – F.D.P. 1,5 – PDS 0,9

⁝ SCHMALZ CDU

Ulrich Schmalz; Selbständiger Kaufmann; 57537 Wissen – * 26. 8. 1939 Wissen, Kreis Altenkirchen, kath., verh., 1 Tochter – Ausbildung als Industriekaufmann. 1961/62 Ableistung des Grundwehrdienstes. Selbständig seit 1967, selbständiger Kaufmann, Geschäftsführer und Mitinhaber von zwei mittelständischen Unternehmen. Mitgl. CDU seit 1962. Kommunnalpol. Tätigkeit seit 1969, u. a. Stadtratsmitgl., 1961/90 MdL Rheinland-Pfalz, 8 Jahre wirtschaftspol. Sprecher der CDU-Fraktion. – MdB seit 1990.

Wahlkreis 146 (Neuwied)
CDU 46,9 – SPD 42,2 – Grüne 5,7 – FDP 3,5 – PDS 0,6

⠇ SCHMALZ-JACOBSEN F.D.P.

Cornelia Schmalz-Jacobsen, geb. Helmrich; Journalistin, Beauftragte der Bundesregierung für die Belange der Ausländer; 53113 Bonn – * 11.11.1934 Berlin, ev., 3 Kinder – 1954 Abitur (neusprachlich). Gesangsstudium. Seit 1962 Journalistin, Mitarbeit beim Rundfunk, Fernsehen, bei Zeitungen und Zeitschriften; eigene Buchveröffentlichungen. Mitgl. der F.D.P. seit 1968, versch. Parteifunktionen im Laufe der Jahre, Okt. 1988/Nov. 1991 Generalsekretärin, seit Juni 1995 stellv. Bundesvors. der F.D.P.. 1972/85 Stadträtin in München; 1985/89 Senatorin für Jugend und Familie in Berlin. Seit Nov. 1991 Beauftragte der Bundesregierung für die Belange der Ausländer. – MdB seit 1990.

Landesliste Bayern

⠶ SCHMIDBAUER CDU

Bernd Schmidbauer; Studiendirektor a. D., Staatsminister beim Bundeskanzler; 69214 Eppelheim – * 29.5.1939 Pforzheim, ev., verh., 2 Kinder – Gymnasium, 1959 Abitur. Studium der Physik, Chemie und Biologie an der TH in Karlsruhe und Univ. Heidelberg, Wissenschaftl. Prüfung 1967, Pädagog. Prüfung 1969. Grundsatzreferent im Ministerbüro; Direktor am Gymnasium. Vors. der CDU im Rhein-Neckar-Kreis. 1971 in den Gemeinde- und Kreistag gewählt, Fraktionsvors. im Kreistag des Rhein-Neckar-Kreises 1976/89. – MdB seit 1983; in der 11. WP Vors. der Arbeitsgruppe Umwelt, Naturschutz und Reaktorsicherheit der CDU/CSU-Fraktion und der Enquete-Kommission „Vorsorge zum Schutz der Erdatmosphäre". 1991 Parl. Staatssekretär beim BMin. für Umwelt, Naturschutz und Reaktorsicherheit, seit Dez. 1991 Staatsminister beim Bundeskanzler.

Wahlkreis 182 (Rhein-Neckar)
CDU 49,3 – SPD 35,8 – Grüne 7,4 – F.D.P. 3,2 – PDS -

⠇ SCHMIDBAUER (Nürnberg) SPD

Horst Schmidbauer; Industriekaufmann; 90453 Nürnberg – * 3.4.1940 Nürnberg, verh., 2 Kinder – Volksschule, Gewerberealschule; Ausbildung zum Industriekaufmann. Zivildienst bei der AWO. Nach Ausbildung seit 1959 in der Mineralölbranche tätig; seit 1977 Verkaufsniederlassungsleiter, zuletzt zuständig für vertragsgebundene Geschäfte. Stellv. Vors. AR der Städt. Wohnungsbaugesellschaft, Nürnberg, und Mitgl. Verwaltungsrat der Stadtsparkasse Nürnberg. Mitgl. HBV, 1978/85 Bezirksvorstandsvors. der HBV; Mitgl. der AWO, des ASB, und bei Pro Familia, VdK, AIDS-Hilfe und Bundesarbeitsgemeinschaft Hospiz. Mitgl. der SPD seit 1956; 1968/71 Juso-Unterbezirksvors., 1971/73 Juso-Bezirksvors.; 1979/85 stellv. Unterbezirksvors. der SPD in Nürnberg, seit 1985 Unterbezirksvors. in Nürnberg. Mitgl. Nürnberger Stadtrat 1972/90. – MdB seit 1990; u. a. 1993/94 Sprecher der SPD im Untersuchungsausschuß „HIV-Infektionen durch Blut und Blutprodukte".

Landesliste Bayern

⁝ SCHMIDT (Aachen) SPD

Ulla Schmidt; Lehrerin; 52072 Aachen – * 13. 6. 1949
Aachen, 1 Tochter – Realschule, Aufbaugymnasium.
Rheinisch-Westfälische TH Aachen und Fernuniver-
sität Hagen. Lehrerin für Sonderpädagogik, Rehabilitation lernbehinderter und erziehungsschwieriger
Kinder. Mitgl. der AWO, der GEW, des Verbandes
deutscher Sonderschulen, des Kinderschutzbundes,
des Marie-Schlei-Vereins, des ASB sowie in örtl. Vereinen. Mitgl. der SPD seit 1983, Mitgl. des SPD-Unterbezirksvorst. Aachen und des Parteirates. Ratsfrau der
Stadt Aachen bis 1992. – MdB seit 1990; seit 1991 Vors.
der Querschnittsgruppe „Gleichstellung von Frau und
Mann" und Mitgl. des geschäftsführenden Vorst. der
SPD-Fraktion.

Landesliste Nordrhein-Westfalen

⁝ SCHMIDT (Fürth) CSU

Christian Schmidt; Rechtsanwalt; 90766 Fürth –
* 26. 8. 1957 Obernzenn, Landkr. Neustadt / Aisch-Bad
Windsheim, ev.-luth., verh., 2 Töchter – 1976 Abitur
Bad Windsheim. 1976/77 Wehrdienst. 1977/82 Studium Univ. Erlangen und Lausanne, 1982 1., 1985 2.
jur. Staatsprüfung. Seit 1985 Rechtsanwalt in Nürnberg mit Schwerpunkt Arbeitsrecht. 1978/87 Vorstandsmitgl. der EU Bayern; Präsidiumsmitgl. des
Auto- und Reiseclubs Deutschland (ARCD); Mitgl. der
Gesellschaft für christlich-jüdische Zusammenarbeit.
1973 Eintritt in die JU, 1976 in die CSU; 1979/82 Kreisvors. JU, 1982/91 Bezirksvors. JU Mittelfranken;
1989/93 Mitgl. des CSU-Parteivorst. Stellv. Vors. des
Ev. Arbeitskreises der CSU Mittelfranken. 1984/90
Gemeinderatsmitgl. in Obernzenn, 1984/90 Kreisrat
des Landkr. Neustadt / Aisch-Bad Windsheim. – MdB
seit 1990.

Wahlkreis 229 (Fürth)
CSU 49,7 – SPD 36,6 – Grüne 5,2 – F.D.P. 3,2 – PDS 0,6

⁝ Dr.-Ing. SCHMIDT (Halsbrücke) CDU

Joachim Schmidt; Dipl.-Ingenieur; 09633 Halsbrücke
– * 26. 10. 1936 Zwickau / Sachsen, ev., verh., 2 Söhne –
1955 Abitur in Auerbach (Vogtland). 1955/56 Prakt.
Tätigkeit im über- und untertägigen Bergbau.
1956/61 Studium der Fachrichtung Aufbereitungs-
technik an der Bergakademie Freiberg; 1961/67 Wissenschaftlicher Assistent am Institut für Aufbereitung
der Bergakademie Freiberg; 1968/90 Forschungstätigkeit in der Industrie und im Forschungsinstitut
für Nichteisenmetalle Freiberg. Bis 1989 parteilos,
1989/90 Mitgl. der Bürgerbewegung Freiberg. Juni
1990 Eintritt in die CDU, Mitgl. des Präsidiums der
Sächsischen Union. – MdB seit 1990; seit Jan. 1992
Vors. der CDU-Landesgruppe Sachsen.

Wahlkreis 321 (Freiberg – Brand-
Erbisdorf – Flöha – Marienberg)
CDU 56,6 – SPD 22,2 – PDS 13,3 – Grüne 4,8 – F.D.P. 3,0

* SCHMIDT (Hitzhofen)
BÜNDNIS 90 / DIE GRÜNEN

Albert Schmidt; Dipl.-Päd., Lehrer, Musiker; 85122
Hitzhofen-Hofstetten – * 13. 2. 1951 Uffenheim/Mittel-
franken, kath., verh., 1 erwachsenes Kind – 1969 Abitur. 1969/76 Pädagogik-Studium in Nürnberg und
Eichstätt; Dipl.-Päd. und Volksschullehrer, 2. Staatsexamen. 1976/78 wissenschaftl. Mitarbeiter an der Kath.
Univ. Eichstätt. 1978/94 im Volksschuldienst in versch.
Jahrgangsstufen; seit 1982 auch Mitgl. im örtl. Personalrat; div. Fachveröffentlichungen. 1982/90 als Musiker, Texter und Komponist mit dem Musikkabarett
„Liederbayern Band" unterwegs; Veröffentlichung
von 4 LPs und einer Solo-LP. Mitgl. GEW, Bund Naturschutz, Umweltinstitut München e. V., Kinderschutzbund, Verkehrsclub Deutschland, Kulturpol. Ges. e. V.
1982 Mitgl. der GRÜNEN, seit 1993 Sprecher „Landes-
arbeitskreis Kultur" der bayer. GRÜNEN; Sprecher
der Kampagne „1000 Blockheizkraftwerke für Bayern". 1985/94 Mitgl. Kreistag Landkreis Eichstätt.
1986/91 Sprecher der überparteil. Bürgerinitiative
„Naturpark statt Raketenpark". – MdB seit 1994.
Landesliste Bayern

* SCHMIDT (Meschede)   SPD

Dagmar Schmidt; Lehrerin, Fotografin; 59872 Meschede – * 8. 4. 1948 Herten/Westfalen, ev., verh., 1 erwachsener Sohn – Gymnasium Wanne-Eickel. Ausbildung als Fotografin; Schriftsetzerpraktikum, Gesellenbrief; durch Sonderprüfung Studium an der PH
Ruhr, Abt. Dortmund (Kunst, ev. Theologie); 1. und 2.
Staatsexamen. Lehrerin; tätig zuletzt an der Realschule in Bestwig/Hochsauerlandkreis. Mitgl. SJD-
Die Falken, GEW, AWO, ai, Kinderschutzbund, Verein
Hilfe für Menschen in Abschiebehaft Büren e. V., Gesellschaft für christlich-jüdische Zusammenarbeit Meschede, Freunde der Völkerbegegnung Meschede,
werkkreis kultur meschede e. V., Kleingartenverein
Meschede. Mitgl. der SPD seit 1971, Vorstandsmitgl.
im SPD-Unterbezirk Hochsauerland. Ratsmitgl. der
Stadt Meschede seit 1977, 1984/89 Vors. des Kultu-
rausschusses, 1989/94 stellv. Bürgermeisterin und
stellv. Fraktionsvors. – MdB seit 1994.

Landesliste Nordrhein-Westfalen

⁝ SCHMIDT (Mülheim)   CDU

Andreas Schmidt; Rechtsanwalt; 45481 Mülheim an
der Ruhr – * 4. 11. 1956 Mülheim an der Ruhr, ev.,
verh., 1 Tochter – 1976 Abitur am Gymnasium Broich
in Mülheim an der Ruhr. Anschl. Studium der Rechtswissenschaften an der Ruhr-Univ. Bochum, 1982 1.
und 1985 2. jur. Staatsprüfung. 1982/85 Assistent von
Dr. Otmar Franz, MdEP. Rechtsanwalt. Mitgl. des Verwaltungsrates der Sparkasse Mülheim an der Ruhr;
Vorstandsmitgl. der Deutschen Gesellschaft für die
Vereinten Nationen. 1974 Eintritt in die CDU und die
JU, 1984/89 Kreisvors., 1986/91 Mitgl. Landesvorst.
der JU NRW; 1989 Kreisvors. der CDU Mülheim an der
Ruhr. – MdB seit 1990; 1994 Parl. Geschäftsführer der
CDU/CSU-Fraktion, Ä.

Landesliste Nordrhein-Westfalen

:* SCHMIDT (Salzgitter) SPD

Wilhelm Schmidt; Kommunalbeamter a. D.; 38239 Salzgitter (Thiede) – * 13. 5. 1944 Barbecke, Kreis Peine, ev.-luth., verh., 2 Kinder – Mittlere Reife. Ausbildung für den gehobenen Dienst der Kommunalverwaltung, Diplom der Verwaltungs- und Wirtschaftsakademie. Grundwehrdienst 1965/66, Leutnant d. R. Bis 1978 Beamter bei der Stadt Wolfenbüttel, zuletzt Leiter der Personalabteilung und Ausbildungsleiter. Mitgl. der ÖTV; Stellv. Bundesvors. der AWO, Schatzmeister des Deutschen Kinderhilfswerks; Vors. des Bezirkssportbundes Braunschweig; Vors. der Wolfenbütteler Heimatstiftung. Mitgl. SPD seit 1964. In der Kommunalpolitik seit 1972; MdL Niedersachsen 1978/86, acht Jahre Vors. Ausschuß für Jugend und Sport. – MdB seit 1987; Parl. Geschäftsführer der SPD-Fraktion, Ä.

Wahlkreis 44 (Salzgitter–Wolfenbüttel)
SPD 49,9 – CDU 41,8 – Grüne 3,9 – F.D.P. 2,3 – PDS 0,6

* Dr. SCHMIDT-JORTZIG F.D.P.

Edzard Schmidt-Jortzig; Universitätsprofessor, BMin. der Justiz; 53175 Bonn – * 8. 10. 1941 Berlin, ev., verh., 4 Kinder – 1961 Abitur in Lüneburg. 1966 1. jur. Staatsprüfung in Schleswig, 1969 Promotion und 2. jur. Staatsprüfung in Hannover. Zunächst Kommunaljurist, 1976 Habilitation in Göttingen. 1977 Ruf nach Münster, seit 1984 in Kiel, o. Prof. für Öffentliches Recht (Schwerpunkt Staats- und Kommunalrecht), im zweiten Haupt- bzw. Nebenamt Richter an zwei OVG, zuletzt am Verfassungsgerichtshof Sachsen. Mitgl. in div. Fachverbänden. 1984 Mitgl. der F.D.P., bis 1989 versch. Ämter im Kreisvorst. Kiel und Landesvorst. Schleswig-Holstein. – MdB seit 1994; seit Jan. 1996 BMin. der Justiz

Landesliste Schleswig-Holstein

: SCHMIDT-ZADEL SPD

Regina Schmidt-Zadel, geb. Schmidt; Sozialarbeiterin grad.; 40882 Ratingen – * 20. 1. 1937 Horbach, Westerwald, verh. – Gymnasium, Höhere Fachschule f. Sozialarbeit, staatl. Anerkennung, Sozialarbeiterin grad. Sozialarbeiterin in versch. Bereichen, zuletzt Abteilungsleiterin bei der Kreisverwaltung in Mettmann, Kreisverwaltungsrätin. Mitgl. AWO, Deutscher Kinderschutzbund und ÖTV, Mitgl. in Fördervereinen von Altenheimen und Behinderteneinrichtungen, Mitgl. im Landesvorst. der Lebenshilfe NRW. 1969 Mitgl. der SPD, seit 1980 AsF-Unterbezirksvors. Mettmann, 1990/94 Mitgl. des Bezirksvorst. 1984/91 Mitgl. der Landschaftsversammlung Rheinland, hier stellv. Fraktionsvors. und Vors. des Gesundheitsausschusses. – MdB seit 1990; Schriftführerin.

Landesliste Nordrhein-Westfalen

* **SCHMIEDEBERG   CDU**

Hans-Otto Schmiedeberg; Dipl.-Ingenieur; 23946 Boltenhagen – * 10.7.1959 Boltenhagen, Mecklenburg,
ev., gesch., 1 Tochter – Besuch der POS, Berufsausbildung mit Abitur; erlernter Beruf Vollmatrose. Studium
an der Univ. Rostock, Konstrukteur, Abteilungsleiter
MTW Schiffswerft GmbH Wismar. Mitgl. der CDU seit
1993. Mitgl. der Gemeindevertretung des Ostseebads
Boltenhagen seit 1990. – MdB seit 1994.

Wahlkreis 262
(Wismar–Gadebusch–Grevesmühlen–Doberan–Büt-
zow)
CDU 37,5 – SPD 36,8 – PDS 21,2 – F.D.P. 2,5 – Grüne -

* **SCHMITT (Berg)   SPD**

Heinz Schmitt; Wirtschaftsingenieur; 76768 Berg –
* 15. 10. 1951 Karlsruhe, verh. – Studium an der FH
Karlsruhe. 14 Jahre in der Halbleiterbranche beschäftigt, Arbeitsschwerpunkte: Produktionsplanung und
Fertigungssteuerung, Trainer für Qualitätsverbesse-
rungsprogramme. Mitgl. und Vertrauensmann in der
IG Metall, Mitgl. BUND und AWO. Mitgl. der SPD seit
1969, Juso-Arbeit, 10 Jahre Ortsvereinsvors., seit 1994
SPD-Unterbezirksvors. in der Südpfalz. – MdB seit
1994.

Landesliste Rheinland-Pfalz

* **SCHMITT (Langenfeld)**
   BÜNDNIS 90 / DIE GRÜNEN

Wolfgang Schmitt; Dipl.-Sozialarbeiter; 40764 Langenfeld – * 20.4.1959 Monheim/Rheinland – Konrad-
Adenauer-Gymnasium Langenfeld, Höhere Handelsschule. Kath. Fachhochschule Köln, Studium der Geschichte, Politik und Philosophie in Düsseldorf.
Zivildienst.   Geschäftsführendes   Landesvorstandsmitgl. Bündnis 90/DIE GRÜNEN NRW. Mitgl. Bund
für Umwelt- und Naturschutz Deutschland (BUND).
Seit Febr. 1980 Mitgl. DIE GRÜNEN, Mitgl. des Landesvorst. 1982/84, 1990/94 Landesvors. Bündnis
90/DIE GRÜNEN NRW. 1984/90 Mitgl. Rat der Stadt
Langenfeld, 1984/90 Mitgl. Präsidium Städte- und
Gemeindebund NRW. – MdB seit 1994.

Landesliste Nordrhein-Westfalen

::::* SCHMITZ (Baesweiler) CDU

Hans Peter Schmitz; Landwirt; 52499 Baesweiler –
* 21.5.1937 Geilenkirchen, kath., verh., 3 Kinder –
Volksschule. Landwirtschaftslehre und Landwirt-
schaftsprüfung, landwirtschaftl. Fachschule mit Abschlußprüfung. Selbst. Landwirt in Baesweiler. 1956
Diözesanvorst. der Landjugend der Diözese Aachen;
1958 Mitgl. Diözesanführerrat; 1960/64 Mitgl. Bun-
desführung Deutsche Kath. Jugend und Mitgl. Internat. Landjugendorganisation. Ehrenamtl. tätig im
landwirtschaftl. Genossenschaftswesen. 1955 Mitgl.
JU, Mitgl. Kreisvorst. JU Geilenkirchen-Heinsberg;
Mitgl. CDU; 1968 Mitgl. Landesvorst. JU Rheinland;
1970 Vors. Agrarausschüsse CDU Rheinland; 1972
Mitgl. Kreisvorst. CDU Aachen-Land, 1986 Vors. CDU
Kreis Aachen und Bezirksverb. Aachen; Mitgl. Landesvorst. CDU NRW. – MdB seit 1972; Vors. Ausschuß
für Umwelt, Naturschutz und Reaktorsicherheit.

Landesliste Nordrhein-Westfalen

:: von SCHMUDE CDU

Michael von Schmude; Kaufmann, Landwirt; 22927
Großhansdorf – * 19.11.1939 Berlin, 2 Kinder – Gymnasium, Mittlere Reife. 1956/58 Lehre als Speditions-
kaufmann, kaufm. Angestellter. Wehrdienst 1960/61,
Wehrübungen, Oberst d. R. Vorstandsmitgl. der Che-
mag AG, Frankfurt am Main. Mitgl. des Verbandes
der Reservisten der Deutschen Bundeswehr e. V. und
des Bauernverbandes Mecklenburg-Vorpommern.
1960/66 Kreisvors. der JU Stormarn; 1957 CDU-Mitgl.,
1985/94 CDU-Kreisvors., seit 1989 Landesschatzmeister der CDU Schleswig-Holstein. 1967/70 Stadtverordneter in Ahrensburg; 1966/83 Kreistagsabg. – MdB
seit 1983.

Wahlkreis 10 (Herzogtum Lauenburg–Stormarn-Süd)
CDU 48,0 – SPD 39,0 – Grüne 8,0 – F.D.P. 3,4 – PDS -

:* Dr. SCHNELL SPD

Emil Schnell; Dipl.-Physiker; 14471 Potsdam –
* 10.11.1953 Packebusch, Kr. Stendal, verh., 2 Kinder
– 1960/68 Besuch der POS in Bismark/Altmark; 1972
Abitur in Seehausen. 1972/75 Wehrdienst. 1975 Aufnahme des Studiums der Fachrichtung Physik TU
„Otto von Guericke" in Magdeburg, 1980 Dipl.-Physi-
ker; 1984 Promotion. 1980/83 wissenschaftl. Assistent
an der TU „Otto von Guericke", Magdeburg, 1983 Beginn der Tätigkeit als wissenschaftl. Mitarbeiter an
der AdW in der Forschungsstelle für Hochdruckfor-
schung Potsdam. Mitgl. des Fördervereins „Bonn-Pe-
tropolis-Potsdam e. V.", Vors. des Vereins für Demokratie, politische und kulturelle Bildung Potsdam e. V,
Mitgl. des Otto-Wels-Bildungswerkes e. V. Seit Okt.
1989 Mitgl. der SPD, im gleichen Jahr Geschäftsführer
der SPD in Potsdam, Vors. SPD-Unterbezirk Potsdam
1992/94. MdV März/Okt. 1990, April/Aug. 1990 Minister für Post- und Fernmeldewesen. – MdB seit Okt.
1990.

Wahlkreis 276 (Potsdam)
SPD 42,0 – PDS 32,8 – CDU 20,0 – Grüne 4,4 – F.D.P. -

* SCHNIEBER-JASTRAM CDU

Birgit Schnieber-Jastram, geb. Jastram; Redakteurin; 21029 Hamburg – * 4. 7. 1946 Hamburg, ev., verh., 2 Kinder – Hum. Gymnasium, Staatl. Höhere Handelsschule. Kontakterin in Werbe- und Public Relations-Agenturen in Hamburg und Bonn, Redakteurin bei einem Fachverlag für die Werbewirtschaft. Bis Okt. 1994 Mitarbeiterin von MdB Volker Rühe. Mitgl. im Beirat der Stiftung Herzogtum Lauenburg. 1981 Eintritt in die CDU, seit 1992 stellv. CDU-Landesvors. 1986/94 Mitgl. Hamburger Bürgerschaft, seit 1991 Vors. des Sozialausschusses, seit 1993 stellv. Vors. CDU-Bürgerschaftsfraktion. – MdB seit 1994.

Landesliste Hamburg

: Dr. SCHOCKENHOFF CDU

Andreas Schockenhoff; Studienrat a. D.; 88214 Ravensburg – * 23. 2. 1957 Ludwigsburg, kath., verh., 3 Kinder – 1976 Abitur am Friedrich-Schiller-Gymnasium in Ludwigsburg. 1976/82 Studium der Romanistik, Germanistik und Geschichte Univ. Tübingen und Grenoble, 1982/84 Referendar für das Lehramt an Gymnasien in Ravensburg, 1985 Promotion am Romanischen Seminar der Univ. Tübingen. Angestellter des Lehramts am Freien kath. Gymnasium im Bildungszentrum St. Konrad in Ravensburg. Mitgl. in örtl. Sport- und Musikvereinen, im Deutschen Alpenverein. 1973 Eintritt in die JU, 1982 Eintritt in die CDU, Mitgl. des CDU-Bezirksvorst. Württemberg-Hohenzollern. – MdB seit 1990.

Wahlkreis 197 (Ravensburg–Bodensee)
CDU 52,6 – SPD 27,9 – Grüne 8,9 – F.D.P. 4,4 – PDS 0,7

: SCHÖLER SPD

Walter Schöler; Stadtverwaltungsrat a. D.; 47918 Tönisvorst – * 10. 3. 1947 St. Tönis, Kreis Viersen, röm.-kath., verh., 3 Kinder – Volksschule, Berufsschule (Verwaltungsfachklasse). Ausbildung am Studieninstitut für Kommunalverwaltung zum Diplomverwaltungswirt. Stadtverwaltungsrat bei der Stadt Tönisvorst, Kreis Viersen, seit 1971 Amtsleiter für die Bereiche Liegenschaften/Wirtschaftsförderung/Stadtsanierung, danach seit 1988 für Ordnungswesen/Stadtreinigung/Wohnungswesen. 1975/90 Personalratsmitgl. Mitgl. AWO seit 1973, der ÖTV seit 1969; nebenamtl. Vorstandsmitgl. der Allgemeinen Wohnungsgenossenschaft Tönisvorst e. G. Bundesverdienstkreuz am Bande 1990. Mitgl. der SPD seit 1966; Ortsvereinsvors. Tönisvorst 1969/75, Mitgl. Unterbezirksvorst. Viersen 1968/74 und seit 1980, seit 1986 SPD-Unterbezirksvors., Mitgl. des SPD-Bezirksausschusses Niederrhein. Mitgl. der Landschaftsversammlung Rheinland 1984/94. – MdB seit Dez. 1992.

Landesliste Nordrhein-Westfalen

* SCHÖNBERGER
BÜNDNIS 90 / DIE GRÜNEN

Ursula Schönberger; Politikwissenschaftlerin, Bauzeichnerin; 38118 Braunschweig – * 14.4.1962 München, verh., 2 Kinder – 1981 Abitur in München. Studium der Politikwissenschaften zunächst in München, später in Braunschweig, Abschluß 1991 als MA. Seit 1986 Bauzeichnerin in einem Braunschweiger Bauingenieurbüro. Mitgl. Arbeitsgemeinschaft Schacht KONRAD e. V., Deutscher Alpenverein, Deutsches Museum, DJH, IG Bau-Steine-Erden; 1980/86 Mitgl. der DFG-VK-München. 1980/85 Friedensbewegung, 1985 bis zum Ausstieg aus der Atomenergie Anti-AKW-Bewegung, seit 1986 Mitgl. der GRÜNEN. – MdB seit 1994.

Landesliste Niedersachsen

⁝ Dr. SCHOLZ CDU

Rupert Scholz; Universitätsprofessor, Bundesminister a. D.; 12163 Berlin – * 23.5.1937 Berlin, ev., verh. – 1957 Abitur in Berlin. 1961 1. jur. Staatsprüfung in Berlin, 1966 Promotion in München, 1967 2. jur. Staatsprüfung in Berlin, 1971 Habilitation in München. Seit 1972 o. Professor, Lehrstuhl für Öffentliches Recht FU Berlin, seit 1978 Lehrstuhl für Staats- und Verwaltungsrecht, Verwaltungslehre und Finanzrecht an der Jur. Falkultät der Univ. München. Mitgl. in versch. Fachverbänden. 1981/88 Senator für Justiz bzw. Senator für Justiz und Bundesangelegenheiten in Berlin. 1983 Mitgl. CDU. 1985/88 Mitgl. Abgeordnetenhaus von Berlin. Mai 1988/April 1989 BMin. der Verteidigung. – MdB seit 1990; Stellv. Vors. der CDU/CSU-Fraktion.

Wahlkreis 256 (Berlin-Tempelhof)
CDU 51,2 – SPD 34,8 – Grüne 6,4 – FDP 2,8 – PDS 1,3

⁝* SCHOPPE
BÜNDNIS 90 / DIE GRÜNEN

Waltraud Schoppe, geb. Sobanek; Erzieherin, Lehrerin; 27211 Bassum – * 27.6.1942 Bremen-Aumund, 2 Kinder – Studium Germanistik und Geschichte für das Lehramt an höheren Schulen. 1990/94 Ministerin in Niedersachsen. – MdB 1983/85, 1987/90 und seit 1994.

Landesliste Niedersachsen

∷* Freiherr von SCHORLEMER CDU

Reinhard Freiherr von Schorlemer; Land- und Forstwirt; 49626 Bippen – * 27.4.1938 Fürstenau, kath.,
verh., 5 Kinder – 1955 mittlere Reife. 1958 landwirtschaftliche Gehilfenprüfung. 1958/59 Forsteleve.
1959/62 Studium an der Höheren Fachschule für Sozialarbeit und Abschlußexamen. 1963/65 Landesgeschäftsführer der JU in Hannover. Seit 1965 Land- und
Forstwirt in Schlichthorst bzw. Lonne. Stellv. Vors. Verwaltungsrat und Kreditausschuß der Kreissparkasse
Bersenbrück. Als Vors. der Arbeitsgem. der Deutschen
Waldbesitzerverbände Mitgl. zahlr. Gremien in der
Forst- und Landwirtschaft. 1955/73 in der JU auf
Kreis-, Bezirks- und Landesebene tätig; seit 1955
Mitgl. der CDU; 1971/90 Kreisvors. Bersenbrück bzw.
Osnabrück-Land, z. Z. Mitgl. Landes- und Bezirks-
vorst. 1964/81 und 1986/96 Mitgl. Kreistag von Ber-
senbrück bzw. Osnabrück; 1974/80 MdL Nieder-
sachsen. – MdB seit 1980; Präs. der Deutschen Parl.
Gesellschaft e. V., Vors. der Deutsch-Ungarischen Par-
lamentariergruppe.
Wahlkreis 32 (Osnabrück-Land)
CDU 50,8 – SPD 39,5 – Grüne 6,0 – FDP 2,9 – PDS -

∷* SCHREINER SPD

Ottmar Schreiner; Jurist; 66740 Saarlouis –
* 21. 2. 1946 Merzig, röm.-kath., verh., 3 Kinder – Zeitsoldat beim Fallschirmjägerbataillon Lebach, Reserveoffizier. Jura-Studium in Berlin, Lausanne und
Saarbrücken. 1969 Eintritt in die SPD. Früher Bundes-
vorstandsmitgl. beim Verband Deutscher Studentenschaften und den Jungsozialisten. – MdB seit 1980;
seit März 1997 stellv. Vors. der SPD-Fraktion.

Wahlkreis 246 (Saarlouis)
SPD 49,0 – CDU 40,9 – Grüne 5,0 – FDP 2,1 – PDS -

∶ SCHRÖTER SPD

Gisela Schröter, geb. Schreier; Sonderschulleiterin;
99706 Sondershausen – * 16. 8. 1948 Geisa, Kr. Bad
Salzungen, ev., gesch., 2 Kinder – 10klassige Oberschule. 1965/68 Institut für Lehrerbildung Nordhausen; Abschluß als Unterstufenlehrerin; 1987/89
Fernstudium für Rehabilitation an der Humboldt-Univ.
Berlin. Abschluß 1989 als Sonderschullehrer. 1968/85
als Lehrerin in den Kl. 1–9; Hauptfächer Deutsch,
Sport, Musik, Englisch; ab 1985 Lehrerin an der Sonderschule für Lernbehinderte; ab Aug. 1990 Sonderschulleiterin. Mitgl. GEW und AWO. Mitgl. SPD seit
1990, seit April 1990 Mitgl. des Landesvorst. der SPD
Thüringen, seit 1991 Mitgl. Bundesvorst. SPD. – MdB
seit 1990. Stellv. Vors. der Enquete-Kommission „Sogenannte Sekten und Psychogruppen".

Landesliste Thüringen

* Dr. SCHUBERT   SPD

Mathias Schubert; Pfarrer; 15528 Markgrafpieske –
* 26.7.1952 Chemnitz, ev., verh., 3 Töchter – Abitur
1971 im ehemaligen Karl-Marx-Stadt. Studium der
Theologie 1973/78 Univ. Leipzig, Abschluß mit Staatsexamen und Diplom, 1980 2. theologisches Examen in
Eisenach, 1986 Promotion zum Dr. theol. 1981/86 Pfarrer in Braunsbedra, Kreis Merseburg. 1986/90 Referent für Sozialethik in der Theol. Studienabteilung
beim Bund der Ev. Kirchen in der DDR. 1990/93 Landrat Landkreis Fürstenwalde; 1994 Mitarbeiter im
Finanzministerium des Landes Brandenburg. Mitgl.
der SPD seit 1990, z.Z. stellv. Unterbezirksvors. Oder-
Spree. 1990/94 Mitgl. Kreistag Fürstenwalde. – MdB
seit 1994.

Wahlkreis 277 (Fürstenwalde–Strausberg–Seelow)
SPD 45,3 – CDU 25,8 – PDS 23,1 – Grüne 3,6 – F.D.P. 2,2

* Dr. SCHUCHARDT   CDU

Erika Schuchardt; Professorin für Bildungsforschung
Universität Hannover; 38100 Braunschweig –
* 29.1.1940 Hamburg, ev.-luth. – Studium der Sozialwissenschaften, Sonderpädagogik und Erwachsenenbildung, 1965 1. Lehramtsprüfung, 1966 2. Lehramtsprüfung an Sonderschulen, danach Lehrerin. 1967
Studienleiterin für Lehramtsanwärter, 1970 Abteilungsleiterin an der Volkshochschule. 1970 Studium
der Erwachsenenbildung, 1972 Diplom; danach Akademische Oberrätin; 1979 Dr. phil.; 1982 Habilitation.
1984 Professorin Univ. Hannover. 1955 ev. Kreisju-
genddelegierte Hamburg; seit 1972 gewählte Synoda-
lin der Ev. Kirche in Deutschland und Mitgl. in Gremien des Weltkirchenrats Genf, u. a. im Executive
Board des Oecumenical Institute Bossey, und Vorstandsmitgl. des Comenius-Instituts. Seit 1984 Vizepräs. der Deutschen UNESCO-Kommission; seit 1993
Gründungsvorst. Bundesarbeitsgem. „Tschernobyl".
Zahlr. Publikationen, zuletzt „Warum gerade ich…?
Leben lernen in Krisen", 8. erw. Aufl. 1994, ausge-
zeichnet mit Literaturpreis – MdB seit 1994.
Landesliste Niedersachsen

:* SCHÜTZ (Oldenburg)   SPD

Dietmar Schütz; Jurist, Regierungsdirektor a. D.;
26131 Oldenburg – * 21.10.1943 Oldenburg, ev., verh.,
1 Kind – Abitur. Studium der Geschichte und Rechts-
wissenschaften in Göttingen, 1970 1., 1973 2. jur.
Staatsexamen. Verwaltungsjurist beim RegPräs. in
Osnabrück, 1974/76 pers. Referent des Niedersächs.
Ministers für Wissenschaft und Kunst; danach Wirt-
schafts-, Bau- und Gewerbeaufsichtsdezernent bei der
Bezirksregierung Weser-Ems in Oldenburg, zuletzt
Leiter des Organisationsdezernats. Mitgl. ÖTV, AWO
und des Bundes für Umwelt und Naturschutz
Deutschland e. V. (BUND). Seit 1965 Mitgl. der SPD;
Bezirksvorst. der Jungsozialisten; versch. örtl. Partei-
funktionen; seit 1982 Unterbezirksvors. in Oldenburg.
1981/88 Mitgl. des Rates der Stadt Oldenburg. – MdB
seit 1987; Landesgruppensprecher der niedersächsischen SPD-Abgeordneten.

Wahlkreis 22 (Oldenburg–Ammerland)
SPD 46,5 – CDU 37,6 – Grüne 8,0 – F.D.P. 5,6 – PDS 1,2

* **SCHÜTZE (Berlin)　CDU**

Diethard Schütze; Rechtsanwalt und Notar; 13465
Berlin – * 18. 11. 1954 Berlin, ev., verh., 1 Stieftochter –
1973 Abitur am Humboldt-Gymnasium Berlin. 1974 / 79
Studium der Rechtswissenschaften an der FU Berlin,
1979 1. jur. Staatsexamen, 1981 2. jur. Staatsexamen.
Seit 1982 selbständiger Rechtsanwalt, seit 1993
Rechtsanwalt und Notar in Berlin. Mitgl. Deutscher
Anwaltsverein, Deutscher Juristentag, european consultant units (ecu), Kuratorium der Humboldt-Univ.
1973 Eintritt in die CDU, 1974 / 75 Landesvors. der Berliner Schülerunion, 1975 / 79 Vors. der JU Reinicken-
dorf. 1979 / 81 Mitgl. Bezirksverordnetenversammlung
von Berlin-Reinickendorf; seit 1981 Mitgl. Abgeordnetenhaus von Berlin, 1991 / 94 stellv. Vors. der CDU-
Fraktion. – MdB seit 1994.

Wahlkreis 251 (Berlin-Reinickendorf)
CDU 47,4 – SPD 37,0 – Grüne 5,9 – F.D.P. 3,0 – PDS 1,3

* **SCHUHMANN (Delitzsch)　SPD**

Richard Schuhmann; Jurist; 04509 Delitzsch –
* 5. 8. 1938 Ballenstedt / Harz Kreis Quedlinburg, verh.,
2 Kinder – 10. Klasse. Techn. Zeichner, Teilkonstruk-
teur. Ingenieur für chemischen Apparatebau Ingenieurschule Joliot-Curie Köthen. Diplomjurist Humboldt-Univ. Berlin. Langjährige Tätigkeit als Justitiar
in einem Braunkohlenkombinat der ehem. DDR. Ab
Juli 1990 stellv. Bürgermeister in Delitzsch, August
1994 Jurist der Stadt Delitzsch. Vorstandsmitgl. bei
ZAK (Zukunftsaktion Kohlegebiete), Verbandsrat im
Regionalen Planungsverband Westsachsen; Mitgl.
Förderverein „Tiergarten" e.V. Delitzsch. Bis Juni 1991
parteilos, dann Eintritt in die SPD, Mitgl. im Landesausschuß der SPD Sachsen. Bis Juli 1994 Abg. im
Stadtparlament Delitzsch, jetzt Kreisrat im Kreistag
Delitzsch. – MdB seit 1994.

Landesliste Sachsen

∷ **SCHULHOFF　CDU**

Wolfgang Schulhoff; Unternehmer, Professor; 40223
Düsseldorf – * 14. 12. 1939 Düsseldorf, ev., verh., 2 Kinder – Abitur 1959. Gesellenprüfung als Installateur.
Studium der Wirtschaftswissenschaften an der Univ.
Köln, 1965 Diplomprüfung. Geschäftsführender Gesellschafter der Firma Dipl.-Ing. G. Schulhoff und der
Firma Schulhoff Ingenieur Planungs GmbH. Lehrbeauftragter, heute Honorarprofessor für Volkswirtschaftslehre an der Hochschule für Technik und Wirtschaft Mittweida. 1971 / 83 ehrenamtl. Finanzrichter.
Bundesverdienstkreuz 1. Klasse. 1959 Mitgl. CDU, seit
1989 Vors. der CDU Düsseldorf. 1968 Bürgerschafts-
mitgl.; 1969 / 83 Mitgl. im Rat der Stadt Düsseldorf,
1977 / 83 stellv. Fraktionsvors. der CDU. – MdB seit
1983; Obmann im Ausschuß für Post und Telekommunikation.

Wahlkreis 74 (Düsseldorf I)
CDU 43,9 – SPD 40,5 – Grüne 8,1 – F.D.P. 4,9 – PDS -

::: SCHULTE (Hameln) SPD

Brigitte Schulte, geb. Brewitz; Lehrerin a. D.; 31785 Hameln – * 26.9.1943 Treuburg (Ostpreußen), ev., verh. – Gymnasium, 1963 Abitur. Studium an der PH Lüneburg, 1. Lehrerexamen 1966 (Schwerpunkte ev. Theologie, Politische Wissenschaft, Allgemeine Pädagogik). 1966 Lehrerin an der Mittelpunktschule Eimbeckhausen; seit Aug. 1975 Leiterin der Orientierungsstufe Gehrden. 1973/76 Vorklassenberaterin beim RegPräs. Hannover. Mitgl. GEW, AWO, DRK, Reichsbund; Mitgl. Deutsche Verkehrswacht, des Reservistenverbandes und der Deutschen Stiftung Weltbevölkerung sowie der EU. 1970 Eintritt in die SPD; Übernahme versch. Parteifunktionen auf Ortsvereins-, Unterbezirks-, Landes- und Bundesebene. 1972/76 Kreistagsabg. Landkreis Springe und Hameln-Pyrmont, 1973/76 SPD-Fraktionsvors. im Stadtrat Bad Münder. – MdB seit 1976, 1987/91 Parl. Geschäftsführerin der SPD-Fraktion, Ä; seit 1991 Sprecherin in der Nordatlantischen Versammlung, Vors. des Gesprächskreises Kommunalpolitik.
Wahlkreis 41 (Hameln-Pyrmont–Holzminden)
SPD 48,5 – CDU 40,6 – Grüne 5,4 – F.D.P. 3,5 – PDS -

:::: Dr. SCHULTE
(Schwäbisch Gmünd) CDU

Dieter Schulte; Parl. Staatssekretär a. D.; 73525 Schwäbisch Gmünd – * 9.6.1941 Schwäbisch Gmünd, ev., verh., 2 Kinder – Schule in Schwäbisch Gmünd und Cedar Rapids, Iowa, USA, Highschool-Diploma und Abitur. Jurastudium in Heidelberg, Berlin und Würzburg, daneben mehrere Semester Volkswirtschaft, Stipendium für ein Studium an der Sorbonne in Paris. Promotion im internat. Wirtschaftsrecht. Assistent im Seminar für internat. Privatrecht der Univ. Würzburg. 1964 Mitgl. JU, 1965 der CDU, 1976 Vors. Bundesfachausschuß Strukturpolitik der CDU. – MdB seit 1969, 1972 Obmann der Arbeitsgruppe Verkehr; 1976 im Fraktionsvorst.; 1980 Vors. der Arbeitsgruppe Verkehr und Post. Okt. 1982/Jan. 1993 Parl. Staatssekretär beim BMin. für Verkehr, 1993/94 Obmann im Untersuchungsausschuß „Treuhand".

Wahlkreis 173 (Backnang–Schwäbisch Gmünd)
CDU 49,6 – SPD 33,2 – Grüne 9,0 – F.D.P. 2,8 – PDS -

* SCHULTZ (Everswinkel) SPD

Reinhard Schultz; Geschäftsführer; 48351 Everswinkel – * 21. 9. 1949 Herford, ev., verh., 1 Kind – Studium Politikwissenschaften, Geschichte, Volkswirtschaft, Magister Artium. Danach Lehrbeauftragter Univ. Münster, danach Innovationsförderungs- und Technologietransferzentrum, Bochum, anschl. Abteilungsleiter Kommunalverb. Ruhrgebiet. Bis Ende 1996 Geschäftsf. Ges. der Deutschen Projekt Union GmbH, Planer-Ingenieure, Essen. Seit 1997 AHT-Group GmbH, Management Services, Essen, Beauftragter für Geschäftsentwicklung, Senior Consultant der DPU, Eigentümer der Schultz Projekt Consult, Everswinkel. Mitherausgeber Zeitschrift für angewandte Umweltforschung (ZAU). Vorstandsmitgl. Institut für Abfall und Abwasserwirtschaft, Ahlen, Mitgl. BUND, Verein Gegen das Vergessen e. V., AWO und versch. örtl. Vereine. Eintritt SPD 1972, Vors. SPD-Unterbezirk Warendorf 1980/94, davon Mitgl. Vorst. auf Kreis- und Ortsebene; stellv. Bundesvors. der Jungsozialisten bis 1980. Vors. SPD-Kreistagsfraktion Warendorf seit 1984, Kreistagsabg. seit 1973, Mitgl. Gemeinderat Everswinkel 1989/94, Ostbevern 1975/86. – MdB seit 1994.
Landesliste Nordrhein-Westfalen

* SCHULTZ (Köln) SPD

Volkmar Schultz; Journalist; 51143 Köln – * 10.8.1938
Boeken/Kr. Schwerin, ev., verh., 2 Kinder – Gymnasium, Abitur 1958. 1958/63 Studium der Geschichte
und Anglistik in Göttingen und Köln. Seit 1963 journa-
listische Tätigkeit. Leiter des Presseamtes der Stadt
Porz seit 1971, stellv. Leiter des Presseamtes der Stadt
Köln seit 1975. Mitgl. ÖTV, AWO und in deutsch-ame-
rikan. Vereinigungen, u. a. „Partnerschaft der Parla-
mente". Eintritt in die SPD 1965, Mitgl. Unterbezirksvorst. Köln 1979/91, Delegierter zum Landesparteitag
seit 1979. 1980/94 MdL NRW, bis Nov. 1994 stellv. Vors.
SPD-Fraktion und Vors. Ausschuß für Städtebau und
Wohnungswesen. – MdB seit 1994.

Wahlkreis 59 (Köln I)
SPD 45,0 – CDU 33,3 – Grüne 13,4 – F.D.P. 4,5 – PDS 1,4

:* SCHULZ (Berlin)
BÜNDNIS 90/DIE GRÜNEN

Werner Schulz; Dipl.-Ing.; 13187 Berlin – * 22.1.1950
Zwickau, ev., verh., 2 Kinder – 1968 Abitur. Studium
der Lebensmitteltechnologie an der Humboldt-Univ.
Berlin. 1976/78 Wehrersatzdienst. 1974/80 wiss. Assi-
stent Humboldt-Univ. Berlin, 1980/88 wiss. Mitarbei-
ter im Institut für Sekundärrohstoffwirtschaft (Recy-
clingtechnologie), 1988/90 Leiter des Bereiches
Umwelthygiene in der Kreishygieneinspektion Berlin-
Lichtenberg. Seit den 70er Jahren Mitarbeit in versch.
Oppositionsgruppen der ehemaligen DDR, 1982 Mitgl.
im Friedenskreis Pankow, seit Sept. 1989 Mitgl. im
NEUEN FORUM (Gründungsmitgl.), Vertreter des
NEUEN FORUM am Zentralen Runden Tisch, Mitarbeit am Verfassungsentwurf des Runden Tisches.
März/Okt. 1990 MdV. – MdB seit 1990, Parl. Ge-
schäftsführer, Ä.

Landesliste Sachsen

: SCHULZ (Leipzig) CDU

Gerhard Schulz; Maschinenbauermeister; 04229 Leipzig – * 9.5.1948 Leipzig, ev.-luth., verh., 2 Kinder –
10klassige Allgemeinbildende Oberschule, Abitur im
2. Bildungsweg. Facharbeiter für Elektrotechnik und
für Zerspanungstechnik, jeweils Geselle, praktische
Berufsausbildung im Handwerk, Meister des Maschi-
nenbauerhandwerks. 18 Monate Wehrdienst. Selbständiger Maschinenbauermeister im Familienunter-
nehmen „Zahnrad-Koppenburger"/Leipzig. Mitgl.
der Handwerkskammer Leipzig; Vors. Kulturbund
e. V. Leipzig, Vizepräs. Kulturbund Sachsen e. V. Mitgl.
der CDU seit 1975, 1980/90 Ortsverbandsvors., 1990
Vors. Stadtbezirksverb. Leipzig-Südwest, Mitgl. Kreisvorst. Leipzig-Stadt der CDU, stellv. Vors. der Wirtschaftsvereinigung der CDU Sachsen und der CDU
Leipzig, Vorstandsmitgl. der Mittelstandsvereinigung
der CDU Sachsen und Leipzig. 1979/90 Abg. der Stadt-
bezirksvers. Leipzig-Südwest. März/Okt. 1990. MdV.,
Vors. Diskussionskreis Mittelstand der CDU/DA-Frak-
tion. – MdB seit 1990; Stellv. Vors. Parlamentskreis Mittelstand der CDU/CSU-Fraktion.

Wahlkreis 310 (Leipzig II)
CDU 36,1 – SPD 30,4 – PDS 21,5 – Grüne 6,9 – F.D.P. 3,0

* SCHULZE (Sangerhausen) CDU

Frederick Schulze; Oberstleutnant a. D.; 06528
Oberröblingen – * 20. 1. 1949 Paderborn, ev., verh., 4
Kinder – 1967 Abitur am König-Wilhelm Gymnasium in
Höxter. Ausbildung zum Offizier der Panzertruppe,
Führungsverwendung als Zugführer, Kompaniechef
und stellv. Bataillonskommandeur, Stabsverwendung
als Adjutant des Befehlshabers im Wehrbereich V,
Kommandeur im Verteidigungskreis 813 Sangerhausen, Eisleben, Hettstedt, Aschersleben. Mitgl. im Deutschen Bundeswehrverband e. V. seit 1968. Seit Okt.
1996 Vors. der Deutschen Offizier Gesellschaft e. V. (D.
O. G.) und Vizepräsident des Vereins zur Bewahrung
von Freiheit und Demokratie. Vorstandsmitgl. in mehreren Verbänden und Vereinen im sozialen Bereich.
1974 Eintritt in die CDU, Mitgl. in den Ortsverbänden
der jeweiligen Wohnorte. Landesvorstandsmitgl. der
Mittelstandsvereinigung der CDU/CSU und des Parlamentskreises Mittelstand (PKM). Seit 1991 Regional-
verbandsvors. der CDU Sangerhausen. Bis 1995 Stadtrat in der Berg- und Rosenstadt Sangerhausen. – MdB
seit 1994.
Wahlkreis 295 (Eisleben – Sangerhausen – Hettstedt)
CDU 43,6 – SPD 33,2 – PDS 16,6 – FDP 4,0 – Grüne 2,5

* SCHUMANN SPD

Ilse Schumann, geb. Rohne; Chemieingenieur, Bürgermeister a. D.; 06779 Raguhn – * 22. 2. 1939 Augs-
dorf (Mansfelder Land), ev., verh., 2 Söhne – Grundschule, Mittlere Reife. Fachschulstudium zum Chemieingenieur. Berufl. Tätigkeit in den chemischen
Großbetrieben in Bitterfeld und Wolfen. Mitgl. AWO.
Seit Jan. 1990 Mitgl. SPD. Juni 1990/Juli 1994 Bürgermeister der Stadt Raguhn, Kr. Bitterfeld; bis Okt. 1994
Stadträtin in Raguhn. – MdB seit 1994.

Landesliste Sachsen-Anhalt

: Dr. SCHUSTER SPD

R. Werner Schuster; Arzt, Medizinischer Informatiker;
65510 Idstein – * 20. 1. 1939 Sanya/Moshi, Tansania,
ev., verh., 3 Kinder – 1958 Abitur am hum. Gymnasium
Rosenheim. 1959/60 Wehrpflicht bei den Gebirgsjä-
gern/Sanitätstruppe. Studium der Medizin Univ. Tübingen, Staatsexamen 1966, Promotion Dr. med. 1966
Tübingen. Approbation 1970 St. Joseph-Hospital Bremerhaven. Zertifikat der Ges. f. Med. Informatik und
Statistik (GMDS) als Medizinischer Informatiker 1983.
Okt. 1970/Dez. 1983 Dezernent für den Bereich Ge-
sundheitswesen in der Hessischen Zentrale für Daten-
verarbeitung, Wiesbaden, seit Jan. 1984 in gleicher
Funktion im KGRZ Gießen. Seit Jan. 1971 im Rahmen
des ärztl. Notfall-Vertretungsdienstes Wiesbaden als
Notarzt tätig. Mitgl. Marburger Bund, IG Bau-Steine-
Erden, Ärztekammer, GMDS, Berufsverband Medizi-
nischer Informatiker. SPD-Eintritt 1964, seit 1985 SPD-
Unterbezirksvors. im Rheingau-Taunus-Kreis. 1972/89
Stadtverordneter in Idstein, Fraktionsvors. 1975/85,
Kreistagsabg. seit 1989. – MdB seit 1990.

Landesliste Hessen

::* Dr. SCHWAETZER F.D.P.

Irmgard Schwaetzer; Apothekerin; 53113 Bonn –
* 5. 4. 1942 Münster (Westfalen) – 1961 Abitur am Neu-
sprachl. Mädchengymnasium in Warburg (Westfalen).
Pharmazeutisches Studium Univ. Passau, Münster und
Bonn, 1967 pharmazeutisches Staatsexamen, 1968 Approbation, 1971 Promotion an der Univ. Bonn (pharma-
zeutische Chemie). 1971/80 leitende Angestellte in
unterschiedlichen Unternehmen der pharmazeutischen und der Konsumgüterindustrie, auch im Ausland. Seit 1975 Mitgl. der F.D.P., 1982/84 Generalsekretär, 1984/87 Bundesschatzmeister, 1988/Nov. 1994
stellv. F.D.P.-Bundesvorsitzende. – MdB seit 1980;
März 1987/Jan. 1991 Staatsministerin im Auswärtigen
Amt, Jan. 1991/Nov. 1994 BMin. für Raumordnung,
Bauwesen und Städtebau.

Landesliste Nordrhein-Westfalen

:* SCHWALBE CDU

Clemens Schwalbe; Dipl.-Ingenieur für Verfahrenstechnik; 06667 Weißenfels – * 31. 12. 1947 Lützen,
Kreis Weißenfels, kath., verh., 1 Kind – Abschluß Mittelschule (10. Klasse). Berufsausbildung als Chemiela-
borant. 1967/68 Wehrdienst. 1968/71 Studium an der
Ingenieurfachschule für Chemie in Berlin, Ingenieur
für chem. Technologie. Fernstudium an der TH Merseburg 1973/78, Examen als Dipl.-Ingenieur für Verfahrenstechnik. 1971/80 Entwicklungsingenieur in der
Plastikforschung der Buna-Werke sowie in der An-
wendungstechnik im Schuhmaschinenbau Weißenfels. 1980 Leiter der kommunalen Wärmeversorgung
und Leiter der städt. Heizwerke. 1987 Leiter für Inve-
stitionen im Gesundheitswesen Kreis Weißenfels.
Stellv. Vors. des Vereins „Luftbrücke für atemwegserkrankte Kinder e. V." Mitgl. Planungsausschuß der
Konrad-Adenauer-Stiftung. Seit Okt. 1986 Mitgl. der
CDU, Vors. Kreisverband Weißenfels seit Febr. 1990.
März/Okt. 1990 MdV, Parl. Geschäftsführer der
CDU/DA-Fraktion. – MdB seit Okt. 1990; Parl. Ge-
schäftsführer der CDU/CSU-Fraktion, Ä.
Wahlkreis 293 (Merseburg–Querfurt–Weißenfels)
CDU 42,7 – SPD 31,6 – PDS 16,8 – F.D.P. 5,2 – Grüne 3,3

* Dr. SCHWALL-DÜREN SPD

Angelica Schwall-Düren, geb. Düren; Lehrerin; 48629
Metelen – * 16. 7. 1948 Offenburg, verh., 2 Söhne – 1967
Abitur in Offenburg. Studium Geschichte, Polit. Wis-
senschaft, Französisch in Freiburg i. Br., Montpellier
und Münster, 1973 1. Staatsexamen für das Lehramt
an Gymnasien, 1977 Promotion in Wirtschafts- und So-
zialgeschichte, 1982 Zusatzprüfung in Soziologie in
Münster, 1985/92 nebenberufl. Weiterbildung zur
Familientherapeutin und Supervisorin. Ab 1973 wiss.
Hilfskraft und akadem. Tutorin Univ. Freiburg, 1977/94
Lehrerin an Gymnasien in Ahaus und Gronau. Mitgl.
Vorst. „Aktion Münsterland e. V.", GEW, Naturschutz-
bund Deutschland, Die Naturfreunde, WWF, AWO,
Marie-Schlei-Verein. 1976 Eintritt in die SPD, 1987/96
Mitgl. SPD-Landesvorst. NRW, 1990/96 Vors. AsF
Bezirk Westliches Westfalen. 1979/94 Mitgl. Rat der
Gemeinde Metelen, 1984/94 Sprecherin der SPD-
Fraktion. – MdB seit 1994.

Landesliste Nordrhein-Westfalen

: SCHWANHOLD SPD

Ernst Schwanhold; Dipl.-Ingenieur; 49084 Osnabrück
– * 5. 12. 1948 Osnabrück, verh., 1 Sohn – Realschule.
Lehre als Lacklaborant. Studium von Verfahrenstechnik Farben, Lacke, Kunststoffe; Dipl.-Ingenieur. Bis
1990 Betriebsleiter und Prokurist einer mittelständischen Lackfabrik, Schwerpunkte: Investitionspla-
nung, Verkauf, Betriebsleitung. Mitgl. IG Chemie-Papier-Keramik, AWO, DRK, Felix-Nußbaum-Gesell-
schaft und VDI. Mitgl. der SPD seit 1972, 1974/78 Vors.
der Jungsozialisten Unterbezirk Osnabrück-Land;
1982/86 stellv. Vors. und seit 1986 Vors. Unterbezirk
Osnabrück-Stadt der SPD. – MdB seit 1990; 1993/94
Vors. der Enquete-Kommission „Schutz des Menschen
und der Umwelt", Sprecher der Arbeitsgruppe Wirtschaft der SPD-Fraktion.

Landesliste Niedersachsen

:* SCHWANITZ SPD

Rolf Schwanitz; Dipl.-Jurist, Dipl.-Ingenieurökonom;
08547 Jößnitz – * 2.4. 1959 Gera, verh., 2 Kinder – Besuch der POS in Gotha, Berufsausbildung mit Abitur
in Erfurt. Baufacharbeiter. Hochschulstudium Wirtschaftswissenschaften Friedrich-Schiller-Univ. Jena,
Hochschulstudium Jura Humboldt-Univ. Berlin. Tätigkeit als Wissenschaftlicher Assistent an der TH
Zwickau – Hochschulteil Plauen, Einsatzgebiet Betriebswirtschaft. Mitgl. Neues Forum 1989/90, seit
Nov. 1989 Mitgl. SPD DDR, seit 1993 stellv. Landesvors. der SPD in Sachsen. MdV März/Okt. 1990; Parl.
Staatssekretär im Ministerium der Justiz. – MdB seit
Okt. 1990.

Landesliste Sachsen

::: Dr. SCHWARZ-SCHILLING CDU

Christian Schwarz-Schilling; Sinologe, BMin. a. D.;
63654 Büdingen – * 19.11.1930 Innsbruck (Österreich), kath., verh., 2 Kinder – 1950 Abitur in Berlin.
1956 Abschluß des Studiums Ostasiatischer Kultur-
und Sprachwissenschaften und der Geschichte Univ.
München, Dr. phil. Banklehre in Hamburg. 1957/Sept.
1982 Geschäftsführer der Accumulatorenfabrik Son-
nenschein GmbH, seit 1993 der Dr. Schwarz-Schilling
GmbH, Büdingen. 1971/82 Mitgl. Fernsehrat ZDF,
1960 CDU; seit 1964 Mitgl. Landesvorst. Hessen, ab
1967 stellv. Landesvors., 1967/80 Generalsekretär.
1975/83 Vors. Koordinierungsausschuß für Medienpolitik der CDU/CSU; seit 1977 stellv. Bundesvors. Mittelstandsvereinigung der CDU/CSU. 1979/82 Präs.
Exekutivbüro der Europäischen Mittelstands-Union.
1966/76 MdL Hessen. – MdB seit 1976; 1981/82 Vors.
Enquete-Kommission Neue Informations- u. Kommu-
nikationstechniken. Okt. 1982 BMin. f. d. Post- u.
Fernmeldewesen, 1989/Dez. 1992 f. Post und Telekommunikation.
Wahlkreis 134 (Wetterau)
CDU 46,3 – SPD 41,0 – Grüne 6,5 – F.D.P. 3,2 – PDS -

* SEBASTIAN CDU

Wilhelm Josef Sebastian; Geschäftsführer; 53507 Dernau – * 21. 3. 1944 Dernau, Kr. Ahrweiler, kath., verh., 2 Kinder – Volksschule, berufsbildende Schulen. Ausbildung zum Großhandelskaufmann. 1964/66 Wehrpflicht. 1967/71 Geschäftsführer der Raiffeisenkasse Dernau; 1970/86 Geschäftsführer und ab 1970 Vorstandsvors. der Winzergemeinschaft Ahrwinzer e. G. Dernau, Bad Neuenahr-Ahrweiler. 1971/89 Vors. der Gebietsweinwerbung Ahr e. V. 1967 Mitgl. der CDU, versch. Funktionen im Vorst. des Orts-, Gemeinde- und Kreisverb., seit 1989 Kreisvors. 1974 Mitgl. Gemeinderat und seit 1984 ehrenamtl. Ortsbürgermeister, seit 1979 Mitgl. Kreistag, 1980/89 Kreisdeputierter, ehrenamtl. Stellv. des Landrats, Kreisverwaltung Ahrweiler. 1986/94 MdL Rheinland-Pfalz, wirtschafts- und verkehrspol. Sprecher der CDU-Fraktion. – MdB seit 1994.

Wahlkreis 147 (Ahrweiler)
CDU 52,9 – SPD 34,6 – Grüne 5,6 – F.D.P. 4,6 – PDS -

::* SEEHOFER CSU

Horst Seehofer; Dipl.-Verwaltungswirt (FH), BMin. für Gesundheit; 85049 Ingolstadt – * 4. 7. 1949 Ingolstadt, kath., verh., 3 Kinder – Seit Sept. 1994 stellv. Landesvors. der CSU. – MdB seit 1980; 1989/92 Parl. Staatssekretär beim BMin. für Arbeit und Sozialordnung, seit Mai 1992 BMin. für Gesundheit.

Wahlkreis 202 (Ingolstadt)
CSU 62,7 – SPD 26,6 – Grüne 4,6 – F.D.P. 1,8 – PDS 0,4

: SEIBEL CDU

Wilfried Seibel; Verleger; 31855 Aerzen-Gellersen – * 28. 7. 1945 Gellersen, ev.-luth., verh., 2 Kinder – Realschule, Wirtschaftsgymnasium. Studium der Volkswirtschaftslehre in Göttingen, Hannover, Köln und London. Verlagsleiter eines wiss. Verlages, jetzt selbständiger Verleger. Mitgl. in Tarifausschüssen für Buchhändler und Verleger und des Verb. der Deutschen Zeitschriftenverleger; Vorstandsmitgl. im Zeitschriftenverlegerverb. Niedersachsen/Bremen. 1965/68 Mitgl. Studentenrat, Stiftungsrat des Studentenwerkes, stellv. AStA-Vors. und Stud. Vertreter in der WiSo-Fakultät Univ. Göttingen. 1968/74 Kreisvors. JU Hameln-Pyrmont, 1974/80 Vors. JU Bezirk Hannover, stellv. Landesvors. JU Niedersachsen, Mitgl. Niedersachsenrat und Deutschlandrat der JU; 1968/81 mit versch. Dauer in der CDU Ortsvors., Gemeindeverbandsvorst. und Kreisvorst., ab 1992 Kreisvors. Hameln-Pyrmont, Mitgl. Bezirksvorst. Hannover und Bundesausschuß. 1977/81 Abg. Kreistag Hameln-Pyrmont. – MdB seit 1990; stellv. Landesgruppenvors. Niedersachsen.

Landesliste Niedersachsen

:* SEIDENTHAL SPD

Bodo Seidenthal; Ingenieur (grad.); 38154 Königslutter-Rhode – * 26. 6. 1947 Königslutter, Kreis Helmstedt, ev., verh., 1 Tochter – Realschule, mittlere Reife. Lehre als Werkzeugmacher, Facharbeiterprüfung. Mehrjährige Tätigkeit als Werkzeugmacher bei der Volkswagen-AG, Wolfsburg. 2. Bildungsweg, Fachhochschulreife, Maschinenbaustudium, Ingenieur (grad.). Wehrdienst. Seit 1978 als Ingenieur in der Forschung und Entwicklung der Volkswagen AG, Wolfsburg. Seit 1970 Mitgl. IG Metall, AWO; langjähriges Mitgl. in versch. Vereinen. Seit 1967 Mitgl. SPD; Mitgl. Bezirksausschuß SPD-Bezirk Braunschweig; seit März 1987 stellv. Vors. SPD-Unterbez. Helmstedt. Seit 1974 Mitgl. Rat der Stadt Königslutter. – MdB seit 1987; Schriftführer.

Landesliste Niedersachsen

* SEIFFERT CDU

Heinz Seiffert; Dipl.-Verwaltungswirt (FH), Bürgermeister a. D.; 89584 Ehingen (Donau) – * 18. 9. 1952 Münsingen, ev., verh., 1 Tochter, 1 Sohn – Ausbildung für den gehobenen Verwaltungsdienst, FH für Öffentl. Verwaltung; 1974 Abschluß Dipl.-Verwaltungswirt (FH). Bürgermeister (1. Beigeordneter) bei der Stadt Ehingen (Donau); zuständig für Finanzen und Liegenschaften. 1. Vors. DRK-Ortsverein Ehingen. Mitgl. der CDU seit 1977, stellv. Vors. CDU-Stadtverb. Ehingen. Mitgl. Kreistag Alb-Donau-Kreis seit 1979, stellv. Fraktionsvors. – MdB seit 1994, Schriftführer.

Wahlkreis 195 (Ulm)
CDU 50,8 – SPD 29,4 – Grüne 8,3 – FDP 6,0 – PDS 0,5

:::: SEITERS CDU

Rudolf Seiters; Jurist, BMin. a. D.; 26871 Papenburg – * 13. 10. 1937 Osnabrück, kath., verh., 3 Töchter – Gymnasium Carolinum in Osnabrück, Abitur. Studium der Rechts- und Staatswissenschaften in Münster, 1963 1. jur. Staatsprüfung, Gerichtsreferendar, 1967 große jur. Staatsprüfung. Febr. 1968 Regierungsassessor (Wirtschafts- und Wohnungsbaudezernent) Regierung Osnabrück. Seit 1958 Mitgl. der CDU und der JU; 1963 JU-Bezirksvors., 1965/70 JU-Landesvors. Niedersachsen; seit 1972 stellv. Landesvors. der CDU Niedersachsen; seit 1992 Mitgl. Präsidium der CDU Deutschlands. – MdB seit 1969; 1971/76 und 1982/84 Parl. Geschäftsführer, 1984/89 1. Parl. Geschäftsführer der CDU/CSU-Fraktion; April 1989/Nov. 1991 BMin. für besondere Aufgaben und Chef des Bundeskanzleramtes, Nov. 1991/Juli 1993 BMin. des Innern. Seit Nov. 1994 Stellv. Vors. der CDU/CSU-Fraktion.

Wahlkreis 20 (Unterems)
CDU 56,7 – SPD 36,8 – Grüne 3,9 – F.D.P. 1,3 – PDS 0,6

* SELLE   CDU

Johannes Selle; Dipl.-Mathematiker; 99706 Großfurra
– * 13.1.1956 Lobenstein, Bezirk Gera, ev., verh., 2
Kinder – Allgem. Oberschule, EWS. Karl-Marx-Univ.
Leipzig, Abschluß als Dipl.-Mathematiker. Grund-
wehrdienst. EDV-Projektant, Geschäftsstellenleiter
der BCS Systeme GmbH. Geschäftsstellenleiter
Thüringen der BCS Systeme GmbH, Computer, Soft-
ware, Dienstleistungen. Mitgl. CDU seit Mai 1990,
Mitgl. Kreisvorst. 1. Beigeordneter in Großfurra. –
MdB seit 1994.

Wahlkreis 298
(Sömmerda – Artern – Sondershausen – Langensalza)
CDU 43,6 – SPD 33,3 – PDS 14,5 – Grüne 5,4 – F.D.P. 3,2

:* SEUSTER   SPD

Lisa Seuster; Hausfrau, Industriekauffrau; 58515 Lüdenscheid – * 17.4.1942 Lüdenscheid, ev., verh., 3 Kinder – Realschulabschluß. Ausbildung als Industriekauffrau, im Beruf tätig bis 1963, dann Hausfrau,
Mitgl. AWO, Deutscher Kinderschutzbund, DRK,
Hausfrauenbund und Verkehrswacht, Mitgl. in versch.
örtl. Vereinen und Verbänden. Mitgl. SPD seit 1974,
stellv. Unterbezirksvors. des Märkischen Kreises. 1975
Mitgl. Rat Stadt Lüdenscheid, bis 1984 Fraktionsvors.,
seit 1987 stellv. Bürgermeisterin, seit 1994 Bürgermeisterin der Stadt Lüdenscheid. – MdB seit 1987.

Wahlkreis 123 (Märkischer Kreis II)
SPD 48,8 – CDU 40,7 – Grüne 4,6 – F.D.P. 3,3 – PDS -

* SIEBERT   CDU

Bernd Siebert; Selbständiger Kaufmann; 34281 Gudensberg – * 17.10.1949 Gudensberg/Schwalm-Eder-
Kreis, ev., verh., 2 Söhne – 1960 König-Heinrich-
Schule Fritzlar, Abitur. Mathematik-, Physik- und
Volkswirtschaftsstudium an der Philips-Univ. Marburg. 1978/87 in der Geschäftsführung des elterl. Be-
triebs, seit 1987 alleiniger Inhaber, selbständiger Kaufmann. Mitgl. EU. Träger der Ehrenplakette des
Schwalm-Eder-Kreises. Seit 1969 Mitgl. der CDU und
CDU, 1970 Kreisvors. der JU, Bezirksvors. in Nordhes-
sen und Landesvorstandsmitgl. der JU Hessen bis
1982; CDU-Kreisvorstandsmitgl., seit 1988 Kreisvors.
der CDU im Schwalm-Eder-Kreis, seit 1991 stellv. Bezirksvors. der CDU Kurhessen-Waldeck. Seit 1972
Mitgl. Kreistag Schwalm-Eder-Kreis, z. Z. stellv. Vors.
der CDU-Kreistagsfraktion, seit 1981 Stadtverordneter
und CDU-Fraktionsvors. in Gudensberg. Febr.
1991/Nov. 1994 MdL Hessen. – MdB seit 1994.

Landesliste Hessen

∷ SIELAFF SPD

Horst Sielaff; Pfarrdiakon a. D.; 67227 Frankenthal, Pfalz – * 7.2.1937 Stettin, ev., verh., 4 Kinder – Realschule, mittlere Reife 1955. 1955/59 Diakonenausbildung im Stephansstift Hannover, 1971 Pfarrdiakonenprüfung in der 'Protestantischen Landeskirche der Pfalz. 1959/62 Gemeindediakon. 1962/71 Stadt- bzw. Dekanatsjugendwart. 1971/73 Pfarramt. 1973/80 Religionslehrer an berufsbildenden Schulen. 1982/94 Bundesvors. des Zentralverb. Mittel- und Ostdeutscher (ZMO); stellv. Vors. Verwaltungsrat Verein für das Deutschtum im Ausland e. V., München. Seit 1968 Mitgl. SPD; 1969/72 Bezirksvorstandsmitgl. der Jungsozialisten; seit 1972 Bezirksvorstandsmitgl. der pfälzischen SPD. 1969/84 Mitgl. Stadtrat in Frankenthal. – MdB seit 1980.

Wahlkreis 156 (Frankenthal)
SPD 44,5 – CDU 43,4 – Grüne 6,1 – F.D.P. 3,2 – PDS -

∷ SIKORA CDU

Jürgen Sikora; Finanzbeamter a. D.; 38640 Goslar – * 5. 5. 1943 Gleiwitz/Oberschlesien, kath., verh., 3 Kinder – Mittlere Reife. Nach Schulabschluß 1959 Eintritt in den Dienst der Niedersächsischen Finanzverwaltung als Beamtenanwärter beim Finanzamt Goslar; 1962 Abschluß der Beamtenausbildung. 1963/65 Ableistung des Grundwehrdienstes in der Bundeswehr. 1971 bis zur Wahl in den Niedersächsischen Landtag 1978 beim Finanzamt Wolfenbüttel im Betriebsprüfungsdienst tätig. Mitgl. AR der Baugenossenschaft „Wiederaufbau e. G. Braunschweig" seit 1980. Mitgl. CDU seit 1969, Vors. JU in Goslar 1970/76; Vors. des CDU-Stadtverb. Goslar seit 1986. Ratsherr der Stadt Goslar 1972/92, Fraktionsvors. 1979/92; Kreistagsabg. im Landkr. Goslar 1974/92. MdL 1978/Mai 1992. – MdB seit Mai 1992.

Wahlkreis 47 (Goslar)
CDU 45,6 – SPD 43,7 – Grüne 5,3 – FDP 3,8 – PDS -

∷ SIMM SPD

Erika Simm; Richterin; 93183 Kallmünz – * 16.4.1940 Schluckenau (CSFR) – Ausbildung als Arzthelferin. 1964 Abitur am Münchenkolleg. Studium der Rechtswissenschaften Univ. München und Regensburg, 1969 1. und 1973 2. jur. Staatsprüfung. Vors. des DPWV Niederbayern/Oberpfalz. Mitgl. der AWO, des ASB, der DVJJ, der ÖTV und pro familia. Mitgl. der SPD seit 1971, Vors. des SPD-Unterbezirks Regensburg, stellv. Vors. des SPD-Bezirks Oberpfalz; stellv. AsF-Landesvors. Bayern; Mitgl. des Landesvorst. der Bayern SPD. – MdB seit 1990.

Landesliste Bayern

240

∴ SINGER SPD

Johannes Singer; Oberstaatsanwalt a. D.; 51373 Leverkusen – * 4.6.1943 Berlin, gesch., 1 Sohn – Abitur 1962. Jurastudium in Köln und Marburg, 1. Staatsexamen 1967, 2. Staatsexamen 1970. 1970/75 Richter und Staatsanwalt in Düsseldorf und Opladen, 1975/79 Hilfsreferent und Referent im Justizministerium Düsseldorf, 1979 Oberstaatsanwalt, seit 1981 Generalstaatsanwaltschaft Köln. Mitgl. ÖTV, AWO und der Falken. 1963 SPD; mehrere Funktionen bei den Jungsozialisten, 1971/80 Mitgl. Unterbezirksvorst., seit 1975 stellv. Unterbezirksvors. 1969 Stadtrat Leverkusen, 1983/90 Fraktionsvors. – MdB seit 1987.

Wahlkreis 68 (Leverkusen–Rheinisch-Bergischer Kreis II)
SPD 43,9 – CDU 41,4 – Grüne 7,7 – F.D.P. 4,0 – PDS 0,6

* SINGHAMMER CSU

Johannes Singhammer; Ministerialrat a. D.; 80995 München – * 9.5.1953 München, röm.-kath., verh., 6 Kinder – Albert-Einstein-Gymnasium in München, Abitur 1973. Studium der Rechtswissenschaften an der Ludwig-Maximilians-Univ. München, 1978 1. jur. Staatsprüfung, wissenschaftl. Mitarbeit am Leopold-Wenger-Institut, 1981 2. jur. Staatsprüfung. Ministerialrat, Büroleiter Staatsminister Dr. Gauweiler 1987/90, zuletzt Grundsatzreferent im Bayer. Staatsministerium für Landesentwicklung und Umweltfragen. Seit 1997 als Rechtsanwalt in München zugelassen. Mitgl. VdK. 1972 Eintritt in die CSU, Bezirksvors. der JU München 1980/82, Mitgl. Bezirksvorst. der CSU München, Leiter Fachausschuß „Sozialpolitik" des CSU-Bezirksverb. München. – MdB seit 1994.

Wahlkreis 204 (München-Nord)
CSU 44,1 – SPD 40,1 – Grüne 6,0 – FDP 3,8 – PDS 0,8

∴ Dr. SKARPELIS-SPERK SPD

Sigrid Skarpelis-Sperk, geb. Sperk; Dipl.-Volkswirtin; 53113 Bonn – * 12.4.1945 Prag (CSFR), verh., 1 Kind – 1964/70 Studium der Volkswirtschaft in München. 1970/75 Verwalterin der Dienstgeschäfte einer wissenschaftl. Assistentin am Lehrstuhl für Staatswissenschaft in München. 1975/77 Studium der Sozialwissenschaften Univ. Göttingen. 1976/77 wissenschaftl. Mitarbeiterin Hochschule der Bundeswehr in München. 1977/78 Lehrbeauftragte FH München. 1977 Promotion Dr. rer. pol. in Göttingen. 1978/80 wissenschaftl. Mitarbeiterin im BMinist. für Forschung und Technologie, zuletzt Oberregierungsrätin. Mitgl. ÖTV und AWO. Mitgl. Verwaltungsrat Deutsche Ausgleichsbank, stellv. Vors. AR Wienerwald GmbH. Seit 1969 Mitgl. SPD, Mitgl. SPD-Parteivorst. und des Präsidiums der bayerischen SPD, stellv. Bezirksvors. der SPD Schwaben, stellv. Vors. der Kommission „Demografischer Wandel" beim SPD-Parteivorst. – MdB seit 1980.

Landesliste Bayern

⁘ Dr. SOLMS F.D.P.

Hermann Otto Solms; Selbständiger; 35423 Lich –
* 24.11.1940 Lich, Kreis Gießen, ev., verh., 3 Kinder –
Abitur 1960. Wehrdienst. Banklehre, 1964 Kaufmannsgehilfenprüfung. Studium der Wirtschaftswissenschaften und der Landwirtschaft Univ. Frankfurt, Gießen
und Kansas State, USA; 1969 Dipl.-Ökonom und 1975
Promotion zum Dr. agr. 1970/73 Tätigkeit als wissenschaftl. Mitarbeiter am Institut für landwirtschaftl. Be-
triebslehre der Univ. Gießen. 1973/76 Persönl. Referent der Bundestagsvizepräsidentin Liselotte Funcke.
1976/84 unternehmerische Tätigkeit. Eintritt in die
F.D.P. 1971, seit 1987 Bundesschatzmeister der F.D.P.. –
MdB seit 1980; 1985/91 stellv. Vors., seit Jan. 1991
Vors. der F.D.P.-Fraktion.

Landesliste Hessen

⁚ Dr. SONNTAG-WOLGAST SPD

Cornelie Sonntag-Wolgast; Journalistin; 20146 Hamburg – * 29.8.1942 Nürnberg, verh. – Abitur in Hamburg 1962. Studium der Literatur- und Musikwissen-
schaft und der Germanistik in Hamburg und Erlangen, Promotion zum Dr. phil. 1969 in Hamburg.
Volontariat und erste Berufsjahre bei der „Hamburger
Morgenpost"; 1972 freie Mitarbeiterin, seit 1975 Redakteurin beim NDR, Moderatorin und Kommentato-
rin für politische Sendungen, Mitgl. IG Medien. 1971
Eintritt in die SPD; 1979 Mitgl. der Regierungsmann-
schaft des SPD-Spitzenkandidaten in Schleswig-Holstein, Klaus Matthiesen. 1991/93 Sprecherin des SPD-
Parteivorst. – MdB seit Juni 1988.

Landesliste Schleswig-Holstein

⁚ SORGE SPD

Wieland Sorge; Diplomlehrer; 98617 Meiningen –
* 27.1.1939 Ponitz, Kr. Altenburg, verh., 2 Söhne – Abitur. Maschinenschlosser. Studium Geschichte, Sport
und Pädagogische Psychologie an der PH in Potsdam,
Lehrberechtigung für höhere Schulen (Abiturstufe).
1963/90 Lehrer. Mitgl. mehrerer Sport- und Kulturor-
ganisationen sowie in Organisationen für Arbeit und
Soziales. Bis September 1989 keine Mitgliedschaft in
einer Partei oder sonstige politische Betätigung, Januar 1990 Eintritt in die SDP Meiningen, später SPD,
Mitarbeit beim Aufbau der Partei in Ort, Kreis und
Land. Mitgl. der Volkskammer März/Okt. 1990. –
MdB seit Okt. 1990, Schriftführer.

Landesliste Thüringen

⁝ SOTHMANN CDU

Bärbel Sothmann; Betriebswirtin SGD; 61348 Bad Homburg – * 20. 8. 1939 Neuruppin/Brandenburg, ev., ledig – Grundschule und Oberschule in Schwerin und Rostock. 1957 Flucht von Rostock nach Frankfurt am Main. 1961 Großhandelskauffrau. Betriebswirtschaftl. Studium mit Abschluß 1970 als „Praktischer Betriebswirt". 1962/93 Mitarbeiterin des Battelle-Instituts in Frankfurt/M., zuletzt als Leiterin des Bereichs Beschaffung. Mitgl. EU. Mitgl. der CDU seit 1972; 1979/80 Kreisvors. der Frauen-Union Hochtaunus, seit 1980 Mitgl. des CDU-Kreisvorst. Hochtaunus, seit 1987 Mitgl. des CDU-Stadtverbandsvorst. Bad Homburg; Mitgl. des Landesvorst. und seit 1996 Vors. der CDU-Frauen-Union Hessen; Mitgl. der Mittelstandsvereinigung der CDU, seit 1996 Mitgl. Präsidium der CDU Hessen; seit 1995 stellv. Vors. CDU-Bundesfachaussch. „Bildung, Forschung und Kultur". 1981 Stadtverordnete und stellv. Fraktionsvors. in Bad Homburg. – MdB seit 1990; seit 1994 Vors. der Gruppe der Frauen der CDU/CSU-Fraktion und Mitgl. Fraktionsvorst.
Wahlkreis 133 (Hochtaunus)
CDU 50,8 – SPD 32,6 – Grüne 7,6 – FDP 5,2 – PDS 0,7

* SPÄTE CDU

Margarete Späte; Diplombildhauerin; 06724 Kayna – * 26. 2. 1958 Leipzig, aufgewachsen in Kayna bei Zeitz, ev., 1 Sohn – 1976 Abitur in Zeitz. 1976/78 Ausbildung zum Steinmetz/Restaurierung in Magdeburg; 1978/83 Studium der Bildhauerei an der Hochschule Burg Giebichenstein Halle, Diplomabschluß. 1980 Übernahme der väterlichen Bildhauer- und Steinmetzwerkstatt Späthe-Kayna. 1990/94 hauptamtliche seit 1994 ehrenamtliche Bürgermeisterin der Gemeinde Kayna. Seit 1990 Vors. des Kuratoriums Dom Sankt Peter und Paul zu Zeitz e. V., Wiederaufbau dieses Doms. Seit 1991 Mitgl. der CDU; 1992/94 Mitgl. Landesvorst. der KPV Sachsen-Anhalt; seit 1992 Mitgl. des Kreisvorst. der CDU Burgenlandkreis. Seit 1994 Vizepräsidentin des Städte- und Gemeindebundes Sachsen-Anhalt und Mitgl. des Kreistags des Burgenlandkreises. – MdB seit 1994.

Wahlkreis 294 (Zeitz–Hohenmölsen–Naumburg–Nebra)
CDU 43,6 – SPD 31,0 – PDS 15,1 – F.D.P. 4,1 – Grüne 3,8

* SPANIER SPD

Wolfgang Spanier; Oberstudiendirektor a. D.; 32052 Herford – * 30. 1. 1943 Münster, ev., verh., 2 Kinder – Gymnasium in Münster, 1962 Abitur. Studium der Germanistik und Philosophie an der Univ. in Münster. 1971/89 Lehrer, 1984/89 stellv. Schulleiter Gymnasium Löhne, 1989/94 Schulleiter Marianne-Weber-Gymnasium in Lemgo. Seit 1970 Mitgl. der GEW, AWO, Die Falken, Sportverein VfL Herford, Verein „Kulturen in der Region" und in der Philharmonischen Gesellschaft. Seit 1975 Mitgl. in der SPD, seit 1980 Mitgl. im SPD-Unterbezirksvorst. Herford, 1984/94 Ratsmitgl. in Herford, 1989/94 Fraktionsvors. – MdB seit 1994.

Wahlkreis 103 (Herford)
SPD 48,3 – CDU 42,2 – Grüne 5,9 – F.D.P. 3,5 – PDS -

:::: Dr. SPERLING SPD

Dietrich Sperling; Lehrer; 61462 Königstein – * 1.3.1933 Sagan (Schlesien), verh., 1 Kind – Abitur. Studium der Rechtswissenschaft, Volkswirtschaft und Soziologie in Göttingen und Berlin; 1959 1. jur. Staatsexamen, 1965 Promotion zum Dr. jur. in Göttingen. 1960/62 Tutor in einem Frankfurter Studentenhaus, zugleich Forschungsauftrag der Deutschen Forschungsgemeinschaft. 1963/64 pädagogischer Mitarbeiter der Bundesjugendschule des DGB in Oberursel. Seit 1964 Dozent an der Heimvolkshochschule Falkenstein der Adolf-Reichwein-Stiftung. 1965/77 deren Leiter. Mitgl. GEW und AWO. Vors. der deutsch-sowjetischen Gesellschaften in der Bundesrepublik und der deutsch-sowjetischen Gesellschaft in Hessen. Vertrauensmann der Alten Leipziger Bausparkasse. – MdB seit 1969. 1978/82 Parl. Staatssekretär beim BMin. für Raumordnung, Bauwesen und Städtebau.

Landesliste Hessen

* SPILLER SPD

Jörg-Otto Spiller; Diplompolitologe, Bezirksbürgermeister a. D.; 14169 Berlin – * 14.5.1942 Berlin, ev., verh., 2 Kinder – 1961 Abitur am Französischen Gymnasium Berlin. 1961/66 Studium der Geschichte und Politikwissenschaft an der FU Berlin und den Univ. Tübingen und Paris, Diplom am Otto-Suhr-Institut der FU. 1966/73 Tutor und wissenschaftlicher Assistent am Otto-Suhr-Institut, Bereich Politische Wirtschaftslehre, 1974/85 Volkswirtschaftliche Abteilung der Berliner Bank AG. Mitgl. DAG, AWO, ASB; Chevalier de l'Ordre national du Mérite. Seit 1964 Mitgl. der SPD, seit 1970 Mitgl. im Kreisvorst. Wedding; 1981/85 Mitgl. Abghs. von Berlin; 1986/94 Bezirksbürgermeister von Berlin-Wedding. – MdB seit 1994.

Wahlkreis 250 (Berlin-Tiergarten–Wedding–Nord-Charlottenburg)
SPD 43,5 – CDU 34,6 – Grüne 11,3 – F.D.P. 2,6 – PDS 2,5

:::* SPRANGER CSU

Carl-Dieter Spranger; Rechtsanwalt, Landgerichtsrat a. D., BMin. f. wirtschaftl. Zusammenarbeit und Entwicklung; 53113 Bonn – * 28.3.1939 Leipzig, ev., verh., 3 Kinder – Abitur 1957. Studium der Rechts- und Wirtschaftswissenschaften, 1962 1., 1966 2. jur. Staatsprüfung. 1964/65 nebenamtlicher Assistent für Verwaltungsrecht, 1966/67 hauptamtlicher Assistent für Zivilrecht Univ. Erlangen-Nürnberg. 1967 Gerichtsassessor, 1968 Staatsanwalt, 1969 Landgerichtsrat in Ansbach. 1977 Zulassung zum Rechtsanwalt. 1969/76 Vors. CSU-Kreisverb. Ansbach-Stadt; seit 1973 stellv. Vors., seit 1989 Vors. CSU-Bezirksverb. Mittelfranken, seit 1977 Mitgl. Landesvorst. CSU; 1972/76 Stadtrat in Ansbach. – MdB seit 1972; in der 7., 8. und 9. WP versch. Funktionen in Arbeitsgruppen, Okt. 1982/Jan. 1991 Parl. Staatssekretär beim BMin. d. Innern. Seit Jan. 1991 BMin. f. wirtschaftl. Zusammenarbeit und Entwicklung.

Wahlkreis 227 (Ansbach)
CSU 54,1 – SPD 31,2 – Grüne 6,6 – F.D.P. 2,6 – PDS -

* Dr. STADLER F.D.P.

Max Stadler; Richter am Oberlandesgericht a.D.;
94036 Passau – * 23.3.1949 Passau, verh. – Humanistisches Gymnasium, Abitur 1968 in Passau. 1968/73 Jurastudium und 1973/76 Referendarzeit in Regensburg.
Assistent am Lehrstuhl für Prozeßrecht Univ. Regensburg, Promotion zum Dr. jur. 1977. Seit 1976 Staatsanwalt und Richter im Bayerischen Justizdienst, zuletzt
Arbeitsgemeinschaftsleiter für Rechtsreferendare am
Landgericht Passau. Seit 1982 Lehrbeauftragter Univ.
Passau. Buchveröffentlichung. F.D.P.-Mitgl. seit 1972,
Kreisvors. Passau 1979/91, Landesvors. der bayerischen F.D.P. seit 1991, Mitgl. Bundesvorst. der F.D.P.
seit 1991. Seit 1984 Stadtrat in Passau, seit 1990 Vors.
der F.D.P.-Fraktion. – MdB seit 1994.

Landesliste Bayern

⁝ STEEN SPD

Antje-Marie Steen, geb. Kolberg; Apothekenhelferin,
Drogistin; 23743 Grömitz – * 11. 3. 1937 Berken-
brück/Spree, ev., verh., 3 Kinder – Realschule in Grömitz. Ausbildung zur Apothekenhelferin. 1957/81 im
gelernten Beruf tätig; 1983/90 als Drogistin bei coop-
Schleswig-Holstein im Einzelhandel. Mitgl. HBV,
Ortskartellvors. in Grömitz (DGB), Mitgl. AWO und
Reichsbund, Vors. Frauenhaus-Verein Ostholstein bis
1996, Mitgl. Frauenräume. Mitgl. Kuratorium der
Deutschen Gesellschaft für Ernährung, Mitgl. Kurato-
rium des Deutschen Seminars für Fremdenverkehr.
Mitgl. der SPD seit 1970, zeitweise Mitgl. im Landes-
vorst. der ASF, Mitgl. im Bundesvorst. der ASF bis
1996. 1970 Gemeindevertreterin und seit 1982 Frak-
tionsvors., seit 1982 Kreistagsabgeordnete des Kreises
Ostholstein, Kreisrätin bis 1990. – MdB seit 1990;
Beauftragte der SPD-Fraktion für die Belange der
Menschen mit Behinderungen.

Landesliste Schleswig-Holstein

* STEENBLOCK
BÜNDNIS 90/DIE GRÜNEN

Rainder Steenblock; Dipl.-Psychologe, Oberstudienrat
a. D.; 25469 Halsten – * 29.2.1948 Leer, Kr. Leer, verh.,
1 Kind – 1968 Abitur am Gymnasium Ulricianum in
Aurich. Studium Psychologie, Pädagogik und Politik
an der Univ. Hamburg, 1974 Dipl.-Psychologe, 1976 2.
Staatsexamen als Gewerbelehrer in Hamburg. Oberstudienrat an der Berufsfachschule für Kinderpflege in
Hamburg, Schwerpunkt Krippenpädagogik. Mitgl. u.
a. BUND, VCD, GEW, Vors. Grünland Alternative
Landgesellschaft. Parteieintritt 1983, mehrere Jahre
Kreisgeschäftsführer KV Pinneberg, 1992/94 Landesvorstandssprecher Bündnis 90/DIE GRÜNEN Schleswig-Holstein. Gemeindevertreter in Halstenbek, Vors.
der Kreistagsfraktion Bündnis 90/GRÜNE Pinneberg.
– MdB seit 1994.

Landesliste Schleswig-Holstein

ausgeschieden am 1. 6. 1996, Nachfolger > Abg.
Nitsch (Rendsburg) (ABC ab S. 277)

* STEIGER   CDU

Wolfgang Steiger; Bankkaufmann; 63322 Rödermark
– * 30. 8. 1964 Urberach, Kr. Offenbach, röm.-kath.,
verh., 1 Sohn – Mittere Reife. Ausbildung zum Bankkaufmann. Bankkaufmann Commerzbank AG Frankfurt am Main. Mitgl. in mehreren Vereinen. CDU-Ein-
tritt 1982, Vors. der CDU Rödermark, stellv. Vors. CDU
im Kreis Offenbach. Stadtverordneter in Rödermark. –
MdB seit 1994.

Wahlkreis 144 (Odenwald)
CDU 45,5 – SPD 40,1 – Grüne 7,4 – F.D.P. 3,5 – PDS -

⁝ STEINBACH   CDU

Erika Steinbach, geb. Hermann; Informatikerin, Dipl.-
Verwaltungswirtin; 60435 Frankfurt am Main –
* 25. 7. 1943 Rahmel / Westpreußen, ev., verh. – Gymnasium in Hanau. Danach Angestellte mit gleichzeitigem
Privatmusikstudium und Konzerttätigkeit in Berufsor-
chestern. 1970/90 Diplomverwaltungswirtin und Informatikerin beim Kommunalen Gebietsrechenzen-
trum Frankfurt, seit 1974 Projektleiterin für die Auto-
matisierung der Bibliotheken in Hessen. 1977/90
Mitarbeiterin der CDU-Stadtverordnetenfraktion. Seit
1993 Präs. des West-Ost-Kulturwerkes e. V. Seit 1994
Vizepräs. des Bundes der Vertriebenen und Flücht-
linge e. V. Mitgl. CDU seit 1974, stellv. Kreisvors. der
CDU Frankfurt a. M. und Mitgl. Landesvorst. CDU
Hessen seit 1994. 1977/81 Mitgl. Verbandstag des Um-
landverbandes Frankfurt a. M.; 1977/90 Stadtverordnete in Frankfurt, seit 1981 personalpolitische Sprecherin, 1989/90 Vorstandsmitgl. der CDU-Fraktion. –
MdB seit 1990.

Wahlkreis 140 (Frankfurt am Main III)
CDU 43,2 – SPD 31,1 – Grüne 17,1 – F.D.P. 3,2 – PDS 1,2

* STEINDOR
BÜNDNIS 90 / DIE GRÜNEN

Marina Steindor; Ärztin; 35039 Marburg –
* 19. 12. 1957 Koerbecke – 1976 Abitur. Studium der
Humanmedizin mit Staatsexamen 1987, Zweitstudium
der Soziologie. 1989/90 am Institut für Soziologie der
Philipps-Univ. Marburg; 1991/92 medizinische Fach-
referentin beim Bundesverb. von Pro Familia. 1993/94
Geschäftsführerin der Kreistagsfraktion Bündnis
90/Die Grünen Marburg-Biedenkopf. Mitgl. BUND,
Naturschutzbund (NABU), Gen-ethisches Netzwerk
(GeN), Verkehrsclub Deutschland, ÖTV, Verb. Demokratischer Ärztinnen und Ärzte, Pro Familia, Bund demokratischer WissenschaftlerInnen (BdWi). Seit 1983
Mitgl. Bündnis 90/Die Grünen. Seit 1992 Mitgl. Kreistag Marburg-Biedenkopf. – MdB seit 1994.

Landesliste Hessen

* STERZING
BÜNDNIS 90/DIE GRÜNEN

Christian Sterzing; Rechtsanwalt, Diplompädagoge;
67480 Edenkoben – * 30.4.1949 Krefeld, 2 Kinder –
Abitur 1968 in Bremen. 1968/73 Studium der Philosophie und Rechtswissenschaften in Hamburg, 1975/81
Studium der Sozialpädagogik in Berlin, Mainz und
Frankfurt. Kriegsdienstverweigerer 1968, sozialer
Friedensdienst mit Aktion Sühnezeichen/Friedensdienste in Israel 1973/75. Rechtsanwalt. Publizistisch
tätig zum Thema Israel/Palästina, Naher Osten, Nahost-Konflikt. Vorstandsmitgl. im Deutsch-Israelischen
Arbeitskreis für Frieden im Nahen Osten. Seit 1984
grüne Kommunalpolitik. 1989/94 Mitarbeiter in der
Grünen Fraktion im Europ. Parlament. 1992/94 Landesvorstandssprecher Landesverb. Rheinland-Pfalz. –
MdB seit 1994.

Landesliste Rheinland-Pfalz

⁚ Dr. Freiherr von STETTEN   CDU

Wolfgang Freiherr von Stetten; Professor a. D., Unternehmer; 74653 Künzelsau – * 22.1.1941 Niederwartha/Meißen, verh., 2 Söhne, 1 Tochter – 1961 Abitur. Ausbildung als Landwirt. Studium der Volkswirtschaft in Köln 1961/64. Selbständiger Unternehmer.
1969/70 Jurastudium in Würzburg, 1. jur. Staatsexamen 1970, Referendarzeit 1971/73, Promotion zum
Dr. jur. 1972, 2. Semester Hochschule für Verwaltungswissenschaften in Speyer, 2. jur. Staatsexamen München 1974. Richter an den Amts- und Landgerichten
Ellwangen, Langenburg, Crailsheim, Bad Mergentheim. Seit 1985 Professor für Handels- und Wirtschaftsrecht an der FH Heilbronn. Vors. versch. Vereine. 1958 Mitgl. der CDU, versch. Vorstandsfunktionen auf Orts-, Kreis- und Landesebene. 26 Jahre
Stadtrat von Künzelsau, 15 Jahre Mitgl. des Kreistages
Hohenlohekreis. – MdB seit 1990.

Wahlkreis 172 (Schwäbisch Hall–Hohenlohe)
CDU 41,4 – SPD 34,9 – F.D.P. 10,2 – Grüne 6,1 – PDS -

⁚⁚* STIEGLER   SPD

Ludwig Stiegler; Rechtsanwalt; 92637 Weiden –
* 9.4.1944 Parsberg (Bayern), kath., 3 Kinder –
Abitur 1964. Zeitsoldat bei der Bundeswehr 1964/67,
Leutnant d. R. Studium der Rechtswissenschaften, Soziologie und Politik Univ. München und Bonn, 1973 1.,
1976 2. jur. Staatsexamen. 1976/78 Rechtsanwalt beim
Landgericht Köln, seit 1979 beim Oberlandesgericht
Köln. Mitgl. der überörtlichen Sozietät Gaedertz Vieregge Quack mit Büros in Köln, Wiesbaden, Brüssel,
Berlin, Frankfurt, München und Leipzig. 1962/73
Mitgl. IG Bergbau und Energie, seit 1973 ÖTV. Mitgl.
Deutscher Anwaltsverein, Verein deutscher Juristentag, Deutsche Vereinigung für gewerblichen Rechtsschutz und Urheberrecht sowie Deutsche Gesellschaft
für Baurecht. 1964 Mitgl. SPD, Vors. SPD-Unterbezirk
Weiden-Neustadt-Tirschenreuth, ehrenamtl. Schatzmeister SPD-Bezirk Niederbayern/Oberpfalz, stellv.
Landesvors. Bayern, Mitgl. Kontrollkommission der
SPD. – MdB seit 1980, stellv. Vors. Rechtsausschuß.

Landesliste Bayern

:::: Dr. STOLTENBERG CDU

Gerhard Stoltenberg; Dozent, Bundesminister a. D.; 24105 Kiel – * 29.9.1928 Kiel, ev., verh., 2 Kinder – Abitur. 1944/45 Wehrdienst. Studium der Geschichte, Sozialwissenschaften und Philosophie in Kiel, 1954 Dr. phil. Wiss. Assistent Univ. Kiel. 1960 Habilitation für neuere Geschichte Univ. Kiel, Dozent. 1965 und 1969/70 Direktor der Friedr. Krupp GmbH. Seit 1947 Mitgl. der CDU, 1955/71 stellv. Landesvors., 1971/89 Landesvors. der CDU Schleswig-Holstein, seit 1969 Mitgl. Präsidium der CDU. 1955/61 Bundesvors. der JU. 1954/57 und 1971/82 MdL Schleswig-Holstein. 1971/82 Ministerpräs. Schleswig-Holstein. – MdB 1957/71 und seit 1983; 1965/69 BMin. für wissenschaftl. Forschung. Danach bis 1971 stellv. Fraktionsvors. CDU/CSU-Fraktion. Okt. 1982/April 1989 BMin. der Finanzen, April 1989/April 1992 BMin. der Verteidigung.

Wahlkreis 4 (Rendsburg–Eckernförde)
CDU 46,9 – SPD 42,7 – Grüne 5,9 – F.D.P. 2,9 – PDS -

* STORM CDU

Andreas Storm; Dipl.-Volkswirt; 64331 Weiterstadt – * 20.5.1964 Darmstadt, ev., ledig – 1983 Abitur. Studium der Volkswirtschaftslehre Johann-Wolfgang-Goethe Univ. in Frankfurt/Main. 1988/90 Wissenschaftl. Mitarbeiter am Institut für Entwicklung, Umwelt und quantitative Wirtschaftsforschung in Frankfurt/M. 1990/94 Referent in der Grundsatzabteilung BMinist. für Wirtschaft in Bonn. Seit 1983 Mitgl. CDU und JU, 1985/91 Kreisvors. der JU Darmstadt-Dieburg, seit 1990 Mitgl. JU Deutschlandrat, seit 1985 CDU-Mitgl. Kreisvorst. Darmstadt-Dieburg, seit 1992 stellv. Kreisvors.; seit 1994 stellv. Bezirksvors. MIT Südhessen. 1986/90 Gemeindevertreter in Weiterstadt, 1989/90 Kreistagsabg. Darmstadt-Dieburg. – MdB seit 1994.

Wahlkreis 143 (Darmstadt)
CDU 40,5 – SPD 37,9 – Grüne 13,6 – F.D.P. 3,9 – PDS 0,9

* STRAUBINGER CSU

Max Straubinger; Versicherungsfachmann, Selbst. Generalvertreter, Landwirtschaftsmeister; 94436 Simbach – * 12.8.1954 Oberlucken, kath., verh., 3 Kinder – Mittlere Reife. Absolvent der Höheren Landbauschule in Rottalmünster, 1973/74 Grundwehrdienst in München. 1970 Gründungsmitgl. JU-Ortsverband Simbach, 1985/89 JU-Kreisvors. im JU-Kreisverband Dingolfing-Landau; 1972 Eintritt in die CSU, 1987/93 stellv. CSU-Kreisvors., ab 1993 CSU-Kreisvors. im Kreisverb. Dingolfing-Landau. 1978/94 Mitgl. des Marktrates von Simbach, ab 1990 Mitgl. Kreistag Dingolfing-Landau. – MdB seit 1994.

Wahlkreis 216 (Rottal-Inn)
CSU 61,9 – SPD 25,8 – Grüne 3,9 – FDP 2,1 – PDS -

∷* Dr. STRUCK SPD

Peter Struck; Rechtsanwalt; 29525 Uelzen –
* 24.1.1943 Göttingen, verh., 3 Kinder – 1962 Abitur.
Studium der Rechtswissenschaften in Göttingen und
Hamburg, 1967 1., 1971 2. jur. Staatsprüfung; 1971 Pro-
motion zum Dr. jur. 1971 Eintritt in die Hamburgische
Verwaltung als Regierungsrat. 1971/72 Persönl. Refe-
rent des Präsidenten Univ. Hamburg. Anschl. in der Fi-
nanzbehörde der Freien und Hansestadt Hamburg.
1973 Wahl zum Stadtrat und stellv. Stadtdirektor der
Stadt Uelzen. 1983 Zulassung als Rechtsanwalt beim
Amtsgericht Uelzen und Landgericht Lüneburg.
Mitgl. der ÖTV. Mitgl. der SPD seit 1964. Kreistags-
abg. des Landkreises Uelzen. – MdB seit 1980; Parl.
Geschäftsführer SPD-Fraktion, Ä.

Landesliste Niedersachsen

∶ STÜBGEN CDU

Michael Stübgen; Pfarrer, Baufacharbeiter; 04910 Eil-
sterwerda – * 17.10.1959 Lauchhammer, Oder-Spree-
Landkreis, ev., verh., 2 Kinder – 1966/76 POS Lauchhammer, Herzberg, Zahna. Ausbildung als Baufachar-
beiter. 1978/81 Kirchliches Proseminar Naumburg,
Abitur 1981. 1981/87 Studium der Theologie in Berlin,
Naumburg/Saale, 1987 1. Theologisches Staatsex-
amen, 1987/89 Vikariat, 1989 2. Staatsexamen. Ordi-
nation zum Pfarrer in der ev. Landeskirche, Kirchen-
provinz Sachsen; Entsendung in Parochie
Großthiemig/Brößnitz und Hirschfeld. Beitritt zur
CDU im Febr. 1990. 1. Stellv. des Kreistagspräsidenten
Landkreis Elbe-Elster. – MdB seit 1990; stellv. Vors.
Ausschuß für die Angelegenheiten der EU.

Landesliste Brandenburg

∶ SUCH BÜNDNIS 90/DIE GRÜNEN

Manfred Such; Kriminalbeamter a. D., Dipl.-Verwal-
tungswirt; 59457 Werl – * 21.12.1942 Hamm/Westfa-
len, verh., 3 Kinder – Volksschule, Fachhochschule,
Dipl.-Verwaltungswirt. Kriminalhauptkommissar, Polizei NRW, Kreispolizeibehörde Soest. Kriminalhauptkommissar a. D. Mitgl. im Vorst. der Bundesarbeitsgemeinschaft Kritischer PolizistInnen, Hamburger Signal
e. V., Vorstandsmitgl. Business Crime Control (BCC).
1984 Eintritt in die Partei DIE GRÜNEN, 1992/94
Mitgl. Landesvorst. Bündnis 90/DIE GRÜNEN NRW. –
MdB April 1989/Dez. 1990 (Nachrücker) und seit
1994.

Landesliste Nordrhein-Westfalen

:* Dr. SÜSSMUTH CDU

Rita Süssmuth, geb. Kickuth; o. Professorin, Präs. BT;
53113 Bonn – * 17.2.1937 Wuppertal, kath., verh., 1
Tochter – 1956 Abitur. 1956/61 Studium der Romanistik und Geschichte in Münster, Tübingen und Paris,
1. Staatsexamen; Postgraduiertenstudium in Erziehungswissenschaft, Soziologie und Psychologie, 1964
Dr. phil. 1963/66 Wiss. Assistentin, 1966 Dozentin PH
Ruhr, 1969 Prof. Ruhr-Univ. Bochum für Internat. Vergleichende Erziehungswissenschaft, Lehrbeauftragte
bis 1982. 1971 o. Prof. für Erziehungswissenschaft PH
Ruhr, seit 1980 Univ. Dortmund, z. Z. beurlaubt.
1982/85 Direktorin Institut „Frau und Gesellschaft" in
Hannover. U. a. 1971/85 Mitgl. Wissenschaftl. Beirat
für Familienfragen beim BMJFG. 1980/85 Vizepräs.
FDK; 1979/91 Mitgl. im ZDK. Zahlr. Ehrungen von nationalen und internat. Hochschulen und Instituten.
1981 CDU; 1986 Bundesvors. Frauen-Union CDU;
Mitgl. Präsidium CDU. – MdB seit 1987; 1985/86
BMin. für Jugend, Familie und Gesundheit, 1986/88
für Jugend, Familie, Frauen und Gesundheit. Seit Nov.
1988 Präsidentin des BT.
Wahlkreis 49 (Göttingen)
CDU 46,9 – SPD 40,7 – Grüne 7,7 – F.D.P. 2,0 – PDS 1,0

:::: SUSSET CDU

Egon Susset; Bürgermeister a. D., Landwirt und Weingärtner; 74189 Weinsberg (Wimmental) – * 3.6.1929
Wimmental, kath., verh., 4 Kinder – Volksschule. Ausbildung in der Landwirtschaft und im Weinbau. Berufsschule und Landwirtschaftsschule in Heilbronn.
Landvolkakademie Fredeburg. 1960 Übernahme eines
Landwirtschaftsbetriebes mit Weinbau. Ehrenamtl.
tätig im Bauernverband, seit 1977 Vizepräs. Bauernverb. BW, in der Milcherzeugergenossenschaft Unterland. Vors. Weingärtnergenossenschaft Weinsberg-
Wimmental; stellv. Vorstandsvors. Absatzförderungsfonds der deutschen Land- und Ernährungswirtschaft.
1952 CDU und JU, ab 1953 Mitgl. Kreisvorst. der CDU,
1960 des Landesvorst. der JU, seit 1962 Mitgl. Landesvorst. der CDU, Landesvors. Agarpol. Ausschuß der
CDU BW; Vors. der CDU-Stadt- und Landkreisverb.
Heilbronn. 1956 Gemeinderat, 1965 Wahl in den Kreistag und Kreisrat, 1968/75 Bürgermeister in Wimmental. – MdB seit 1969; Vors. Arbeitsgruppe Ernährung,
Landwirtschaft und Forsten der CDU/CSU-Fraktion.
Wahlkreis 171 (Heilbronn)
CDU 45,1 – SPD 36,9 – Grüne 7,2 – F.D.P. 3,7 – PDS -

: TAPPE SPD

Joachim Tappe; Lehrer a. D.; 37213 Witzenhausen –
* 5.3.1942 Magdeburg, ev., verh., 2 Kinder – Seit 1945
in Witzenhausen ansässig. 1962 Abitur. Studium der
Pädagogik und der Fächer Deutsch, Geschichte und
ev. Religion. Seit 1971 Päd. Leiter Gesamtschule Witzenhausen; zusätzl. Tätigkeiten in der Lehreraus- und
-fortbildung sowie in der hessischen Lehrplankommission. Versch. pädagogische und lokalhistorische Veröffentlichungen. Präses der Kreissynode des Kirchenkreises Witzenhausen, Mitgl. AWO, VdK, GEW. Seit
1968 Mitgl. der SPD, versch. Vorstandsfunktionen in
Ortsverein und Ortsverb. Witzenhausen, stellv. Unterbezirksvors. Werra-Meißner, Mitgl. im Bezirksvorst.
Hessen-Nord. Seit 1972 kommunalpol. Tätigkeit in der
Stadtverordnetenversammlung Witzenhausen, seit
1985 als Stadtverordnetenvorsteher. – MdB seit 1990,
Schriftführer.

Wahlkreis 126 (Werra-Meißner)
SPD 53,0 – CDU 35,5 – Grüne 6,1 – F.D.P. 2,9 – PDS 0,7

* TAUSS SPD

Jörg Tauss; Gewerkschaftssekretär; 76646 Bruchsal –
* 5.7.1953 Stuttgart, verh. – Realschule. Lehre als Le-
bensversicherungskaufmann, Fachbereich betriebliche Altersversorgung. Versch. Tätigkeiten als Gewerkschaftssekretär in Stuttgart, Esslingen, Hamburg
und Bruchsal; Pressesprecher der IG Metall Baden-
Württemberg, z. Z. ruhendes Arbeitsverhältnis. Mitgl.
der IG Metall, der IG Medien und versch. Vereine und
Organisationen, Naturfreunde, ASB etc.; Erster Sprecher der West-Ost-Gesellschaft Bruchsal (Tscherno-
byl-Hilfe). Mitgl. der SPD seit 1971, Vors. SPD-Kreis-
verband Karlsruhe-Land seit 1991; Mitgl. im Landesvorst. Baden-Württemberg der Afa. – MdB seit 1994.

Landesliste Baden-Württemberg

* Dr. TEICHMANN SPD

Bodo Teichmann; Universitätsprofessor; 13125 Berlin –
* 9. 3. 1932 Leipzig, verh., 1 Tochter – 1950 Abitur.
Lehre als Chemiewerker. 1951/56 Werkstudent Univ.
Leipzig, Dipl.-Chemiker; 1956/58 wiss. Assistent, Me-
dizinstudium, 1958 Dr. rer. nat., 1960 Vorlesungsver-
bot, Abbruch des Medizinstudiums. 1960/83 wiss.
Mitarbeiter, Abteilungsleiter, stellv. Bereichsdirektor
AdW Berlin-Buch, 1966 Habilitation. 1983 Bereichsdirektor und Abteilungsleiter der AdW, 1986/90 wiss.
Mitarbeiter. 1990/91 stellv. Regierungsbeauftragter
Bezirk Frankfurt/Oder. 1992 Prof., 1993 Lehrstuhl für
Umweltwissenschaften Univ. Potsdam. 1964/68 Mitgl.
einer problemgebundenen Klasse der AdW in Berlin.
Internat. Experte bei WHO/IARC, UNESCO. Mitgl.
der European Association for Research and Cancer.
1975 Virchow-Preis/DDR, 1976 Yamagiwa-Yoshida-
Memorial Award, Japan. 1951/86 FDGB. 1989 Gesundheitspol. Berater der SDP-SPD, 1990 SPD; Vors.
der Arbeitsgem. Sozialdemokraten im Gesundheitswesen (ASG), Brandenburg. MdL Brandenburg
1990/94. – MdB seit 1994.
Wahlkr. 274 (Eberswalde – Bernau – Bad Freienwalde)
SPD 44,6 – CDU 25,3 – PDS 23,8 – Grüne 2,9 – FDP 2,1

* TEISER CDU

Michael Teiser; Außenhandelskaufmann, Diplom-Ver-
waltungswirt; 27574 Bremerhaven – * 7.6.1951 Bremerhaven, verh. – Besuch der Fachhochschule,
Außenhandelskaufmann. 1970/78 Zeitsoldat. Beamter
a. D., freigestellt für die Bremische Bürgerschaft.
Mitgl. der CDU seit 1975, stellv. Landesvors. der CDU
Bremen. Mitgl. der Bremischen Bürgerschaft seit 1983,
stellv. Fraktionsvors. seit 1990. – MdB seit 1994.

Landesliste Bremen

∷* TERBORG SPD

Margitta Terborg, geb. Hendrich; Sozialpädagogin grad.; 26954 Nordenham – * 23.9.1941 Bunzlau (Schlesien), verh., 2 Kinder – Volksschule. 1956/59 Berufsausbildung Kinderpflegerin, 1959/63 Gruppenleiterin im Kindergarten. Ab 1969 Studium in Bremen, 1972 Staatsexamen als Sozialpädagogin, 1975 schulpraktische Prüfung für Jugendleiterinnen. 1972/78 Lehrerin an Berufsbildender Schule, 1978/80 Lehrerin an einer Sonderschule. Mitgl. ÖTV, AWO und Reichsbund. 1960/65 Mitgl. SJD-Die Falken. 1965 SPD, danach Parteiämter in den versch. Gremien. 1968/81 Mitgl. Stadtrat Nordenham, 1972/76 stellv. Bürgermeisterin, 1976/80 Bürgermeisterin, 1976/88 Mitgl. Kreistag Wesermarsch. – MdB seit 1980; ab 1991 Mitgl. Parl. Vers. Europarat und WEU.

Wahlkreis 23 (Delmenhorst–Wesermarsch–Oldenburg-Land)
SPD 48,3 – CDU 38,4 – Grüne 6,1 – F.D.P. 4,9 – PDS 0,9

* TEUCHNER SPD

Jella Teuchner, geb. Thurnreiter; Gewerkschaftssekretärin; 94121 Salzweg – * 11.5.1956 Gelsenkirchen-Buer, verh., 2 Töchter und 3 Pflegekinder – Qualifizierter Hauptschulabschluß. Ausbildung Industriekaufmann. 1977/90 Leiterin der Lohn- und Gehaltsbuchhaltung, 1983/90 Betriebsratsvors. 1987/90 Ausbildungsleiterin für Industriekaufleute, einschl. der Ausbildung in einem mittelständischen Passauer Bekleidungsunternehmen. Seit 1991 pol. Sekretärin bei der Gewerkschaft Textil-Bekleidung. Mitgl. in versch. Prüfungsausschüssen der IHK Passau. Ständige Teilnahme am arbeitsrechtlichen Praktikerseminar der Univ. Passau. Mitgl. in Fachausschüssen zur Aufgabenerstellung für kaufm. Abschluß- und Zwischenprüfungen bei der IHK Nürnberg. Mitgl. Gewerkschaft Textil/Bekleidung, AWO, VdK, Lebenshilfe e. V., Malteser Hilfsdienst, Bund Naturschutz, Waldverein Passau. Seit 1987 SPD-Mitgl., z. Z. Mitgl. Ortsvereinsvorst., Mitgl. Bezirksvorst. der Niederbayern-SPD; Unterbezirks- und Bezirksvorstandsmitgl. AsF; seit 1994 Parteiratsmitgl. – MdB seit 1994.
Landesliste Bayern

∶ Dr. THALHEIM SPD

Gerald Thalheim; Landwirt; 09236 Claußnitz – * 29.6.1950 Chemnitz, ev., verh., 3 Kinder – Oberschule Claußnitz. Landwirtschaftl. Lehre mit Facharbeiterabschluß und Abitur. Landwirtschaftsstudium Martin-Luther-Univ. Halle-Wittenberg, Abschluß Promotion. 1976/78 wissenschaftl. Mitarbeiter in einem Kartoffelgroßhandelsbetrieb, 1979/86 Laborleiter im Pflanzenschutzamt Chemnitz, 1986/90 Düngungs- und Pflanzenschutzagronom LPG Pflanzenproduktion Naundorf, Kreis Rochlitz. Juli/Dez. 1990 Leiter der Abteilung Landwirtschaft in der Bezirksverwaltungsbehörde Chemnitz. Mitgl. der SPD seit 1989, vorher parteilos. – MdB seit 1990.

Landesliste Sachsen

⁝ THIELE   F.D.P.

Carl-Ludwig Thiele; Rechtsanwalt; 53113 Bonn –
* 9.8.1953 Münster i. W., kath., verh., 3 Kinder – Abitur 1972 am Gymnasium Carolinum Osnabrück. Studium der Rechtswissenschaften in Erlangen und Münster. Seit 1983 Rechtsanwalt in Osnabrück. 1979 Eintritt in die F.D.P., stellv. Kreisvors. Osnabrück-Stadt, Vors. Berzirksverb. Osnabrück, Mitgl. des geschäftsführenden Landesvorst. Niedersachsen, Mitgl. Bundesvorst. – MdB seit 1990; Vors. Finanzausschuß.

Landesliste Niedersachsen

⁚* THIERSE   SPD

Wolfgang Thierse; Kulturwissenschaftler/Germanist; 10435 Berlin – * 22.10.1943 Breslau, kath., verh., 2 Kinder – Nach dem Abitur Lehre und Arbeit als Schriftsetzer in Weimar. Seit 1964 in Berlin Studium an der Humboldt-Univ., anschl. wissenschaftl. Assistent im Bereich Kulturtheorie/Ästhetik der Berliner Univ. bis 1975. 1975/76 Mitarbeiter im Ministerium für Kultur der DDR. 1977/90 wissenschaftl. Mitarbeiter an der Akademie der Wissenschaften der DDR, im Zentralinstitut für Literaturgeschichte. Bis Ende 1989 parteilos. Anfang Okt. 1989 Unterschrift beim Neuen Forum. Anfang Jan. 1990 Eintritt in die SPD; Juni/Sept. 1990 Vors. der SPD/DDR, MdV März/Okt. 1990, stellv. Fraktionsvors., zuletzt Fraktionsvors. der SPD. Stellv. Vors. der SPD. – MdB seit Okt. 1990; stellv. Vors. der SPD-Fraktion.

Landesliste Berlin

* THIESER   SPD

Dietmar Thieser; Geschäftsführer, Oberbürgermeister; 53113 Bonn – * 27. 11. 1952 Wahlen/Saarland, verh., 2 Kinder – Ausbildung zum Dreher. Studium Akademie der Arbeit, Frankfurt. 1977 Sekretär Bezirksleitung der IG Chemie, Papier, Keramik, Hessen, 1979 Sekretär IG Chemie Verwaltungsstelle Hagen; Geschäftsführer IG Chemie Verwaltungsstelle Hagen, Tätigkeit ruht während der Zeit als MdB. 1971 Eintritt in die SPD, 1975 stellv. Juso-Bundesvors., 1981 Mitgl. Unterbezirksvorst. Hagen, 1983 stellv. Unterbezirksvors., 1985/89 Vors, 1984 Ratsmitgl. Hagen, 1989 Ratsfraktionsvors., Dez. 1989 Wahl zum OB Hagen, 1994 Wiederwahl. – MdB seit 1994.

Wahlkreis 108 (Hagen)
SPD 51,8 – CDU 36,0 – Grüne 5,2 – FDP 3,1 – PDS 0,7

ausgeschieden am 19. 12. 1996, Nachfolgerin > Abg. Kühn-Mengel (s. ABC ab S. 277)

* THÖNNES SPD

Franz Thönnes; Industriekaufmann, Gewerkschaftssekretär; 22949 Ammersbek – * 16.9.1954 Essen,
verh., 2 Kinder – Mittlere Reife, Ausbildung zum Industriekaufmann. 1973/78 Verkaufssachbearbeiter,
1972/78 Jugendvertreter und Betriebsrat, 1978/79
Studium Sozialakademie Dortmund, seit 1979 Sekretär
der IG Chemie-Papier-Keramik, 1980/88 Bezirkssse-
kretär, 1988/94 Geschäftsführer der IG Chemie-Papier-Keramik in Hamburg. Mitgl. AR AlliedSignal
GmbH, Arbeitnehmervertr., ehrenamtl. Arbeitsrichter.
Mitgl. AWO; Heimvolkshochschule Hustedt e. V.;
Deutsch-Norwegische Freundschaftsges. Seit 1978
SPD, 1986/92 Kreisvors. SPD Stormarn, 1992/94 Ortsvereinsvors. 1986/94 Kreistagsabg. Kreis Stormarn,
1986/94 AR-Mitgl. Wirtschafts- und Aufbauges. Stormarn mbH, 1990/94 stellv. Kreisrat. – MdB seit 1994.

Landesliste Schleswig-Holstein

:* Dr. THOMAE F.D.P.

Dieter Thomae; Dipl.-Kaufmann, Oberstudiendirektor
a. D.; 53489 Sinzig-Bad Bodendorf – * 23.6.1940 Dah-
len/Eifel, röm.-kath., verh. – Oberstudiendirektor. Bezirksvors. des F.D.P.-Bezirksverb. Koblenz und Mitgl.
Landesvorst. Rheinland-Pfalz. – MdB seit 1987; Vors.
Ausschuß für Gesundheit.

Landesliste Rheinland-Pfalz

* Dr. TIEMANN CDU

Susanne Tiemann, geb. Bamberg; Rechtsanwältin,
Professorin; 50996 Köln – * 20. 4. 1947 Schwandorf,
Bayern, röm.-kath., verh., 3 Kinder – 1966 Abitur. Studium der Rechtswissenschaften in München, 1970 1.
jur. Staatsexamen, Referendardienst, 1973 2. jur.
Staatsexamen. 1973 Promotion. 1975 Rechtsanwältin in
München, ab 1980 in Köln. 1986/87 Lehrauftrag. 1995
Honorarprofessorin. Seit 1988 Mitgl. Präs. Bundesverb.
der Freien Berufe, seit 1994 Vizepräs. der Weltunion
der Freien Berufe. 1992/94 Präs. Bund der Steuerzah-
ler. Mitgl. Deutscher Anwaltsverein und im Bund der
Selbständigen. Mitgl. der MIT seit 1988. Mitgl. Beirat
der Hamburg-Mannheimer Versicherung. Seit 1988
Vors. Ausschuß „Europa" der Ges. für Versicherungs-
wissenschaft und Gestaltung. 1993 Preis „Frau für Europa" des Deutschen Rates der Europ. Bewegung. 1994
Voltairemedaille. Mitgl. der CSU seit 1970, der CDU
seit 1980. Mitgl. Wirtschafts- und Sozialausschuß der
Europ. Union ab 1987, ab 1990 Vizepräs., 1992/94 Präs.
1992/93 Mitgl. der Kommission zur Überprüfung des
Abgeordnetenrechts. – MdB seit 1994.
Landesliste Rheinland-Pfalz

* TIPPACH   PDS

Steffen Tippach; Facharbeiter für Eisenbahntransport-
technik; 04275 Leipzig – * 18. 11. 1967 Leipzig, ledig –
10. Klasse POS. Facharbeiter für Eisenbahntransport-
technik. 1986/89 NVA. Mitgl. der JungdemokratInnen/Junge Linke. 1987 Mitgl. der SED, seit 1990 der
PDS. MdL Sachsen 1990/94 für JungdemokratInnen/
Junge Linke. Juni 1994/Dez. 1994 Stadtrat in Leipzig.
– MdB seit 1994; seit Juni 1997 außen- und friedenspolitischer Sprecher der Gruppe der PDS.

Landesliste Sachsen

⁝ TITZE-STECHER   SPD

Uta Titze-Stecher, geb. Weber; Sonderschulpädago-
gin; 85757 Karlsfeld – * 28.12.1942 Posen/Polen,
verh., 1 Tochter – Grundschule in Salzgitter-Leben-
stedt, Abitur dort 1962 am „Gymnasium für Jungen".
1962/65 Studium der Pädagogik, Psychologie, Roma-
nistik und Germanistik in München, 1966/68 der
Pädagogik in München. 1968/77 Lehrerin, 1977/79
Studium der Sonderpädagogik in München. 1979/90
Sonderschullehrerin für Erziehungsschwierige und
Lernbehinderte in München, Ausbildungslehrerin für
Studenten. Mitgl. GEW, Mieterverein, Siedlerbund,
AWO, VHS, Frauennotruf Fürstenfeldbruck, „Förder-
verein für internat. Jugendbegegnung in Dachau e.
V.", Verein z. B. Dachau, Arbeitslosentreff München,
Kulturforum München, Kulturforum „Forum Repu-
blik" Dachau. Mitgl. der SPD seit 1971, 1975/79 Spre-
cherin der Jungsozialisten, 1979/83 stellv. Unterbe-
zirksvors. Unterbez. Amper-Lech; Mitgl. Bezirksvorst.
Oberbayern seit 1992, Mitgl. Landesvorst. der SPD
Bayern. 1978/90 Gemeinderätin, 1984/90 stellv. Frak-
tionsvors. – MdB seit 1990.
Landesliste Bayern

⁝ Dr. TÖPFER   CDU

Klaus Töpfer; BMin.; 66119 Saarbrücken – * 29. 7. 1938
Waldenburg/Schlesien, kath., verh., 3 Kinder – 1945
Vertreibung aus Schlesien. 1959 Abitur. 1959/60
Wehrdienst, Leutnant d. R. 1960 Studium der Volks-
wirtschaft Univ. Mainz, Frankfurt und Münster, 1964
Dipl.-Volkswirt. 1965/71 Assistent Univ. Münster. 1968
Dr. rer. pol. 1971/78 Abteilungsleiter in der Staatskanzlei des Saarlandes. Entwicklungspol. Gutachtertätigkeit in Ägypten, Malawi, Brasilien und Jordanien.
1978/79 o. Prof. Univ. Hannover, 1985/86 Honorarprofessor Univ. Mainz. Mitgl. BUND, DBV, Landsmannschaft Schlesien, Verwaltungsrat Kreditanstalt für
Wiederaufbau. 1990 Großes Bundesverdienstkreuz.
Seit 1972 Mitgl. CDU, zahlr. Funktionen auf Kreis- und
Landesebene, u. a. seit Sept. 1989 Mitgl. CDU-Bundesvorst., 1990/95 Landesvors. Saar, Mitgl. Präs. CDU
seit 1992. 1978/85 Staatssekretär in Rheinland-Pfalz,
1985/87 Minister für Umwelt und Gesundheit.
1987/94 BMin. für Umwelt, Naturschutz und Reaktorsicherheit, seit 1994 für Raumordnung, Bauwesen und
Städtebau. – MdB seit 1990.
Landesliste Saarland

* TRÖGER CDU

Gottfried Tröger; Diplom-Landwirt; 09337 Lobsdorf –
* 20.2.1935 Lobsdorf, ev., verh., 3 Kinder – Grundschule in Lobsdorf. Meister Landwirtschaft in Hohenstein-Ernstthal, Fachschule in Chemnitz, Landwirtschaftl. Diplom an der Univ. Leipzig 1968. 1960/68
Mitarbeiter Rat für Landwirtschaft und Nahrungsgüterwirtschaft; 1968/70 Leiter Beratungsdienst Getreidewirtschaft, 1970/90 Leiter Betriebsteil Glauchauer
Getreidewirtschaft; Leiter der Baywa-AG 1990/94.
Mitgl. der DBD seit 1962; ab Jan. 1990 Kreisvors. DBD
Hohenstein-Ernstthal. Ab Aug. 1990. Mitgl. der CDU.
MdL Sachsen 1990/94. – MdB seit 1994.

Wahlkreis 322 (Glauchau–Rochlitz–Hohenstein-
Ernstthal–Hainichen)
CDU 51,9 – SPD 31,0 – PDS 13,5 – F.D.P. 3,6 – Grüne -

* TRÖSCHER SPD

Adelheid Tröscher; Kreisbeigeordnete a. D.; 63322
Rödermark – * 16.2.1939 Berlin – Gymnasium, High
School in Ithaca (New York), Abitur 1959. Studium der
Pädagogik, Geschichte und Anglistik in Marburg, Ju-
genheim an der Bergstraße und Frankfurt/Main, 1.
und 2. Staatsprüfung für das Lehramt an Haupt- und
Realschulen. Seit 1962 im Schuldienst, 1975/76 in der
Schulabteilung des RegPräs. Darmstadt, 1986/92 Leiterin der Paul-Hindemith-Gesamtschule in Frank-
furt/Main. Mitgl. der GEW, AWO, im Kinderschutzbund, in Pro Familia und medico international. 1966
Eintritt in die SPD. 1972/77, 1981/89 und 1991 Stadtverordnete der Stadt Frankfurt/Main, 1992/93 hauptamtliche Kreisbeigeordnete des Kreises Offenbach.
– MdB seit 1994.

Landesliste Hessen

⫶ TÜRK F.D.P.

Jürgen Türk; Dipl.-Ingenieur; 03099 Kolkwitz –
* 7.2.1947 Wildenhain, Kr. Großenhain, ev., verh., 2
Kinder – POS, Abschluß 10. Klasse, Berufsausbildung
mit Abitur (Maurer). Fachschule einschl. Wehrdienst,
Bauing. Hochschule im Fernstudium, Dipl.-Ing.
Bauwesen. Ingenieurbüro für Planung Tief- und Straßenbau, selbständig. 1989 Mitgl. LDPD, jetzt F.D.P.
stellv. Landesvors. Cottbus-Land – MdB seit 1990,
Schriftführer.

Landesliste Brandenburg

** Dr. UELHOFF   CDU

Klaus-Dieter Uelhoff; Staatssekretär a. D.; 66994 Dahn – * 9.1.1936 Finnentrop/Sauerland, kath., verh., 2 Kinder – 1955 Abitur in Attendorn. Studium der Rechtswissenschaften, der pol. Wissenschaft und der Geschichte in Bonn und Köln, 1. und 2. jur. Staatsprüfung, Promotion Dr. jur. Anschl. Berufstätigkeit im Landessozialamt und im Sozialministerium von Rheinland-Pfalz, zuletzt als Oberregierungsrat. 1972 Landrat Landkreis Pirmasens; 1974 Wahl in den Bezirkstag der Pfalz, 1979 Wiederwahl. 1979 Staatssekretär im Ministerium des Innern und für Sport, 1985 Staatssekretär im Ministerium für Umwelt und Gesundheit. Mitgl. Präsidium des DRK, Vizepräs. DRK-Landesverb. Rheinland-Pfalz, Präs. Ges. für Wehr- und Sicherheitspolitik, Präs. Bundeshelfervereinigung des THW. Bezirksvorstandsmitgl. der CDU Rheinhessen-Pfalz. – MdB seit 1987; Mitgl. der Nordatlantischen Versammlung.

Wahlkreis 160 (Pirmasens)
CDU 44,9 – SPD 42,0 – Grüne 4,9 – F.D.P. 3,7 – PDS -

:: ULDALL   CDU

Gunnar Uldall; Unternehmensberater; 22395 Hamburg – * 17.11.1940 Hamburg, ev.-luth., verh., 3 Kinder – Abitur 1960. Studium der Volkswirtschaft in Hamburg, Examen als Dipl.-Volkswirt 1966. Wehrdienst 1960/62, letzter Dienstgrad Oberleutnant d. R. Tätig als Unternehmensberater seit 1966; Partner der Mummert & Partner Unternehmensgruppe, Hamburg. 1962 Eintritt in die CDU, 1980 Schatzmeister der Hamburger CDU. 1966/83 Mitgl. der Hamburger Bürgerschaft. – MdB seit 1983.

Landesliste Hamburg

:::: URBANIAK   SPD

Hans-Eberhard Urbaniak; Gewerkschaftssekretär; 44149 Dortmund – * 9.4.1929 Dortmund-Dorstfeld, verh., 1 Kind – Volksschule, Bergberufsschule. 1943 Berglehrling, Knappe, Hauer; Betriebsratsvors. 1950/55 Bundesschulen des DGB; 1955/56 Sozialakademie Dortmund. 1961 Gewerkschaftssekretär beim Vorst. der IG Bergbau und Energie Bochum. Vors. „Grüner Kreis Dortmund e. V."; Mitgl. Aufsichtsrat der Orenstein und Koppel Rolltreppen GmbH Hattingen und AG Dortmund. 1945 Mitgl. der IG Bergbau und Energie. 1951 Eintritt in die SPD, 1968 Vorstandsmitgl. Unterbezirk Dortmund, seit 1968 Ortsvereinsvors. SPD-Ortsverein Dortmund-Dorstfeld-Oberdorf. 1964/70 Mitgl. Rat der Stadt Dortmund. – MdB seit März 1970.

Wahlkreis 113 (Dortmund I)
SPD 53,5 – CDU 30,1 – Grüne 9,2 – F.D.P. 2,3 – PDS 1,4

⁝ VERGIN   SPD

Siegfried Vergin; Rektor a. D.; 68167 Mannheim –
* 17.3.1933 Freienwalde / Pommern, ev., verh., 3 Töchter – Oberschule, Abitur 1951 in Bad Doberan. Fernstudium und Päd. Institut. 1951/55 Lehrer im Kreis und in
der Stadt Rostock, 1957/68 Lehrer in Mannheim,
1968/76 Rektor in Mannheim-Friedrichsfeld. 1976/91
hauptamtlicher Landesvors. der GEW Baden-Württemberg. Mitgl. der GEW und Funktionär in versch. Ebenen. Mitgl. AWO, versch. örtl. Kulturvereine und der
Gesellsch. für christl.-jüd. Zusammenarbeit und Vizepräs. der Deutsch-Israelischen Gesellschaft. Bundesverdienstkreuz. Eingetragen im Goldenen Buch des
jüdischen Nationalfonds in Jerusalem. Seit 1960 Mitgl.
SPD, mehrere Jahre Ortsvereinsvors. in Mannheim.
1965/71 Stadtrat in Mannheim. – MdB seit 1990.

Landesliste Baden-Württemberg

⁚⁚ VERHEUGEN   SPD

Günter Verheugen; Journalist; 95326 Kulmbach –
* 28. 4. 1944 Bad Kreuznach, ev., verh. – Abitur.
1963/65 Redaktionsvolontariat in Köln und Essen.
1963/69 Studium der Geschichte, Pol. Wissenschaften
und Soziologie in Köln und Bonn. Mitgl. IG Medien
und AWO. Vors. Rundfunkrat der Deutschen Welle.
Seit 1982 Mitgl. der SPD (vorher seit 1960 Mitgl. der
FDP, 1977/78 Bundesgeschäftsführer, 1978/82 Generalsekretär der FDP). Seit Aug. 1983 Bundesgeschäftsführer der SPD. – MdB seit 1983.

Landesliste Bayern

⁚⁚⁚⁚ VOGT (Düren)   CDU

Wolfgang Vogt; Redakteur; 52349 Düren – * 1. 12. 1929
Schirgiswalde, kath., verh., 2 Kinder – Abitur 1949. Ab
1950 Studium der Wirtschafts- und Sozialwissenschaften Univ. Köln, 1956 Examen als Dipl.-Volkswirt. Bis
1959 wissenschaftl. Mitarbeiter am Soziolog. Seminar
Univ. Köln. Danach Chefredakteur der Zeitung der
Kath. Arbeitnehmer-Bewegung (KAB). Mitgl. IG Bau-
Steine-Erden. Vizepräs. Arbeitsgem. Verbraucherver-
bände (AgV), Mitgl. der Kath. Arbeitnehmer-Bewegung. Mitgl. CDU seit 1946. Nach dem Abitur 1949 bis
zur Flucht nach Berlin-West 1950 hauptamtl. Mitarbeiter der CDU in Bautzen. Vorstandsmitgl. CDU NRW.
Vors. der CDA in NRW. Mitgl. Rat der Stadt Düren
1972/89, Bürgermeister 1972/83. – MdB seit 1969;
1982/91 Parl. Staatssekretär beim BMin. für Arbeit
und Sozialordnung.

Landesliste Nordrhein-Westfalen

* VOGT (Pforzheim)   SPD

Ute Vogt; Rechtsanwältin; 75175 Pforzheim –
* 3.10.1964 Heidelberg, kath. – Gymnasium, Wirtschaftsgymnasium Wiesloch. Studium der Rechtswissenschaften Univ. Heidelberg, 2. Staatsexamen.
Selbständige Rechtsanwältin. Mitgl. in der ÖTV, Eurosolar, IFIAS Baden-Württemberg. Seit 1983 Juso-Arbeit, ab 1984 Mitgl. der SPD; 1984/89 Juso-Vors. Wiesloch, 1989 Mitgl. Juso-Landesvorst., 1991/94 Sprecherin der baden-württembergischen Jusos, seit 1993
Mitgl. im Landesvorst. der SPD Baden-Württemberg.
1989/94 Stadträtin in Wiesloch/Rhein-Neckar-Kreis.–
MdB seit 1994.

Landesliste Baden-Württemberg

::::* VOIGT (Frankfurt)   SPD

Karsten D. Voigt; Volkshochschuldirektor a. D.; 60322
Frankfurt am Main – * 11.4.1941 Elmshorn, verh. –
Mittelschule in Elmshorn, 1955/60 Gymnasium St.
Georg in Hamburg, 1960 Abitur. 1960/69 Studium der
Geschichte, Germanistik und Skandinavistik in Hamburg, Kopenhagen und Frankfurt. Seit 1969 wissenschaftl. Mitarbeiter, bis zur Wahl in den Bundestag
Mitgl. Direktorium und stellv. Leiter der Frankfurter
Volkshochschule. Mitgl. GEW, des International Institute for Strategic Studies in London, des Stiftungsrates
der „Stiftung Wissenschaft und Politik" in Ebenhau-
sen, der Atlantikbrücke, der Trilateralen Kommission
und des erweiterten Vorst. des Deutsch-Russischen
Forums. 1962 SPD; 1969/72 Bundesvors. der Jungsozialisten in der SPD, 1972/73 stellv. Bundesvors.
1971/73 Vizepräs. der International Union of Socialist
Youth. 1973/75 Vors. der Kontrollkommission, seit
1984 Mitgl. des SPD-Parteivorst. 1985/94 Vorstandsmitgl. der Sozialdemokratischen Partei Europas (SPE).
– MdB seit 1976; 1992/94 Vizepräs. der Nordatlantischen Versammlung.
Landesliste Hessen

:* Dr. VOLLMER
BÜNDNIS 90/DIE GRÜNEN

Antje Vollmer; Theologin, Pädagogin, Publizistin, Vizepräsidentin des BT; 53113 Bonn – * 31. 5. 1943 Lüb-
becke/Westfalen, ev., 1 Kind – 1. und 2. theologisches
Examen, Diplom in Erwachsenenbildung, Dr. phil.
Mitgl. im Senat der deutschen Nationalstiftung, im
Beirat der „Theodor-Heuss-Stiftung" und Präsidiumsmitgl. in der „Deutschen Gesellschaft für Auswärtige
Politik". 1989 Carl-von-Ossietzky-Medaille. Seit 1985
Mitgl. der GRÜNEN. – MdB 1983/April 1985,
1987/90, davon 3 Jahre als Fraktionssprecherin, und
seit 1994; seit 10. Nov. 1994 Vizepräsidentin des Deutschen Bundestages.

Landesliste Hessen

:* **VOLMER**
BÜNDNIS 90/DIE GRÜNEN

Ludger Volmer; Diplom-Sozialwissenschaftler; 53113
Bonn – * 17.2.1952 Gelsenkirchen, unverheiratet, 1
Kind – Studium von Sozialwissenschaften und Philosophie in Bochum und Gießen. Zivildienst im Krankenhaus. Tätigkeiten in der Wohnumfeldplanung, der Erwachsenenbildung und der empirischen Sozialforschung. Mitgl. im Institut für Internationale Politik, im
Institut für Weltwirtschaft, Ökologie und Entwicklung
und im Deutschen Alpenverein. 1979 Mitbegründer
der GRÜNEN und 1993 von Bündnis 90/DIE
GRÜNEN; 1990/94 Sprecher des Bundesvorstandes. –
MdB April 1985/90 und seit 1994; 1986 Fraktionssprecher.

Landesliste Nordrhein-Westfalen

::: **VOSEN SPD**

Josef Vosen; Diplomingenieur, Volkswirt; 52353 Düren
– * 23.7.1943 Berlin, verh., 2 Kinder – Dreijährige
Lehre als technischer Zeichner. Studium der Verfah-
renstechnik, 1971 Diplomingenieur. 1973 Studium der
Volkswirtschaftslehre Univ. Köln, 1977 Staatsexamen.
Mitgl. der IG Bergbau und Energie, der Naturfreunde,
Bezirksvors. der AWO Mittelrhein. 1964 Eintritt in die
SPD, 1970/72 Vors. SPD-Unterbez. Düren-Monschau-
Schleiden, 1972/74 Vors. SPD-Unterbez. Düren-
Heinsberg, ab 1974 Vors. SPD-Unterbez. Düren, ab
1973 Mitgl. SPD-Bezirksvorst. Mittelrhein, 1971/79
Mitgl. SPD-Landesausschuß Nordrhein-Westfalen.
1969/82 Mitgl. Kreistag Düren, Fraktionsvors. bis
1982. Bürgermeister der Stadt Düren seit 1984. – MdB
seit Okt. 1979; forschungspol. Sprecher der SPD-Fraktion 1984/94.

Landesliste Nordrhein-Westfalen

:::* **Dr. WAFFENSCHMIDT CDU**

Horst Waffenschmidt; Stadtdirektor a. D., Parl. Staatssekretär a. D.; 51545 Waldbröl – * 10. 5. 1933 Düssel-
dorf, ev., verh., 4 Kinder – Abitur. Studium der Rechts-
und Staatswissenschaften, Dr. jur. 1963 Assessor beim
Landschaftsverband Rheinland, Leiter der Abteilung
Verwaltung und Recht beim Landesstraßenbauamt
Köln. Dann Gemeindedirektor, ab 1971 Stadtdirektor
von Wiehl. 1973 Rechtsanwalt. 1973 1. Vizepräs. und
1979/81 Präs. Deutscher Städte- und Gemeindebund.
Mitarbeit in mehreren Gremien der Ev. Kirche. Mitgl.
Verwaltungsrat Deutsche Ausgleichsbank. Seit 1954
Mitgl. der CDU, Mitgl. Bundesvorst. der CDU und des
Landesvorst. der CDU NRW. Seit 1973 Bundesvors. der
KPV der CDU und CSU Deutschlands. Mitgl. Stadtrat
Waldbröl, 1961/64 Kreistagsabg. 1962/72 MdL NRW,
zeitweise stellv. Vors. der CDU-Fraktion. – MdB seit
1972; bis 1982 Vors. Arbeitsgem. Kommunalpolitik der
CDU/CSU-Fraktion, Mitgl. Fraktionsvorst.; Okt. 1982/
Mai 1997 Parl. Staatssekretär beim BMin. des Innern,
1988 Aussiedlerbeauftragter der Bundesregierung.
Wahlkreis 66 (Oberbergischer Kreis)
CDU 48,8 – SPD 39,8 – Grüne 5,7 – FDP 3,6 – PDS -

⁝ WAGNER SPD

Hans Georg Wagner; Architekt; 66571 Eppelborn – * 26.11.1938 Niederlinxweiler, Saarland, ev., verh., 1 Sohn – Gymnasium. Berufsschule und Fachhochschule Koblenz; Dipl.-Ingenieur (Fachrichtung Architektur). Bis zur Wahl in den Saarländ. Landtag 1975 geschäftsf. Beamter des Staatl. Hoch- und Klinikbauamtes Saarbrücken. 1. Vizepräs. Bund Deutscher Baumeister, Mitgl. Präs. des Gewerbeverb. des Saarlandes, in der ÖTV und der IG Bergbau und Energie. Mitgl. SPD seit 1957; seit 1975 stellv. Landesvors. der Arbeitgem. der Selbständigen in der SPD; seit 1990 stellv. Vors. im SPD-Landesverband Saar und im Ortsverein Dirmingen. Seit 1974 Vors. Gemeindeverb. Eppelborn, Mitgl. im Gemeinderat Eppelborn. 1975/91 MdL Saarland, 1975/90 Parl. Geschäftsführer der SPD-Fraktion. Mitgl. des internat. Parlamentarierrates von Rheinland-Pfalz, Luxemburg, Lothringen, Belgisch-Luxemburg und Saarland (IPR Saar-Lor-Lux). – MdB seit 1990.

Wahlkreis 247 (Sankt Wendel)
SPD 51,1 – CDU 43,6 – Grüne 2,3 – F.D.P. 1,7 – PDS -

⁝⁝⁝* Dr. WAIGEL CSU

Theodor Waigel; Jurist, BMin. d. Finanzen; 53117 Bonn – * 22.4.1939 Oberrohr (Schwaben), kath., verh., 3 Kinder – 1959 Abitur in Krumbach. Studium der Rechts- und Staatswissenschaften in München und Würzburg, 1963 1. jur. Staatsexamen, 1967 Promotion und 2. jur. Staatsexamen. Gerichtsassessor. 1969/70 Pers. Referent des Staatssekretärs im Staatsministerium der Finanzen und 1970/72 des Bayer. Staatsministers Jaumann. 1961/70 Kreisvors. JU Krumbach, 1967/71 Bezirksvors. JU Schwaben, 1971/75 Landesvors. JU Bayern. 1973/88 Vors. Grundsatzkommission der CSU; 1987/88 Vors. Bez. Schwaben der CSU, Mitgl. Landesvorst., seit Nov. 1988 Vors. der CSU. 1966/72 Mitgl. Kreistag Krumbach. – MdB seit 1972; Dez. 1980 Vors. Arbeitsgruppe Wirtschaft der CDU/CSU-Fraktion; Okt. 1982/April 1989 Vors. CSU-Landesgruppe und 1. stellv. Vors. CDU/CSU-Fraktion. Seit April 1989 BMin. der Finanzen.

Wahlkreis 241 (Neu-Ulm)
CSU 58,6 – SPD 27,1 – Grüne 5,4 – F.D.P. 2,5 – PDS -

⁝⁝* Graf von WALDBURG-ZEIL CDU

Alois Graf von Waldburg-Zeil; Forstwirt; 88260 Argenbühl (Ratzenried) – * 20.9.1933 Schloß Zeil (Württemberg), kath., verh., 3 Kinder – Human. Gymnasium, Jesuitenkolleg St. Blasien, Abitur 1953. Studium der Volkswirtschaft und der Pol. Wissenschaft in Rom, München und Bonn. 1957 Übernahme des land- und forstwirtschaftl. Besitzes Ratzenried. 1964 Gründung des Weltforum-Verlages in München, bis 1979 dessen Geschäftsführer. Mitherausgeber der Zeitschrift „Internationales Afrika Forum" und der Zeitschrift „Internationales Asien Forum". Elternbeiratsarbeit seit 1964, Vors. Landeselternbeirat von BW 1972/81, Vors. Bundeselternrat. 1977/81 Mitgl. Bauernverband. Mitgl. der CDU seit 1962, 1981/93 Mitgl. des Landesvorst. von BW, Mitgl. Bezirksvorst. Mitgl. Gemeinderat Argenbühl 1972/80. – MdB seit 1980; 1982/90 Obmann der CDU/CSU-Fraktion im Ausschuß für Bildung und Wissenschaft, 1990/94 Vors. der Arbeitsgruppe Bildung und Wissenschaft und bildungspol. Sprecher der CDU/CSU-Fraktion.

Wahlkreis 196 (Biberach)
CDU 58,9 – SPD 20,6 – Grüne 9,8 – F.D.P. 2,6 – PDS -

:** **WALLOW SPD**

Hans Wallow; Ministerialrat a. D.; 53424 Remagen-Rolandseck – * 25.12.1939 Göttingen, gesch., 1 Kind – Volksschule. Bau- und Kunstschlosserlehre, Gesellenprüfung. Hochschulreife, Diplomstudium an der Päd. Fakultät Univ. Bonn. Studienaufenthalte in Großbritannien, Italien und Spanien. Bundesakademie für Öffentl. Verwaltung. 1958/61 Militärdienst, Oberleutnant d. R. 1962/65 Redakteur und späterer Chefredakteur bei den Werkzeitschriften „Blick vom Hochhaus" und „Lichtbogen" der Chemischen Werke Hüls AG, Marl. 1965/66 Leiter der Werbeabteilung, Studiengemeinschaft Darmstadt. 1966/71 Angestellter im höheren Dienst im Pressereferat des BMin. f. wirtschaftl. Zusammenarbeit. 1971/74 Referatsleiter in der Geschäftsleitung des Deutschen Entwicklungsdienstes. 1974/81 Referatsleiter und RegDir. im BPA, verantwortlich für die Bereiche Jugend-Familie-Gesundheit, Forschung und Technologie, Bildung und Wissenschaft; seit 1983 als Referatsleiter und Ministerialrat zuständig für Mittel- und Lateinamerika. Buchveröffentlichungen. Mitgl. ÖTV, AWO, BUND. Stellv. Vors. SPD-Unterbez. Ahrweiler. – MdB Juni 1981/83 und seit 1990. Landesliste Rheinland-Pfalz

* **WARNICK PDS**

Klaus-Jürgen Warnick; Elektromechaniker; 14532 Kleinmachnow – * 21.10.1952 Potsdam, ledig, in Lebensgemeinschaft lebend, 4 Kinder – 10klassige Oberschule. Lehre als Elektromechaniker, danach Einrichter und Schichtleiter im CVO-Teltow, 1975/90 als Rundfunkmechaniker tätig. Eineinhalb Jahre Grundwehrdienst in der NVA, viermal Reserve. 1990/92 Länderbeauftragter des Deutschen Mieterbundes (DMB) in Brandenburg, von der Gründung des Mieterbundes Land Brandenburg e. V. bis Nov. 1990 Vors. Landesverband, Mai 1992/Nov. 1994 Geschäftsführer, jetzt stellv. Landesvors.; Schatzmeister des Selbsthilfevereins Nutzer e. V. (SHVN) zur Finanzierung von Prozessen für restitutionsbedrohte Nutzer, Vorstandsmitgl. im Verband der Grundstücksnutzer und -eigentümer Kleinmachnow e. V. Parteilos. – MdB seit 1994.

Landesliste Brandenburg

:::: **Dr. WARNKE CSU**

Jürgen Warnke; Rechtsanwalt, BMin. a. D.; 95100 Selb – * 20.3.1932 Berlin, ev., verh., 6 Kinder – 1950 Abitur in Hof. Studium der Rechte und Volkswirtschaft in München, Genf und Würzburg, 1958 große jur. Staatsprüfung. 1959/62 wissenschaftl. Mitarbeiter der CSU-Landesgruppe im Deutschen Bundestag. 1961 Rechtsanwalt. 1962 Geschäftsführer des Verb. der Chem. Industrie e. V., Landesverb. Bayern. 1964/82 Hauptgeschäftsführer Verb. der Keramischen Industrie e. V. in Selb und der Arbeitsgem. Keramische Industrie Frankfurt/M. Mitgl. der Synode und des Rates der EKD. MdL Bayern 1962/70. – MdB seit 1969; 1982/87 Bundesminister für wirtschaftl. Zusammenarbeit, 1987/89 Bundesminister für Verkehr, 1989/91 Bundesminister für wirtschaftl. Zusammenarbeit.

Wahlkreis 225 (Hof)
CSU 50,4 – SPD 42,3 – Grüne 3,1 – F.D.P. 1,3 – PDS –

:* Dr. WEGNER   SPD

Konstanze Wegner, geb. Overhoff; Historikerin; 68165
Mannheim – * 27.2.1938 Frankfurt/Main, ev., verh., 2
Kinder – 1957 Abitur am human. Karl-Friedrich-Gymnasium in Mannheim. 1957/64 Studium der Alten und
Neuen Geschichte, Philosophie und Anglistik Univ.
Heidelberg, Berlin und Tübingen, 1964 Promotion im
Fach Neue Geschichte. 1965/70 Hausfrau und freie
Mitarbeiterin beim Bayerischen, beim Süddeutschen
und Hessischen Rundfunk. 1970/77 wissenschaftl. Bearbeiterin eines parteigeschichtlichen Editionsprojekts Univ. Mannheim. Mitgl. in der GEW, der AWO,
der Naturfreunde, bei Pro Familia, im Deutschen Kinderschutzbund, im Deutschen Frauenring, bei ai sowie
in zahlr. lokalen sozialen und kulturellen Vereinen.
Seit 1970 Mitgl. der SPD, 1975/80 Bezirksbeirätin in
Mannheim, seit 1978 Mitgl. Kreisvorst. der SPD Mannheim, 1979/83 und seit 1987 Mitgl. Landesvorst. der
SPD Baden-Württemberg; 1981/84 Mitgl. Landesvorst. der AsF Baden-Württemberg. 1980/88 Mitgl.
Gemeinderat der Stadt Mannheim. – MdB seit Aug.
1988; Mitgl. Fraktionsvorst.
Landesliste Baden-Württemberg

:* WEIERMANN   SPD

Wolfgang Weiermann; Maschinenschlosser; 44147
Dortmund – * 8.9.1935 Dortmund, ev., verh., 3 Kinder
– Maschinenschlosser. Tätigkeit im Werk Phoenix der
Hoesch Stahl AG, ab 1972 Betriebsratsmitgl., 1982/87
Betriebsratsvors. Werk Phoenix der Hoesch Stahl AG.
Seit 1951 Mitgl. IG Metall. Seit 1955 Mitgl. der SPD,
seit 1987 Mitgl. Unterbezirksvorst., seit 1991 stellv.
Vors. Unterbezirk Dortmund; Mitgl. Unterbezirksvorst. der AfA der SPD, seit 1989 Vors. Bezirk Westliches Westfalen. Seit 1969 Mitgl. der AWO. Ehrennadel
und Ehrenring der Stadt Dortmund sowie Ehrenzeichen der Feuerwehr. Ehrenmitgl. des Stadtverbandes
der Kleingärtner der Stadt Dortmund. 1969/87 Mitgl.
des Rates der Stadt Dortmund, bis 1987 Mitgl. Fraktionsvorst., 1975/87 Vors. Ratsausschuß „Grünflächen
und Umweltschutz". – MdB seit 1987.

Wahlkreis 114 (Dortmund II)
SPD 60,0 – CDU 29,3 – Grüne 5,3 – F.D.P. 1,7 – PDS 0,8

:* WEIS (Stendal)   SPD

Reinhard Weis; Dipl.-Ingenieur; 39576 Stendal –
* 12.3.1949 Tangermünde, Sachsen-Anhalt, röm.-
kath., verh., 2 Kinder – Abitur und Berufsausbildung
zum Elektromonteur in Merkers/Rhön. Studium des
Elektroingenieurwesens an der TH Ilmenau zum Diplomingenieur. Beruflich tätig in der Produktionsvorbereitung, Projektierung und Inbetriebnahme von
Kraftwerken, als Kraftwerksleiter und Hauptenergetiker. Eintritt in die SPD (SDP) im Nov. 1989, Gründung
des Ortsvereins Stendal Dez. 1989. MdV März/Okt.
1990. – MdB seit Okt. 1990.

Wahlkreis 283 (Altmark)
SPD 38,6 – CDU 37,8 – PDS 16,9 – Grüne 3,1 – F.D.P. 2,2

263

⁘ WEISHEIT SPD

Matthias Weisheit; Realschullehrer a. D.; 88287 Grün-
kraut – * 18.12.1945 Leipzig, konfessionslos, verh., 2
Kinder – 1966 Abitur am Albert-Einstein-Gymnasium
Ravensburg. Studium der Fächer Deutsch, Geschichte,
Gemeinschaftskunde an der PH Weingarten, 1971 1.
Dienstprüfung zum Lehrer für Grund- und Haupt-
schulen; Studium am Reallehrerinstitut Tettnang, 1972
2. Dienstprüfung zum Realschullehrer. 1967/68 15mo-
natiger Wehrersatzdienst beim Bundesgrenzschutz.
Seit 1972 Lehrer an den Realschulen Leutkirch und
Kißlegg, seit 1986 am Bildungszentrum Bodnegg.
Mitgl. der GEW, Naturfreunde, AWO, EU, in örtl.
Sportvereinen und im Gesangverein; Vors. Kreisju-
gendring Ravensburg 1976/91. Landesehrennadel Baden-Württemberg. 1968 Mitgl. der Jungsozialisten,
1970 der SPD; Kreisvors. der Jungsozialisten, Mitgl.
Vorst. Ortsverband und im Kreisvorst., 1978/91 Kreisvors. in Ravensburg, Vorstandsmitgl. der Sozialisti-
schen Bodenseeeinternationale; seit 1989 Mitgl. SPD-
Parteirat. – MdB seit Juni 1992.

Landesliste Baden-Württemberg

⁙ WEISSGERBER SPD

Gunter Weißgerber; Ingenieur f. Tiefbohrtechnologie;
04329 Leipzig – * 24.11.1955 Mildenau/Erzgebirge,
verh., 1 Kind – POS, EOS, Abitur. Studium an der Bergakademie Freiberg 1978/82 (Tiefbohrtechnologie).
1982/84 Betriebsingenieur, 1984/90 Abteilungsleiter
Erkundungsbohrungen im Braunkohlenwerk Borna.
Gründungsvors. der „Kurt-Schumacher-Gesellschaft
der DDR" 1990; seit der deutschen Einheit stellv. Vors.
der „Kurt-Schumacher-Gesellschaft" in der Bundesrepublik; Mitgl. im „Verein gegen Vergessen" und AWO.
Parteilos bis 1989; Mitgl. Neues Forum. Gründungsmitgl. der Leipziger SDP Nov. 1989; „Montagsredner"
der Leipziger Montagsdemonstrationen 1989/90 für
die SDP/SPD, Vors. SPD Leipzig Südost 1989/Jan. 90,
Jan. 1990/Mai 90 Mitgl. und stellv. Vors. des SPD-
Kreisvorst. Leipzig, Mitgl. Unterbezirksvorst. der SPD
Leipzig/Borna/Greithain seit 1991. MdV März/Okt.
1990. – MdB seit Okt. 1990; Landesgruppenvors. der
sächsischen Sozialdemokraten, in der 12. WP; Mitgl.
und stellv. Obmann der SPD im Finanzausschuß.
Landesliste Sachsen

⁝ WEISSKIRCHEN (Wiesloch) SPD

Gert Weisskirchen; Fachhochschulprofessor; 69168
Wiesloch-Baiertal – * 16.5.1944 Heidelberg, ev., verh.,
1 Tochter – 1957/60 Gymnasium Wiesloch, 1960/62
Höhere Handelsschule Heidelberg, Mittlere Reife.
Kaufmannsgehilfenprüfung. Anschl. kaufm. Praktikum. 2. Bildungsweg. 1966/69 Studium an PH Heidelberg. Schuldienst in Weiher. Reallehrerprüfung. Zu-
satzstudium Univ. Heidelberg Erziehungswissenschaften, Politikwissenschaft und Wirtschafts- und
Sozialgeschichte. Realschuldienst in Eppingen.
1973/76 wissenschaftl. Assistent an der PH Heidelberg. Seit Sommersemester 1976 Fachhochschullehrer
FH Wiesbaden, 1990/91 Gastdozent Humboldt-Univ
Berlin. Beauftragter der FH Potsdam zur Gründung eines Studiengangs Kulturarbeit. Kriegsdienstverweigerer. Mitgl. der ÖTV, der Naturfreunde, der AWO
1969/72 Mitgl. Landesvorst. der Jungsozialisten in Baden-Württemberg; seit 1972 Mitgl. Landesvorst. SPD
Baden-Württemberg, 1973/92 Vors. SPD-Kreisverb
Rhein-Neckar. – MdB seit 1976.

Landesliste Baden-Württemberg

⁝ WELT SPD

Jochen Welt; Diplom-Sozialwissenschaftler; 45665 Recklinghausen – * 14. 2. 1947 Essen-Velbert, kath., verh., 1 Tochter – 1961/63 Handelsschule. 1963/66 Ausbildung als Industriekaufmann, 1967 Bildungsreifeprüfung. 1967/71 Studium der Sozialarbeit; 1971/75 Studium der Sozialwissenschaften, Diplom-Sozialwissenschaftler. 1983/87 Leiter der Schulverwaltung und Verwaltungsdirektor der FH Bergbau Bochum, seit 1987 Abteilungsleiter bei der Deutschen Montan Technologie und Geschäftsführer der Gesellschaft für Energietechnik. Mitgl. der IG Bergbau. Mitgl. der SPD seit 1969, Mitgl. im Parteirat. 1975 Ratsmitgl., 1985/86 Fraktionsvors., seit Jan. 1987 Bürgermeister von Recklinghausen. – MdB seit 1990.

Wahlkreis 91 (Recklinghausen I)
SPD 54,8 – CDU 34,5 – Grüne 5,8 – FDP 2,2 – PDS 0,7

⁝⁝ Dr. WENG (Gerlingen) F.D.P./DVP

Wolfgang Weng; Apotheker, MdB; 70839 Gerlingen – * 21. 12. 1942 Stuttgart, ev., verh., 2 Söhne – Gymnasium in Mosbach, Abitur 1961. Studium Univ. Tübingen und Kiel, pharmazeutisches Staatsexamen in Kiel, Promotion zum Dr. rer. nat. in Tübingen, Approbation zum Apotheker; Oberstapotheker d. R. 1974/87 selbständiger Apotheker, bis 1997 in der Adler-Apotheke in Gerlingen (Inhaber Ehefrau Claudia Weng) tätig. Mitgl. umweltschützender Verbände (NABU, DJV, BUND, SDW); Mitgl. im parl. Beirat des BfB, Mitgl. beim BDS und im Verb. der Reservisten der Bundeswehr; Mitgl. der Gääswärmerzunft Alleze, Ehrensenator der Contacter Gerlingen. FDP-Mitgl. seit 1972, 12 Jahre Vors. Kreisverb. Ludwigsburg, seit 1982 Mitgl. Landesvorst. Baden-Württemberg, seit 1991 Landesschatzmeister. Seit 1991 Vertreter der Bundestagsfraktion im Präsidium der FDP. 1975/83 Stadtrat in Gerlingen, ab 1980 Sprecher der FDP-Fraktion. 1980/83 MdL Baden-Württemberg. – MdB seit 1983; stellv. Vors. der FDP-Fraktion seit März 1987.

Landesliste Baden-Württemberg

⁝ WESTER SPD

Hildegard Wester, geb. Peters; Pädagogin in der Erwachsenenbildung; 41238 Mönchengladbach – * 28.12.1949 Rheydt, verh., 3 Töchter – Realschulabschluß, Sonderprüfung zur Erlangung der Hochschulreife. Studium an der PH Rheinland, 1. und 2. Staatsexamen. Nach einigen Jahren Schuldienst (Hauptschule) Tätigkeit in der Erwachsenenbildung als hauptamtliche pädagogische Mitarbeiterin bei der Neuen Gesellschaft Niederrhein. Seit 1984 freiberuflich für versch. Träger tätig. Mitgl. der AWO und der ÖTV; Vors. Bundesverb. Neue Erziehung. Mitgl. der SPD seit 1971, Mitgl. im Unterbezirksvorst. Mönchengladbach. – MdB seit 1990.

Landesliste Nordrhein-Westfalen

: WESTRICH SPD

Lydia Westrich, geb. Rockenmaier; Finanzbeamtin; 66955 Pirmasens – * 21. 10. 1949 Hafenlohr / Unterfranken, kath., verh. – Gymnasium mit Abschluß der Mittleren Reife. 1966/73 Ausbildung und Tätigkeit beim Finanzamt Marktheidenfeld in der mittleren Laufbahn der Landesfinanzverwaltung Bayern. 1974 Versetzung an das Finanzamt Pirmasens / Rheinland-Pfalz und dort tätig bis 1990. Mitgl. der ÖTV, der AWO, des Deutschen Kinderschutzbundes, des Bundes für Umwelt und Naturschutz, des Landfrauenvereins und anderer örtl. Vereine sowie versch. Bürgerinitiativen. Mitgl. der SPD seit 1974, seit 1979 SPD-Ortsvereinsvors. in Herschberg, stellv. Vors. der AsF im Unterbezirk Pirmasens-Zweibrücken. Seit 1979 im Gemeinderat Herschberg, seit 1984 im Verbandsgemeinderat Wallhalben; 1989/94 Kreistagsmitgl. im Kreistag Pirmasens. – MdB seit 1990, Schriftführerin.

Landesliste Rheinland-Pfalz

: WETTIG-DANIELMEIER SPD

Inge Wettig-Danielmeier, geb. Danielmeier; Diplom-Sozialwirtin; 37085 Göttingen – * 1. 10. 1936 Heilbronn, verh., 3 Töchter – Mittelschule, Höhere Handelsschule. Kaufm. Berufstätigkeit und Ausbildung zur Auslandskorrespondentin und Dolmetscherin für Englisch und Spanisch. Auslandskorrespondentin im Importhandel in Hamburg. 1960 Abitur im 2. Bildungsweg. Studium der Sozialwissenschaften in Wilhelmshaven, am Antioch College, Yellow Springs, Ohio, und Univ. Göttingen, 1966 Diplom-Sozialwirtin. Wiss. Tätigkeit am Institut für Sozialpolitik und Sozialrecht und am Seminar für Politikwissenschaft in Göttingen. Freiberufliche Gutachtertätigkeit. Mitgl. der GEW, AWO, Vereinigung für Politische Bildung, Bundesverband Neue Erziehung, Vors. Kuratorium Marie-Schlei-Verein, Mitgl. Kuratorium Händel-Gesellschaft Göttingen. 1959 Mitgl. SPD, Mitgl. Parteivorst. und des Präsidiums, Schatzmeisterin der SPD; 1981/92 Bundesvors. AsF; 1982/92 Vors. der Kommission für Bildungspolitik beim SPD-Parteivorst. 1968/73 Abg. Kreistag Göttingen; 1972/90 MdL Niedersachsen. – MdB seit 1990.
Landesliste Niedersachsen

:* WETZEL CDU

Kersten Wetzel; Feinoptiker; 07381 Langenorla – * 23. 2. 1961 Neustadt / Orla, ev., verh., 3 Kinder – 1977 / 80 Feinoptikerlehre mit Abitur, zeitweise Hilfsarbeiter wegen zwangsweiser Entfernung von der Ausbildung (politische und religiöse Gründe); kein Studienplatz. 1981 / 89 versch. hauptamtliche Beschäftigungen bei der CDU. 1985/89 Hochschulfernstudium. Seit 1981 Mitgl. Kirchenvorst. Herbst 1989 Mitorganisator und Sprecher von Friedensgebeten. Seit 1980 Mitgl. CDU; 1982/86 Mitgl. Kreisvorst. Pößneck. Herbst 1989 Gründungsmitgl. der Christlich-Demokratischen Jugend (CDJ), 1989/90 Teilnehmer am Runden Tisch der Jugend, 1990 1. Landesvors. der CDJ/JU-Thüringen. Seit 1991 Vors. Bundesfachausschuß Jugend der CDU. Seit 1990 Mitgl. Ortsgruppenvorst. CDU Langenorla, 1990/92 des Landesvorst. Thüringen. 1990 MdV, Sprecher der CDJ-Gruppe der CDU/DA-Volkskammerfraktion. – MdB seit Okt. 1990; stellv. Sprecher der Jungen Gruppe der CDU/CSU-Fraktion.
Wahlkreis 305 (Saalfeld – Pößneck – Schleiz – Lobenstein – Zeulenroda)
CDU 43,3 – SPD 32,2 – PDS 14,4 – F.D.P. 7,9 – Grüne -

⠿* Dr. WIECZOREK   SPD

Norbert Wieczorek; Bankangestellter; 65428 Rüsselsheim – * 12.12.1940 Kassel, verh. – Wirtschaftsober-
schule, Abitur 1960. Univ. Frankfurt und Göttingen, Diplomkaufmann, Abschluß 1966; Dr. rer. pol. 1979.
1966/68 in einem Industrieunternehmen, Rohstoff-
marktforschung. 1968/69 wissenschaftl. Assistent mit
der Verwaltung beauftragt, Seminar für betriebswirtschaftliche Marktlehre, Univ. Göttingen. 1969/71 wissenschaftl. Mitarbeiter, Deutsche Forschungsgemeinschaft, Seminar für betriebswirtschaftliche Marktlehre,
Univ. Göttingen. 1971/72 wissenschaftl. Planer, Univ.
Bremen. 1972/76 wissenschaftl. Assistent mit der Verwaltung beauftragt, TH Aachen. 1976/91 Angestellter
der Bank für Gemeinwirtschaft AG. Mitgl. HBV, AWO,
Atlantikbrücke und Trilaterale Kommission e. V. Mitgl.
SPD seit 1967, Mitgl. Parteirat, Vors. Unterbezirk Groß-
Gerau, Schatzmeister Bez. Hessen-Süd. Mitgl. Stadt-
verordnetenversammlung Rüsselsheim 1972/81 und
Kreistag Groß-Gerau seit 1976. – MdB 1980/83 und seit
Juli 1984; Mitgl. Fraktionsvorst.; Vors. Ausschuß für die
Angelegenheiten der EU.
Landesliste Hessen

⠿* WIECZOREK (Duisburg)   SPD

Helmut Wieczorek; Geschäftsführer; 47169 Duisburg –
* 24.2.1934 Bochum, kath., verh., 2 Kinder – Volksschule. Dreherlehre, über 2. Bildungsweg Ingenieur-
qualifikation. 1958/60 Betriebsassistent Krupp Bochu-
mer Verein, 1960/65 Sicherheitsingenieur der Phoe-
nix-Rheinrohr AG, Duisburg, 1965/73 Betriebsleiter,
1973/75 Betriebschef, ab 1975 Oberingenieur der
Thyssen AG und Leiter vorstandsunmittelbarer Stabs-
abteilungen der Thyssen AG, ab 1974 Mitgl. der Geschäftsführung der Thyssen Engineering GmbH, Sept.
1994 Tätigkeit beendet. Stellv. Vors. AR der Duisburg-
Ruhrorter Häfen AG. Mitgl. der IG Metall seit 1949.
Eintritt in die SPD 1957. Mitgl. Rat der Stadt Duisburg
1969/80, 1975/80 1. Bürgermeister der Stadt Duisburg. – MdB seit 1980; Mitgl. im SPD-Fraktionsvorst.,
1982/94 Obmann im Haushaltsausschuß, seit 1994
Vors. des Haushaltsausschusses.

Wahlkreis 84 (Duisburg I)
SPD 56,9 – CDU 30,9 – Grüne 6,4 – F.D.P. 2,0 – PDS 1,0

⠿* WIECZOREK-ZEUL   SPD

Heidemarie Wieczorek-Zeul; Lehrerin; 65195 Wiesbaden – * 21.11.1942 Frankfurt am Main – 1962 Abitur
am Herder-Gymnasium Frankfurt am Main. Studium
Johann-Wolfgang-Goethe-Univ. Frankfurt am Main,
Abschluß Haupt-/Realschullehrerin. 1965/78 Lehrerin in Rüsselsheim. Mitgl. EU und GEW. 1977/79 Vors.
Europäisches Koordinationsbüro der internat. Jugendverbände (Sitz in Brüssel). 1965 Eintritt in die SPD;
1974/77 Bundesvors. der Jungsozialisten; seit 1988
Vors. Bezirk Hessen-Süd der SPD, seit 1993 stellv. Parteivors. der SPD. 1968/72 Stadtverordnete in Rüsselsheim, 1972/74 Kreistagsabgeordnete Groß-Gerau.
1979/87 Mitgl. des Europäischen Parlaments. – MdB
seit 1987.

Landesliste Hessen

⁑ WIEFELSPÜTZ SPD

Dieter Wiefelspütz; Richter a. D., Rechtsanwalt; 44532 Lünen – * 22.9.1946 Lünen, ev., verh. – Realschule. Buchhändlerlehre. Abitur. Studium der Rechtswissenschaften in Bochum, 1975 1., 1978 2. jur. Staatsexamen. Richter am Verwaltungsgericht Gelsenkirchen. Seit 1989 Zulassung als Rechtsanwalt. Seit 1972 Mitgl. SPD; versch. Funktionen bei den Jungsozialisten und im SPD-Ortsverb. Lünen-Oberbecker, stellv. Vors. SPD-Stadtverb. Lünen, Mitgl. Vorst. SPD-Unterbez. Hamm und Unna. – MdB seit 1987; Vors. Ausschuß für Wahlprüfung, Immunität und Geschäftsordnung. Ä.

Wahlkreis 117 (Hamm–Unna II)
SPD 49,9 – CDU 40,5 – Grüne 4,8 – F.D.P. 2,2 – PDS 0,6

* WILHELM (Amberg)
BÜNDNIS 90/DIE GRÜNEN

Helmut Wilhelm; Richter; 92224 Amberg – * 12.4.1946 Regensburg, gesch., 1 Kind – Gymnasium in Regensburg und Amberg, Abitur 1965. Studium der Rechtswissenschaft Univ. Würzburg und Regensburg, 1. jur. Staatsexamen 1969, 2. jur. Staatsexamen 1972. Richter am Landgericht Amberg; Mitgl. im Bayerischen Verfassungsgerichtshof 1986/94. Mitgl. in diversen Umweltverbänden, u. a. Bundesverb. Bürgerinitiativen Umweltschutz, Bund Naturschutz in Bayern, Mitgl. ÖTV. Mitgl. in der Arbeitsgruppe Stadtplanung, Denkmalpflege und Touristik im European Environment Bureau (EEB) in Brüssel. Mitgl. der GRÜNEN seit 1985. Stadtrat in Amberg seit 1984. – MdB seit 1994.

Landesliste Bayern

* WILHELM (Mainz) CDU

Hans-Otto Wilhelm; Verwaltungsangestellter, Staatsminister a. D.; 55130 Mainz – * 5.6.1940 Mainz, röm.-kath., verh., 1 Kind – Realschule. Verwaltungsausbildung bei einem Träger der Sozialversicherung. Mitarbeiter des ZDF. Eintritt in die CDU 1962, Landesvors. der CDU Rheinland-Pfalz 1988/92. Stadtratsmitgl. in Mainz. MdL Rheinland-Pfalz 1974/94, CDU-Fraktionsvors. Minister für Umwelt und Gesundheit 1987/88. – MdB seit 1994.

Wahlkreis 154 (Mainz)
CDU 41,2 – SPD 40,0 – Grüne 8,8 – F.D.P. 6,1 – PDS -

* WILLNER CDU

Gert Willner; Geschäftsführer, Bürgermeister a. D.;
25451 Quickborn – * 16. 4. 1940 Deutsch-Gabel, ev.,
verh. – Diplomverwaltungswirt (FH), Verw.-Akademie-
Diplom. Geschäftsführer eines Verbandes von Wohnungsunternehmen, vorher hauptamtl. Bürgermeister
der Stadt Quickborn. Stellv. Vors. und Vors. Rechtsausschuß Städtebund Schleswig-Holstein, Mitgl. Präsidium und Rechtsausschuß Deutscher Städte- und Gemeindebund. Mitgl. der CDU seit 1974, ab 1996 Kreisvors. des CDU-Kreisverbandes Pinneberg; 1981 Mitgl.
Kreisvorst. der KPV, 1984 Mitgl. des KPV-Landesvorst.,
ab 1988 als Landesvors. und stellv. Landesvors.; 1991
Mitgl. Landesvorst. der CDU Schleswig-Holstein und
des Bundesvors. der KPV der CDU/CSU. 1992/93
Mitgl. der Enquete-Kommission Kommunalverfas-
sungsrecht des Schleswig-Holst. Landtages. – MdB seit
1994; Vors. der Arbeitsgemeinschaft für Kommunalpolitik der CDU/CSU-Fraktion; Schriftführer.

Wahlkreis 7 (Pinneberg)
CDU 44,7 – SPD 41,8 – Grüne 8,1 – FDP 3,7 – PDS -

:: WILZ CDU

Bernd Wilz; Rechtsanwalt, Parl. Staatssekretär; 53099
Bonn – * 13. 12. 1942 Meerane/Sachsen, ev., verh., 1
Kind – Abitur 1963. Wehrdienst 1963/65, Oberst d. R.
Studium der Rechtswissenschaften in Münster und
Köln, 1. und 2. Staatsexamen 1970 und 1974. 1974/92
wiss. Mitarbeiter Landesausschuß Chemie NRW e. V.
Präs. Zweitbundesligafußballverein SG Union Solingen 1897 e. V. 1978/83, jetzt Ehrenvors.; Mitgl. im
Deutschen Bundeswehr- und im Reservistenverband.
1986/92 Präs., jetzt Ehrenpräs. Bund der Mitteldeutschen. Seit 1993 Vors. „Bundeswehr hilft Kindern in
der 3. Welt e.V.". Bundesverdienstkreuz 1983 und
1990. Mitgl. CDU seit 1965. 1974/83 Vors. CDU-Kreisverb. Solingen, seit 1987 stellv. Vors. CDU-Bez. Bergisch Land. 1985/91 stellv. Vors. bzw. Mitgl. OMV-
Bundesvorst. 1979/83 Mitgl. Rat Stadt Solingen.
1975/83 MdL NRW. – MdB seit 1983; 1989/92 verteidigungspol. Sprecher der CDU/CSU-Fraktion; seit April
1992 Parl. Staatssekretär beim BMin. der Verteidigung.

Landesliste Nordrhein-Westfalen

::: WIMMER (Neuss) CDU

Willy Wimmer; Rechtsanwalt, Parl. Staatssekretär a.
D.; 53113 Bonn – * 18. 5. 1943 Mönchengladbach,
kath., verh., 1 Sohn – Abitur am Gymnasium Rheydt-
Odenkirchen. Studium an den Univ. Köln und Bonn; 2.
jur. Staatsexamen. Rechtsanwalt in Mönchenglad-
bach-Rheydt. Mitgl. der CDU seit 1959, Landesvorst.
der JU Rheinland und Bezirksvors. der JU Niederrhein, seit Juni 1986 Vors. des Bezirksverbandes Niederrhein der CDU NRW. 1969/80 Mitgl. Stadtrat,
1975/79 Vorsteher des Stadtbezirkes Rheydt-Mitte,
1975/76 Mitgl. der Landschaftsversammlung Rheinland. – MdB seit 1976; April 1985/Dez. 1988 Vors. der
Arbeitsgruppe Verteidigungspolitik der CDU/CSU-
Fraktion; Dez. 1988/April 1992 Parl. Staatssekretär
beim BMin. der Verteidigung; Vors. des Deutschen
Helsinki-Komitees; seit Juli 1994 Vizepräs. der Parl.
Versammlung der KSZE.

Wahlkreis 77 (Neuss II)
CDU 49,8 – SPD 39,2 – Grüne 5,9 – F.D.P. 3,6 – PDS 0,6

::: WISSMANN CDU

Matthias Wissmann; Bundesminister für Verkehr; 71640 Ludwigsburg – * 15.4.1949 Ludwigsburg, kath. – Abitur 1968. Studium der Rechtswissenschaften, Volkswirtschaft und der Politik in Tübingen und Bonn. Jur. Staatsexamen 1974; großes jur. Staatsexamen 1978, danach Sozius in der Anwaltskanzlei Frank, Grub und Wissmann. Versch. Veröffentlichungen, u. a. „Für eine humane Gesellschaft – zum Programmdenken der jungen Generation" (Hrsg.), 1976; „Marktwirtschaft 2000" (Hrsg.), 1984; „Deutsche Perspektiven" (Hrsg.) 1990. 1973/83 Bundesvors. JU, seit 1975 Mitgl. Bundesvorst. der CDU. Seit 1985 Vors. CDU Nordwürttemberg, seit 1991 stellv. Landesvors. der CDU Baden-Württemberg. 1976/82 Präs. der Europäischen Union Junger Christlicher Demokraten (EU-JCD). – MdB seit 1976; 1983/93 wirtschaftspol. Sprecher der CDU/CSU-Fraktion, Jan./Mai 1993 BMin. f. Forschung und Technologie, seitdem BMin. f. Verkehr.

Wahlkreis 169 (Ludwigsburg)
CDU 49,4 – SPD 31,4 – Grüne 8,9 – F.D.P. 4,6 – PDS -

:* WITTICH SPD

Berthold Wittich; Konrektor a. D.; 36251 Ludwigsau – * 18.10.1933 Heringen/Werra, Kreis Hersfeld/Rotenburg, ev., verh., 3 Söhne – Abitur 1954. Studium Univ. Marburg und PH Darmstadt. Lehrer an der Volksschule Mecklar und an der Mittelpunktschule Friedlos in Ludwigsau. Mitgl. GEW, 12 Jahre Funktion im GEW-Kreisvorst., Verbindungsmann zum DGB, ehem. Mitgl. im DGB-Kreisausschuß. 1956 Eintritt in die SPD, Vors. SPD-Ortsverein Friedlos/Reilos, ehem. Mitgl. Vorst. AfA. Mitgl. Kreistag 1977/89, Vors. Schulausschuß. – MdB seit 1987.

Wahlkreis 128 (Hersfeld)
SPD 47,4 – CDU 41,6 – Grüne 5,1 – F.D.P. 3,0 – PDS 0,5

:* WITTMANN (Tännesberg) CSU

Simon Wittmann; Studienrat a. D.; 92723 Tännesberg – * 14.12.1947 Tännesberg, Landkr. Neustadt an der Waldnaab, röm.-kath., verh., 2 Kinder – 1968 Abitur. Studium Univ. Regensburg Geschichte, Französisch, Sozialkunde, Philosophie, 1975 1., 1978 2. Staatsexamen für das Lehramt an Gymnasien. Studienrat; berufliche Tätigkeit in München, Cham, Amberg und Oberviechtach. Mitgl. Bayer. Philologenverb. und der Kath. Erziehergemeinschaft, des Vereins „Pro libris"; Mitgl. in einer Vielzahl von örtlichen Vereinen. Mitgl. Diözesanrat der Diözese Regensburg. Seit 1969 Mitgl. der CSU; 1972/75 stellv. Kreisvors. der JU, 1975/83 Bezirksvors. der JU der Oberpfalz, seit 1984 CSU-Kreisvors., seit 1975 CSU-Bezirksvorstandsmitgl. 1972/93 Gemeinderat in Tännesberg, 1978/84 2. Bürgermeister; seit 1978 Kreisrat im Landkreis Neustadt/Waldnaab, 1987/90 Fraktionvors. im Kreistag, seit Mai 1990 stellv. Landrat. – MdB 1984/87 und seit 1990; Mitgl. Vorst. CDU/CSU-Fraktion.

Wahlkreis 221 (Weiden)
CSU 53,2 – SPD 39,1 – Grüne 2,6 – FDP 1,7 – PDS -
ausgeschieden am 21. 8. 1996, Nachfolger > Abg. Dr. Wittmann (ABC ab S. 277)

* Dr. WODARG SPD

Wolfgang Wodarg; Ltd. Medizinaldirektor a. D., Arzt; 24395 Nieby – * 2.3.1947 Itzehoe – Abitur 1966. Medizinstudium in Berlin und Hamburg, Staatsexamen 1971. Approbation als Arzt 1973, Promotion z. Dr. med. 1977, Akademie für öffentl. Gesundheitswesen, Düsseldorf 1983, Akademie für Arbeitsmedizin, Berlin 1985/86. Mitarbeit im Quickborner-Team (Metaplan), Schiffsarzt, Forschungsreise nach Südamerika, Hafenarzt in Hamburg. Abgeschlossene fachärztl. Weiterbildung, ärztl. Tätigkeit in Klinik und Praxis. Seit 1981 Leiter des Gesundheitsamtes Flensburg, Dozent Univ. und FH Flensburg. Seit 1972 Mitgl. ÖTV; Personalrat im AK Wandsbek; seit 1986 Vors. des Fachausschusses gesundheitl. Umweltschutz der Ärztekammer Schleswig-Holstein. Seit 1986 Mitgl. im Gemeinderat Nieby. 1988 Eintrit in die SPD, Gründung des SPD-Ortsvereins Nieby, seit 1992 Mitgl. SPD-Kreisvorst. Schleswig-Flensburg, seit 1994 stellv. Kreisvors.; seit 1990 Mitgl. Bundesvorst. der ASG (Arbeitsgem. der Sozialdemokraten im Gesundheitswesen), seit 1994 stellv. Bundesvors., seit 1992 ASG-Landesvors. – MdB seit 1994.
Landesliste Schleswig-Holstein

* WÖHRL CSU

Dagmar Wöhrl; Rechtsanwältin; 90403 Nürnberg – * 5.5.1954 Stein bei Nürnberg, ev., verh., 2 Söhne – Abitur 1973 am Sigena-Gymnasium. Studium der Rechtswissenschaften an der Friedrich-Alexander-Univ. Erlangen-Nürnberg, 1. Staatsexamen 1983, 2. Staatsexamen 1987. Seit 1987 freie Rechtsanwältin, eigene Kanzlei. Kuratoriumsmitgl. der Bayerischen Aidsstiftung; stellv. Vors. der DLRG-Stiftung Bayern; Vizepräsidentin des Tierschutzvereins Nürnberg-Fürth. 1990/94 Stadträtin, wohnungspolitische Sprecherin. – MdB seit 1994.

Wahlkreis 230 (Nürnberg-Nord)
CSU 44,5 – SPD 39,7 – Grüne 7,7 – F.D.P. 3,2 – PDS 0,8

⁝ WOHLLEBEN SPD

Verena Wohlleben, geb. Schneiderheinze; Betriebswirtin (DAA); 91207 Lauf – * 8.6.1944 Königsberg/Ostpreußen, ev., gesch., 2 Kinder – Volksschule, Handelsschule, mittlere Reife. Ausbildung zur Bürokauffrau an der Abendschule. Studium der Betriebswirtschaft an der DAA, Nürnberg. Bis 1990 Schmuckeinkäuferin bei der Firma Quelle, Nürnberg, seit der Wahl in den BT 1990 unbezahlt beurlaubt. Mitgl. HBV, AWO, ASB, des VdK, der Rheumaliga, in versch. kulturellen Vereinen und von „Frauen in Not". Mitgl. der SPD seit 1969, 1978/82 1. Ortsvereinsvors. in Bayern, Mitgl. Kreisvorst., stellv. AsF-Kreisvors., stellv. Bezirksvors. Mittelfranken, Mitgl. im Landesvorst. Seit 1978 Stadträtin in Lauf. – MdB seit 1990.

Landesliste Bayern

* Dr. WOLF   PDS

Winfried Wolf; Redakteur, Journalist; 50678 Köln –
* 4.3.1949 Horb am Neckar, röm.-kath., seit Ende der
siebziger Jahre religionslos, ledig – Gymnasium, Abitur 1967. Studium der Theologie der Befreiung, der
Anglistik, der Germanistik und der Politikwissenschaften Univ. in Freiburg/Breisgau und Berlin
1968/74, Diplom der Pol. Wissenschaften in Berlin
1974. Seither Journalist, Redakteur und Buchautor.
Dissertation Univ. Hannover 1986. 1967 Kriegsdienstverweigerer. Seit 1986 verantwortlicher Redakteur der
„Sozialistischen Zeitung/SoZ", Köln. Seit 1982 Mitarbeiter und Autor der Zeitschrift „Konkret", Hamburg.
Mitgl. IG Medien. 1968/69 Mitgl. im SDS; 1972/86
Mitgl. in der Organisation „Gruppe Internationaler
Marxisten – GIM/IV. Internationale", seit 1986 Mitgl.
der „Vereinigten Sozialistischen Partei" (VSP).
1975/85 aktiv in Solidaritätskampagnen für Wolf Bier-
mann, Jürgen Fuchs, Rudolf Bahro, „Pannach und Ku-
nert", die Jenaer Opposition um Roland Jahn; Engagement insbes. für die polnische Solidarnosc, bei
gleichzeitiger Abgrenzung (ab 1981) von dem bürgerl.
Flügel um Lech Walesa. – MdB seit 1994.
Landesliste Baden-Württemberg

* WOLF (Frankfurt)
BÜNDNIS 90/DIE GRÜNEN

Margareta Wolf; Landesgeschäftsführerin; 60596
Frankfurt/Main – * 26.5.1957 Lennestadt-Meggen, 1
Kind – Studium Spanisch, Englisch, VWL. – MdB seit
1994; Stellv. Parl. Geschäftsführerin der Fraktion
BÜNDNIS 90/DIE GRÜNEN.

Landesliste Hessen

: WOLF (München)   SPD

Hanna Wolf, geb. Budde; Pressefotografin; 80637
München – * 14.6.1936 Woldegk (Mecklenburg),
verh. – 1954 Abitur in Perleberg (Brandenburg). 1956
Abschluß als Fotografin an der Technischen Berufsfachschule des Lette-Vereins Berlin-West. 1956/58
Pressefotografin und Fotolaborantin in Hamburg,
1958/60 Mitarbeiterin der Internationalen Presse-
agentur Keystone in Hamburg und Düsseldorf,
1961/65 Mitarbeiterin im Pressebilderdienst Horst
Müller in Düsseldorf und München, 1965/71 Hausfrau. 1971/91 selbständig (Holz- und Bautenschutz).
Mitgl. der AWO, der IG Medien und der Internationalen Jugendbibliothek. Seit 1971 Mitgl. der SPD, seit
1982 Vors. AsF in München und Mitgl. Vorst. der SPD
München, 1987/91 Mitgl. des Bezirksvorst. der SPD
Südbayern. – MdB seit 1990; Sprecherin der SPD-
Fraktion für Frauen und Jugend.

Landesliste Bayern

:* WONNEBERGER CDU

Michael Wonneberger; Diplomingenieur; 03050 Cottbus – * 25. 4. 1944 Breslau, ev., verh., 2 Kinder – Mittelschule in Werdau/Sachsen. Lehre als Landwirt.
1964/68 Studium an der Ingenieurschule für Landtechnik Nordhausen, Ingenieur für Landtechnik;
1971/76 Studium Ingenieurhochschule Berlin-Warten-
berg, Diplomingenieur für Landtechnik. Mitgl. im Verwaltungsrat des Deutschen Entwicklungsdienstes und
der Nordatlantischen Versammlung; Mitgl. CDA, der
KPV und des Verbandes der Opfer des Stalinismus
(VOS). Mitgl. CDU seit 1968; 1969/79 Ortsverbandsvors. in Laubsdorf und 1984/88 in Cottbus; 1979/90
Mitgl. Bezirksvorst. Cottbus der CDU; seit 1989 Mitgl.
Landesvorst. Brandenburg. MdV März/Okt. 1990. –
MdB seit Okt. 1990; seit Juli 1990 Vors. der Landesgruppe Brandenburg der CDU/CSU-Fraktion.

Landesliste Brandenburg

* WRIGHT SPD

Heide Wright, geb. Englert; Rechtsanwaltsgehilfin;
63820 Elsenfeld – * 20. 2. 1951 Heimbuchenthal/Bay-
ern, röm.-kath., verh., 4 Kinder – Volks-, Haus-
wirtschafts- und Berufsschule. Lehre als Rechtsanwaltsgehilfin. Sachbearbeiterin für Mahn- und
Vollstreckungs-, Konkurs- und Zwangsverwaltungs-
verfahren. Nach 8jähriger Familienpause Verwaltungsangestellte bei der Polizei. Mitgl. der Gewerkschaft der Polizei, Mitgl. im BUND (Bund Naturschutz), AWO. Mitgl. der SPD seit 1983, seit 1984
Mitgl. Kreisvorst., seit 1986 Mitgl. und anschl. stellv.
Unterbezirksvors., seit 1991 Mitgl. Bezirksvorst. Unterfranken, seit 1990 Ortsvereinsvors. – MdB seit 1994.

Landesliste Bayern

: WÜLFING CDU

Elke Wülfing, geb. Rottmann; Auslandskorrespondentin, Parl. Staatssekretärin beim BMin. f. Bildung, Wissenschaft, Forschung und Technologie; 46325 Borken
– * 7. 11. 1947 Herford, ev., verh., 3 Kinder – 1966 Abitur. 1969 staatlich geprüfte Auslandskorrespondentin,
Hamburg. Mitgl. AR der Wirtschaftsförderungsgesell-
schaft des Kreises Borken und des politischen Ausschusses der ev. Landeskirche Westfalen. 1972 Mitgl.
JU, 1973 der CDU; 1978/82 Kreisvors. der JU, 1985/91
Kreisvors. der Frauen-Union, seit 1990 Bezirksvors.
der CDU Münsterland, seit 1991 stellv. Landesvors. der
CDU NRW. 1975/79 Mitgl. im Stadtrat Borken;
1979/91 Mitgl. im Kreistag Borken. – MdB seit 1990;
seit Jan. 1997 Parl. Staatssekretärin beim BMin. f. Bildung, Wissenschaft, Forschung und Technologie.

Wahlkreis 96 (Borken II)
CDU 55,6 – SPD 34,9 – Grüne 5,4 – FDP 2,7 – PDS -

⫶⫶⫶ WÜRZBACH CDU

Peter Kurt Würzbach; Oberstleutnant a. D., Diplompädagoge; 23795 Klein-Rönnau – * 15. 12. 1937 Göttingen, ev., verh., 2 Kinder – 1957 Abitur in Hamburg. Bundeswehr. Studium der Pädagogik, Soziologie und Psychologie an der Christian-Albrechts-Univ. Kiel, 1976 Diplompädagoge. Lehrbeauftragter für Soziologie FH für Sozialwesen in Kiel. Berufsoffizier. Mitgl. im Internationalen Institut für Strategische Studien in London. Präs. Verb. der Reservisten der Deutschen Bundeswehr e. V. bis 1995. Gründer und Ehrenvors. der Aktion „Die Bundeswehr hilft Kindern in der 3. Welt"; Schirmherr der „Friendship Force", Schleswig-Holstein. Gründer und Mitgesellschafter bautechn. Firmen in Chemnitz und Leipzig. 1964 CDU; seit März 1997 Vors. CDU Schleswig-Holstein. Seit 1970 ehrenamtl. Bürgermeister der Heimatgemeinde. – MdB seit 1976; 1982/Dez. 1988 Parl. Staatssekretär beim BMin. der Verteidigung; 1990/94 abrüstungspol. Sprecher der CDU/CSU-Fraktion.

Wahlkreis 8 (Segeberg – Stormarn-Nord)
CDU 49,2 – SPD 38,3 – Grüne 7,7 – FDP 3,7 – PDS -

⫶ YZER CDU

Cornelia Yzer; Rechtsanwältin, Parl. Staatssekretärin a. D.; 53175 Bonn – * 28. 7. 1961 Lüdenscheid, Märkischer Kreis, ev., ledig – 1981 Abitur. Studium der Rechtswissenschaften und Wirtschaftswissenschaften in Münster und Bochum, 1. und 2. jur. Staatsexamen. Rechtsanwältin; leitende Mitarbeiterin der Bayer AG Leverkusen. Seit 1997 Hauptgeschäftsführerin des Verbandes Forschender Arzneimittelhersteller. Seit 1978 Mitgl. der CDU und der JU, 1984/88 Kreisvors. der JU; 1985/86 Mitgl. CDU-Landesvorst. Westfalen-Lippe, seit 1987 Mitgl. Landesvorst. der CDU NRW, stellv. CDU-Kreisvors. Mitgl. des Kreistags Märkischer Kreis 1989/91. – MdB seit 1990; Mai 1992/Nov. 1994 Parl. Staatssekretärin beim BMin. für Frauen und Jugend, Nov. 1994/Jan. 1997 beim BMin. für Bildung, Wissenschaft, Forschung und Technologie.

Wahlkreis 122 (Märkischer Kreis I)
CDU 48,0 – SPD 40,9 – Grüne 5,5 – FDP 3,1 – PDS -

⫶ ZAPF SPD

Uta Zapf, geb. Poetschke; Abgeordnete; 63303 Dreieich – * 14. 8. 1941 Liegnitz/Schlesien, verh., 1 Sohn – Abitur. Studium der Germanistik u. Anglistik. Tätigkeit in der Erwachsenenbildung, freiberufl. Mitarbeit bei Verlagen. Mitgl. AWO, Kinderschutzbund, Frauenhausverein Offenbach, Frauen helfen Frauen e. V. Kreis Offenbach, Soziale Selbsthilfe Dreieich e. V., Verein Bürgerhilfe Dreieich e. V., Förderverein Darmstädter Signal e. V., Studiengruppe Alternative Sicherheit (SAS), Komitee f. Grundrechte u. Demokratie, Institut f. Friedensforschung Starnberg e. V. Mitgl. SPD seit 1972, 1988/91 Stadtverbandsvors. Dreieich, seit 1983 Mitgl. im Bezirksvorst. SPD Hessen-Süd, seit 1990 stellv. Vors. 1985/92 Stadtverordnete Dreieich, 1989/92 Stadtverordnetenvorsteherin Dreieich; 1985/91 Mitgl. des Kreistages, stellv. Fraktionsvors. und Vors. des Frauenausschusses. – MdB seit 1990; abrüstungspol. Sprecherin der SPD-Fraktion.

Landesliste Hessen

** ZEITLMANN   CSU

Wolfgang Zeitlmann; Rechtsanwalt; 83233 Bernau am
Chiemsee – * 5.7.1941 Prien, Kreis Rosenheim, röm.-
kath., verh., 4 Kinder – 1961 Abitur. Studium der
Rechte an der Univ. München, 1. und 2. Staatsexamen
in München. Seit 1972 selbständiger Rechtsanwalt in
Prien/Chiemsee. 1962 Eintritt in die CSU. 1972/87 ehrenamtlicher 1. Bürgermeister der Gemeinde Bernau,
1978/87 Mitgl. des Kreistages Rosenheim. – MdB seit
1987.

Wahlkreis 209 (Rosenheim)
CSU 60,6 – SPD 19,5 – Grüne 7,7 – F.D.P. 3,7 – PDS -

*** ZIERER   CSU

Benno Zierer; Diplomverwaltungswirt (FH); 93083
Obertraubling – * 24.3.1934 Lintach, Landkreis Am-
berg/Sulzbach, röm.-kath., verh., 3 Töchter – Humanistisches Gymnasium. Examen an der Bayerischen Be-
amtenfachhochschule, gehobener Verwaltungsdienst.
Kommunale Verwaltungstätigkeit bei der Stadt Regensburg, zuletzt Leiter des städtischen Fuhrparks.
Vors. Förderkreis Bayerische Musikakademie Schloß
Alteglofsheim e. V., Syndikus im Oberpfälzer Kulturbund; Diözesanbeirat des Malteser-Hilfsdienstes. Um-
weltmedaille des Freistaates Bayern, Bundesverdienstkreuz I. Klasse, Bayerischer Verdienstorden. 1960
Mitgl. der JU und der CSU; stellv. Vors. CSU-Bezirksverb. Oberpfalz. 1972 Mitgl. Kreistag Regensburg,
1970/82 Mitgl. Bezirkstag der Oberpfalz, Referent für
kulturelle Angelegenheiten. – MdB seit 1980; Mitgl.
Programmbeirat Postdienst; Vorsitz deutsch-alge-
rische Parlamentariergruppe; Obmann der Schriftführer; Mitgl. der Parl. Vers. Europarat und der WEU, Vors.
Unterausschuß Regionalplanung.
Wahlkreis 219 (Regensburg)
CSU 55,6 – SPD 30,8 – Grüne 4,1 – F.D.P. 2,8 – PDS 0,5

* ZÖLLER   CSU

Wolfgang Zöller; Diplom-Ingenieur (FH); 63785
Obernburg-Eisenbach – * 18. 6. 1942 Obernburg, röm.-
kath., verh., 2 Kinder – Staatliche Realschule Klingen-
berg. Ohm-Polytechnikum Nürnberg, Abschluß als
Diplom-Ingenieur (FH). Facharbeiterprüfung als Mechaniker. Maschinenbauingenieur, Weiterbildung zum
Sicherheitsingenieur. 1972/90 leitender Sicherheitsingenieur bei der Firma AKZO, Obernburg. Mitgl. in versch. kulturellen, sozialen und kirchlichen Vereinigungen. Seit 1969 Mitgl. der JU und der CSU; Tätigkeit in
Orts-, Kreis- und Bezirksvorständen der CSU; 1989/95
CSU-Kreisvors. Miltenberg. Seit 1972 Gemeinderat in
Eisenbach, seit 1978 Stadtrat und 2. Bürgermeister in
Obernburg sowie Kreisrat; 1984/87 CSU-Fraktions-
vors. im Kreistag Miltenberg. – MdB seit 1990.

Wahlkreis 235 (Main-Spessart)
CSU 55,4 – SPD 31,1 – Grüne 6,6 – FDP 2,6 – PDS -

⁑ Dr. ZÖPEL SPD

Christoph Zöpel; Diplomökonom; 44799 Bochum –
* 4.7.1943 Gleiwitz, Oberschlesien, verh., 3 Kinder –
1954/62 Gymnasium in Minden, Abitur. Studium
Wirtschaftswissenschaften, Philosophie und Öffentliches Recht 1962/66 FU Berlin, 1966/69 Ruhr-Univ. Bochum, 1969 Diplomökonom, 1973 Promotion
Dr.rer.oec.; 1974 Akademischer Rat. Mitgl. GEW, u. a.
Vors. Verein zur Förderung des Genossenschaftsgedankens, Vors. Beirat für Stadtentwicklung und Bau-
kultur Brandenburg, Vizepräs.der Deutsch-Arabi-
schen Ges. e.V., Vorstandsmitgl. der Deutschen Ges.
für Freizeit, Mitgl. Kuratorium Wissenschaftszentrum
NRW. Mitgl. SPD seit 1964, 1974/79 Vors. Unterbez.
Bochum, seit 1975 Mitgl. Landesvorst. NRW, seit 1977
stellv. Landesvors., seit 1986 Mitgl. Parteivorst., seit
1992 Mitgl. Präsidium; Vors. Kuratorium des Wissen-
schaftsforums der SPD. 1969/72 Mitgl. Rat der Stadt
Bochum. 1972/90 MdL NRW; 1978/80 Minister für
Bundesangelegenheiten, 1980/85 für Landes- und
Stadtentwicklung, 1985/90 Minister für Stadtentwick-
lung, Wohnen und Verkehr NRW. – MdB seit 1990.
Landesliste Nordrhein-Westfalen

⁑⁑ ZUMKLEY SPD

Peter Zumkley; Oberst a. D., Senator a. D.; 22147 Hamburg – * 17.9.1936 Berlin, ev., verh., 2 erwachsene Kinder – 1956 Abitur. Eintritt in die Bundeswehr, versch.
Verwendungen bis 1987, u. a. in Stabs- und Komman-
deurverwendungen sowie als Dozent an der Führungs-
akademie der Bundeswehr, letzter Dienstgrad Oberst.
Mitgl. der ÖTV, des Bundeswehrsozialwerks, des Bun-
deswehrverbandes, der Arbeitslosenselbsthilfe
Wandsbek u. a.; Vorstandsmitgl. im Volksbund Deutsche Kriegsgräberfürsorge, Landesverb. Hamburg.
1969 Eintritt in die SPD, 1983/88 Vors. SPD Wandsbek,
1987/94 des SPD-Kreises Wandsbek, seit 1972 Leiter
des Arbeitskreises Frieden und Sicherheit der SPD
Hamburg. 1970/86 Deputierter der Innenbehörde
Hamburg. Juni 1991/Dez. 1993 Senator, Bevollm. der
Freien und Hansestadt Hamburg beim Bund, Senator
für das Senatsamt für den Verwaltungsdienst und für
das Senatsamt für Bezirksangelegenheiten, Europa-
auftragter des Senats; Mitgl. BRat; 1993/94 Mitgl. der
Hamburgischen Bürgerschaft. – MdB 1987/Juli 1991
und seit 1994; Mitgl. der Nordatlantische Vers.
Wahlkreis 16 (Hamburg-Wandsbek)
SPD 43,1 – CDU 39,7 – Grüne 9,7 – F.D.P. 3,0 – PDS 1,2

* ZWERENZ PDS

Gerhard Zwerenz; Schriftsteller; 61389 Schmitten –
* 3.6.1925 Gablenz bei Crimmitschau/Sachsen, religionslos, verh., 1 Kind – Erlernter Beruf Kupfer-
schmied. 1942/44 Soldat, Aug. 1944 Desertion, bis
Ende 1948 sowj. Gefangenschaft, Entlassung nach
Verpflichtung zum Dienst in der Volkspolizei, 1951
Entlassung aus dem Dienst der Volkspolizei wegen
schwerer Tuberkulose. 1952/56 Philosophiestudium.
Seit 1956 freier Schriftsteller, bis 1957 in Leipzig. Aug.
1957 Flucht nach Westberlin. Seitdem Autor von über
100 Büchern, Arbeit für Funk, Fernsehen, Theater und
Presse. Mitgl. in der IG Medien (Schriftstellerverband)
und im PEN-Zentrum. 1974 Ernst-Reuter-Preis, 1986
Carl-von-Ossietzky-Preis, 1991 Alternativer Büchner-
Preis. 1949 Eintritt in die SED, 1957 Ausschluß aus der
SED wegen Opposition, seitdem parteilos. – MdB seit
1994.

Landesliste Hessen

* Dr. BÜRSCH   SPD

Michael Bürsch; Jurist; 24226 Heikendorf – * 3. 6.
1942 Stettin, ev., verh., 1 Sohn – Gymnasium in Kiel,
1961 Abitur. Studium der Rechts- und Staatswissenschaft, 1. jur. Staatsexamen 1967; als Fulbright-Stipen-
diat 1968/69 Teilnahme am Postgraduiertenprogramm
„political science" in Kansas/USA; 1970/73 Referendarausbildung, 2. jur. Staatsexamen; 1974 Promotion
zum Dr. jur., Univ. Kiel. 1975/83 Ministerialverwaltung
des Bundes, darunter 1978/79 Abordnung an die deutsche UN-Vertretung, New York. 1984/87 Mitarbeiter
von Bundeskanzler a. D. Helmut Schmidt. 1988/93
Staatssekretär für Bundes- und Europaangelegenhei-
ten des Landes Schleswig-Holstein. 1993/97 Unter-
nehmens- und Verwaltungsberater, Reformprojekte
im öffentl. Dienst auf Bundes-, Landes- und Kommu-
nalebene. Mitgl. ÖTV. Seit 1974 Mitgl. der SPD, Mitgl.
SPD-Kreisvorst. Kreis Plön. – MdB seit Juni 1997.

Landesliste Schleswig-Holstein
eingetreten am 17. 6. 1997 für Abg. Gansel

: FERNER   SPD

Elke Ferner, geb. Widua; Programmiererin; 66123
Saarbrücken – * 5.5.1958 Idar-Oberstein, Kreis Bir-
kenfeld, verh. – 1977 Abitur. Kaufm. Berufsschule,
Kaufmannsgehilfenbrief (IHK). 1977/79 Lehre als Da-
tenverarbeitungskauffrau bei LKS Datenservice AG in
Saarbrücken. 1979/84 Programmiererin bei ASKO
Deutsche Kaufhaus AG, 1985/90 bei den Saarbrücker
Stadtwerken. Mitgl. der ÖTV, bei Pro Familia, der
AWO, des Vereins zur Förderung einer Städtepartner-
schaft Saarbrücken-Diriamba, des Vereins Miteinan-
der leben und lernen e. V., den Grauen Panthern und
des Vereins für Frauenkultur und Frauenbildung e. V.
Mitgl. der SPD seit 1983, 1984/89 Mitgl. Bezirksrat
Mitte der Landeshauptstadt Saarbrücken, seit 1991
Vors. der AsF Saar. – MdB 1990/94 und seit Nov. 1994.

Landesliste Saarland
eingetreten am 21.11.1994 für Abg. Lafontaine

* GÖLLNER   SPD

Uwe Göllner; Bezirksschornsteinfegermeister; 53840 Troisdorf – * 14. 2. 1945 Friedrich-Wilhelms-Hütte, röm.-kath., verh., 1 Tochter – Volksschule. Schornsteinfegerlehre. 1967 Bezirksschornsteinfegermeister. Mitgl. der AWO, Mitgl. der Schornsteinfegerinnung Köln. Seit 1967 Mitgl. der SPD, bis 1995 Ortsvereinsvors., 1990/96 Vors. SPD-Unterbezirk Rhein-Sieg, Mitgl. Bezirksvorst. SPD Mittelrhein seit 1995. Bürgermeister der Stadt Troisdorf. – MdB seit Febr. 1996.

Landesliste Nordrhein-Westfalen
eingetreten am 12. 2. 1996 für Abg. Dr. Böhme (Unna)

* HARTMANN   PDS

Hanns-Peter Hartmann; Dipl.-Agrar-Ingenieurökonom; 12459 Berlin – * 27.9.1943 Radom (Polen), gesch., 2 Kinder – 1949/58 Grundschule. 1958/60 Lehre als Landwirt für Schweinezucht und 1960/61 für Rinderzucht; 1963/66 Besuch einer Fachschule, staatl. geprüfter Landwirt. 1971/73 Besuch einer Hochschule, Diplom-Agrar-Ingenieurökonom. 1967/69 Grundwehrdienst in der NVA, Dienstgrad Flieger. 1961/63 und 1966/71 Rinderzüchter, 1973/76 Leiter der Tierproduktion in der LPG, 1976/80 stellv. Betriebsleiter in 2000er Rinderanlage; 1980/90 Schichtarbeiter in einem Batteriebetrieb, 1990/93 Betriebsratsvors. 1993/95 arbeitslos. Vors. der Stadtteilgruppenleitung der IG-Metall in Berlin-Treptow/Köpenick. 1989 Eintritt in die SDP der DDR, 1993 Austritt aus der SPD; Nov. 1995 Mitgl. Abgeordnetenhaus Berlin als Parteiloser auf der offenen Liste der PDS durch Direktmandat in Treptow. – MdB seit Nov. 1995.

Landesliste Berlin
eingetreten am 25. 11. 1995 für Abg. Heym

* HEIDERICH   CDU

Helmut Heiderich; Dipl.-Volkswirt; 36289 Friedewald – * 4. 2. 1949 Lautenhausen, verh., 2 Töchter – 1967 Abitur in Bad Hersfeld. 1972 Diplomvolkswirt. 1975 Studienrat z. A., 1982 Oberstudienrat, 1986 Lehrbefähigung für Informatik. 1987 Dozent für Wirtschaftsinformatik an der Fachhochschule Fulda; 1991 Fachschule E-Technik und Kreisberufsschule Bad Hersfeld. 1986 stellv. Kreisvors. der CDU Hersfeld/Rotenburg, 1992 Kreisvors. 1974 Gemeindevertreter, 1974 Fraktionsvors. in Friedewald; 1977 Fraktionsvors. im Kreistag Hersfeld/Rotenburg, Arbeitsbereich: Regionalplanung. – MdB seit Febr. 1996.

Landesliste Hessen
eingetreten am 26. 2. 1996 für Abg. Hörsken

* HELLING   CDU

Detlef Helling; Selbst. Kaufmann; 33647 Bielefeld –
* 20. 4. 1950 Brackwede (heute Bielefeld), verh., 1
Kind – 1966 Mittlere Reife, 1968 Groß- und Außenhandelskaufmann. Fachhochschulreife, 1972/74 Betriebswirt. Selbständiger Einzelhandelskaufmann seit 1975.
Mitgl. im Einzelhandelsverband Bielefeld. Seit 1974
Mitgl. der CDU, 1979/89 stellv. Bezirksvorsteher des
Stadtbezirks Brackwede (Bielefeld). Seit 1984 Mitgl.
des Rates der Stadt Bielefeld, seit 1989 stellv. Fraktionsvors. Seit 1991 Vors. der CDU-Gruppe im Bezirksplanungsrat bei der Bezirksregierung in Detmold. –
MdB seit Dez. 1996.

Landesliste Nordrhein-Westfalen
eingetreten am 11. 12. 1996 für Abg. Dr. Fell

* HOVERMANN   SPD

Eike Maria Hovermann; Lehrer; 59556 Lippstadt –
* 27.5.1946 Eickelborn Kreis Soest, verh., 2 Kinder –
Abitur 1964 in Warburg. Studium der Geschichte und
Latein in Münster, dort 1. und 2. Staatsexamen. Lehrer
an Gymnasien in Münster, Burgsteinfurt, Erwitte,
Lippstadt – Schloß-Overhagen. Mitgl. der SPD seit
1969, derzeit Unterbezirksvors. im Kreis Soest.
1979/94 Ratsmitgl. in Lippstadt, seit 1989 Kreistagsmitgl. Soest. – MdB seit Januar 1995.

Landesliste Nordrhein-Westfalen
eingetreten am 13. 1. 1995 für Abg. Bernrath

* KÜHN-MENGEL   SPD

Helga Kühn-Mengel, geb. Kühn; Diplompsychologin;
50321 Brühl – * 1. 7. 1947 Duisburg, ev., verh., 3 Kinder
– 1967 Abitur am Erzbischöflichen Gymnasium Brühl.
Studium der Psychologie an der Universität Köln. Seit
1972 als Diplompsychologin tätig bei der Forschungsgemeinschaft „Das körperbehinderte Kind" e. V., Köln
und dem Zentrum für Frühförderung und Frühbe-
handlung e. V., Köln. Vors. AWO Erftkreis e. V., Bergheim, seit 1992 Mitgl. Vorst. AWO, Bezirk Mittelrhein,
Vors. AR Betriebsges. Häusliche Pflege der AWO Erftkreis gGmbH, Mitgl. AR Betriebsges. Seniorenzentrum der AWO Erftkreis, Mitgl. Verwaltungsbeirat
Lebenshilfe Wohnstätten e. V., Erfstadt. Stellv. Mitgl.
Rundfunkrat WDR, Köln. Mitgl. in versch. Organisationen, u. a. Kinderschutzbund, Lebenshilfe, Pro Familia. Seit 1972 Mitgl. SPD, seit 1980 Vors. SPD-Ortsverband Brühl, Mitgl. Bezirksvorst. Arbeitsgemeinschaft
der Sozialdemokratinnen und Sozialdemokraten im
Gesundheitswesen. Seit 1984 Mitgl. Kreistag Erftkreis.
- MdB seit Dez. 1996.
Landesliste Nordrhein-Westfalen
eingetreten am 23. 12. 1996 für Abg. Thieser

⁑ MECKELBURG CDU

Wolfgang Meckelburg; Oberstudienrat a.D.; 45894
Gelsenkirchen – * 25. 8. 1949 Hilden, ev., verh. – Gymnasium, Abitur 1968. Studium der Germanistik und
Anglistik Univ. Bochum; 1. und 2. Staatsexamen für
das Lehramt an Gymnasien 1973 und 1977. 1977/90 im
öffentlichen Schuldienst. Seit 1973 Mitgl. der CDU;
1977/82 Kreisvors. der JU Gelsenkirchen, seit 1987
Kreisvors. der CDU Gelsenkirchen, seit 1986 Mitgl. im
Bezirksvorst. der CDU Ruhrgebiet. 1984/90 Mitgl. der
Landschaftsversammlung Westfalen-Lippe, dort
1989/90 stellv. Vors. des Landesjugendwohlfahrtsaus-
schusses. 1975/91 Mitgl. im Rat der Stadt Gelsenkirchen. – MdB 1990/94 und seit Mai 1995.

Landesliste Nordrhein-Westfalen
eingetreten am 2.5.1995 für Abg. Marienfeld

* NITSCH (Rendsburg) BÜNDNIS 90/DIE GRÜNEN

Egbert Nitsch; Ökologischer Gärtner; 53113 Bonn –
* 8. 7. 1934 Königsberg, konfessionslos, gesch., 5 Kinder – Technischer Kaufmann, ökologischer Gärtner
und Orchideenzüchter; Leiter eines Projektes des ökologischen Gartenbaus in Ellerdorf bei Neumünster.
Mitbegründer der Grünen und der Vorläuferorganisa-
tion Grüne Liste Schleswig-Holstein. 1982/84 Fraktionsvors. der Grünen Wählergemeinschaft Plön im
Kreistag. 1984 Mitgl. der Europagruppe der Grünen
und 1988/89 Mitgl. des Europaparlaments und seines
Agrarausschusses (auch Arbeit zur Dritten Welt). –
MdB seit Juni 1996.

Landesliste Schleswig-Holstein
eingetreten am 4. 6. 1996 für Abg. Steenblock

⁑ ROMER CDU

Franz Romer; Mechaniker, Betriebsratsvors.; 88471
Laupheim – * 26. 2. 1942 Untersulmetingen, kath.,
verh., 4 Kinder – Volksschule. Berufsschule Laupheim,
Mechanikerlehre, Abschluß als Mechaniker. 1960/81
Mechaniker, 1978/81 Betriebsratsmitgl., seit 1981 freigestellter Betriebsratsvors., Fa. Lindenmaier Präzision
AG. Mitgl. IG Metall. Seit 1975 Mitgl. der CDU, seit
1986 stellv. Vors. CDU-Stadtverb. Laupheim, Mitgl.
Landesvorst. CDU Baden-Württemberg seit 1989. Seit
1989 Mitgl. Landesfachausschuß Wirtschaft-, Sozial-
und Strukturpolitik. Kreisvors. der CDA seit 1987, seit
1990 stellv. Bezirksvors., Mitgl. Arbeitsgemeinschaft
CDA-DGB. Seit 1975 Mitgl. im Ortschaftsrat Untersulmetingen und Stadtrat in Laupheim. Ehrenamtl. Ortsvorsteher seit 1975. Mitgl. Kreistag Landkreis Biberach
seit 1979. – MdB 1990/94 und seit Febr. 1996.

Landesliste Baden-Württemberg
eingetreten am 1. 2. 1996 für Abg. Haungs

* RUPPRECHT SPD

Marlene Rupprecht; Lehrerin; 90587 Tuchenbach –
* 20. 12. 1947 Neuenbürg / Enzkreis, verh., 1 Tochter –
1967 Abitur. Studium für das Lehramt. Lehrerin an
Haupt-, Grund- und Sonderschulen. Gründerin und
Vors. des Frauenhauses Fürth; Mitgl. AWO und im
Bayerischen Lehrer- und Lehrerinnen-Verband
(BLLV). Schöffin am Jugendgericht. Stellv. Kreisvors.
Fürth-Land, stellv. Bezirksvors. der SPD Mittelfran-
ken; Unterbezirksvors. der ASF, stellv. ASF-Landes-
vors. Bayern. Gemeinderätin; Kreisrätin im Landkreis
Fürth. – MdB seit Sept. 1996.

Landesliste Bayern
eingetreten am 25. 9. 1996 für Abg. Dr. Glotz

* SEIB CSU

Marion Seib, geb. Mahler; Prokuristin; 97332 Volkach
– * 31. 3. 1954 Würzburg, röm.-kath., verh., 2 Kinder –
Realschulabschluß. 1976 Abschluß der Beamtenfach-
hochschule für Sozialverwaltung, München. 1976/84
Diplomverwaltungswirtin (FH) beim Sozialgericht
Würzburg. 1984/89 Familienphase. 1989/1993 kaufmännische Angestellte im Ingenieurbüro des Ehemannes. 1993/96 Prokuristin der Seib Ingenieur Consult GmbH. 1972 Eintritt in JU und CSU; 1995 Bezirksvors. der Frauen-Union. Seit 1978 Kreisrätin im
Landkreis Kitzingen; seit 1996 Mitgl. des Stadtrats in
Volkach. – MdB seit Nov. 1996.

Landesliste Bayern
eingetreten am 27. 11. 1996 für Abg. Klein (München)

* STREBL CSU

Matthäus Strebl; Bankkaufmann; 84130 Dingolfing –
* 1.3. 1952 Oberbubach, röm.-kath., verh., 3 Kinder –
Besuch von Volksschule und Berufsaufbauschule,
Fachschulreife. Kfz-Lehre, Bankgehilfenprüfung,
Bankkaufmann. CSA-Kreisvors. von Dingolfing-Lan-
dau; stellv. Vors. des CSU-Bezirks Niederbayern,
Mitgl. der KPV der CSU, Mitgl. im CSU-Kreisvorst.
Mitgl. im Stadtrat und Kreistag von Dingolfing. – MdB
seit Nov. 1995.

Landesliste Bayern
eingetreten am 20. 11. 1995 für Abg. Dr. Faltlhauser

* Dr. WESTERWELLE   F.D.P.

Guido Westerwelle; Rechtsanwalt; 53113 Bonn –
* 27. 12. 1961 Bad Honnef, ledig – 1980 Abitur. 1980/87
Studium der Rechtswissenschaften in Bonn, 1. jur.
Staatsexamen 1987 in Köln; anschl. Referendariat in
Bonn, 2. jur. Staatsexamen 1991 in Düsseldorf. Seit-
dem selbständiger Rechtsanwalt in Bonn. Mai 1994
Promotion Dr. jur. an der Fernuniv. Hagen. Mitgl. der
FDP seit 1980, Gründungsmitgl. der Jungen Liberalen,
1983/88 Bundesvors. der Jungen Liberalen. Seit 1993
Kreisvors. FDP Bonn, seit 1988 Mitgl. Bundesvorst. der
FDP, seit Dez. 1994 Generalsekretär der FDP. Mitgl.
Kuratorium der Theodor-Heuss-Stiftung. – MdB seit
Febr. 1996.

Landesliste Nordrhein-Westfalen
eingetreten am 8. 2. 1996 für Abg. Lanfermann

:::: Dr. WITTMANN   CDU

Fritz Wittmann; Rechtsanwalt; 80997 München –
* 21. 3. 1933 Plan bei Marienbad (Egerland), kath.,
verh., 3 Kinder – Rechtsanwalt. Seit 1994 Präsident des
Bundes der Vertriebenen in Deutschland, Vors. des
Landesverbandes Bayern des Bundes der Vertriebenen, stellv. Vors. der Sudetendeutschen Landsmannschaft, Vorstandsvors. der Sudetendeutschen Stiftung.
Mitgl. des Verwaltungsrats der Deutschen Ausgleichsbank. – MdB Sept. 1971 bis 1994 und seit Aug. 1996.

Landesliste Bayern
eingetreten am 22. 8. 1996 für Abg. Wittmann
(Tännesberg)

PRÄSIDIUM, ÄLTESTENRAT DIREKTOR

PRÄSIDENTIN
Dr. Süssmuth, Rita   CDU/CSU

STELLVERTRETER DER PRÄSIDENTIN
Klose, Hans-Ulrich   SPD
Geiger, Michaela   CDU/CSU
Dr. Vollmer, Antje   BÜNDNIS 90/
                                                            DIE GRÜNEN
Dr. Hirsch, Burkhard   F.D.P.

MITGLIEDER DES ÄLTESTENRATES
Präsidentin Dr. Süssmuth, Rita   CDU/CSU
Vizepräsident Klose, Hans-Ulrich   SPD
Vizepräsidentin Geiger, Michaela   CDU/CSU
Vizepräsidentin Dr. Vollmer, Antje   BÜNDNIS 90/
                                                            DIE GRÜNEN
Vizepräsident Dr. Hirsch, Burkhard   F.D.P.

Abgeordnete	*Abgeordnete*
CDU/CSU	SPD
Baumeister, Brigitte	Catenhusen, Wolf-Michael
Hörster, Joachim	Conradi, Peter
Dr.-Ing. Kansy, Dietmar	Fuchs (Verl), Katrin
Kriedner, Arnulf	Dr. Küster, Uwe
Limbach, Editha	Purps, Rudolf
Oswald, Eduard	Schmidt (Salzgitter), Wilhelm
Roth (Gießen), Adolf	Schulte (Hameln), Brigitte
Scheu, Gerhard	Dr. Struck, Peter
Schmidt (Mülheim), Andreas	Wiefelspütz, Dieter
Schwalbe, Clemens	BÜNDNIS 90/ DIE GRÜNEN
	Probst, Simone
	Schulz (Berlin), Werner
	F.D.P.
	Albowitz, Ina
	van Essen, Jörg
	PDS
	Dr. Enkelmann, Dagmar

Vertreter der Bundesregierung: Bundesminister Bohl, Friedrich
Stellvertreter: Staatsminister Pfeifer, Anton
Staatsminister Schmidbauer, Bernd

DIREKTOR BEIM DEUTSCHEN BUNDESTAG
Dr. Rudolf Kabel

SCHRIFTFÜHRER

SCHRIFTFÜHRER

Abgeordnete

Abgeordnete

CDU/CSU

Bierling, Hans-Dirk
Blank, Renate
Bosbach, Wolfgang
Brudlewsky, Monika
Deittert, Hubert
Eymer, Anke
Fuchtel, Hans-Joachim
Jacoby, Peter
Koslowski, Manfred
Dr. Mahlo, Dietrich
Marten, Günter
Pretzlaff, Marlies
Raidel, Hans
Reinhardt, Erika
Schemken, Heinz
Seiffert, Heinz-Georg
Willner, Gert
Zierer, Benno [1]

SPD

Adler, Brigitte
Deichmann, Christel
Dr. Hendricks, Barbara
Hofmann (Volkach), Frank
Holzhüter, Ingrid
Irber, Brunhilde
Kaspereit, Sabine
Dr. Niese, Rolf
Reuter, Bernd [2]
Robbe, Reinhold
Schmidt-Zadel, Regina
Seidenthal, Bodo
Sorge, Wieland
Tappe, Joachim
Westrich, Lydia

BÜNDNIS 90/ DIE GRÜNEN

Altmann (Pommelsbrunn), Elisabeth
Özdemir, Cem
...

F.D.P.

Braun (Augsburg), Hildebrecht
Peters, Lisa
Türk, Jürgen

PDS

Neuhäuser, Rosel
Dr. Rössel, Uwe-Jens

---

[1] Obmann
[2] stellvertretender Obmann

FRAKTIONEN UND GRUPPE

FRAKTION DER CDU/CSU

Fraktionsstärke   295

Fraktionsvorstand

Fraktionsvorsitzender:	Dr. Schäuble, Wolfgang
1. stellvertretender Vorsitzender:	Glos, Michael[1])
Stellvertretender Vorsitzender:	Dr. Friedrich, Gerhard
Stellvertretender Vorsitzender:	Dr. Geißler, Heiner
Stellvertretender Vorsitzender:	Dr.-Ing. Krüger, Paul
Stellvertretender Vorsitzender:	Repnik, Hans-Peter
Stellvertretende Vorsitzende:	Rönsch (Wiesbaden), Hannelore
Stellvertretender Vorsitzender:	Dr. Scholz, Rupert
Stellvertretender Vorsitzender:	Seiters, Rudolf
1. Parlamentarischer Geschäftsführer:	Hörster, Joachim
Parlamentarischer Geschäftsführer und Stellvertreter des 1. Parlamentarischen Geschäftsführers:	Oswald, Eduard
Parlamentarische Geschäftsführerin:	Baumeister, Brigitte
Parlamentarischer Geschäftsführer:	Schmidt (Mülheim), Andreas
Parlamentarischer Geschäftsführer:	Schwalbe, Clemens
Justitiar:	Dr. Göhner, Reinhard
Justitiar:	Scheu, Gerhard
	Präsidentin Dr. Süssmuth, Rita
	Vizepräsidentin Geiger, Michaela

Die weiteren Mitglieder des Vorstandes und die im Vorstand mitberatungsberechtigten Mitglieder sind im folgenden Mitgliederverzeichnis mit * gekennzeichnet.

Fraktionsmitglieder

Adam, Ulrich
Altmaier, Peter
Augustin, Anneliese
Augustinowitz, Jürgen
Austermann, Dietrich
Bargfrede, Heinz-Günter
Basten, Franz Peter
Dr. Bauer, Wolf
Belle, Meinrad
Dr. Bergmann-Pohl, Sabine
Bierling, Hans-Dirk
Dr. Blank, Joseph-Theodor *
Blank, Renate
Dr. Blens, Heribert
Bleser, Peter
Dr. Blüm, Norbert
Dr. Böhmer, Maria

Börnsen (Bönstrup),
   Wolfgang
Dr. Bötsch, Wolfgang
Bohl, Friedrich
Borchert, Jochen
Bosbach, Wolfgang
Brähmig, Klaus
Braun (Auerbach), Rudolf
Breuer, Paul *
Brudlewsky, Monika
Brunnhuber, Georg
Bühler (Bruchsal), Klaus
Büttner (Schönebeck), Hartmut
Buwitt, Dankward
Carstens (Emstek), Manfred
Carstensen (Nordstrand), Peter H.
Dehnel, Wolfgang

1) zugleich Vorsitzender der CSU-Landesgruppe

Deittert, Hubert
Dempwolf, Gertrud
Deß, Albert
Diemers, Renate
Dietzel, Wilhelm
Dörflinger, Werner
Doss, Hansjürgen *
Dr. Dregger, Alfred
Eichhorn, Maria *
Engelmann, Wolfgang
Eppelmann, Rainer *
Eßmann, Heinz Dieter
Eylmann, Horst
Eymer, Anke
Falk, Ilse
Feilcke, Jochen
Fink, Ulf
Fischer (Hamburg), Dirk *
Fischer (Unna), Leni
Francke (Hamburg), Klaus
Frankenhauser, Herbert
Fritz, Erich G.
Fuchtel, Hans-Joachim
Geis, Norbert *
Glücklich, Wilma
Götz, Peter
Dr. Götzer, Wolfgang
Gres, Joachim
Grill, Kurt-Dieter
Gröbl, Wolfgang
Gröhe, Hermann
Grotz, Claus-Peter
Grund, Manfred
Günther (Duisburg), Horst
Freiherr v. Hammerstein, Carl-Detlev
Haschke (Großhennersdorf),
    Gottfried
Hasselfeldt, Gerda
Hauser (Esslingen), Otto
Hauser (Rednitzhembach),
    Hansgeorg *
Hedrich, Klaus-Jürgen
Heiderich, Helmut
Heise, Manfred
Helling, Detlef
Dr. Hellwig, Renate *
Hinsken, Ernst *
Hintze, Peter
Hollerith, Josef
Dr. Hornhues, Karl-Heinz
Hornung, Siegfried *
Hüppe, Hubert
Jacoby, Peter
Jaffke, Susanne
Janovsky, Georg
Jawurek, Helmut
Dr. Jobst, Dionys
Dr.-Ing. Jork, Rainer
Dr. Jüttner, Egon
Jung (Limburg), Michael
Junghanns, Ulrich
Dr. Kahl, Harald

Kalb, Bartholomäus
Kampeter, Steffen
Dr.-Ing. Kansy, Dietmar *
Kanther, Manfred
Karwatzki, Irmgard
Kauder, Volker
Keller, Peter
Klaeden, Eckart von
Dr. Klaußner, Bernd
Klinkert, Ulrich
Köhler (Hainspitz), Hans-Ulrich
Königshofen, Norbert
Dr. Kohl, Helmut
Kolbe, Manfred
Kors, Eva-Maria
Koschyk, Hartmut *
Koslowski, Manfred
Kossendey, Thomas
Kraus, Rudolf
Krause (Dessau), Wolfgang
Krautscheid, Andreas
Kriedner, Arnulf
Kronberg, Heinz-Jürgen *
Krziskewitz, Reiner
Dr. Kues, Hermann
Kuhn, Werner
Lamers, Karl *
Dr. Lamers (Heidelberg), Karl A.
Dr. Lammert, Norbert
Lamp, Helmut
Laschet, Armin
Lattmann, Herbert
Dr. Laufs, Paul
Laumann, Karl-Josef
Lengsfeld, Vera
Lensing, Werner
Lenzer, Christian *
Letzgus, Peter
Limbach, Editha
Link (Diepholz), Walter
Lintner, Eduard
Dr. Lippold (Offenbach), Klaus. W. *
Dr. Lischewski, Manfred
Löwisch, Sigrun
Lohmann (Lüdenscheid), Wolfgang *
Louven, Julius *
Lummer, Heinrich
Dr. Luther, Michael *
Maaß (Wilhelmshaven), Erich
Dr. Mahlo, Dietrich
Marschewski, Erwin *
Marten, Günter
Dr. Mayer (Siegertsbrunn), Martin
Meckelburg, Wolfgang
Meinl, Rudolf
Dr. Meister, Michael
Dr. Merkel, Angela
Merz, Friedrich
Meyer (Winsen), Rudolf
Michelbach, Hans
Michels, Meinolf
Dr. Müller, Gerd

Müller (Kirchheim), Elmar *
Nelle, Engelbert
Neumann (Bremen), Bernd
Nitsch, Johannes
Nolte, Claudia
Dr. Olderog, Rolf *
Ost, Friedhelm
Otto (Erfurt), Norbert
Dr. Päselt, Gerhard
Dr. Paziorek, Peter
Pesch, Hans-Wilhelm
Petzold, Ulrich
Pfeifer, Anton
Pfeiffer, Angelika Sabine
Dr. Pfennig, Gero *
Dr. Pflüger, Friedbert
Philipp, Beatrix
Dr. Pinger, Winfried *
Pofalla, Ronald
Dr. Pohler, Hermann
Polenz, Ruprecht
Pretzlaff, Marlies
Dr. Probst, Albert
Dr. Protzner, Bernd
Pützhofen, Dieter
Rachel, Thomas
Raidel, Hans
Dr. Ramsauer, Peter
Rau, Rolf
Rauber, Helmut
Rauen, Peter Harald *
Regenspurger, Otto
Reichard (Dresden), Christa *
Reichardt (Mannheim),
    Klaus Dieter
Dr. Reinartz, Bertold Mathias
Reinhardt, Erika
Richter, Roland
Richwien, Roland
Dr. Rieder, Norbert
Dr. Riedl (München), Erich
Riegert, Klaus
Dr. Riesenhuber, Heinz
Röttgen, Norbert
Romer, Franz
Ronsöhr, Heinrich-Wilhelm
Dr. Rose, Klaus
Rossmanith, Kurt J.
Roth (Gießen), Adolf *
Dr. Ruck, Christian
Rühe, Volker
Dr. Rüttgers, Jürgen
Sauer (Stuttgart), Roland
Schätzle, Ortrun *
Schauerte, Hartmut
Schemken, Heinz
Scherhag, Karl-Heinz
Schindler, Norbert
Schlee, Dietmar
Schmalz, Ulrich
Schmidbauer, Bernd
Schmidt (Fürth), Christian

Dr.-Ing. Schmidt (Halsbrücke),
    Joachim
Schmiedeberg, Hans-Otto
Schmitz (Baesweiler), Hans-Peter
Schmude, Michael von
Schnieber-Jastram, Birgit
Dr. Schockenhoff, Andreas
Freiherr von Schorlemer, Reinhard
Dr. Schuchardt, Erika
Schütze (Berlin), Diethard
Schulhoff, Wolfgang
Dr. Schulte (Schwäbisch-Gmünd),
    Dieter
Schulz (Leipzig), Gerhard
Schulze (Sangerhausen), Frederick
Dr. Schwarz-Schilling, Christian
Sebastian, Wilhelm-Josef
Seehofer, Horst
Seib, Marion
Seibel, Wilfried
Seiffert, Heinz
Selle, Johannes
Siebert, Bernd
Sikora, Jürgen
Singhammer, Johannes
Sothmann, Bärbel *
Späte, Margarete
Spranger, Carl-Dieter
Steiger, Wolfgang
Steinbach, Erika
Dr. Freiherr von Stetten, Wolfgang
Dr. Stoltenberg, Gerhard *
Storm, Andreas
Straubinger, Max
Strebl, Matthäus
Stübgen, Michael
Susset, Egon *
Teiser, Michael
Dr. Tiemann, Susanne *
Dr. Töpfer, Klaus
Tröger, Gottfried
Dr. Uelhoff, Klaus-Dieter
Uldall, Gunnar *
Vogt (Düren), Wolfgang
Dr. Waffenschmidt, Horst
Dr. Waigel, Theodor
Graf von Waldburg-Zeil, Alois *
Dr. Warnke, Jürgen *
Wetzel, Kersten
Wilhelm (Mainz), Hans-Otto
Willner, Gert
Wilz, Bernd
Wimmer (Neuss), Willy
Wissmann, Matthias
Dr. Wittmann, Fritz
Wöhrl, Dagmar
Wonneberger, Michael
Wülfing, Elke
Würzbach, Peter Kurt
Yzer, Cornelia
Zeitlmann, Wolfgang
Zierer, Benno
Zöller, Wolfgang

Arbeitsgruppe 1:	**Recht**
	Vorsitzender: Geis, Norbert
Arbeitsgruppe 2:	**Inneres und Sport**
	Vorsitzender: Marschewski, Erwin
Arbeitsgruppe 3:	**Wirtschaft**
	Vorsitzender: Uldall, Gunnar
Arbeitsgruppe 4:	**Ernährung, Landwirtschaft und Forsten**
	Vorsitzender: Susset, Egon
Arbeitsgruppe 5:	**Verkehr**
	Vorsitzender: Fischer (Hamburg), Dirk
Arbeitsgruppe 6:	**Post und Telekom**
	Vorsitzender: Müller (Kirchheim), Elmar
Arbeitsgruppe 7:	**Raumordnung, Bauwesen und Städtebau**
	Vorsitzender: Dr.-Ing. Kansy, Dietmar
Arbeitsgruppe 8:	**Finanzen**
	Vorsitzende: Hasselfeldt, Gerda
Arbeitsgruppe 9:	**Haushalt**
	Vorsitzender: Roth (Gießen), Adolf
Arbeitsgruppe 10:	**Arbeit und Soziales**
	Vorsitzender: Louven, Julius
Arbeitsgruppe 11:	**Gesundheit**
	Vorsitzender: Lohmann (Lüdenscheid), Wolfgang
Arbeitsgruppe 12:	**Auswärtiges**
	Vorsitzender: Lamers, Karl
Arbeitsgruppe 13:	**Verteidigung**
	Vorsitzender: Breuer, Paul
Arbeitsgruppe 14:	**Europa**
	Vorsitzender: Dr. Pfennig, Gero
Arbeitsgruppe 15:	**Wirtschaftliche Zusammenarbeit**
	Vorsitzender: Dr. Pinger, Winfried
Arbeitsgruppe 16:	**Bildung, Wissenschaft, Forschung und Technologie**
	Vorsitzender: Lenzer, Christian
Arbeitsgruppe 17:	**Umwelt, Naturschutz und Reaktorsicherheit**
	Vorsitzender: Dr. Lippold (Offenbach), Klaus
Arbeitsgruppe 18:	**Familie, Senioren, Frauen und Jugend**
	Vorsitzender: Eichhorn, Maria
Arbeitsgruppe 19:	**Fremdenverkehr und Tourismus**
	Vorsitzender: Dr. Olderog, Rolf
	Arbeitsgemeinschaft Kommunalpolitik
	Vorsitzender: Dr. Blank, Joseph-Theodor
	Gruppe der Vertriebenen- und Flüchtlingsabgeordneten
	Vorsitzender: Koschyk, Hartmut
	Parlamentskreis Mittelstand
	Vorsitzender: Doss, Hansjürgen
	Gruppe der Frauen
	Vorsitzende: Sothmann, Bärbel
	Arbeitnehmergruppe
	Vorsitzender: Vogt (Düren), Wolfgang

FRAKTION DER SPD

Fraktionsstärke	251

Fraktionsvorstand

Fraktionsvorsitzender:	Scharping, Rudolf
Stellvertretende Vorsitzende:	Dreßler, Rudolf
	Fuchs (Köln), Anke
	Matthäus-Maier, Ingrid
	Schily, Otto
	Schreiner, Ottmar
	Thierse, Wolfgang
Vorsitzende der Querschnittsgruppe Gleichstellung von Frau und Mann:	Schmidt (Aachen), Ulla
Vorsitzender der Querschnittsgruppe Deutsche Einheit:	Schwanitz, Rolf
Vorsitzende der Querschnittsgruppe Europa:	Wieczorek-Zeul, Heidemarie
1. Parlamentarischer Geschäftsführer:	Dr. Struck, Peter
Parlamentarische Geschäftsführer:	Catenhusen, Wolf-Michael
	Fuchs (Verl), Katrin
	Dr. Küster, Uwe
	Schmidt (Salzgitter), Wilhelm
Vorstandsmitglied:	Vizepräsident
	Klose, Hans-Ulrich

Die weiteren Vorstandmitglieder sind in dem folgenden Mitgliederverzeichnis mit * gekennzeichnet.

Fraktionsmitglieder

Adler, Brigitte
Andres, Gerd *
Antretter, Robert
Bachmaier, Hermann
Bahr, Ernst
Barnett, Doris
Barthel, Klaus
Becker-Inglau, Ingrid
Behrendt, Wolfgang
Berger, Hans
Bertl, Hans-Werner
Beucher, Friedhelm Julius
Bindig, Rudolf
Blunck, Lieselott
Börnsen (Ritterhude), Arne
Brandt-Elsweier, Anni
Braune, Tilo
Dr. Brecht, Eberhard
Dr. Bürsch, Michael
Büttner (Ingolstadt), Hans
Bulmahn, Edelgard *
Burchardt, Ulla
Bury, Hans Martin
Caspers-Merk, Marion *
Conradi, Peter
Dr. Däubler-Gmelin, Herta
Deichmann, Christel

Diller, Karl
Dr. Dobberthien, Marliese
Dreßen, Peter
Duve, Freimut
Eich, Ludwig
Enders, Peter
Erler, Gernot *
Ernstberger, Petra
Faße, Annette
Ferner, Elke *
Fischer (Homburg), Lothar
Fograscher, Gabriele
Follak, Iris
Formanski, Norbert
Freitag, Dagmar
Fuhrmann, Arne
Ganseforth, Monika
Gilges, Konrad
Gleicke, Iris
Gloser, Günter
Göllner, Uwe
Graf (Friesoythe), Günter
Graf (Rosenheim), Angelika
Grasedieck, Dieter
Großmann, Achim *
Haack (Extertal), Karl Hermann *
Hacker, Hans-Joachim

Hagemann, Klaus
Hampel, Manfred
Hanewinckel, Christel *
Hartenbach, Alfred
Dr. Hartenstein, Liesel
Hasenfratz, Klaus
Dr. Hauchler, Ingomar
Heistermann, Dieter
Hemker, Reinhold
Hempelmann, Rolf
Dr. Hendricks, Barbara *
Heubaum, Monika
Hiksch, Uwe
Hiller (Lübeck), Reinhold
Hilsberg, Stephan *
Höfer, Gerd
Hoffmann (Chemnitz), Jelena
Hofmann (Volkach), Frank
Holzhüter, Ingrid
Horn, Erwin
Hovermann, Eike
Ibrügger, Lothar
Ilte, Wolfgang
Imhof, Barbara
Irber, Brunhilde
Iwersen, Gabriele
Jäger, Renate *
Janssen Jann-Peter
Janz, Ilse *
Dr. Jens, Uwe
Jung (Düsseldorf), Volker
Kaspereit, Sabine
Kastner, Susanne *
Kastning, Ernst
Kemper, Hans-Peter
Kirschner, Klaus
Klappert, Marianne
Klemmer, Siegrun
Dr. Knaape, Hans-Hinrich
Körper, Fritz Rudolf *
Kolbow, Walter *
Kressl, Nicolette
Kröning, Volker
Krüger, Thomas
Kubatschka, Horst
Kühn-Mengel, Helga
Kuhlwein, Eckart *
Kunick, Konrad
Kurzhals, Christine
Labsch, Werner
Lange, Brigitte
Larcher, Detlev von
Lehn, Waltraud
Leidinger, Robert
Lennartz, Klaus
Dr. Leonhard, Elke
Lörcher, Christa
Lohmann (Witten), Klaus
Lotz, Erika
Dr. Lucyga, Christine
Maaß (Herne), Dieter
Mante, Winfried

Marx, Dorle
Mascher, Ulrike *
Matschie, Christoph
Mattischeck, Heide
Meckel, Markus
Mehl, Ulrike
Meißner, Herbert
Mertens, Angelika
Dr. Meyer (Ulm), Jürgen *
Mogg, Ursula
Mosdorf, Siegmar
Müller (Düsseldorf), Michael *
Müller (Völklingen), Jutta
Müller (Zittau), Christian
Neumann (Bramsche), Volker
Neumann (Gotha), Gerhard
Dr. Niehuis, Edith *
Dr. Niese, Rolf
Odendahl, Doris
Oesinghaus, Günter
Onur, Leyla
Opel, Manfred
Ostertag, Adolf
Palis, Kurt
Papenroth, Albrecht
Dr. Penner, Willfried
Dr. Pfaff, Martin
Pfannenstein, Georg
Dr. Pick, Eckhart
Poß, Joachim *
Purps, Rudolf
Rappe (Hildesheim), Hermann
Rehbock-Zureich, Karin
Renesse, Margot von
Rennebach, Renate
Reschke, Otto
Reuter, Bernd *
Dr. Richter, Edelbert
Rixe, Günter
Robbe, Reinhold
Rübenkönig, Gerhard
Rupprecht, Marlene
Dr. Schäfer, Hansjörg
Schaich-Walch, Gudrun
Schanz, Dieter
Scheelen, Bernd
Dr. Scheer, Hermann
Scheffler, Siegfried *
Schild, Horst
Schloten, Dieter
Schluckebier, Günter
Schmidbauer (Nürnberg), Horst
Schmidt (Meschede), Dagmar
Schmidt-Zadel, Regina
Schmitt (Berg), Heinz
Dr. Schnell, Emil
Schöler, Walter
Schröter, Gisela
Dr. Schubert, Mathias
Schütz (Oldenburg), Dietmar
Schuhmann (Delitzsch), Richard
Schulte (Hameln), Brigitte

Schultz (Everswinkel), Reinhard
Schultz (Köln), Volkmar
Schumann, Ilse
Dr. Schuster, R. Werner
Dr. Schwall-Düren, Angelica
Schwanhold, Ernst *
Seidenthal, Bodo
Seuster, Lisa
Sielaff, Horst
Simm, Erika
Singer, Johannes
Dr. Skarpelis-Sperk, Sigrid
Dr. Sonntag-Wolgast, Cornelie *
Sorge, Wieland
Spanier, Wolfgang
Dr. Sperling, Dietrich
Spiller, Jörg-Otto
Steen, Antje-Marie
Stiegler, Ludwig *
Tappe, Joachim
Tauss, Jörg
Dr. Teichmann, Bodo
Terborg, Margitta
Teuchner, Jella
Dr. Thalheim, Gerald
Thönnes, Franz
Titze-Stecher, Uta
Tröscher, Adelheid
Urbaniak, Hans-Eberhard

Vergin, Siegfried
Verheugen, Günter
Vogt (Pforzheim), Ute
Voigt (Frankfurt), Karsten D.
Vosen, Josef
Wagner, Hans Georg
Wallow, Hans
Dr. Wegner, Konstanze *
Weiermann, Wolfgang
Weis (Stendal), Reinhard
Weisheit, Matthias
Weißgerber, Gunter
Weisskirchen (Wiesloch), Gert
Welt, Jochen
Wester, Hildegard
Westrich, Lydia
Wettig-Danielmeier, Inge
Dr. Wieczorek, Norbert *
Wieczorek (Duisburg), Helmut *
Wiefelspütz, Dieter *
Wittich, Berthold
Dr. Wodarg, Wolfgang
Wohlleben, Verena
Wolf (München), Hanna
Wright, Heide
Zapf, Uta
Dr. Zöpel, Christoph
Zumkley Peter

Arbeitsgruppen	Sprecherin/Sprecher
Wahlprüfung und Geschäftsordnung	Singer, Johannes
Petitionen	Reuter, Bernd
Außenpolitik	Voigt (Frankfurt), Karsten D.
Inneres	Körper, Fritz Rudolf
Sportpolitik	Lohmann (Witten), Klaus
Rechtspolitik	Däubler-Gmelin, Herta
Finanzen	Poß, Joachim
Haushalt	Diller, Karl
Wirtschaft	Schwanhold, Ernst
Ernährung, Landwirtschaft und Forsten	Sielaff, Horst
Arbeit und Sozialordnung	Andres, Gerd
Verteidigung	Kolbow, Walter
Familie und Senioren, Frauen und Jugend	Hanewinckel, Christel
Gesundheit	Kirschner, Klaus
Verkehr	Ferner, Elke
Umwelt, Naturschutz und Reaktorsicherheit	Müller (Düsseldorf), Michael
Post und Telekommunikation	Bury, Hans Martin
Raumordnung, Bauwesen und Städtebau	Großmann, Achim
Bildung, Wissenschaft, Forschung und Technik	Bulmahn, Edelgard
Wirtschaftliche Zusammenarbeit	Tröscher, Adelheid
Fremdenverkehr und Tourismus	Kastner, Susanne
Angelegenheiten der Europäischen Union	Wieczorek-Zeul, Heidemarie

FRAKTION BÜNDNIS 90/DIE GRÜNEN (48 Mitglieder)

Sprecherin:	Müller (Köln), Kerstin
Sprecher:	Fischer (Frankfurt), Joseph
Parlamentarischer Geschäftsführer:	Schulz (Berlin), Werner
Stellv. Parlamentarische	Probst, Simone
Geschäftsführerinnen:	Wolf (Frankfurt), Margareta
Erweiterter Vorstand:	Vizepräsidentin Dr. Vollmer, Antje
	Heyne, Kristin
	Eichstädt-Bohlig, Franziska
	Schlauch, Rezzo
	Berninger, Matthias
	Dr. Lippelt, Helmut

Fraktionsmitglieder

Altmann (Aurich), Gila
Altmann (Pommelsbrunn), Elisabeth
Beck (Bremen), Marieluise
Beck (Köln), Volker
Beer, Angelika
Buntenbach, Annelie
Dietert-Scheuer, Amke
Dr. Eid, Uschi
Fischer (Berlin), Andrea
Grießhaber, Rita
Häfner, Gerald
Hermenau, Antje
Höfken, Ulrike
Hustedt, Michaele
Dr. Kiper, Manuel
Knoche, Monika
Dr. Köster-Loßack, Angelika
Lemke, Steffi
Metzger, Oswald

Nachtwei, Winfried
Nickels, Christa
Nitsch (Rendsburg), Egbert
Özdemir, Cem
Poppe, Gerd
Dr. Rochlitz, Jürgen
Saibold, Halo
Scheel, Christine
Schewe-Gerigk, Irmingard
Schmidt (Hitzhofen), Albert
Schmitt (Langenfeld), Wolfgang
Schönberger, Ursula
Schoppe, Waltraud
Steindor, Marina
Sterzing, Christian
Such, Manfred
Volmer, Ludger
Wilhelm (Amberg), Helmut

Arbeitskreise

Arbeitskreis I:	**Wirtschaft, Finanzen, Forschung und Technologie, Bildung und Wissenschaft, Post, Tourismus**
	Koordinatorin: Heyne, Kristin
	Stellvertreterin: Scheel, Christine
Arbeitskreis II:	**Umwelt, Raumordnung und Verkehr**
	Koordinatorin: Eichstädt-Bohlig, Franziska
	Stellvertreterin: Höfken, Ulrike
Arbeitskreis III:	**Innen, Recht und Petition**
	Koordinator: Schlauch, Rezzo
	Stellvertreterin: Nickels, Christa
Arbeitskreis IV:	**Frauen, Arbeit und Soziales, Jugend und Gesundheit**
	Koordinatorin: Beck (Bremen), Marieluise
	Stellvertreterin: Fischer (Berlin), Andrea
Arbeitskreis V:	**Außenpolitik, Menschenrechte, Abrüstung**
	Koordinator: Dr. Lippelt, Helmut
	Stellvertreterin: Dr. Köster-Loßack, Angelika

FRAKTION DER F.D.P.

Fraktionsstärke   47

Fraktionsvorstand

Fraktionsvorsitzender:	Dr. Solms, Hermann Otto
Stellvertretende Vorsitzende:	Dr. Weng (Gerlingen), Wolfgang
	Irmer, Ulrich
	Lühr, Uwe
Parlamentarische Geschäftsführer:	van Essen, Jörg
	Albowitz, Ina
	Heinrich, Ulrich
Vorstandsmitglied:	Vizepräsident Dr. Hirsch, Burkhard

Fraktionsmitglieder

Dr. Babel, Gisela
Braun (Augsburg), Hildebrecht
Bredehorn, Günther
Dr. Feldmann, Olaf
Frick, Gisela
Friedhoff, Paul K.
Friedrich, Horst
Funke, Rainer
Genscher, Hans-Dietrich
Dr. Gerhardt, Wolfgang
Günther (Plauen), Joachim
Dr. Guttmacher, Karlheinz
Dr. Haussmann, Helmut
Hirche, Walter
Homburger, Birgit
Dr. Hoyer, Werner
Dr. Kinkel, Klaus
Kleinert (Hannover), Detlef
Kohn, Roland
Dr. Kolb, Heinrich L.

Koppelin, Jürgen
Dr.-Ing. Laermann, Karl-Hans
Dr. Graf Lambsdorff, Otto
Leutheusser-Schnarrenberger, Sabine
Möllemann, Jürgen W.
Nolting, Günther Friedrich
Dr. Ortleb, Rainer
Peters, Lisa
Dr. Rexrodt, Günter
Dr. Röhl, Klaus
Schäfer (Mainz), Helmut
Schmalz-Jacobsen, Cornelia
Dr. Schmidt-Jortzig, Edzard
Dr. Schwaetzer, Irmgard
Dr. Stadler, Max
Thiele, Carl-Ludwig
Dr. Thomae, Dieter
Türk, Jürgen
Dr. Westerwelle, Guido

Arbeitskreise

Arbeitskreis I:	**Außen-, Sicherheits-, Europa- und Entwicklungspolitik**	
	Vorsitzender:	Dr. Haussmann, Helmut
	Stellv. Vorsitzende:	Dr. Feldmann, Olaf
		Koppelin, Jürgen
		Nolting, Günther Friedrich
Arbeitskreis II:	**Wirtschafts-, Finanz- und Agrarpolitik**	
	Vorsitzender:	Friedhoff, Paul K.
	Stellv. Vorsitzende:	Bredehorn, Günther
		Türk, Jürgen
Arbeitskreis III:	**Arbeits-, Sozial-, Jugend-, Frauen-, Familien-, Senioren- und Gesundheitspolitik**	
	Vorsitzende:	Dr. Babel, Gisela
	Stellv. Vorsitzende:	Lühr, Uwe
		Dr. Thomae, Dieter
Arbeitskreis IV:	**Innen-, Rechts- und Sportpolitik**	
	Vorsitzender:	Kleinert (Hannover), Detlef
	Stellv. Vorsitzende:	Schmalz-Jacobsen, Cornelia
		Dr. Stadler, Max

Arbeitskreis V: **Umwelt-, Bildungs-, Wissenschafts-, Verkehrs-, Bau-,**
                      Forschungs- und Technologiepolitik
                      Vorsitzender: Dr. Gerhardt, Wolfgang
                      Stellv. Vorsitzende: Friedrich, Horst
                                               Homburger, Birgit
                                               Dr. Röhl, Klaus

GRUPPE DER PDS (30 MITGLIEDER)

Vorsitzender:	Dr. Gysi, Gregor
Stellvertretende Vorsitzende:	Dr. Luft, Christa
	Dr. Knake-Werner, Heidi
Parlamentarische Geschäftsführerin:	Dr. Enkelmann, Dagmar
Stellv. Parlamentarische Geschäftsführerinnen:	Dr. Fuchs, Ruth
	Dr. Höll, Barbara
	Neuhäuser, Rosel
Frauenpolitische Sprecherin:	Schenk, Christina

Gruppenmitglieder

Bierstedt, Wolfgang
Bläss, Petra
Böttcher, Maritta
Bulling-Schröter, Eva
Graf von Einsiedel, Heinrich
Dr. Elm, Ludwig
Gysi, Andrea
Hartmann, Hanns-Peter
Dr. Heuer, Uwe-Jens
Dr. Jacob, Willibald
Jelpke, Ulla
Jüttemann, Gerhard

Köhne, Rolf
Kutzmutz, Rolf
Lüth, Heidemarie
Dr. Maleuda, Günther
Müller (Berlin), Manfred
Dr. Rössel, Uwe-Jens
Tippach, Steffen
Warnick, Klaus-Jürgen
Dr. Wolf, Winfried
Zwerenz, Gerhard

Arbeitsbereiche

  I.   **Außen- und Friedenspolitik**
        Leiter: Tippach, Steffen
 II.   **Wirtschaft, Haushalt, Finanzen**
        und Umweltpolitik
        Leiterin: Dr. Luft, Christa
III.   **Arbeitsmarkt- und Sozialpolitik**
        Leiterin: Dr. Knake-Werner, Heidi
 IV.   **Rechts-, Innen-, Ausländerinnen-,**
        Bildungs- und Kulturpolitik
        Leiter: Dr. Elm, Ludwig

        Arbeitskreis Feministische Politik
        Leiterin: Schenk, Christina

FRAKTIONSLOS

Neumann (Berlin), Kurt

ÜBERSICHT ÜBER
DIE STÄNDIGEN AUSSCHÜSSE

1 Wahlprüfung, Immunität und GO	17 Mitgl.	Vors. Stv. Vors.	Wiefelspütz Dr. Reinartz	SPD CDU/CSU
2 Petitionsausschuß	32 Mitgl.	Vors. Stv. Vors.	Nickels Müller (Völklingen)	GRÜNE SPD
3 Auswärtiger Ausschuß	39 Mitgl.	Vors. Stv. Vors.	Dr. Hornhues Meckel	CDU/CSU SPD
4 Innenausschuß	39 Mitgl.	Vors. Stv. Vors.	Dr. Penner Büttner (Schönebeck)	SPD CDU/CSU
5 Sportausschuß	17 Mitgl.	Vors. Stv. Vors.	Nelle Dr. Feldmann	CDU/CSU F.D.P.
6 Rechtsausschuß	32 Mitgl.	Vors. Stv. Vors.	Eylmann Stiegler	CDU/CSU SPD
7 Finanzausschuß	39 Mitgl.	Vors. Stv. Vors.	Thiele Rauen	F.D.P. CDU/CSU
8 Haushaltsausschuß	41 Mitgl.	Vors. Stv. Vors.	Wieczorek (Duisburg) Kalb	SPD CDU/CSU
9 Wirtschaft	39 Mitgl.	Vors. Stv. Vors.	Ost Müller (Zittau)	CDU/CSU SPD
10 Ernährung, Landwirtschaft und Forsten	32 Mitgl.	Vors. Stv. Vors.	Carstensen (Nordstrand) Klappert	CDU/CSU SPD
11 Arbeit und Sozialordnung	39 Mitgl.	Vors. Stv. Vors.	Mascher Schemken	SPD CDU/CSU
12 Verteidigungsausschuß	39 Mitgl.	Vors. Stv. Vors.	Rossmanith Heistermann	CDU/CSU SPD
13 Familie, Senioren, Frauen und Jugend	39 Mitgl.	Vors. Stv. Vors.	Dr. Niehuis Eymer	SPD CDU/CSU
14 Gesundheit	32 Mitgl.	Vors. Stv. Vors.	Dr. Thomae Pfeiffer	F.D.P. CDU/CSU
15 Verkehr	39 Mitgl.	Vors. Stv. Vors.	Dr. Jobst Ibrügger	CDU/CSU SPD
16 Umwelt, Naturschutz und Reaktorsicherheit	39 Mitgl.	Vors. Stv. Vors.	Schmitz (Baesweiler) Dr. Rochlitz	CDU/CSU GRÜNE
17 Post und Telekommunikation	17 Mitgl.	Vors. Stv. Vors.	Börnsen (Ritterhude) Dr. Pohler	SPD CDU/CSU
18 Raumordnung, Bauwesen und Städtebau	32 Mitgl.	Vors. Stv. Vors.	Dörflinger Reschke	CDU/CSU SPD
19 Bildung, Wissenschaft, Forschung, Technologie und Technikfolgenabschätzung	39 Mitgl.	Vors. Stv. Vors.	Odendahl Dr. Guttmacher	SPD F.D.P.
20 Wirtschaftliche Zusammenarbeit und Entwicklung	32 Mitgl.	Vors. Stv. Vors.	Dr. Lischewski Dr. Eid	CDU/CSU GRÜNE
21 Fremdenverkehr und Tourismus	17 Mitgl.	Vors. Stv. Vors.	Saibold Dr. Müller	GRÜNE CDU/CSU
22 Angelegenheiten der Europäischen Union	40 Mitgl.	Vors. Stv. Vors.	Dr. Wieczorek Stübgen	SPD CDU/CSU

BUNDESPRÄSIDENT, BUNDESREGIERUNG

Bundespräsident
>Prof. Dr. Roman Herzog
>Staatssekretär: Wilhelm Staudacher

>Schloß Bellevue
>Am Spreeweg 1
>Bundespräsidialamt
>10557 Berlin
>Telefon (0 30) 39 08 40
>53113 Bonn, Kaiser-Friedrich-Straße 16
>Telefon (02 28) 20 00

Bundeskanzler
>Dr. Helmut Kohl
>53113 Bonn, Adenauerallee 139–141
>Telefon (02 28) 56–0

Bundesminister für besondere Aufgaben und
Chef des Bundeskanzleramtes
>Friedrich Bohl

>Parlamentarische Staatssekretäre
>Staatsminister Bernd Schmidbauer
>Staatsminister Anton Pfeifer

>Chef des Presse- und Informationsamtes
>der Bundesregierung
>Staatssekretär Peter Hausmann
>53113 Bonn, Welckerstraße 11
>Telefon (02 28) 2 08–0

Stellvertreter des Bundeskanzlers und
Bundesminister des Auswärtigen
>Dr. Klaus Kinkel
>53113 Bonn, Adenauerallee 99–103
>Telefon (02 28) 17–0
>Parlamentarische Staatssekretäre: Staatssekretäre:
>Staatsminister Helmut Schäfer   Peter Hartmann
>Staatsminister Dr. Werner Hoyer   Dr. Hans-Friedrich
>   von Ploetz

Bundesminister des Innern
Manfred Kanther
53117 Bonn, Graurheindorfer Straße 198
Telefon (02 28) 68 11
Parlamentarische Staatssekretäre: Staatssekretäre:
Manfred Carstens · Dr. Kurt Schelter
Eduard Lintner · Dr. Eckart Werthebach

Bundesminister der Justiz
Dr. Edzard Schmidt-Jortzig
53175 Bonn, Heinemannstraße 6
Telefon (02 28) 58 – 0
Parlamentarischer Staatssekretär: Staatssekretär:
Rainer Funke · Heinz Lanfermann

Bundesminister der Finanzen
Dr. Theodor Waigel
53117 Bonn, Graurheindorfer Straße 108
Telefon (02 28) 6 82 – 0
Parlamentarische Staatssekretäre: Staatssekretäre:
Hansgeorg Hauser · Dr. Jürgen Stark
Irmgard Karwatzki · Dr. Manfred Overhaus

Bundesminister für Wirtschaft
Dr. Günter Rexrodt
53123 Bonn, Villemombler Straße 76
Telefon (02 28) 6 15 – 0
Parlamentarische Staatssekretäre: Staatssekretäre:
Dr. Heinrich L. Kolb · Klaus Bünger
Rudi Geil
Dr. Lorenz Schomerus

Bundesminister für Ernährung, Landwirtschaft und Forsten
Jochen Borchert
53123 Bonn, Rochusstraße 1
Telefon (02 28) 5 29 – 0
Parlamentarischer Staatssekretär: Staatssekretär:
Wolfgang Gröbl · Dr. Franz-Josef Feiter

Bundesminister für Arbeit und Sozialordnung
Dr. Norbert Blüm
53123 Bonn, Rochusstraße 1
Telefon (02 28) 5 27 – 0
Parlamentarische Staatssekretäre: Staatssekretäre:
Horst Günther · Wilhelm Hecker
Rudolf Kraus · Dr. Werner Tegtmeier

Bundesminister der Verteidigung
Volker Rühe
53125 Bonn, Hardthöhe
Telefon (0228) 12–00
Parlamentarische Staatssekretäre:
Bernd Wilz
Dr. Klaus Rose

Staatssekretäre:
Gunnar Simon
Dr. Peter Wichert

Bundesministerin für Familie, Senioren, Frauen und Jugend
Claudia Nolte
53123 Bonn, Rochusstraße 8–10
Telefon (0228) 930–0
Parlamentarische Staatssekretärin:
Gertrud Dempwolf

Staatssekretär:
Dr. Willi Hausmann

Bundesminister für Gesundheit
Horst Seehofer
53121 Bonn, Am Probsthof 78a
Telefon (0228) 941–0
Parlamentarische Staatssekretärin:
Dr. Sabine Bergmann-Pohl

Staatssekretär:
Baldur Wagner

Bundesminister für Verkehr
Matthias Wissmann
53175 Bonn, Robert-Schuman-Platz 1
Telefon (0228) 300–0
Parlamentarische Staatssekretäre:
Dr. Norbert Lammert
Johannes Nitsch

Staatssekretär:
Hans Jochen Henke

Bundesministerin für Umwelt, Naturschutz und Reaktorsicherheit
Dr. Angela Merkel
53175 Bonn, Kennedyallee 5
Telefon (0228) 305–0
Parlamentarische Staatssekretäre:
Walter Hirche
Ulrich Klinkert

Staatssekretär:
Erhard Jauck

Bundesminister für Post und Telekommunikation
Dr. Wolfgang Bötsch
53175 Bonn, Heinrich-von-Stephan-Straße 1
Telefon (0228) 14–0
Parlamentarischer Staatssekretär:
Dr. Paul Laufs

Staatssekretär:
Gerhard O. Pfeffermann

Bundesminister für Raumordnung, Bauwesen und Städtebau
  Prof. Dr. Klaus Töpfer
  53179 Bonn, Deichmanns Aue 31–37
  Telefon (02 28) 3 37–0
  Parlamentarischer Staatssekretär: Staatssekretärin:
  Joachim Günther   Christa Thoben

Bundesminister für Bildung, Wissenschaft, Forschung
und Technologie
  Dr. Jürgen Rüttgers
  53175 Bonn, Heinemannstraße 2
  Telefon (02 28) 59–0 oder 57–0
  Parlamentarische Staatssekretäre: Staatssekretäre:
  Bernd Neumann   Dr. Fritz Schaumann
  Elke Wülfing   Helmut Stahl

Bundesminister für Wirtschaftliche Zusammenarbeit
und Entwicklung
  Carl-Dieter Spranger
  53113 Bonn, Friedrich-Ebert-Allee 114–116
  Telefon (02 28) 5 35–0
  Parlamentarischer Staatssekretär: Staatssekretär:
  Klaus-Jürgen Hedrich   Wighard Härdtl

VORBEMERKUNGEN ZU DEN STATISTIKEN
Stand: 10. November 1994
(Tag der konstituierenden Sitzung
des 13. Deutschen Bundestages)

Als Grundlage für die statistischen Übersichten dienten wie immer die von den Mitgliedern des Deutschen Bundestages für das „Amtliche Handbuch des Deutschen Bundestages" zur Verfügung gestellten Lebensläufe. Auf die Spalte „ohne Angaben" konnte auch diesmal in einigen Übersichten nicht verzichtet werden, da nicht alle Lebensläufe die für die Statistiken erforderlichen Angaben enthalten.

Der Bundestag setzte sich zu Beginn der 13. Wahlperiode folgendermaßen zusammen:

CDU/CSU	41 Frauen	253 Männer	zusammen	294 Abg.
SPD	85 Frauen	167 Männer	zusammen	252 Abg.
GRÜNE	29 Frauen	20 Männer	zusammen	49 Abg.
F.D.P.	8 Frauen	39 Männer	zusammen	47 Abg.
PDS	13 Frauen	17 Männer	zusammen	30 Abg.
insgesamt	176 Frauen	496 Männer	zusammen	672 Abg.

Gegenüber der gesetzlich festgelegten Zahl von 656 Abgeordneten – 328 in Wahlkreisen und 328 über Landeslisten gewählte – hat sich die Mitgliederzahl in der 13. Wahlperiode durch 16 Überhangmandate auf insgesamt 672 Abgeordnete erhöht, das sind 10 MdB mehr als in der 12. Wahlperiode.

Als Tabelle A. ist die Übersicht der politischen Strömungen der Jahre 1949 bis 1987 im Gebiet der Bundesrepublik Deutschland ohne Berlin – die Berliner Bundestagsabgeordneten durften in diesen Jahren auf Grund alliierter Vereinbarungen nicht unmittelbar gewählt werden – aufgeführt.

Mit der Wahl 1990 wurde ein neuer Abschnitt in dieser Tabelle eingeführt: Bundesrepublik Deutschland nach der ersten gesamtdeutschen Wahl. In diese Übersicht sind nun auch die direkt gewählten Berliner Abgeordneten aufgenommen.

Die Angaben darüber, wieviele Abgeordnete zum wievielten Mal Mitglieder des Deutschen Bundestages sind, sind in Statistik B. abgedruckt. Dabei ist zu beachten, daß den Abgeordneten, die für die Zeit von Oktober 1990 bis zum Ende der 11. Wahlperiode im Dezember 1990 von der Volkskammer in den Bundestag delegiert worden sind, eine Bundestagsmitgliedschaft angerechnet wurde, denn die Mitgliedschaft in einer Wahlperiode bedeutet nicht grundsätzlich, daß der Abgeordnete die ganze Wahlperiode über Mitglied des Bundestages war.

Aus der Altersgliederung Tabelle C. geht hervor, daß die Jahrgänge 1941 bis 1945 am stärksten vertreten sind. Das Durchschnittsalter der weiblichen Abgeordneten liegt übrigens erneut unter dem ihrer männlichen Kollegen.

Die zehn ältesten Mitglieder sind:

Heym, Stefan	PDS	10. 4. 1913
Dr. Dregger, Alfred	CDU	10. 12. 1920
Graf von Einsiedel, Heinrich	PDS	26. 7. 1921
Zwerenz, Gerhard	PDS	3. 6. 1925
Dr. Graf Lambsdorff, Otto	F.D.P.	20. 12. 1926
Genscher, Hans-Dietrich	F.D.P.	21. 3. 1927
Bernrath, Hans Gottfried	SPD	5. 7. 1927
Dr. Heuer, Uwe-Jens	PDS	11. 7. 1927
Dr. Jobst, Dionys	CSU	5. 9. 1927
Dr. Hartenstein, Liesel	SPD	20. 9. 1928

Die zehn jüngsten Mitglieder sind:

Berninger, Matthias	GRÜNE	31. 1. 1971
Lemke, Steffi	GRÜNE	19. 1. 1968
Probst, Simone	GRÜNE	3. 12. 1967
Tippach, Steffen	PDS	18. 11. 1967
Bury, Hans Martin	SPD	5. 4. 1966
Nolte, Claudia	CDU	7. 2. 1966
Özdemir, Cem	GRÜNE	21. 12. 1965
von Klaeden, Eckart	CDU	18. 11. 1965
Röttgen, Norbert	CDU	2. 7. 1965
Homburger, Birgit	F.D.P.	11. 4. 1965

Ergänzend zu Tabelle F. „Schulbildung/Hochschulbildung" sind nachstehend die Akademiker mit abgeschlossener Hochschulbildung aufgeführt; allerdings wurde dabei nicht zwischen Universitätsabschluß und FH- bzw. PH-Abschluß unterschieden. Sie verteilen sich auf folgende Wissenschaftszweige:

Rechts- und Staatswissenschaften	126 Abg.
Pädagogik	79 Abg.
Ingenieurwesen	63 Abg.
Philologie, Philosophie	37 Abg.
Naturwissenschaften	26 Abg.
Wirtschafts- und Sozialwissenschaften, Betriebswirtschaft	26 Abg.
Volkswirtschaft	23 Abg.
Theologie	14 Abg.
Politikwissenschaften	13 Abg.
Landwirtschaft, Forstwirtschaft	9 Abg.
Verwaltungswissenschaften	9 Abg.
Medizin	8 Abg.
Ökonomie	7 Abg.
Sozialwissenschaften	6 Abg.
Architektur	5 Abg.

Pharmazie	5 Abg.
Sozialarbeit grad., Sozialfürsorge	5 Abg.
Bibliothekswissenschaften	2 Abg.
Psychologie	2 Abg.
Soziologie	2 Abg.
Zeitungswissenschaften	2 Abg.
Geschichte	1 Abg.
Gesellschaftswissenschaften	1 Abg.
Haushaltswissenschaften	1 Abg.
Kulturwissenschaften	1 Abg.
Literaturwissenschaft	1 Abg.
Veterinärmedizin	1 Abg.

In diesen Zahlen sind einige Abgeordnete mehrfach enthalten, da sie mehrere Studiengänge abgeschlossen haben.

250 Abgeordnete haben eine abgeschlossene Lehre (193 Männer und 57 Frauen).

Die Tabelle E. „Religionszugehörigkeit" enthält wieder eine größere Zahl „ohne Angaben"; es wäre aber falsch, den Schluß zu ziehen, alle Abgeordneten „ohne Angaben" gehörten keiner Religionsgemeinschaft an. Es wurden lediglich die Angaben aufgenommen, die im Amtlichen Handbuch ausdrücklich angegeben sind.

Schließlich waren 102 Abgeordnete Mitglieder eines Landesparlaments.

A. Politische Strömungen der Jahre 1949–1987

Bundesrepublik Deutschland

seit 1949 Bundestag	KPD	SPD	Z	CDU/CSU
1. W.P. Abg. 402 1949	15	131	10	139
2. W.P. Abg. 487 1953 (ab 4. 1. 57 497)		151	2	244
3. W.P. Abg. 497 1957		169		270
4. W.P. Abg. 499 1961		190		242
5. W.P. Abg. 496 1965		200 +2 Gäste		245
6. W.P. Abg. 496 1969		224		242
7. W.P. Abg. 496 1972		230		225
8. W.P. Abg. 496 1976		214		243
9. W.P. Abg. 497 1980		228	DIE GRÜNEN	237
10. W.P. Abg. 498 1983		193	27	244
11. W.P. Abg. 497 1987		186	42	223

Politische Strömungen ab dem Jahr 1990

Bundesrepublik Deutschland

seit 1949 Bundestag	PDS/LL	SPD	B90/Gr	CDU/CSU
12. W.P. Abg. 662 1990	17	239	8	319
13. W.P. Abg. 672 1994	PDS 30	252	49	294

1) Die Berliner Bundestagsabgeordneten durften in diesen Jahren auf Grund alliierter Vereinbarungen nicht unmittelbar gewählt werden.

im Gebiet der Bundesrepublik Deutschland ohne Berlin[1])

F.D.P.	BP	WAV	DP	Nationale Rechte	a) SSW b) unab- häng.
52	17	12	17	5	a) 1 b) 3
48		BHE 27	15		
41			17		
67					
49					
30					
41					
39					
54					
34					
46					

im Gebiet der Bundesrepublik Deutschland

F.D.P					
79					
47					

B. MITGLIEDSCHAFT IN WAHLPERIODEN

	Männer						Frauen						BT
in Wahlperioden	CDU/CSU	SPD	GRÜNE	F.D.P.	PDS	gesamt	CDU/CSU	SPD	GRÜNE	F.D.P.	PDS	gesamt	gesamt
einer WP	57	46	13	8	15	139	9	29	21	1	6	66	205
zwei WP	73	39	5	11	—	128	16	34	2	6	5	63	191
drei WP	35	31	2	6	2	76	9	12	6	—	2	29	105
vier WP	22	12	—	3	—	37	3	2	—	—	—	5	42
fünf WP	28	22	—	3	—	53	2	4	—	1	—	7	60
sechs WP	17	7	—	3	—	27	2	3	—	—	—	5	32
sieben WP	10	7	—	3	—	20	—	1	—	—	—	1	21
acht WP	11	3	—	1	—	15	—	—	—	—	—	—	15
neun WP	—	—	—	1	—	1	—	—	—	—	—	—	1
	253	167	20	39	17	496	41	85	29	8	13	176	672

C. ALTERSGLIEDERUNG

	Männer						Frauen						BT
	CDU/CSU	SPD	GRÜNE	F.D.P.	PDS	gesamt	CDU/CSU	SPD	GRÜNE	F.D.P.	PDS	gesamt	gesamt
1911–1915	—	—	—	—	1	1	—	—	—	—	—	—	1
1916–1920	1	—	—	—	—	1	—	—	—	—	—	—	1
1921–1925	—	—	—	—	2	2	—	—	—	—	—	—	2
1926–1930	7	4	1	4	—	16	1	1	—	—	—	2	18
1931–1935	24	13	1	4	1	43	5	2	—	1	—	8	51
1936–1940	58	40	2	7	3	110	8	18	—	1	1	28	138
1941–1945	66	55	8	12	—	141	10	22	5	2	1	40	181
1946–1950	33	35	3	9	1	81	11	21	5	1	3	41	122
1951–1955	33	15	3	2	4	57	4	12	8	1	3	28	85
1956–1960	18	1	1	1	4	25	1	7	6	—	4	18	43
1961–1965	13	3	—	—	—	16	1	2	3	1	1	8	24
1966–1970	—	—	1	—	1	2	—	—	2	1	—	3	5
1971–1975	—	1	—	—	—	1	—	—	—	—	—	—	1
	253	167	20	39	17	496	41	85	29	8	13	176	672

D. FAMILIENSTAND

	Männer						Frauen						BT gesamt
	CDU/CSU	SPD	GRÜNE	F.D.P.	PDS	gesamt	CDU/CSU	SPD	GRÜNE	F.D.P.	PDS	gesamt	
ohne Angaben	9	13	3	1	1	27	2	7	4	1	3	17	44
ledig	10	2	2	3	2	19	4	4	4		2	14	33
unverheiratet		1	1	1		3		1				1	4
unverheiratet/ohne Angaben													
1 Kind		2	1			3	1	4	3	1		9	12
2 Kinder	2	2	1			5	1			1		2	7
3 Kinder							1		3			4	4
4 Kinder					1	1							1
verheiratet	15	18	3	7		43	2	12	3	2	1	20	63
verheiratet, 1 Kind	33	32	2	4	2	73	7	13	2	1	1	24	97
verheiratet, 2 Kinder	90	47	3	14	6	160	11	22	6	1	3	43	203
verheiratet, 3 Kinder	50	36	1	6	3	96	5	8	2	1	2	18	114
verheiratet, 4 Kinder	28	9		2	1	40	3	3				6	46
verheiratet, 5 Kinder	5	1				6		1				1	7
verheiratet, 6 Kinder	5					5							5
verwitwet, 1 Kind								2				2	2
verwitwet, 2 Kinder	1					1	2	2	1			5	6
verwitwet, 5 Kinder	1					1							1
geschieden	1		1			2	1		1			2	4
geschieden, 1 Kind	2	3	1	1		7		3				3	10
geschieden, 2 Kinder	1	1			1	3	1	3				4	7
schwule Lebensgemeinschaft			1			1							1
lesbische Lebensgemeinschaft											1	1	1
	253	167	20	39	17	496	41	85	29	8	13	176	672

E. RELIGION

	Männer						Frauen						BT gesamt
	CDU/CSU	SPD	GRÜNE	F.D.P.	PDS		CDU/CSU	SPD	GRÜNE	F.D.P.	PDS		
katholisch	149	22	2	6	1	180	20	9	1	2	–	32	212
evangelisch	96	55	3	15	1	170	20	27	5	2	–	54	224
konfessionslos	–	1	–	–	5	6	–	–	1	–	1	2	8
ohne Angaben	7	88	15	18	10	138	1	49	22	4	11	87	225
freireligiös	1	1	–	–	–	2	–	–	–	–	–	–	2
Atheist/in	–	–	–	–	–	–	–	–	–	–	1	1	1
	253	167	20	39	17	496	41	85	29	8	13	176	672

F. SCHULBILDUNG UND HOCHSCHULBILDUNG

	Männer						Frauen						BT gesamt
	CDU/CSU	SPD	GRÜNE	F.D.P.	PDS		CDU/CSU	SPD	GRÜNE	F.D.P.	PDS		
Hauptschule	22	25	—	2	—	49	3	5	—	—	—	8	57
Realschule, mittlere Reife	40	25	1	3	3	72	5	20	3	1	—	29	101
Höhere Schule	181	106	18	33	11	349	31	58	23	6	11	129	478
Berufsfachschule	1	3	—	—	—	4	—	—	—	—	—	—	4
ohne Angaben	9	8	1	1	3	22	2	2	3	1	2	10	32
	253	167	20	39	17	496	41	85	29	8	13	176	672
Fortbildung													
Höhere Fachschule	3	3	—	1	—	7	2	4	—	—	1	7	14
PH, Pädagog. Institut, Pädagog. Akademie	5	10	1	3	—	19	3	12	3	—	1	19	38
Universität mit Abschluß	171	101	15	30	8	325	23	41	19	5	10	98	423
Universität ohne Abschluß	17	13	2	—	—	32	1	8	1	—	—	10	42
	196	127	18	34	8	383	29	65	23	5	12	134	517

DIE WEHRBEAUFTRAGTE
DES DEUTSCHEN BUNDESTAGES

MARIENFELD, Claire

Claire Marienfeld; 32758 Detmold – * 21.4.1940 Bingen am Rhein, kath., verw., 2 Söhne – Volksschule, Gymnasium. Ausbildung zur pharmazeutisch-technischen Assistentin; Ausübung des Berufes über 3 Jahre, 1963 mit der Geburt des ersten Kindes Aufgabe der Berufstätigkeit. 1972 Eintritt in CSU mit damaligem Wohnsitz in Bayern, 1973 Vors. der CSU-Frauen-Union Gröbenzell, 1974 stellv. Kreisvors. der CSU Fürstenfeldbruck. 1976 Eintritt in CDU; 1977 Vors. der Frauen-Union Detmold; seit 1990 Mitgl. des CDU-Landesvorst. NRW. Seit 1979 Mitgl. Rat der Stadt Detmold, 1984 Vors. des Schulausschusses, 1989 stellv. Bürgermeisterin in Detmold. – MdB 1990 bis 28. April 1995, Schriftführerin; Mitgl. der Parlamentarierversammlung der KSZE. – Seit 28. April 1995 Wehrbeauftragte des Deutschen Bundestages.

DEUTSCHE MITGLIEDER
DES EUROPÄISCHEN PARLAMENTS

Alber, Siegbert (EVP-CD)
Regierungsrat i. e. R.
* 1936, Hechingen
70567 Stuttgart

Dr. Bardong, Otto (EVP-CD)
Professor
* 1935, Worms
67550 Worms

Berend, Rolf (EVP-CD)
Lehrer
* 1943, Gernrode
37339 Gernrode

von Blottnitz, Undine (GRÜNE)
Europaabgeordnete
* 1936, Berlin
29439 Lüchow

Böge, Reimer (EVP-CD)
Diplomagraringenieur
* 1951, Hasenmoor
24114 Kiel

Botz, Gerhard (SPE)
Agrarwissenschaftler
* 1955, Rudolstadt,
07407 Rudolstadt

Breyer, Hiltrud (GRÜNE)
Dipl.-Politologin,
Gemeinderätin
* 1957, Saarbrücken
66399 Mandelbachtal

Brok, Elmar (EVP-CD)
Journalist
* 1946, Verl
33602 Bielefeld

Cohn-Bendit, Daniel Marc (GRÜNE)
Publizist
* 1945, Montauban / Frankreich
60486 Frankfurt am Main

Elchlepp, Dietrich (SPE)
Beamter
* 1938, Freiburg i. Br.
79098 Freiburg

Ferber, Markus (EVP-CD)
Dipl.-Ingenieur
* 1965, Augsburg
86152 Augsburg

Florenz, Karl-Heinz (EVP-CD)
Landwirt
* 1947, Neukirchen-Vluyn
47506 Neukirchen-Vluyn

Dr. Friedrich, Ingo (EVP-CD)
Dipl.-Volkswirt
* 1942, Kutno
91710 Gunzenhausen

Funk, Honor (EVP-CD)
Landwirt,
Diplomingenieur (FH)
* 1930, Börrat
88484 Gutenzell-Hürbel

Gebhardt, Evelyne (SPE)
Freiberufl. Übersetzerin
* 1954, Paris / Frankreich
74653 Künzelsau

Glante, Norbert (SPE)
Automatisierungsingenieur
* 1952, Caputh b. Potsdam
14469 Potsdam

Glase, Anne-Karin (EVP-CD)
Sozialarbeiterin
* 1954, Neuruppin
16818 Wustrau

Dr. Goepel, Lutz (EVP-CD)
Dipl.-Landwirt
* 1942, Gotha
04720 Döbeln

Görlach, Willi (SPE)
Studienrat
* 1940, Butzbach
60311 Frankfurt am Main

Dr. Gomolka, Alfred (EVP-CD)
Dipl.-Geograph
* 1942, Breslau
17489 Greifswald

Graefe zu Baringdorf,
Friedrich-Wilhelm   (GRÜNE)
Bauer
* 1942, Spenge
32139 Spenge

Gröner, Lissy   (SPE)
Telekom-Mitarbeiterin
* 1954, Langenfeld
91413 Neustadt/Aisch

Günther, Maren   (EVP-CD)
Rektorin a. D.
* 1931, Dreilützow
85540 Haar

Dr. von Habsburg, Otto   (EVP-CD)
Schriftsteller
* 1912, Reichenau
82343 Pöcking

Dr. Hänsch, Klaus   (SPE)
Präs. des EP a. D.
* 1938, Sprottau
40213 Düsseldorf

Haug, Jutta   (SPE)
Wirtschafts- und Finanzberaterin
* 1951, Castrop-Rauxel
45657 Recklinghausen

Heinisch, Renate   (EVP-CD)
Apothekerin
* 1937, Boxberg
97944 Boxberg

Hoff, Magdalene   (SPE)
Bauingenieurin, Vizepräs. des EP
* 1940, Hagen
58091 Hagen

Dr. Hoppenstedt, Karsten   (EVP-CD)
Tierarzt
* 1937, Osnabrück
30938 Burgwedel

Dr. Jarzembowski, Georg   (EVP-CD)
Regierungsdirektor a. D.
* 1947, Braunschweig
20354 Hamburg

Jöns, Karin   (SPE)
Journalistin, Politikwissenschaftlerin
* 1953, Kiel
28215 Bremen

Junker, Karin   (SPE)
Journalistin
* 1940, Düsseldorf
40479 Düsseldorf

Keppelhoff-Wiechert,   (EVP-CD)
Hedwig
Meisterin der ländl.
Hauswirtschaft
* 1939, Südlohn
46325 Borken

Dr. Kindermann, Heinz   (SPE)
Amtstierarzt
* 1942, Welhotta
17335 Strasburg

Kittelmann, Peter   (EVP-CD)
Rechtsanwalt
* 1936, Stendal
10117 Berlin

Klaß, Christa Barbara   (EVP-CD)
Meisterin der ländl.
Hauswirtschaft
* 1951, Osann
54518 Osann-Monzel

Dr. Koch, Dieter-Lebrecht (EVP-CD)
Architekt
* 1953, Weißenfels
99423 Weimar

Dr. Konrad, Christoph   (EVP-CD)
Geschäftsführer
* 1957, Wattenscheid
44791 Bochum

Krehl, Constance   (SPE)
Informatikerin
* 1956, Stuttgart
04229 Leipzig

Kreissl-Dörfler, Wolfgang (GRÜNE)
Dipl.-Sozialpädagoge
* 1950, Augsburg
80337 München

Kuckelkorn, Wilfried   (SPE)
Installateur
* 1943, Zopten am Berge
50129 Bergheim

312

Kuhn, Annemarie (SPE)
Gewerkschaftssekretärin
* 1937, Ludwigshafen
55116 Mainz

Kuhne, Helmut (SPE)
Wiss. Mitarbeiter
* 1949, Soest
59494 Soest

Lange, Bernd (SPE)
Studienrat a. D.
* 1955, Oldenburg
30159 Hannover

Dr. Langen, (EVP-CD)
Werner Josef
Dipl.-Volkswirt
* 1949, Müden
56332 Oberfell

Langenhagen, Brigitte (EVP-CD)
* 1939, Hamburg
27472 Cuxhaven

Lehne, Klaus-Heiner (EVP-CD)
Rechtsanwalt
* 1957, Düsseldorf
40591 Düsseldorf

Lenz, Marlene (EVP-CD)
Europaabgeordnete
* 1932, Berlin
53177 Bonn

Dr. Liese, Hans-Peter (EVP-CD)
Arzt
* 1965, Olsberg
59872 Meschede

Linkohr, Rolf (SPE)
Physiker
* 1941, Stuttgart
70182 Stuttgart

Lüttge, Günter (SPE)
Schulleiter a. D.
* 1938, Hannover
26721 Emden

Malangré, Kurt (EVP-CD)
Rechtsanwalt
* 1934, Aachen
52064 Aachen

Mann, Erika (SPE)
Dipl.-Pädagogin
* 1950, Leipzig
30159 Hannover

Mann, Thomas (EVP-CD)
Kreativdirektor
* 1946, Naumburg / Saale
65824 Schwalbach

Mayer, Xaver (EVP-CD)
Dipl.-Ingenieur, Landwirt
* 1938, Ganacker
94431 Pilsting

Menrad, (EVP-CD)
Winfried Josef
Europaabgeordneter
* 1939, Schwäbisch-Gmünd
74523 Schwäbisch-Hall

Dr. Mombaur, (EVP-CD)
Peter-Michael
Rechtsanwalt
* 1938, Solingen
40545 Düsseldorf

Mosiek-Urbahn, (EVP-CD)
Marlies
Richterin
* 1946, Leipzig
65199 Wiesbaden

Müller, Edith (GRÜNE)
Juristin
* 1949, Kaldenkirchen
50668 Köln

Nassauer, Hartmut (EVP-CD)
Rechtsanwalt
* 1942, Marburg
34117 Kassel

Pack, Doris (EVP-CD)
Rektorin a. D.
* 1942, Schiffweiler
66129 Saarbrücken

Peter, Helwin (SPE)
Abgeordneter
* 1941, Oberthal
66649 Oberthal

313

Piecyk, Wilhelm (SPE)
Studienleiter
* 1948, München
24103 Kiel

Prof. Dr. Poettering, (EVP-CD)
Hans-Gert
Jurist
* 1945, Bersenbrück
49074 Osnabrück

Posselt, Bernd (EVP-CD)
Journalist
* 1956, Pforzheim
80333 München

Dr. Quisthoudt-Rowohl, (EVP-CD)
Godelieve
Chemikerin
* 1947, Brüssel / Belgien
31134 Hildesheim

Randzio-Plath, Christa (SPE)
Juristin, Autorin
* 1940, Ratibor
20457 Hamburg

Rapkay, Bernhard (SPE)
Angestellter
* 1951, Ludwigsburg
44135 Dortmund

Rehder, Klaus (SPE)
Lehrer
* 1943, Schwerin
86609 Donauwörth

Prof. Dr. Rinsche, Günter (EVP-CD)
Professor
* 1930, Hamm
59063 Hamm

Roth, Claudia (GRÜNE)
Dramaturgin
* 1955, Ulm
53113 Bonn

Roth-Behrendt, Dagmar (SPE)
Juristin
* 1953, Frankfurt am Main
13353 Berlin

Rothe, Mechthild (SPE)
Lehrerin
* 1947, Paderborn
33175 Bad Lippspringe

Rothley, Willi (SPE)
Rechtsanwalt
* 1943, Bottenbach
67806 Rockenhausen

Sakellarion, Jannis (SPE)
Diplom- und
Wirtschaftsingenieur
* 1939, Athen
80331 München

Samland, Detlev (SPE)
Dipl.-Ingenieur
* 1953, Essen
45134 Essen

Schäfer, Axel (SPE)
Kommunalbeamter
* 1952, Frankfurt am Main
44805 Bochum

Schiedermeier, Edgar (EVP-CD)
Postamtsrat a. D.
* 1936, München
93413 Cham

Schleicher, Ursula (EVP-CD)
Harfenistin, Vizepräs. des EP
* 1933, Aschaffenburg
63739 Aschaffenburg

Dr. Schmid, Gerhard (SPE)
Dipl.-Chemiker
* 1946, Straubing
93055 Regensburg

Schmidbauer, Barbara (SPE)
Hausfrau, Europaabgeordnete
* 1937, Berlin
60311 Frankfurt am Main

Dr. Schnellhardt, Horst (EVP-CD)
Tierarzt
* 1946, Rüdigershagen
38895 Langenstein

Schröder, Jürgen (EVP-CD)
Dipl.-Dolmetscher
* 1940, Magdeburg
01309 Dresden

Schroedter, Elisabeth (GRÜNE)
Umweltberaterin
* 1959, Dresden
14467 Potsdam

Schulz, Martin (SPE)
Buchhändler
* 1955, Eschweiler
52477 Alsdorf

Dr. Schwaiger, (EVP-CD)
Konrad Karl
Jurist
* 1935, Bruchsal
76646 Bruchsal

Soltwedel-Schäfer, Irene (GRÜNE)
Diplompädagogin
* 1955, Celle
53113 Bonn

Stockmann, Ulrich (SPE)
Dipl.-Ing., Theologe
* 1951, Oebisfelde
39104 Magdeburg

Dr. Tannert, Christof (SPE)
Biologe
* 1946, Wehrsdorf
13353 Berlin

Telkämper, Wilfried (GRÜNE)
Gymnasiallehrer, Historiker M. A.
* 1953, Lingen/Ems
79104 Freiburg

Theato, Diemut (EVP-CD)
Dipl.-Übersetzerin
* 1937, Kleinröhrsdorf
69151 Neckargemünd

Tillich, Stanislaw (EVP-CD)
Dipl.-Ingenieur
* 1959, Neudörfel
01917 Kamenz

Dr. Ullmann, Wolfgang (GRÜNE)
Theologe, Europaabgeordneter
* 1929, Bad Gottleuba
10115 Berlin

Walter, Ralf (SPE)
Diplomsozialarbeiter
* 1958, Andernach
56812 Cochem

Weiler, Barbara (SPE)
Kaufmännische Angestellte
* 1946, Düsseldorf
34117 Kassel

Wemheuer, Rosemarie (SPE)
Soziologin
* 1950, Frankfurt am Main
38100 Braunschweig

Dr. von Wogau, Karl (EVP-CD)
Rechtsanwalt
* 1941, Freiburg
79098 Freiburg

Wolf, Friedrich Otto (GRÜNE)
Dozent
* 1943, Kiel
10967 Berlin

Zimmermann, Wilmya (SPE)
Medizin.-techn. Assistentin
* 1944, Heerlen/Niederlande
91099 Poxdorf

EVP-CD = Fraktion der Europäischen Volkspartei (Christlich-Demokratische Fraktion)
SPE = Fraktion der Sozialdemokratischen Partei Europas
GRÜNE = Fraktion DIE GRÜNEN im Europäischen Parlament

ABKÜRZUNGSVERZEICHNIS

AA	=	Auswärtiges Amt
ABF	=	Arbeiter- und Bauernfakultät
Abg.	=	Abgeordnete, Abgeordneter
a. D.	=	außer Dienst
ADFC	=	Allgemeiner Deutscher Fahrrad-Club
AdW	=	Akademie der Wissenschaften
Ä	=	Ältestenrat
AfA	=	Arbeitsgemeinschaft für Arbeitnehmerfragen
AGM	=	Arbeitsgemeinschaft Mittelstand
ai	=	amnesty international
AK	=	Arbeitskreis
AOK	=	Allgemeine Ortskrankenkasse
AR	=	Aufsichtsrat, Mitglied des Aufsichtsrats
ASB	=	Arbeiter-Samariter-Bund
ASF	=	Arbeitsgemeinschaft Sozialdemokratischer Frauen
AStA	=	Allgemeiner Studentenausschuß
Aussch.	=	Ausschuß
AWO	=	Arbeiterwohlfahrt
BBSe	=	Betriebsberufsschule
Bez.	=	Bezirk
BK	=	Bundeskanzler, Bundeskanzleramt
BMin.	=	Bundesminister, Bundesministerin
BMinist.	=	Bundesministerium
BMPT	=	Bundesminister für Post und Telekommunikation
BP	=	Deutsche Bundespost
BPA	=	Bundespresseamt
BRat	=	Bundesrat
BReg.	=	Bundesregierung
BRK	=	Bayerisches Rotes Kreuz
BT	=	Deutscher Bundestag
BUND	=	Bund für Umwelt und Naturschutz Deutschland
BVV	=	Bezirksverordnetenversammlung
BW	=	Baden-Württemberg
CDA	=	Christlich Demokratische Arbeitnehmerschaft
CGB	=	Christlicher Gewerkschaftsbund
CSA	=	Christlich Soziale Arbeitnehmerschaft
DAG	=	Deutsche Angestelltengewerkschaft
DB	=	Deutsche Bundesbahn
DBD	=	Demokratische Bauernpartei Deutschlands
DDR	=	Deutsche Demokratische Republik

DED	=	Deutscher Entwicklungsdienst
DGB	=	Deutscher Gewerkschaftsbund
DJD	=	Deutsche Jungdemokraten
d. R.	=	der Reserve
DRK	=	Deutsches Rotes Kreuz
DSF	=	Deutsch-Sowjetische Freundschaft
DTSB	=	Deutscher Turn- und Sportbund
dtsch.	=	deutsch
EAK	=	Ev. Arbeitskreis der CDU/CSU
EG	=	Europäische Gemeinschaft
EKD	=	Evangelische Kirche Deutschlands
EOS	=	Erweiterte Oberschule
EP	=	Europäisches Parlament
EU	=	Europa Union
EUCD	=	Europäische Union Christlicher Demokraten
ev.	=	evangelisch
e. V.	=	eingetragener Verein
FDGB	=	Freier Deutscher Gewerkschaftsbund
FDJ	=	Freie Deutsche Jugend
FDK	=	Familienbund Deutscher Katholiken
FFW	=	Freiwillige Feuerwehr
FU	=	Freie Universität Berlin
GbR	=	Gesellschaft bürgerlichen Rechts
GdED	=	Gewerkschaft der Eisenbahner Deutschlands
Ges.	=	Gesellschaft
GEW	=	Gewerkschaft Erziehung und Wissenschaft
GLU	=	Grüne Liste Umweltschutz
Gymn.	=	Gymnasium
HBV	=	Gewerkschaft Handel, Banken und Versicherungen
HDE	=	Hauptverband des Deutschen Einzelhandels
hum.	=	humanistisch
i. e. R.	=	im einstweiligen Ruhestand
IG	=	Industrie-Gewerkschaft
IHK	=	Industrie- und Handelskammer
Inst.	=	Institut
IPA	=	Interparlamentarische Arbeitsgemeinschaft
IPU	=	Interparlamentarische Union
JU	=	Junge Union
KAB	=	Katholische Arbeitnehmer-Bewegung
kath.	=	katholisch

KDT	=	Kammer der Technik
KKV	=	Bundesverband der Katholiken in Wirtschaft und Verwaltung
KPV	=	Kommunalpolitische Vereinigung
LDP	=	Liberal-Demokratische Partei Deutschlands
LDPD	=	Liberal-Demokratische Partei Deutschlands
LPG	=	Landwirtschaftliche Produktionsgenossenschaft
LVA	=	Landesversicherungsanstalt
MdB	=	Mitglied des Deutschen Bundestages
MdL	=	Mitglied des Landtags
MdV	=	Mitglied der Volkskammer
MinDir.	=	Ministerialdirektor
MinDirig.	=	Ministerialdirigent
MinPräs.	=	Ministerpräsident
MinRat	=	Ministerialrat
MIT	=	Mittelstandsvereinigung der CDU / CSU
NDPD	=	National-Demokratische Partei Deutschlands
NDR	=	Norddeutscher Rundfunk
NRW	=	Nordrhein-Westfalen
NVA	=	Nationale Volksarmee
OB	=	Oberbürgermeister
ÖTV	=	Gewerkschaft Öffentliche Dienste, Transport und Verkehr
OFD	=	Oberfinanzdirektion
OLG	=	Oberlandesgericht
OMV	=	Ost- und Mitteldeutsche Vereinigung
OPD	=	Oberpostdirektion
ORR	=	Oberregierungsrat
parl.	=	parlamentarisch
PH	=	Pädagogische Hochschule
pol.	=	politisch
POS	=	Polytechnische Oberschule

Präs.	=	Präsident, Präsidium
RCDS	=	Ring Christlich Demokratischer Studenten
Reg.	=	Regierung
RegDir.	=	Regierungsdirektor
RegPräs.	=	Regierungspräsident
Reichsbund	=	Reichsbund der Kriegsopfer, Behinderten, Sozialrentner und Hinterbliebenen e. V.
RR	=	Regierungsrat
SDS	=	Sozialistischer Deutscher Studentenbund
SDP	=	Sozialdemokratische Partei in der DDR
SED	=	Sozialistische Einheitspartei Deutschlands
SGK	=	Sozialdemokratische Gemeinschaft für Kommunalpolitik
SJD	=	Sozialistische Jugend Deutschlands
soz.	=	sozialistisch
stellv./stv.	=	stellvertretender
TU	=	Technische Universität
Univ.	=	Universität
VDI	=	Verband Deutscher Ingenieure
VdK	=	Verband der Kriegs- und Wehrdienstopfer, Behinderten und Sozialrentner e. V.
VDS	=	Verband Deutscher Studentenschaften
Verb.	=	Verband
Vers.	=	Versammlung
versch.	=	verschiedene
VHS	=	Volkshochschule
Vors.	=	Vorsitzende, Vorsitzender
Vorst.	=	Vorstand
WEU	=	Westeuropäische Union
WP	=	Wahlperiode
WWF	=	Worldwide Fund for Nature
ZDF	=	Zweites Deutsches Fernsehen
ZDK	=	Zentralkomitee Deutscher Katholiken

Bildnachweisliste

Die Seitenzahl in Klammern bezeichnet das entsprechende Bild

(o = oben, m = Mitte, u = unten)

Foto-Artmann, Braunschweig (209 m); Das Atelier Bernhard Veit, Trier (81 o); Nikolai A. Behr, München (140 m); Photostudios Blesius, Hameln (232 o); Foto-Borchard, Heidelberg (144 m); Petra Böttcher, Herdecke (218 o); Braun, München (123 u); Carlo, Bremerhaven (130 u); Ludwig Drathen, Köln (233 o); Eisele, Schwabach (144 o); Foto-Erdmann, Duisburg (267 m); FF Fetzer, Bad Ragaz (118 m); Foto-Scheune, Osterholz-Scharmbeck (68 o); M. Fuhrmann, Siegen (139 u); Gebhardt, Jena (108 m); Joachim Giesel, Hannover (140 u); Udo Giesen, Königswinter (67 m); Achim Gramann, Braunschweig (228 o); Raimund Hackl, Landshut (103 u); Günter Klein, Bonn (193 u); Krause, Lüdenscheid (239 m); Lebeda, Lahr (113 m); Lichtenberg, Osnabrück (253 o); Ute Mahler, Berlin (64 u); Marmann, Iserlohn (94 u); Meister, Neuss (70 m, 106 m); Meyer, Salzgitter-Gebhardshagen (224 o); Oestreich und Heibel, Mannheim (207 u); Stefan Pape, Kassel (259 u); Pleyer, Landshut (151 m); Thomas Sandberg, Berlin (108 u); marion sänger, Völklingen (180 m); Schmidt (230 u); Kai-Uwe Schneider, Freiburg (75 u, 82 u); Fred Schöllhorn, Augsburg (188 m); Scholz Photo, Hamburg (276 m); Schulz, Leverkusen (241 o); Schwarz, Mayen (66 o); Josef A. Slominski, Ratingen (144 u); Somweber, Telfs/Tirol (55 u); Sonnenhof, Wilnsdorf (72 m); Strauch, Würselen (106 u); Thomas, Mannheim (263 o); Horst Urbschal, Berlin (231 o); Werner, Ehingen (238 m); studio wickrath, Neuss (202 o)

Für Ergänzungen

Amtliches Handbuch
des Deutschen Bundestages

13. Wahlperiode

Herausgegeben vom Deutschen Bundestag
Loseblattwerk, Vier-Ring-Ordner
Grundwerk mit über 1500 Seiten, DM 98,–
Ergänzungslieferungen erscheinen je nach Verände-
rungen etwa 4–6mal in der Wahlperiode
ISBN 3-87576-331-9

Aus dem Inhalt:

Gesetzliche Grundlagen, Geschäftsordnungen

*Ergebnis der Wahl vom 16. Oktober 1994 auf Bundes-
ebene, nach Wahlkreisen und Landeslisten*

Aufbau und Gliederung des Deutschen Bundestages
Präsidium, Ältestenrat, Schriftführer; Fraktionen;
Ständige Ausschüsse; Mitwirkung in anderen Gremien

Bundespräsident, Bundesregierung

Biographische Angaben der Abgeordneten mit Bildern

*Veröffentlichungspflichtige Angaben der Abge-
ordneten nach den Verhaltensregeln*

NDV Neue Darmstädter Verlagsanstalt
Postfach 1560 · 53585 Bad Honnef
Telefon (02224) 3232, Fax (02224) 78639

NDV online
Internet: http://www.ndv-verlag.de
T-Online: *NDV#